普通高等教育"十一五"国家级规划教材
辽宁省"十二五"普通高等教育本科省级规划教材

自动控制原理

第 3 版

主　编　孟　华
参　编　曲晓光　崔新忠　韩　敏
　　　　陈　波　马　蔷

机 械 工 业 出 版 社

本书较全面地阐述了经典控制理论的基本概念、分析方法及其应用。全书共分 8 章，主要介绍了自动控制的基本概念、控制系统数学模型的建立方法，全面阐述了线性定常连续系统的时域分析法、根轨迹分析法、频域分析法以及线性控制系统的校正，详细讨论了线性离散控制系统和非线性系统的分析方法。

本书的特点是：基本概念清晰、讲解深入浅出、图文并茂、精练严谨；应用 MATLAB 及控制系统工具箱进行计算机辅助教学，提供仿真程序及二维码演示视频，便于读者理解和掌握相关知识点；结合工程实际选择应用案例，编写了丰富的例题和习题，同时给出完整的解题步骤及习题参考答案；新增的每章小结简明精要，帮助读者归纳与总结。

本书可作为普通高校自动化、电气工程及其自动化、测控、机械设计制造及其自动化等专业本科生的教材，亦可供从事自动化技术工作的科技人员自学与参考。

本书配有以下教学资源：电子课件、演示视频和仿真代码，欢迎选用本书作教材的教师登录 www.cmpedu.com 注册后下载，或发邮件至 jinacmp@163.com 索取。

图书在版编目（CIP）数据

自动控制原理/孟华主编. —3 版. —北京：机械工业出版社，2023.7 (2025.6 重印)

普通高等教育"十一五"国家级规划教材. 辽宁省"十二五"普通高等教育本科省级规划教材

ISBN 978-7-111-73234-1

Ⅰ.①自… Ⅱ.①孟… Ⅲ.①自动控制理论-高等学校-教材 Ⅳ.①TP13

中国国家版本馆 CIP 数据核字（2023）第 093693 号

机械工业出版社（北京市百万庄大街 22 号　邮政编码 100037）
策划编辑：吉　玲　　　　　责任编辑：吉　玲　王　荣
责任校对：潘　蕊　张　薇　　封面设计：张　静
责任印制：张　博
北京建宏印刷有限公司印刷
2025 年 6 月第 3 版第 3 次印刷
184mm×260mm · 20 印张 · 493 千字
标准书号：ISBN 978-7-111-73234-1
定价：59.80 元

电话服务　　　　　　　　　　网络服务
客服电话：010-88361066　　　机　工　官　网：www.cmpbook.com
　　　　　010-88379833　　　机　工　官　博：weibo.com/cmp1952
　　　　　010-68326294　　　金　书　网：www.golden-book.com
封底无防伪标均为盗版　　　　机工教育服务网：www.cmpedu.com

前　　言

在工业生产和科学技术的发展过程中，自动控制起着极其重要的作用。自动控制作为一种技术手段，不仅提高了劳动生产率和产品质量，改善了人们的劳动条件和生活环境，而且在人类征服自然、探索新能源、开发太空等方面都做出了极其重大的贡献。

自动控制理论的发展初期是以反馈理论为基础的自动调节原理，随着科学和技术的进步，现已发展成为一门独立的学科。根据自动控制理论发展的不同阶段，自动控制理论一般可分为"经典控制理论"和"现代控制理论"两大部分。经典控制理论也称古典控制理论，主要研究单输入和单输出、线性、定常系统，以及具有典型非线性环节系统的分析和设计方法；现代控制理论主要研究多输入和多输出、线性或非线性、定常或时变系统的分析和设计方法。本书介绍的是"经典控制理论"部分。

自动控制原理是自动化学科的重要理论基础，主要研究自动控制系统中的基本概念、基本原理和基本方法，是一门理论性较强的课程。本书是根据目前本科院校自动化专业"自动控制原理"课程的教学大纲，且以作者30余年的教学讲义为基础，广泛参考国内外优秀教材，集全体参编者多年教学经验编写而成的，主要供自动化专业及其他电气信息类专业的本科生使用。

本书于2007年作为普通高等教育"十一五"国家级规划教材首次出版，2013年修订出版了《自动控制原理》第2版。为了适应自动控制技术和控制理论发展以及现代化教学的需要，我们在第2版的基础上再次进行了修订。本次修订保持了原书的总体结构，力求基本概念清晰，深入浅出，强调系统性和逻辑性，侧重于工程系统的设计和应用。对其中部分章节的内容，特别是例题和习题做了较多的补充和细化，且在每章后增加了本章小结，便于读者学习。

鉴于近年来MATLAB在理工科教学中的广泛应用，为自动控制系统的分析和设计带来了极大的方便，本书引入了MATLAB软件包应用技术，结合自动控制理论的基本概念和分析方法的讲解，对每章的内容应用MATLAB及控制系统工具箱进行计算机辅助分析和设计。该部分在本次修订时也做了较多的补充，且增加了视频素材，以利于读者很好地掌握控制理论与应用技术，提高综合分析问题和解决问题的能力。

本书丰富了上一版的例题和习题，继续提供部分习题参考答案，便于读者自学。

全书由8章及附录组成，主要内容分为4大部分：第一部分包括基本概念、线性系统数学模型的建立、时域分析法、根轨迹分析法、频域分析法、控制系统的校正等，这些均为线性定常连续系统所涉及的内容，阐述了自动控制系统的模型、分析和设计3个方面的基本问题，并应用MATLAB描述系统的数学模型，进行系统分析，在Simulink环境下进行系统设计和校正；第二部分阐述了以数字控制理论为基础的离散控制系统，包括离散控制系统的数学描述、稳定性分析、稳态误差计算和数字控制器的设计，介绍了MATLAB在离散控制系统中的应用方法；第三部分阐述非线性系统的基本理论和分析方法，主要包括相平面法和描述函数法，以及MATLAB在非线性控制系统分析中的应用方法。第四部分附录给出了部分习题参考答案。

  本书第1、2和4章由孟华编写，第3章由曲晓光编写，第5章由孟华、崔新忠编写，第6章由崔新忠编写，第7章由韩敏编写，第8章由陈波编写，每章最后一节应用MATLAB进行控制系统分析内容由马蔷编写，视频操作由崔新忠制作。全书由孟华统稿。前期参与教材编写的有王金城、邓长辉、杨斌，在此表示感谢。

  对于本版的错误和不妥之处，恳请广大读者批评指正。

编　者

目 录

前言
第1章 自动控制的基本概念 1
1.1 概述 1
1.2 自动控制的基本原理 2
1.2.1 自动控制系统举例 2
1.2.2 自动控制系统的构成 4
1.3 自动控制系统的基本控制方式 6
1.3.1 开环控制 6
1.3.2 闭环控制 6
1.3.3 复合控制 7
1.4 自动控制系统的分类 7
1.4.1 按输入信号特征分类 7
1.4.2 按系统数学模型分类 7
1.4.3 按时间变量特性分类 8
1.4.4 按系统参数特性分类 9
1.5 对控制系统性能的基本要求 9
1.5.1 稳定性 10
1.5.2 快速性 10
1.5.3 准确性 10
1.6 MATLAB在控制系统研究中的应用 11
本章小结 12
习题 13

第2章 控制系统的数学模型 14
2.1 概述 14
2.2 控制系统微分方程的建立 15
2.2.1 典型控制系统的数学模型 15
2.2.2 非线性微分方程的线性化 21
2.3 传递函数 23
2.3.1 传递函数的概念和性质 24
2.3.2 典型环节的传递函数 26
2.4 控制系统的结构图与信号流图 30
2.4.1 结构图的概念 30
2.4.2 控制系统结构图的建立 31
2.4.3 结构图的等效变换 33
2.4.4 信号流图 40
2.4.5 梅逊公式 43
2.5 控制系统的传递函数 45
2.6 控制系统数学模型的MATLAB描述 47
2.6.1 MATLAB中传递函数的描述方法 47
2.6.2 MATLAB中的模型连接函数 50
2.6.3 利用MATLAB的符号运算求取传递函数 51
2.6.4 应用Simulink求控制系统的传递函数 52
本章小结 54
习题 54

第3章 时域分析法 59
3.1 概述 59
3.2 瞬态响应 59
3.2.1 典型输入信号 60
3.2.2 一阶系统的瞬态响应 61
3.2.3 二阶系统的瞬态响应 63
3.2.4 时域性能指标 68
3.2.5 瞬态响应分析 69
3.2.6 线性定常系统的重要特性 73
3.2.7 高阶系统的近似分析 74
3.3 稳定性 76
3.3.1 稳定性的基本概念 76
3.3.2 劳斯判据 80
3.3.3 赫尔维茨判据 84
3.4 稳态误差分析 86
3.4.1 稳态误差的概念 86
3.4.2 稳态误差的计算 87
3.4.3 降低稳态误差的主要措施 93
3.5 应用MATLAB进行控制系统时域分析 95
3.5.1 系统的瞬态响应分析 95
3.5.2 系统的稳定性分析 98
3.5.3 系统的稳态误差分析 99
本章小结 102
习题 102

第4章 根轨迹分析法 105
4.1 概述 105

4.2 根轨迹的概念 ……………………… 105
4.3 根轨迹的绘制 ……………………… 108
　4.3.1 绘制根轨迹的基本规则 ……… 108
　4.3.2 根轨迹绘制举例 ……………… 117
4.4 广义根轨迹的绘制 ………………… 122
　4.4.1 参变量根轨迹的绘制 ………… 122
　4.4.2 正反馈系统根轨迹的绘制 …… 124
4.5 控制系统的根轨迹分析 …………… 126
　4.5.1 性能指标在 s 平面上的表示 …… 126
　4.5.2 开环零、极点对根轨迹的影响 …… 127
　4.5.3 闭环零、极点分布与系统
　　　　性能的关系 …………………… 130
4.6 利用 MATLAB 绘制根轨迹图 …… 133
本章小结 …………………………………… 137
习题 ………………………………………… 138

第 5 章　频域分析法 …………………… 140
5.1 概述 ………………………………… 140
5.2 频率特性 …………………………… 140
　5.2.1 频率特性的基本概念 ………… 140
　5.2.2 频率特性的求取 ……………… 141
5.3 频率特性的图示方法 ……………… 144
　5.3.1 极坐标图 ……………………… 144
　5.3.2 对数坐标图 …………………… 150
　5.3.3 对数幅相图 …………………… 158
5.4 频域稳定性判据 …………………… 159
　5.4.1 映射定理 ……………………… 159
　5.4.2 奈奎斯特稳定判据 …………… 160
5.5 控制系统的稳定裕量 ……………… 165
　5.5.1 稳定裕量的定义 ……………… 165
　5.5.2 稳定裕量的计算 ……………… 167
　5.5.3 稳定裕量与瞬态性能指标
　　　　之间的关系 …………………… 169
5.6 控制系统的闭环频率特性 ………… 171
　5.6.1 闭环频率特性曲线的绘制 …… 171
　5.6.2 闭环频域性能指标 …………… 175
　5.6.3 闭环频域性能指标与瞬态性能
　　　　指标之间的关系 ……………… 176
5.7 利用 MATLAB 进行控制系统频域
　　分析 ………………………………… 178
　5.7.1 频域分析法相关函数 ………… 178
　5.7.2 应用举例 ……………………… 179
本章小结 …………………………………… 182
习题 ………………………………………… 182

第 6 章　线性控制系统的校正 ………… 186
6.1 概述 ………………………………… 186
6.2 校正装置及其特性 ………………… 187
　6.2.1 无源校正装置 ………………… 188
　6.2.2 有源校正装置 ………………… 192
　6.2.3 PID 调节器 …………………… 193
6.3 串联校正 …………………………… 194
　6.3.1 串联超前校正 ………………… 195
　6.3.2 串联滞后校正 ………………… 197
　6.3.3 串联滞后-超前校正 ………… 200
6.4 反馈校正 …………………………… 202
　6.4.1 反馈校正的原理及特点 ……… 203
　6.4.2 反馈校正及其参数确定 ……… 204
6.5 复合校正 …………………………… 207
　6.5.1 复合校正的原理及特点 ……… 207
　6.5.2 复合校正及其参数确定 ……… 207
6.6 应用 MATLAB 进行系统校正 …… 209
　6.6.1 应用 MATLAB 程序进行
　　　　系统校正 ……………………… 210
　6.6.2 Simulink 环境下的系统
　　　　设计和校正 …………………… 211
　6.6.3 Simulink 环境下的物理
　　　　模型校正设计 ………………… 213
本章小结 …………………………………… 215
习题 ………………………………………… 215

第 7 章　离散控制系统 ………………… 217
7.1 概述 ………………………………… 217
7.2 采样过程与采样定理 ……………… 219
　7.2.1 采样过程及其数学描述 ……… 219
　7.2.2 采样定理 ……………………… 220
　7.2.3 信号的保持 …………………… 222
7.3 Z 变换理论 ………………………… 224
　7.3.1 Z 变换定义和性质 …………… 224
　7.3.2 Z 变换方法 …………………… 227
　7.3.3 Z 反变换方法 ………………… 230
7.4 离散控制系统的数学描述 ………… 233
　7.4.1 线性常系数差分方程 ………… 233
　7.4.2 脉冲传递函数 ………………… 235
7.5 离散控制系统的稳定性分析及
　　瞬态响应 …………………………… 244
　7.5.1 稳定性分析 …………………… 244
　7.5.2 瞬态响应 ……………………… 248
　7.5.3 离散控制系统的稳态误差 …… 249

7.6 离散系统的数字控制器设计 ………… 251
7.7 MATLAB 在离散控制系统中的应用 … 256
　7.7.1 离散系统数学模型的建立 ……… 257
　7.7.2 MATLAB 中的离散控制系统
　　　　分析函数 ………………………… 258
本章小结 ………………………………… 262
习题 ……………………………………… 262

第8章 非线性系统分析 …………… 265
8.1 概述 ………………………………… 265
8.2 非线性系统的特点 ………………… 266
　8.2.1 典型非线性特性 ………………… 266
　8.2.2 非线性系统的运动特点 ………… 267
8.3 相平面法 …………………………… 269
　8.3.1 相平面的基本概念 ……………… 269
　8.3.2 相平面图的绘制 ………………… 270
　8.3.3 奇点和极限环 …………………… 274

　8.3.4 相平面分析举例 ………………… 277
8.4 描述函数法 ………………………… 281
　8.4.1 描述函数的基本概念 …………… 281
　8.4.2 典型非线性特性的描述函数 …… 283
　8.4.3 用描述函数法分析非线性系统 … 287
8.5 MATLAB 在非线性控制系统
　　分析中的应用 …………………… 295
　8.5.1 应用 MATLAB/Simulink 绘制
　　　　非线性系统相轨迹图 …………… 295
　8.5.2 利用 MATLAB 分析非线性系统的
　　　　稳定性及自激振荡 ……………… 298
本章小结 ………………………………… 301
习题 ……………………………………… 301

附录 部分习题参考答案 …………… 304
参考文献 ……………………………… 311

第1章 自动控制的基本概念

自动控制作为一种技术手段已经广泛应用于工农业生产、国防科学以及日常生活中的各个领域。例如导弹能正确击中目标；宇宙飞船能准确登上月球，并在预定的时间和地点返回地球；机床能自动加工出满足精度要求的工件；机器人能按一定的规律进行操作；在工业生产过程中对压力、温度、流量以及原料成分比例的高精度控制等，都与自动控制的应用密切相关。

自动控制技术的广泛应用，不仅提高了劳动生产率和产品质量，改善了劳动条件和生活环境，而且在人类征服自然、探索新能源、开发太空等方面都起着极为重要的作用。本章主要介绍自动控制的基本原理、自动控制系统的基本控制方式及分类等内容。

1.1 概述

人类利用自动控制技术的历史，可以追溯到古代。如我国古代发明的指南车、水运仪象台等，充分体现了劳动人民的聪明才智。自动控制在工业上的成熟应用，最早应该是英国人瓦特（J. Watt），1788年他将发明的飞球调速器运用到蒸汽机转速自动调速系统中，当蒸汽的供给量发生变化时，飞球调速器能够自动调节进汽阀门开度的大小，从而控制蒸汽机的转速，开创了反馈控制原理在工业产业应用的先河。但是把自动控制技术在工程实践中的一些规律加以总结提高，进而以此指导并推进工程实际，逐步形成完整的自动控制理论体系是20世纪中叶的事情。

自动控制理论发展初期是以反馈理论为基础的自动调节原理，随着科学和技术的进步，现已发展成为一门独立的学科。根据自动控制理论发展的不同阶段，一般可将其分为"经典控制理论"和"现代控制理论"两大部分。

在20世纪30~40年代，奈奎斯特（H. Nyquist）、伯德（H. W. Bode）和伊文思（W. R. Evans）等人的研究成果，特别是美国数学家维纳（N. Wiener）1948年发表的《控制论》，逐步形成了完整的控制理论体系。这种建立在频率法和根轨迹法基础上的理论，通常被称为经典控制理论。经典控制理论以微分方程、传递函数为数学工具，研究的对象主要是单输入单输出线性定常系统。它的物理概念清晰，一般采用图解的方法对控制系统进行分析和校正，至今仍广泛应用于实际工程中。本书介绍的就是经典控制理论部分。

1954年，主要从事力学与火箭技术研究的我国著名科学家钱学森在美国出版了著名的《工程控制论》一书。《控制论》与《工程控制论》的问世吸引了大批数学家和工程技术专家从事控制科学的研究，进一步推动了该学科的发展。

20世纪50~60年代，由于航空航天事业和电子计算机的迅速发展，控制理论也有了重大突破和创新。在此期间，贝尔曼（R. Bellman）提出了寻求最优控制的动态规划理论，庞特里亚金（L. S. Pontryagin）证明了极大值原理，卡尔曼（R. E. Kalman）提出了状态空间法，建立了多变量最优控制和最优滤波理论，这些成果为现代控制理论的形成和发展奠定了坚实的基础。现代控制理论以状态空间法为基础，主要研究多输入多输出、时变参数、非线性控制系统的分析和设计问题。最优控制、系统辨识、自适应控制等理论都是这一领域的主要研究课题。

20世纪70年代以来，现代控制理论的研究继续向深度和广度发展，进入了一个崭新的阶段，出现了大系统理论和智能控制理论。所谓大系统理论是指规模庞大、结构复杂、目标多样、变量众多的动态系统工程理论，涉及交通运输、环境保护、经济系统、生物系统等。而智能控制是以人工智能的研究为主要方向，依据人的思维方式和处理问题的方法，去解决那些需要人的思维才能解决的复杂控制问题，探讨自然界更为深刻的运动机理。因此自动控制理论的研究也相应出现了许多分支，如模糊控制、鲁棒控制、神经网络和专家控制系统等。随着人类生产和生活需求的不断提升，控制理论也必将伴随人类的科技进步而不断发展。

近年来，由于计算机技术的广泛应用，为控制系统分析与设计提供了多种途径和手段。利用计算机软件MATLAB辅助"自动控制原理"教学目前已经几乎成为所有教材的选择。计算机辅助分析与设计软件MATLAB是由美国MathWorks公司开发的具有强大科学计算与可视化功能的应用软件，其开放式可扩展环境以及丰富的工具箱，为自动控制系统的分析和设计带来了极大的便利。本书从第2章起，每章均设有一节讲解其在控制系统分析中的应用。

1.2 自动控制的基本原理

1.2.1 自动控制系统举例

在工农业生产和人们的日常生活中有许多自动控制系统的例子。下面以两个工业生产过程的自动控制系统为例，介绍自动控制系统的工作原理和基本构成。

1. 温度控制系统

在机械加工行业，为了消除被加工工件的内部应力，提高其力学性能，一般需要对工件进行热处理。热处理的任务是使工件的温度按照理想的温度曲线变化，如图1-1a所示。为了完成这一加工任务而设计的一个自动控制系统如图1-1b所示。对该系统的要求是：随时调整燃料的供给量，使工件的温度按工艺曲线变化，同时又要保证工件温度尽量不受加工条件和外部干扰的影响，如环境温度的变化和燃料燃烧情况的波动等。

该系统的工作原理是：假定加热炉内的温度T恰好等于希望值，这时炉内温度T经热电偶测量并放大和整定，则$u_T = u_r$，即$\Delta u = 0$，故电动机连同调节阀门静止不动，进入加热炉的煤气流量保持不变。

如果希望的工件温度（即对应的u_r）发生变化或炉内温度T受到干扰影响，使温度T偏离了希望值，导致$\Delta u \neq 0$，则电动机驱动调节阀门开大或关小，使煤气供给量相应地增加或减少，从而使炉内温度T发生相应的变化（即向偏差减小的方向变化），直至重新等于希望值（即$u_T = u_r$）为止。

由此看出，控制系统通过测量炉内温度，得到与希望值的偏差，进而驱动电动机和调节

第 1 章 自动控制的基本概念

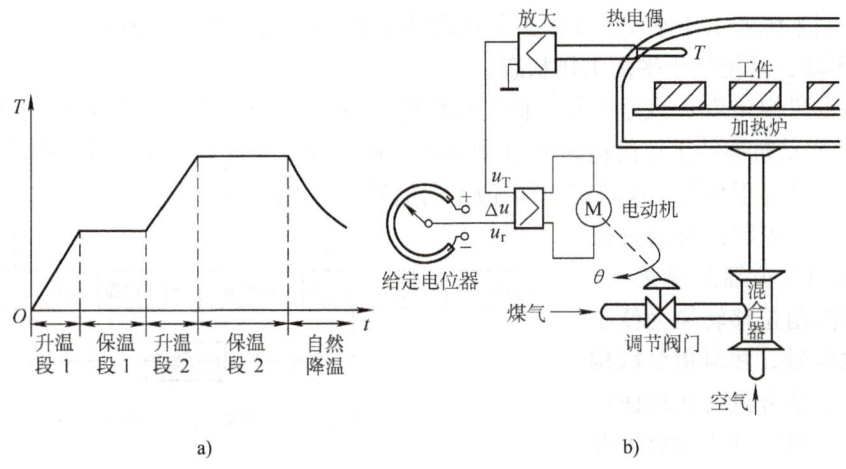

图 1-1 加热炉温度控制系统原理图

阀门改变炉内温度,所以这是一个按偏差调节的反馈控制系统。

控制系统的组成以及相互关系如图 1-2 所示。系统中存在着一个闭合的工作回路,信号从炉内温度 T,经热电偶和放大器后反馈到比较电路,再经放大器、电动机、调节阀门和加热炉等回到炉内温度 T。

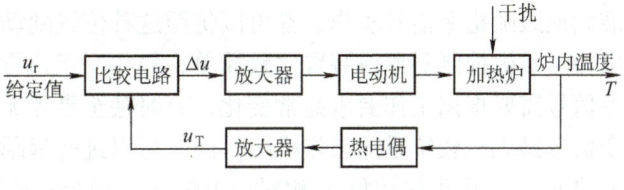

图 1-2 加热炉温度控制系统框图

由于系统是按偏差调节原则设计的,所以反馈连接和闭合回路是必然存在的,而且反馈信号应与给定值相减,以便得到偏差信号,故这种反馈又称为负反馈。负反馈是按偏差调节的自动控制系统在结构上和信号传递上的重要标志。

2. 位置随动系统

图 1-3 是某一位置随动系统的工作原理图。两个相同的电位器由同一直流电源供电,电位器 1 的滑臂由指令机构转动,相应的电位为 u_r,电位器 2 的滑臂随工作机构转动,相应的电位为 u_c。以 $u_s = u_r - u_c$ 作为放大装置的输入,然后驱动电动机转动。电动机的转轴经变速箱后拖动工作机构按照给定的要求转动。

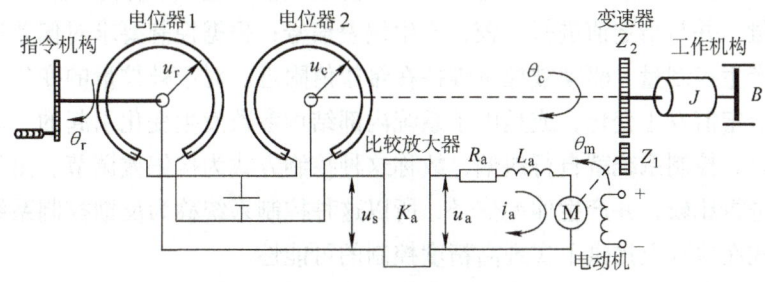

图 1-3 位置随动系统的工作原理图

控制的任务是使工作机构的转角 θ_c 跟随指令机构的转角 θ_r 同步转动,亦即

$$\theta_c(t) = \theta_r(t)$$

自动控制系统的工作原理：如果工作机构转角 θ_c 等于指令机构转角 θ_r，则 $u_r = u_c$，$u_s = 0$，电动机不动，系统处于平衡工作状态。

如果指令机构转角 θ_r 发生变化，而工作机构转角 θ_c 仍处于原位，则 $\theta_c \neq \theta_r$，即 $u_c \neq u_r$，$u_s \neq 0$，从而电动机拖动工作机构朝 θ_r 所要求的方向转动。当 $\theta_c = \theta_r$ 时，电动机停转，系统在新的位置上又处于平衡工作状态，即完成了角位移的跟随任务。

由此看出，控制系统通过机械传动机构和电位器来测量 θ_c，将工作机构的角位移转换为便于处理的电位信号，并与指令机构 θ_r 产生的电位信号进行比较而产生偏差信号，再通过比较放大器和电动机来控制 θ_c，所以仍是按偏差调节的反馈控制系统。控制系统的框图如图1-4所示，图中同样存在着一个负反馈闭合回路。

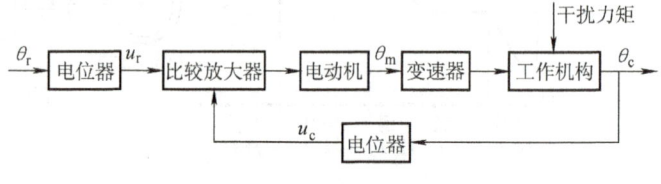

图 1-4　位置随动系统框图

在实际工程中，如果需要某个机构（如船闸、轧机、刀架、雷达天线等）的位置能快速准确地跟随指令信号动作，都可以仿照这种位置随动控制系统的原理来实现。这种系统的突出特点是被控制对象或装置比较简单，只相当于执行机构直接拖动着一个纯机械载荷。而指令信号需要根据工作要求经常变化，有时甚至事先无法确定。这类系统一般用功率较小的指令信号操纵比较笨重的工作机构，而且可以进行远距离控制。如上述例子中，指令电位器的电位 u_r 和工作机构转角 θ_c 相对应电位 u_c，很容易通过电路连接到比较放大器，二者可以相隔甚远。这种能够任意操纵和跟踪的系统，常称为随动控制系统或伺服系统。

1.2.2　自动控制系统的构成

所谓自动控制就是指没有人的直接干预，利用控制装置使被控制对象（如生产设备）的工作状态或被控制量按照预定的规律运行。从自动控制的定义可以看出，它包含两方面的条件：一方面是自动控制不能有人的直接干预，由设备和装置自己完成控制任务；另一方面是装置和设备的运动过程必须按照人预定的规律运行。实现上述自动控制的目的，由相互联系和制约的各部件组成的具有特定功能的整体称为自动控制系统。

剖析一下上述两个实际例子可以看出，自动控制系统的基本工作原理是，通过测量装置随时监测被控量，并与给定值进行比较，产生偏差信号；根据控制要求对偏差进行计算和信号放大，并且产生控制量，驱动被控量维持在希望值附近。对于被控量的变化无论是由干扰造成的，还是给定值发生变化，或是由于系统内部结构参数发生变化引起的，只要被控量与希望值出现偏差，控制系统就自行纠偏，故称这种控制方式为按偏差调节。由于是将输出量反馈到输入端进行比较，并产生偏差信号，所以这种控制系统称为反馈控制系统。显然，这种反馈控制方式在原理上提供了实现高精度控制的可能性。

自动控制系统由被控对象以及为完成控制任务而配置的控制装置两大部分构成，而控制装置又可以分成不同的部件。根据每个部件或装置承担的职能及前后因果关系，构成一个用框图表示的自动控制系统，如图1-5所示。图中以方框表示各种职能，以箭头和连线表示各部分的联系。

(1) 被控对象　它是控制装置所控制和操纵的对象，它接收控制量并输出被控量。被控对象可以是一套装置或设备，也可以是一个动态过程。如化学工业中将原料经物理变化或化学变化处理成所需要产品的生产过程。

(2) 测量装置　它的职能是把被控对象的被控量（温度、压力、流量、位移等）检测出来，并且一般需要将其转换成标准的

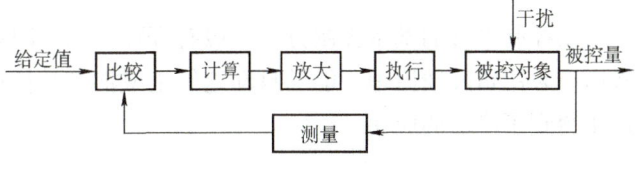

图 1-5　自动控制系统框图

电信号（如 0~5V 的直流电压或 0~10mA 的直流电流），以便于处理。为了保证控制精度，测量装置应当测量准确，并且牢固、可靠、受环境条件影响小。

(3) 比较装置　它的职能是把测量信号与给定信号进行比较，求出它们之间的偏差。通常采用的比较装置有差动放大器、电桥、机械的差动装置等。

(4) 计算装置　它是控制装置的核心，决定着控制系统性能的好坏。它的职能是根据控制要求，对偏差信号进行各种计算并产生适当的控制作用。校正装置就是可以实现某种"控制规律"的计算装置，而对于复杂的运算可以利用计算机完成。

(5) 放大装置　由于经过计算处理的信号通常是标准化的弱信号，不能直接驱动被控制对象，所以总是需要加以放大。放大装置的输出必须有足够的能量，一般需要大幅值和大功率才能具备驱动功能。

(6) 执行装置　它的职能是产生控制量，直接推动被控对象的被控量发生变化。如上述例子中的电动机和调节阀门等就是执行装置。

除此之外，下面给出部分在控制系统框图中常用的名词术语。关于其他方面的概念和定义将在后续的章节中介绍。

(1) 给定值　又称为参考输入，是指控制系统被控量的反馈信号需保持或跟随的外部指令信号。给定值与希望的输出值之间一般存在着物理量纲转换关系，如上述例子中的希望工件温度和希望工作机构角位移都是不易于比较的物理量，所以将其转化为电信号作为给定值。给定值可以是常值，也可以是随时间变化的已知函数或未知函数。

(2) 被控量　又称为输出量，是指被控对象中某个需要被控制的物理量。它与给定值之间存在一定的函数关系。

(3) 干扰　又称为扰动信号，是指由某些因素（外部和内部）引起的，对被控量产生不利影响的信号。

(4) 反馈通道　从被控量端（输出）到给定值端（输入）所经过的通路。

(5) 前向通道　从给定值端（输入）到被控量端（输出）所经过的通路。

由以上讨论可以得出反馈控制系统具有如下特点：

1) 系统以被控量的反馈为基础。

2) 由偏差产生控制作用，目的是减小或消除偏差，以提高控制系统性能。

3) 由于存在惯性和延滞特性，反馈的引入有可能使系统性能变差。

因此，兼顾系统特性来研究反馈控制系统性能是自动控制理论的主要任务。

1.3 自动控制系统的基本控制方式

自动控制系统的基本控制方式一般有开环控制、闭环控制和复合控制。其中，闭环控制方式由于采用负反馈原理，能够自动地修正或消除被控量与给定值之间的差值，所以在实际生产中得到了广泛的应用。

1.3.1 开环控制

开环控制方式是指控制装置与被控对象之间只有顺向作用而没有反向联系的控制过程，这种方式组成的系统称为开环控制系统，其特点是系统的输出量不会对系统的控制作用产生影响。开环控制系统可以按给定值控制方式组成，也可以按扰动控制方式组成。

按给定值操作的开环控制系统框图如图1-6所示。这种控制系统结构比较简单，但存在较大的缺陷。当被控对象或被控量受到干扰，或系统中某些参数发生变化

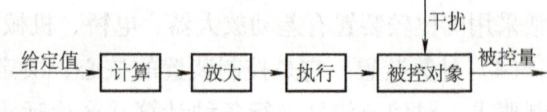

图1-6 按给定值操作的开环控制系统框图

时，会直接影响控制品质。但是如果系统的参数比较稳定或被控对象和控制装置的精度较高，就可以采用这种开环控制。如一些自动化流水线、包装机等多为这类控制。

按干扰补偿的开环控制系统框图如图1-7所示。这种自动控制系统的工作原理是，当某一干扰对被控量影响较大并且可以测量时，利用干扰信号产生控制作

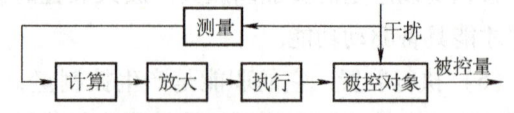

图1-7 按干扰补偿的开环控制系统框图

用，以减少或消除干扰对被控量的影响。由于干扰经测量、计算、放大、执行诸环节直至被控对象的被控量，信号也是单向传递，故亦称开环控制方式，有时也称为顺馈控制方式。

这种控制系统只能对可测干扰进行补偿。当系统受到不可测量的干扰或系统内部参数发生变化时，由于系统自身无法进行补偿，控制精度受到限制。因此，这种控制方式一般不单独使用。

1.3.2 闭环控制

按偏差调节的闭环控制系统框图如图1-8所示。从图中可以看出，信号沿着测量、控制（比较、计算、放大）、执行、被控对象、被控量，再到测量……形成一个闭合回路，对被控量进行测量，系统存在偏差信号和闭合回路，所以称为按偏差调节的闭环控制，或称为反馈控制。闭环控制或反馈控制是自动控制系统中最基本的控制方式，在实际系统中得到了广泛的应用。

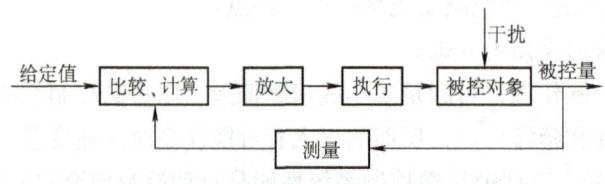

图1-8 按偏差调节的闭环控制系统框图

1.3.3 复合控制

复合控制实际上是闭环控制与按干扰补偿的开环控制相结合的一种控制方式,如图1-9所示。如果是单纯的闭环控制,当出现干扰信号时,由于系统一般都有惯性或延迟特性,所以不能马上观察到被控量变化,闭环控制自然也就不能马上产生作用。而当被控量受到的影响反映出来时,控制作用已经滞后。

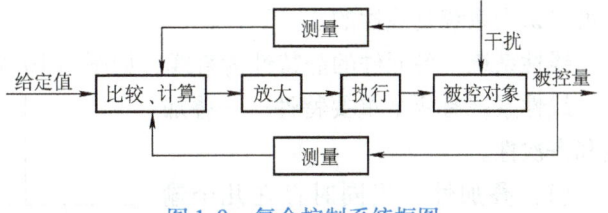

图1-9 复合控制系统框图

因此,需要按干扰进行补偿控制,使干扰信号作用于系统的同时产生一个补偿作用来抵消干扰的影响。当然,采用这种复合控制的前提条件是干扰信号可以测量。

1.4 自动控制系统的分类

自动控制系统应用范围非常广泛,在名称上也很不一致,如何分类取决于分类的目的。在进行系统分析和设计之前,掌握控制系统的分类方法是很有必要的。下面介绍几种常用的分类方法。

1.4.1 按输入信号特征分类

1. 恒值控制系统

如果系统的输入信号是一恒定的常值,要求系统能够克服干扰的影响,使输出量在这一常值附近做微小变化,则这类控制系统称为恒值控制系统,也称定值控制系统。如连续生产过程中要求某些温度、压力、液位高度等保持恒定的自动控制系统均属于这一类。

2. 随动控制系统(又称伺服系统)

如果系统的输入信号是一个已知或未知函数,要求输出量能够精确地跟随输入信号变化,则这类系统称为随动控制系统。如导弹自动跟踪系统,敌方飞机为被攻击目标,而飞机的运动轨迹是无法预知的,要求控制系统能够不断调整导弹的方位,随时跟踪飞机的运动轨迹,直到击中目标。考虑到飞机的机动性,要求该控制系统具有很高的跟踪能力。

3. 程序控制系统

如果系统的输入信号是一个已知的时间函数(不是常数),要求系统按照该时间函数进行顺序操作,则这类系统称为程序控制系统。如数控机床按给定程序加工一个工件、供热锅炉的点火操作等就属于这类控制系统。这类系统实际上是开环控制系统,而不是反馈控制系统。

1.4.2 按系统数学模型分类

1. 线性系统

自动控制系统是个动态系统,它的运动规律通常可用微分方程描述。当系统的运动规律可以用线性微分方程来描述时，这类系统称为线性系统。严格地说，线性系统实际上并不存在，因为实际的物理系统总是具有某种程度的非线性。线性系统纯粹是为了简化分析和设计而提出的理想模型。但是，当控制系统内部信号的变化范围在各部件的线性特征范围内时，就可以认为系统是线性的。

线性系统中各元件的静特性为直线，如图1-10所示。图中r为输入量，c为输出量。

线性系统有两个重要特性——叠加性和齐次性。

(1) 叠加性　当同时存在几个输入量时，线性系统的输出量等于各输入量单独作用时所引起的输出量之和。如果用$c_1(t)$表示由输入量$r_1(t)$产生的输出量，用$c_2(t)$表示由输入量$r_2(t)$产生的输出量，则当$r_1(t)$和$r_2(t)$同时作用时，输出量为$c_1(t)+c_2(t)$。

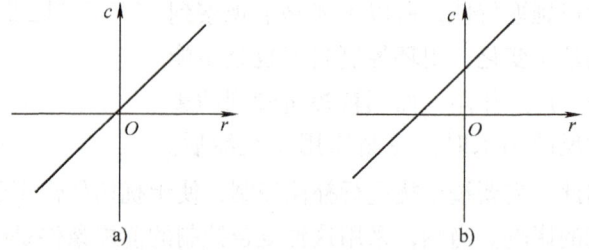

图1-10　线性系统的静特性

(2) 齐次性(倍增性)　当输入量增大或缩小K(K为实数)倍时，线性系统的输出量也按同一倍数增大或缩小。即用$c(t)$表示由$r(t)$产生的输出量，则在$Kr(t)$作用下的输出量为$Kc(t)$。

2. 非线性系统

系统中只要某一部件具有非线性特性就是非线性系统。非线性系统的特点是不满足叠加原理。图1-11为几种常见的非线性特性曲线，分别为继电器特性曲线、死区特性曲线、饱和特性曲线、间隙特性曲线，另外还有大量的其他非线性特性曲线。对于非线性控制系统，由于没有通用的数学方法解决，因此一般采用近似方法或计算机仿真技术求解。

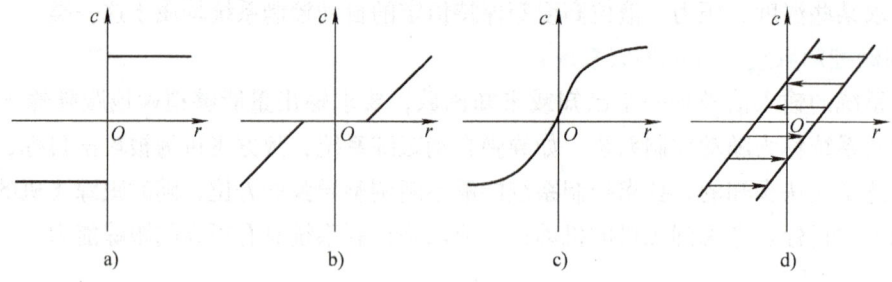

图1-11　非线性特性曲线

1.4.3　按时间变量特性分类

1. 连续时间系统

若控制系统中各环节的输入量和输出量均为时间t的连续函数，则这类系统称为连续时间系统，简称为连续系统。连续系统的运动规律一般可用微分方程描述。如图1-1所示的温度控制系统和图1-3所示的位置随动系统，以及目前工业生产中普遍采用的常规仪表控制系统，都属于这类系统。

2. 离散时间系统

在控制系统中有一处或一处以上的信号是脉冲序列或数字编码时，这类系统就称为离散时间系统，简称离散系统。离散系统的特点是信号只在特定离散时刻 t_1，t_2，…，t_n 上有意义，而在其他时刻无意义（见图 1-12）。离散系统的运动规律可以用差分方程描述。

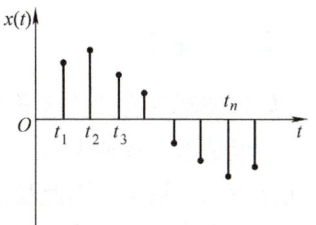

图 1-12　离散时间函数

随着数字计算机技术的飞速发展，数字计算机已经广泛引入控制系统之中，离散控制系统越来越多，离散控制系统理论亦得到迅速发展。

1.4.4　按系统参数特性分类

1. 定常系统

如果系统参数在系统运行过程中相对于时间是不变的，则称这类系统为定常系统或时不变系统。许多物理系统在所观察的时间范围内，可以认为参数是定常的，它的微小变化可以忽略不计。

2. 时变系统

如果系统中的参数是时间 t 的函数，则这类系统称为时变系统。严格地讲，在工程上的大部分系统都属于这类系统。比如电气设备的内部温升、机械部件的磨损和老化、管道的结垢等，都属于慢参数变化的系统。另外还有一类是随运动过程参数明显变化的系统，其典型例子是导弹或火箭控制系统，它的质量参数会随着所携带的燃料不断消耗而减小。由于不具有非线性时变系统特性，仍然属于线性系统，但是这类系统的处理比线性定常系统困难得多。

自动控制系统还有许多其他的分类方法。如按控制系统的输入、输出数量分类，有单变量系统和多变量系统；如按系统的功能分类，有温度控制系统、压力控制系统、速度控制系统等；如按组成系统的部件分类，有机械系统、电力系统、液压系统等；如按控制理论分类，有 PID 控制系统、最优控制系统、预测控制系统和模糊控制系统等。

对于线性控制系统，有许多成熟的解析和图解方法进行分析与设计。作为自动控制的基础理论，本书将主要介绍单输入单输出线性定常连续控制系统的分析与设计，并在此基础上介绍线性离散系统及典型非线性系统的基本分析方法。

1.5　对控制系统性能的基本要求

在分析和设计自动控制系统的时候，需要有一个评价控制系统性能优劣的标准，这个标准通常用性能指标来表示，又称为过渡过程性能指标。我们通常把系统受到外加信号作用后，被控量随时间变化的过程称为系统的动态过程，或过渡过程，用 $c(t)$ 来表示。表征输出 $c(t)$ 在阶跃输入信号作用下的动态性能指标有超调量、峰值时间、上升时间和调节时间等，这些内容将在第 3 章介绍。

对于线性定常系统，工程上对控制系统性能的要求常常概括为三方面，即稳定性、快速性和准确性。

1.5.1 稳定性

如果控制系统具备这样一种能力，就是当受到外部干扰后，系统的输出会偏离正常工作状态，但是当干扰消失后，系统能够恢复到原来的工作状态，如图 1-13a 所示，则这样的系统就称为稳定系统。因此稳定性表明系统恢复平衡状态的能力。

如果系统的参数选择不合理，或当系统受到干扰后，系统的输出就可能产生增幅振荡（见图 1-13b）或单调发散（见图 1-13c）的现象，这种现象称为不稳定现象，这样的系统称为不稳定系统。显然，稳定性是对控制系统的最基本要求，不稳定的系统是不能正常工作的。

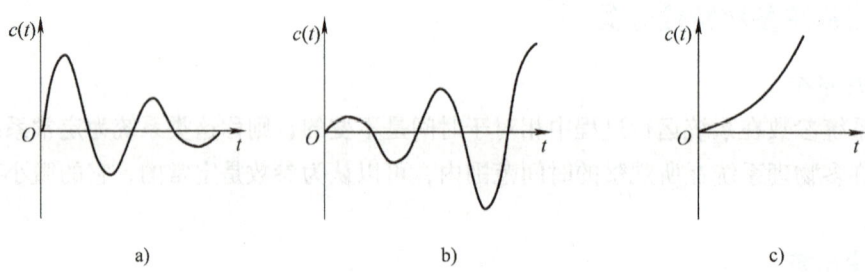

图 1-13　稳定与不稳定系统的输出信号

1.5.2 快速性

为了很好完成控制任务，控制系统仅仅满足稳定性要求是不够的，还必须对其过渡过程的形式和响应的快慢提出要求。一般地，在控制系统稳定的前提下，总是希望响应越快越好，而且超调量越小越好。但是，要使响应尽量快，就会使响应曲线出现较大的波动。因此，在进行控制系统校正时应合理兼顾响应过程的快速性和平稳性两方面的要求。

图 1-14 为稳定系统的多种响应过程曲线，其中 $c_1(t)$ 为稳定的衰减振荡过程，$c_2(t)$ 为稳定的非周期过程。图 1-14a 为系统在阶跃输入 $r(t)$ 作用下的输出响应曲线 $c(t)$，图中 $c_1(t)$ 的响应速度要快于 $c_2(t)$；图 1-14b 为在有扰动情况下，系统克服干扰影响自动调节的输出响应曲线，图中的 $c_2(t)$ 相对 $c_1(t)$ 来说具有更好的平稳性和快速性。

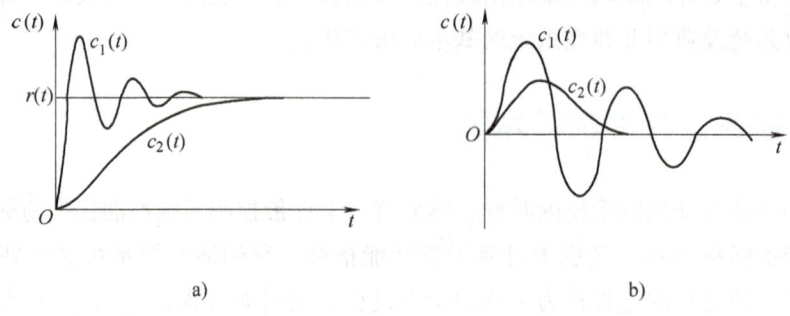

图 1-14　稳定系统的响应速度比较示意图

1.5.3 准确性

控制系统在稳定的情况下，希望输出与实际输出之差称为误差，误差的稳态分量称为稳态误差(或称为静态误差)。它表示系统到达平衡状态(过渡过程结束后)的精度,一般用 e_{ss} 表示。稳态误差是衡量系统控制精度的重要性能指标。稳态误差越小,系统的控制准确度越高。图 1-15a、b 分别为在阶跃输入和斜坡输入时的 $r(t)$ 和 $c(t)$ 曲线以及 e_{ss}。从图中可以看出,e_{ss} 除了与系统的特性有关外,还与输入信号的形式有关。

有的系统有一定的静态误差,称为有差系统;有的系统静态误差为零,则称为无差系统。然而不应当认为无差控制系统必定优于有差控制系统。无差系统虽然在理论上没有静差,但是在系统实际运行时仍不可避免产生误差。大部分设备和装置都存在摩擦、阻尼、死区等特性,使 e_{ss} 必然存在。不论无差系统还是有差系统,只要系统设计正确,可以使 e_{ss} 在工艺允许范围内,对实际应用并无妨碍。

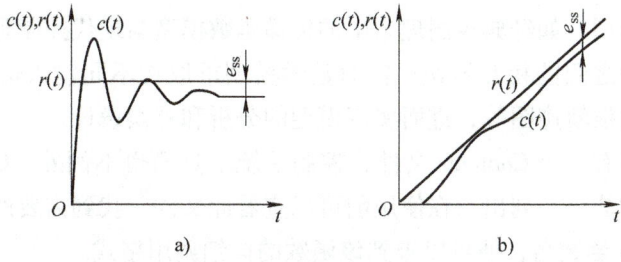

图 1-15 阶跃响应曲线和斜坡响应曲线

对控制系统稳定性、快速性、准确性三个方面的要求往往是互相制约的。提高了过程的快速性,可能会使系统振荡加剧,甚至引起系统不稳定;改善了系统的平稳性,过渡过程时间可能会变得很长,有时甚至最终精度也很差。如何很好地分析和解决这些矛盾,是本学科的主要任务。

1.6 MATLAB 在控制系统研究中的应用

MATLAB 是美国 MathWorks 公司开发的基于矩阵的用于科学和工程计算的交互式软件系统,自 20 世纪 80 年代问世以来,经过不断发展,具备了专业水平的符号计算、图形图像处理、可视化建模仿真和实时控制等功能,是科学研究与工程设计最有力的工具。作为应用最为广泛的科学计算与仿真软件,MATLAB 可以方便地完成控制系统建模、分析和设计中各种复杂的数学计算,实现控制系统的仿真运行。本书将在各章的最后一节介绍 MATLAB 控制系统工具箱的相关函数,同时给出应用 MATLAB 对控制系统分析与设计的实例。

1. MATLAB 的特点与典型应用

MATLAB 的特点是语言简洁紧凑,使用方便灵活,程序书写形式自由,语法规则简单,被称为"演算纸"式的科学与工程计算语言。MATLAB 的另一特点是库函数极其丰富,且源文件对用户开放。很多专家在自己擅长的领域用它编写了许多专门的 MATLAB 工具箱,工具箱中集成了用于扩展基本程序功能的 M 文件,在控制理论领域里,有控制系统工具箱(Control Systems Toolbox)、系统辨识工具箱(System Identification Toolbox)、信号处理工具箱(Signal Processing Toolbox)、鲁棒控制工具箱(Robust Control Toolbox)和最优化工具箱

（Optimization Toolbox）等。利用工具箱提供的丰富的函数能够避开繁杂的子程序编程任务，压缩了不必要的编程工作。

MATLAB 的典型应用包括数学和计算、运算法则、建模和仿真、数据分析与研究、数据可视化、科学的工程图形、应用程序开发等方面。

2. 控制系统工具箱和 Simulink 软件包

控制系统工具箱和 Simulink 软件包是使用最多的工具，简要介绍如下。

控制系统工具箱是针对控制系统分析与工程设计函数和工具的集合，其函数主要采用 M 文件形式，为控制系统模型建立、分析、仿真提供了丰富的函数和简便的图形用户界面，基本涵盖了经典控制理论的全部内容和部分现代控制理论的内容。利用控制系统工具箱可以创建控制系统的数学模型，如经典控制理论中的传递函数模型与现代控制理论中的状态空间模型等，实现不同模型之间的相互转换；针对数学模型求取在不同输入信号下的时间响应曲线、频率特性曲线及根轨迹图等，进而实现模型的分析和补偿设计。

每个工具箱里都有一个 Contents 文件，控制系统工具箱也不例外。Contents 文件将工具箱中所有的函数和功能一一列出，在使用前可以查看此文件，找到需要的函数后，在命令窗口提示符下键入 help 函数名，便可以查到该函数的详细调用格式。

控制系统工具箱还提供了框图式操作界面工具，LTI 观测器和 SISO 系统设计工具。LTI 观测器支持十种不同类型的系统响应分析，SISO 系统设计工具用于单输入单输出反馈控制系统校正设计。

Simulink 是在 MATLAB 下面向框图的仿真软件，为用户提供了一个对动态系统进行建模、仿真和分析的交互环境。它支持连续、离散以及两者混合的线性与非线性系统。Simulink 提供了按照功能分类的基本系统模块库，用户可以把一系列模块连接起来，方便快速地建立复杂的动态系统模型；模块库主要为信源（Source）、信宿（Sinks）、连续系统的线性环节（Continuous）、非线性环节（Discontinuous）、离散（Discrete）、数学运算（Math Operations）、信号路由（Signal Routing）等。用户只需了解各个模块的功能与输入输出信号，无须考虑内部的运算与实现过程，通过 Simulink 的模块库，利用鼠标就可以在模型窗口中直观"画"出系统模型，简单方便。控制系统框图构成后，设置好仿真参数，只需用单击模型窗口的"Start simulation"快捷按钮，便可以执行仿真了，仿真结果可通过示波器（在 Sinks 模块库中的 Scope 模块）或图形窗口查看；也可以通过 Sinks 模块库中的 Out 模块，将数据传送到 MATLAB 工作空间中。

控制系统工具箱与 Simulink 软件包都是开放性结构，用户可以根据需要扩充与定制。

本 章 小 结

本章简要介绍了控制理论发展过程，从工程实例出发阐述了自动控制的定义，以及自动控制系统的组成和常用术语，如被控对象、被控量（输出量）、给定值（参考输入）、干扰量、反馈通路和前向通路等。学习本章应了解开环控制、闭环控制和复合控制的结构特点及应用场合，控制系统的分类方法；重点掌握按偏差调节的负反馈系统的基本工作原理，以及对控制系统性能的基本要求，即稳定性是对系统最基本的要求，其次是快速性和准确性。最后简要介绍了 MATLAB 软件的特点及其控制系统工具箱和 Simulink 仿真环境。

习 题

1-1 简单回答下列问题：
（1）自动控制系统一般包括哪几部分？各部分的职能是什么？
（2）比较开环控制系统和闭环控制系统的特点。
（3）比较恒值控制系统和随动系统的特点。
（4）用框图说明反馈控制系统的组成、特点和工作原理。

1-2 解释一下用开环控制十字路口交通信号灯的过程。如何用闭环控制来改进它？

1-3 某热水箱温度控制系统，使用时流出热水，同时补充等量冷水。试解释控制系统的操作原理以及水温的变化过程，并说明为什么不能使用简单的开环控制系统来代替它。

1-4 如图 1-16 所示的两个水位控制系统，要求：
（1）画出框图，指出系统的输出量和输入量（包括扰动输入）。
（2）分析系统工作原理，讨论偏差和扰动的关系。

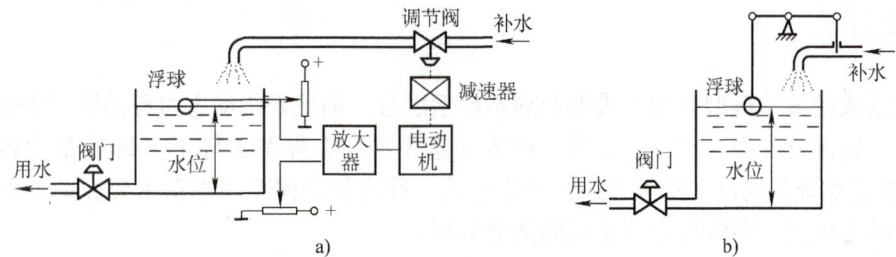

图 1-16 水位控制系统

1-5 在上述液位控制系统中，如果采用开环控制方案将会产生哪些问题？而采用闭环控制后这些问题会不会被消除或减小？闭环控制将会带来哪些问题？

1-6 图 1-17 是仓库大门自动控制系统示意图，试说明其工作原理。

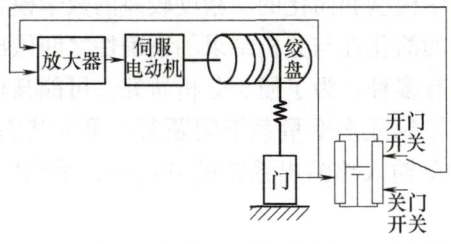

图 1-17 仓库大门自动控制系统示意图

1-7 试判断下列微分方程中哪些是线性的，哪些是非线性的。

(1) $\dfrac{d^2 y}{d t^2} + \dfrac{1}{y}\dfrac{d y}{d t} - 3 = 0$ 　　　　(2) $4\dfrac{d^2 y}{d t^2} = y$

(3) $\dfrac{d^2 y}{d t^2} + t\dfrac{d y}{d t} + (1 - t^2) y = x$ 　　　　(4) $y = \sqrt{x}$

第 2 章　控制系统的数学模型

　　描述系统各变量之间关系的数学表达式，叫作系统的数学模型。现实中的物理系统，不管它们是机械的、电气的，还是气动的、液压的、热力的，甚至是生物学的、经济学的，它们的动态变化过程都可以通过数学模型来描述（例如微分方程、传递函数等）。人们对控制系统的研究，就是从数学模型着手，分析系统的性能，并根据性能指标的要求，进行控制系统的综合校正。

　　因为控制系统数学模型的有效性直接关系到对系统性能的分析结果，所以建立合理的、有效的数学模型是控制系统分析中首先要解决的问题。本章将对控制系统数学模型的建立、传递函数的概念、结构图和信号流图的建立及化简等内容加以论述。

2.1　概述

　　控制系统的数学模型有动态模型和静态模型之分。描述系统动态过程的数学表达式，如微分方程、偏微分方程、差分方程等，称为动态模型；在静态条件下（即变量的各阶导数为零），描述系统各变量之间关系的数学表达式，称为静态模型。本章主要介绍如何建立控制系统的动态模型，即线性定常系统的微分方程。

　　同一个物理系统，可以用不同的数学模型来表达。例如，实际的物理系统一般含有非线性特性，所以实际系统的数学模型应该是非线性的。而且严格地讲，大多数实际系统不是集中参数的，所以系统的数学模型又应该用偏微分方程来描述。但是求解一般的非线性方程或偏微分方程相当困难，有时甚至不可能。因此，为了便于问题的求解，常常在误差允许的范围内，忽略次要因素，用简化的数学模型表示实际的物理系统。这样，同一个实际物理系统，就有完整的、复杂的数学模型和简化的、精度较差的数学模型之分。一般情况下，在建立数学模型时，必须在模型的简化性与分析结果的精确性之间做出折中选择。

　　此外，数学模型的形式有多种。为了便于分析研究，可能某种形式的数学模型比另一种更合适。例如，在求解最优控制或多变量系统问题时，采取状态空间描述（即状态空间表达式）比较方便；但是在对单输入单输出系统的分析中，采用输入输出间的传递函数作为系统的数学模型比较合适。

　　所以在建立系统数学模型时，必须注意以下两点：

　　1) 全面了解系统的特性，确定研究目的以及精确性要求，决定能否忽略一些次要因素而使系统数学模型简化，既不造成数学处理上的困难，又不影响分析的准确性。一般在条件允许下，最初尽可能采用简化的线性模型。若有必要，再在线性模型的基础上考虑被忽略因素所引起的误差，然后再建立比较完善准确的数学模型。但是必须指出，由于数学分析方法上的误差，数学模型不必要的复杂不一定会带来预期的准确结果。

　　2) 根据所应用的系统分析方法，建立相应形式的数学模型（微分方程、传递函数等），有时为了了解系统的内部结构以及各变量之间的相互关系，需要建立系统的结构图，它实际上是系统微分方程的另一种形式，有时还要考虑便于计算机求解。

建立系统的数学模型主要有两条途径：第一种途径是利用人们已有的知识，采用演绎方法，基于物理对象的机理建立数学模型。演绎法是一种推理方法，用这种方法建立模型时，是通过系统本身机理（物理、化学规律）的分析确定模型的结构和参数，从理论上推导出系统的数学模型。这种利用演绎法得出的数学模型称为机理模型或解析模型。第二种途径是根据对系统的观察，通过测量所得到的大量输入、输出数据，推断出被测系统的数学模型，这种方法称为归纳法，利用该方法所建立的数学模型称为经验模型。一般来讲，采用演绎法建立的数学模型，是系统模型化问题的唯一解。而采用归纳法时，能够满足观测数据的系统模型有无穷多个。在本书范围内，仅介绍演绎法，即利用机理法建立控制系统的数学模型。

2.2 控制系统微分方程的建立

控制系统输入输出之间的动态特性可由微分方程式来描述，而微分方程式就是系统的一种数学模型。建立系统（或部件）微分方程式的一般步骤如下：

1) 在条件许可下适当简化，忽略一些次要因素。
2) 根据物理或化学定理、定律，列出部件的原始方程式。这里所说的物理或化学定理、定律，不外乎牛顿第二定律、能量守恒定律、物质不灭定律、基尔霍夫定律等。
3) 列出原始方程式中间变量与其他变量的关系式。这种关系式可能是数学方程式，也可能是用曲线描述的图形，它们在大多数场合是非线性的。若条件许可，就应进行线性化处理，否则按非线性方程处理，这样问题就相当复杂。
4) 从所有方程式中消去中间变量，仅保留系统的输入变量和输出变量。
5) 最后，将微分方程表示成标准形式，即输出变量在左，输入变量在右，导数阶次从高到低排列。

下面举例说明几种典型控制系统数学模型的建立方法。

2.2.1 典型控制系统的数学模型

1. RLC 电路

设在图 2-1 所示 RLC 电路中，R、L、C 均为常值，$u_r(t)$ 为输入电压，$u_c(t)$ 为输出电压，输出端开路（或负载阻抗很大）。要求列出 $u_c(t)$ 与 $u_r(t)$ 之间的动态方程式。

1) 根据基尔霍夫定律可写出原始方程式，即

$$u_r(t) = Ri + L\frac{di}{dt} + \frac{1}{C}\int i dt \qquad (2-1)$$

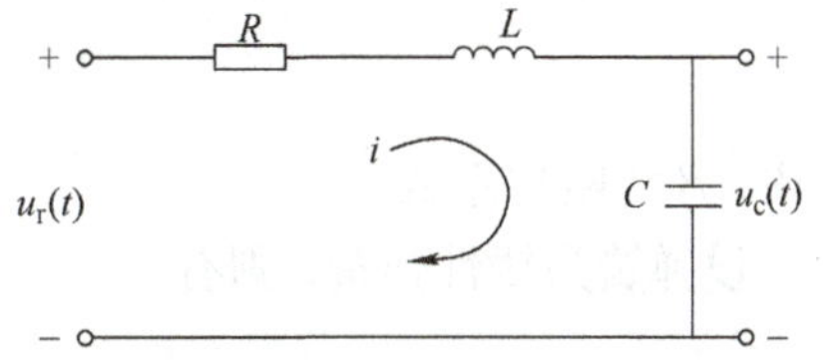

2) 式 (2-1) 中，i 是中间变量，它与输出 $u_c(t)$ 有如下关系：

$$u_c(t) = \frac{1}{C}\int i dt$$

图 2-1 RLC 电路

或

$$i = C\frac{du_c(t)}{dt} \qquad (2-2)$$

3) 将式 (2-2) 代入式 (2-1)，消去中间变量 i，便得到输入输出微分方程式，即

$$u_r(t) = RC\frac{du_c(t)}{dt} + LC\frac{du_c^2(t)}{dt^2} + u_c(t)$$

4）将微分方程式列写成标准形式，即输出项在左端，输入项在右端，同时将方程系数整理成具有物理意义的参数，得到

$$T_1T_2\frac{d^2u_c(t)}{dt^2} + T_2\frac{du_c(t)}{dt} + u_c(t) = u_r(t) \tag{2-3}$$

式中，$T_1 = L/R$、$T_2 = RC$ 为该电路的两个时间常数，当 t 的单位为 s 时，它们的单位也为 s。

式（2-3）是一个线性定常二阶微分方程式。由于电路中有两个储能元件 L 和 C，故式中输出项的导数最高阶次为 2。

当系统处于静止状态时，由于各阶导数均为零，所以微分方程式仅含有输出量和输入量，此时，系统的输出与输入之比称为系统的传递系数。图 2-1 电路的传递系数为 1。

2. 弹簧-质量-阻尼器系统

在控制系统中，经常会遇到机械运动部件，它们的运动通常分为平移和旋转。列写机械运动部件的微分方程式时，所应用的是牛顿定律。

图 2-2 表示一个弹簧-质量-阻尼器系统。当外力 $f(t)$ 作用时，系统产生位移 $y(t)$，要求写出系统在外力 $f(t)$ 作用下的运动方程式。在此，$f(t)$ 为输入，$y(t)$ 为输出。列写步骤如下：

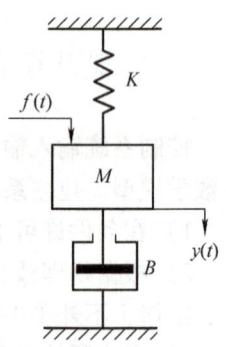

图 2-2 弹簧-质量-阻尼器系统

1）将系统中各部分参数按集中参数处理，即各部分的质量都集中在质点上，各部分的弹性变形都集中在弹簧上，各部分的阻尼摩擦都集中在阻尼器上。

2）列出原始方程式。根据牛顿第二定律，有

$$f(t) - f_1(t) - f_2(t) = M\frac{d^2y(t)}{dt^2} \tag{2-4}$$

式中，$f_1(t)$ 为阻尼器阻力；$f_2(t)$ 为弹簧力；M 为质量。

3）$f_1(t)$ 和 $f_2(t)$ 是中间变量，需要找出它们与其他变量的关系。由于阻尼器是一种具有黏性摩擦或阻尼的装置，当活塞杆与缸体发生相对运动时，其阻力与运动方向相反，并与运动速度成正比，故有

$$f_1(t) = B\frac{dy(t)}{dt} \tag{2-5}$$

式中，B 为阻尼系数。

设弹簧为线性弹簧，则有

$$f_2(t) = Ky(t) \tag{2-6}$$

式中，K 为弹性系数。

4）将式（2-5）和式（2-6）代入式（2-4），经整理后就得这一系统的微分方程式，即

$$M\frac{d^2y(t)}{dt^2} + B\frac{dy(t)}{dt} + Ky(t) = f(t) \tag{2-7}$$

式中，M、B、K 均为常数。式（2-7）还可写成

$$\frac{M}{K}\frac{\mathrm{d}^2 y(t)}{\mathrm{d}t^2} + \frac{B}{K}\frac{\mathrm{d}y(t)}{\mathrm{d}t} + y(t) = \frac{1}{K}f(t) \tag{2-8a}$$

令 $T_\mathrm{M} = \sqrt{\frac{M}{K}}$,$T_\mathrm{B} = \frac{B}{K}$,则有

$$T_\mathrm{M}^2 \frac{\mathrm{d}^2 y(t)}{\mathrm{d}t^2} + T_\mathrm{B}\frac{\mathrm{d}y(t)}{\mathrm{d}t} + y(t) = \frac{1}{K}f(t) \tag{2-8b}$$

采用国际单位制,即 $f(t)$ 单位为 N,$y(t)$ 单位为 m,t 单位为 s,M 单位为 kg,B 单位为 N·s/m,K 单位为 N/m,则

$$[T_\mathrm{B}] = \left[\frac{B}{K}\right] = \mathrm{s}$$

$$[T_\mathrm{M}^2] = \left[\frac{M}{K}\right] = \frac{\mathrm{kg \cdot m}}{\mathrm{N}} = \mathrm{s}^2$$

所以 T_M 和 T_B 的单位都是 s,它们都是时间常数。

在本例中,有质点(在运动时具有动能),又有弹簧(在发生位移时具有位能),故系统有两个储能部件,有两个时间常数,输出项导数的最高阶次为 2,所以此机械位移系统是线性定常二阶系统。该系统的传递系数为 $1/K$。

比较式(2-3)和式(2-8b)可知,当两个系统的方程式相同时,从动态性能角度来看,这两个系统是相同的。这说明有可能利用电气系统来模拟机械系统,进行试验研究。而且从系统理论来说,就有可能撇开系统的具体物理属性,进行普遍意义的研究。

3. 电枢控制的直流电动机

直流电动机经常应用在输出功率较大的控制系统中,它有独立的励磁磁场,通过改变励磁电压或电枢电压均可控制电动机的转动。

图 2-3 为磁场固定不变(励磁电流 I_f = 常数),用电枢电压控制的直流电动机。设它的输入为电枢电压 u_a,它的输出为轴角位移 θ(用在位置随动系统时)或角速度 ω(用在转速控制系统时),轴上的负载转矩 M_L 为主要扰动。现欲建立系统的输入输出微分方程式。

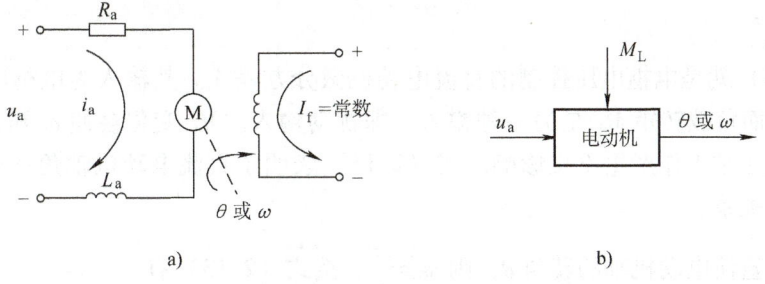

图 2-3 电枢电压控制的直流电动机
a) 电路原理图 b) 结构图

1)考虑一般直流电动机补偿是良好的,在反应速度不是很快的场合,可以不计电枢反应、涡流效应和磁滞影响。当 I_f 为常值时,励磁磁场不变,并认为直流电动机绕组温度在瞬变过程中是不变的。如此假设在工程上是允许的。

2)列写原始方程式。首先根据基尔霍夫定律写出电枢回路方程式为

$$u_a = R_a i_a + L_a \frac{di_a}{dt} + K_e \omega \tag{2-9}$$

式中，u_a 为电枢电压（V）；i_a 为电枢回路电流（A）；R_a 为电枢回路总电阻（Ω）；L_a 为电枢回路总电感（H）；K_e 为电动势系数 [V/(rad·s^{-1})]；ω 为直流电动机轴角速度（rad/s），$\omega = d\theta/dt$；$K_e\omega$ 为反电动势，是导体在磁场中切割磁力线产生的感应电动势。

又根据刚体旋转的力矩平衡关系，可写出运动方程式为

$$M_d = J\frac{d\omega}{dt} + F\omega + M_L \tag{2-10}$$

式中，M_d 为直流电动机轴转矩（N·m）；M_L 为直流电动机轴上负载转矩（N·m）；J 为转动部分的转动惯量（kg·m^2）（折算到电动机轴上）；F 为转动部分的粘性摩擦系数 [N·m/(rad·s^{-1})]（折算到电动机轴上）。

3）M_d 和 i_a 是中间变量。因直流电动机轴转矩与电枢电流和气隙磁通的乘积成正比，现在气隙磁通恒定，故有

$$M_d = K_m i_a \tag{2-11}$$

式中，K_m 为直流电动机轴转矩系数（N·m/A）。

4）将式（2-11）代入式（2-10），并与式（2-9）联立求解，整理后得

$$L_a J \frac{d^2\omega}{dt^2} + (R_a J + L_a F)\frac{d\omega}{dt} + (R_a F + K_e K_m)\omega = K_m u_a - L_a \frac{dM_L}{dt} - R_a M_L \tag{2-12}$$

或

$$T_a T_m \frac{d^2\omega}{dt^2} + (T_m + T_f)\frac{d\omega}{dt} + (K_f + 1)\omega = \frac{1}{K_e}u_a - \frac{T_a T_m}{J}\frac{dM_L}{dt} - \frac{T_m}{J}M_L \tag{2-13}$$

式中，T_m 为机电时间常数，$T_m = \frac{R_a J}{K_e K_m}$（s）；$T_a$ 为直流电动机电枢回路时间常数，$T_a = \frac{L_a}{R_a}$（s），一般 T_a 远小于 T_m；T_f 为时间常数，$T_f = \frac{L_a F}{K_g K_m}$（s）；$K_f$ 为无量纲放大系数，$K_f = \frac{R_a F}{K_e K_m}$。

式（2-13）就是电枢电压控制的直流电动机微分方程式。其输入为电枢电压 u_a，输出为角速度 ω，而负载转矩 M_L 是另一种输入，即扰动输入。M_L 变化会使 ω 随之变化，它对直流电动机的正常工作产生不良影响。式（2-13）表明了直流电动机轴角速度与电枢电压和扰动之间的关系。

若输出为直流电动机轴的转角 θ，则 $\omega = \frac{d\theta}{dt}$，按式（2-13）有

$$T_a T_m \frac{d^3\theta}{dt^3} + (T_m + T_f)\frac{d^2\theta}{dt^2} + (K_f + 1)\frac{d\theta}{dt} = \frac{1}{K_e}u_a - \frac{T_a T_m}{J}\frac{dM_L}{dt} - \frac{T_m}{J}M_L \tag{2-14}$$

这是一个三阶线性定常微分方程。所以，从电枢电压 u_a 到直流电动机轴的转角 θ 是一个三阶系统。

在实际工程中，为了便于分析，常常忽略一些次要因素，使得系统变得简单。

1）如果忽略粘性摩擦的影响，系统微分方程式（2-13）简化为

$$T_a T_m \frac{d^2\omega}{dt^2} + T_m \frac{d\omega}{dt} + \omega = \frac{1}{K_e}u_a - \frac{T_a T_m}{J}\frac{dM_L}{dt} - \frac{T_m}{J}M_L \tag{2-15}$$

2) 如果忽略粘性摩擦且在空载情况下，系统微分方程简化为

$$T_a T_m \frac{d^2\omega}{dt^2} + T_m \frac{d\omega}{dt} + \omega = \frac{1}{K_e}u_a \tag{2-16}$$

3) 如果忽略粘性摩擦且在空载情况下，再考虑到电枢回路的时间常数远小于机电时间常数，系统微分方程可进一步简化为一阶微分方程，即

$$T_m \frac{d\omega}{dt} + \omega = \frac{1}{K_e}u_a \tag{2-17}$$

4) 如果忽略粘性摩擦且在空载情况下，再考虑到电枢电阻和直流电动机的转动惯量都很小可以忽略不计时，系统微分方程可进一步简化为

$$K_e \omega = u_a \tag{2-18}$$

这时，直流电动机的转速 $\omega(t)$ 与电枢电压 $u_a(t)$ 成正比，于是，电动机可看作测速发动机使用。

4. 直流电动机转速控制系统

图 2-4a 是一个直流电动机轴角速度 ω 反馈控制系统。要建立复杂反馈控制系统的微分方程式，可以先画出系统的结构图，明确各部件的相互作用关系，如图 2-4b 所示。然后再写出各部件的微分方程式，最后消去中间变量，经过整理就可得到所求的输入输出方程式。对图 2-4 所示系统，设直流电动机轴的角速度 ω 为输出，u_r 为参考输入，它是电位器的设定值，对应着希望的输出角速度，扰动输入为负载转矩 M_L。系统的方程式具体列写如下：

1) 列写各部件方程式。如果忽略粘性摩擦的影响，电动机的方程式为式（2-15）

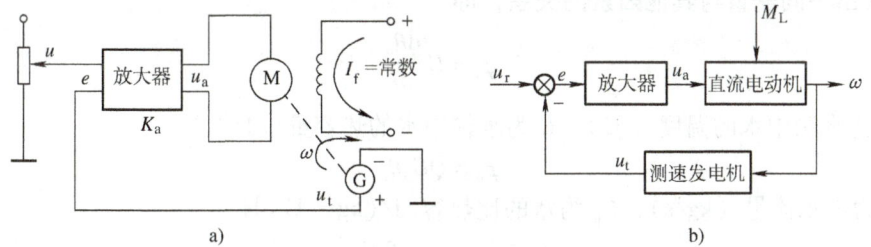

图 2-4 直流电动机转速控制系统
a) 系统原理图 b) 系统结构图

设放大器为没有惯性、没有饱和的线性放大器，即

$$u_a = K_a e \tag{2-19}$$

测速发电机的输出为 u_t，输入为 ω，同样是理想的线性部件，故有

$$u_t = K_t \omega \tag{2-20}$$

式中，K_t 为测速系数。

e 是参考输入 u_r 和反馈电压 u_t 之差，即

$$e = u_r - u_t \tag{2-21}$$

2) 在式（2-15）、式（2-19）~式（2-21）4 个方程式中共有 3 个中间变量，即 u_a、e、u_t，因此，可以消去这些中间变量。经整理，最后得到系统的微分方程式，即

$$T_a T_m \frac{d^2\omega}{dt^2} + T_m \frac{d\omega}{dt} + (1+K)\omega = \frac{K_a}{K_e}u_r - \frac{T_a T_m}{J}\frac{dM_L}{dt} - \frac{T_m}{J}M_L \tag{2-22}$$

式中，K 为各部件传递系数的乘积，$K = K_a K_t / K_e$。

将式（2-15）与式（2-22）进行比较。式（2-15）所对应的是一个电动机轴角速度 ω 开环控制系统，式（2-22）所对应的是一个闭环控制系统。对于开环控制系统，若把负载转矩 M_L 对输出角速度 ω 的影响看成 1，则在采用闭环控制之后，其影响就变成了 $1/(1+K)$。因为 K 与放大器的放大倍数 K_a 成正比，一般 K 可以取得足够大，所以在应用了反馈之后，负载转矩 M_L 对输出角速度 ω 的影响大大降低，系统的抗干扰能力加强，控制精度提高。

5. 热力系统

图 2-5 为一个热力系统，为了保证一定的热水温度 θ_o，由电热器提供热流量 φ_i。在本系统中，输入量为 φ_i，输出量为 θ_o。假定环境温度为 θ_i，进水温度也是 θ_i，并且水箱中各处温度相同（即用集中参数代替分布参数），进水流量与出水流量相同，这样简化后系统方程式可列写如下：

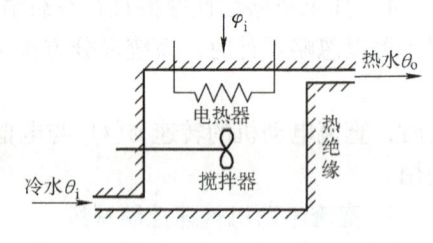

图 2-5 热力系统

1) 按能量守恒定律可写出热流量平衡方程，即

$$\varphi_i = \varphi_t + \varphi_o - \varphi_c + \varphi_s \tag{2-23}$$

式中，φ_t 为供给水箱中水的热流量（W）；φ_o 为出水带出的热流量（W）；φ_c 为进水带入的热流量（W）；φ_s 为通过热绝缘耗散的热流量（W）。

2) 找出中间变量与其他因素的关系，即

$$\varphi_t = C\frac{d\theta_o}{dt} \tag{2-24}$$

式中，θ_o 为水箱中水的温度（℃）；C 为水箱中水的热容量（J/℃）。

$$\varphi_o = QC_p\theta_o \tag{2-25}$$

式中，Q 为出水流量（kg/s）；C_p 为水的比热容 [J/(kg·℃)]。

$$\varphi_s = \frac{\theta_o - \theta_i}{R} \tag{2-26}$$

式中，R 为由水箱内壁通过热绝缘扩散到周围环境的等效热值（℃/W）。

3) 将以上各式代入热平衡方程，便得系统的微分方程式，即

$$C\frac{d\theta_o}{dt} + \left(QC_p + \frac{1}{R}\right)\theta_o = \varphi_i + \left(QC_p + \frac{1}{R}\right)\theta_i \tag{2-27}$$

或

$$T\frac{d\theta_o}{dt} + (QC_p R + 1)\theta_o = R\varphi_i + (QC_p R + 1)\theta_i \tag{2-28}$$

式中，T 为热时间常数（s），$T = RC$。

这是一个一阶非线性微分方程式。影响热水温度 θ_o 的扰动有出水流量 Q 和进水温度 θ_i。当出水流量 Q 一定，环境温度和进水温度 θ_i 也为常值时，可令

$$\theta = \theta_o - \theta_i \tag{2-29}$$

θ 为温升，当系统输出为温升时的微分方程式为

$$T\frac{d\theta}{dt} + (QC_pR + 1)\theta = R\varphi_i \tag{2-30}$$

式（2-30）为一阶线性定常微分方程式。

6. 流体过程

图 2-6 中流入流量为 Q_i，流出流量为 Q_o，它们受相应的阀门控制。

设该系统的输入量为 Q_i，输出量为液面高度 H，则它们之间的微分方程式可列写如下：

1) 设流体是不可压缩的。根据物质守恒定律，可得

$$SdH = (Q_i - Q_o)dt \tag{2-31}$$

或

$$\frac{dH}{dt} = \frac{Q_i - Q_o}{S} \tag{2-32}$$

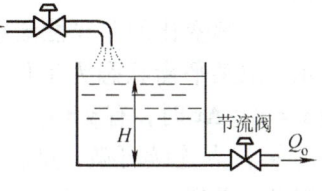

图 2-6 流体过程

式中，H 为液面高度(m)；Q_i 为流入的体积流量（m^3/s）；Q_o 为流出的体积流量（m^3/s）；S 为液罐的截面积（m^2）。

2) 求出中间变量 Q_o 与其他变量的关系。由于通过节流阀的流体是紊流，按流量公式可得

$$Q_o = \alpha\sqrt{H} \tag{2-33}$$

式中，α 为节流阀的流量系数（$m^{2.5}/s$），当液体变化不大时，可近似认为只与节流阀的开度有关。现在设节流阀开度保持一定，则 α 为常数。

3) 消去中间变量 Q_o，得到输入输出关系式，即

$$\frac{dH}{dt} + \frac{\alpha}{S}\sqrt{H} = \frac{1}{S}Q_i \tag{2-34}$$

它是一阶非线性微分方程式。

以上通过几个例子说明了如何建立一个控制系统微分方程式的过程。对于线性系统，假如它的输出为 $c(t)$，输入为 $r(t)$，则系统微分方程式的一般形式如下：

$$\frac{d^nc}{dt^n} + a_1\frac{d^{n-1}c}{dt^{n-1}} + \cdots + a_{n-1}\frac{dc}{dt} + a_nc = b_0\frac{d^mr}{dt^m} + b_1\frac{d^{m-1}r}{dt^{m-1}} + \cdots + b_{m-1}\frac{dr}{dt} + b_mr \tag{2-35}$$

式中，$a_i(i = 1, 2, \cdots, n)$、$b_j(j = 0, 1, \cdots, m)$ 如果是时间的函数，则系统称为线性时变系统；如果为常数，则系统称为线性定常系统。

对于实际物理系统，由于存在惯性等特性，所以输出端的导数阶数总是大于或等于输入端的导数阶数，故有 $n \geq m$，而大多数系统 $n > m$。

2.2.2 非线性微分方程的线性化

严格地说，几乎所有元件或部件的运动方程都是非线性方程，也就是说，输入、输出、扰动这些变量间的关系都是非线性的。但是对于许多元件或部件来说，当它们在相对小的范围内运动时，就可以按线性关系处理，这样做在实际工程上是允许的。对于线性方程式或线性化方程式，由于可以应用叠加原理以及许多有效的数学工具，会使问题的求解非常方便，所以常常利用线性化方法来简化所研究的问题。

例如，对于某非线性系统，若研究的是该系统在其工作点附近的性能，或者说，研究的是变量在动态过程中偏离工作点不远时的性能，如图 2-7 所示。图中，(x_0, y_0) 为工作点，

在受到扰动后，$x(t)$ 偏离 x_0，产生位移 $\Delta x(t)$，相应地 $y(t)$ 由 y_0 产生位移 $\Delta y(t)$。$(\Delta x, \Delta y)$ 的变化过程表征了系统在 (x_0, y_0) 附近的性能。对于这样的系统可以应用下述的线性化方法得到线性化模型来代替非线性模型。这就是常说的"小偏差理论或小信号理论"。

设连续变化的非线性函数为 $y = f(x)$，如图 2-7 所示。取某平衡状态为工作点，对应有 $y_0 = f(x_0)$。当 $x = x_0 + \Delta x$ 时，有 $y = y_0 + \Delta y$。设函数 $y = f(x)$ 在 (x_0, y_0) 点连续可微，则将它在该点附近用泰勒级数展开，得到

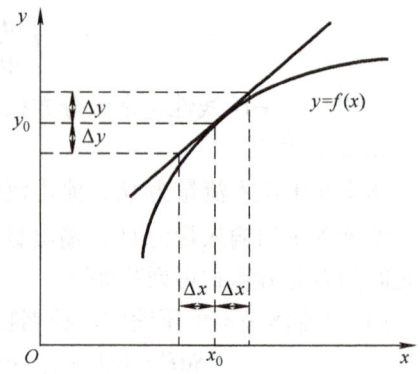

图 2-7 非线性特性的线性化示意图

$$y = f(x) = f(x_0) + \left[\frac{df(x)}{dx}\right]_{x_0}(x - x_0) + \frac{1}{2!}\left[\frac{d^2f(x)}{dx^2}\right]_{x_0}(x - x_0)^2 + \cdots$$

当增量 $(x - x_0)$ 很小时，略去高次幂项，则有

$$y - y_0 = f(x) - f(x_0) = \left[\frac{df(x)}{dx}\right]_{x_0}(x - x_0)$$

令 $\Delta y = y - y_0 = f(x) - f(x_0)$、$\Delta x = x - x_0$、$K = [df(x)/dx]_{x_0}$，则线性化方程可简记为

$$\Delta y = K \Delta x$$

略去增量符号 Δ，便得到函数 $y = f(x)$ 在工作点附近的线性化方程，即

$$y = Kx$$

式中，$K = [df(x)/dx]_{x_0}$ 称为动态比例系数，它是函数 $f(x)$ 在工作点处的切线斜率。

下面举例，来进一步说明系统线性化方程式的建立过程。

例 2-1 图 2-8a 为铁心线圈等效电路图，图 2-8b 表示其磁通 Φ 与线圈中电流 i 之间的关系曲线。试列写以 u_r 为输入量，i 为输出量的电路微分方程。

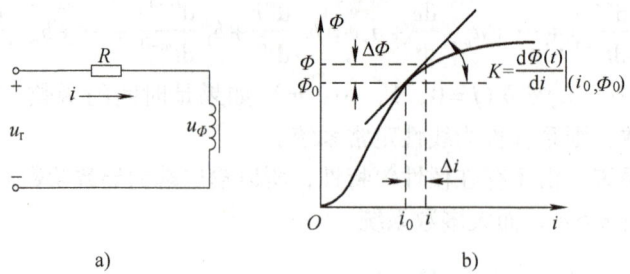

图 2-8 铁心线圈电路工作原理
a) 电路 b) 磁通与电流关系曲线

解 设铁心线圈磁通变化时产生的感应电动势为

$$u_\Phi = K_1 \frac{d\Phi(i)}{dt} \tag{2-36}$$

根据基尔霍夫定律写出电路微分方程，即

$$u_r = K_1 \frac{d\Phi(i)}{dt} + Ri = K_1 \frac{d\Phi(i)}{di}\frac{di}{dt} + Ri \tag{2-37}$$

式（2-37）中的 $\mathrm{d}\varPhi(i)/\mathrm{d}i$ 是线圈中电流 i 的非线性函数，所以式（2-37）是一阶非线性微分方程式。

如果电路的电压和电流只是在某平衡点 (u_{r0}, i_0) 附近做微小变化，则可设 u_r 相对于 u_{r0} 的增量是 Δu_r，i 相对于 i_0 的增量是 Δi，并设 $\varPhi(i)$ 在 i_0 的邻域内连续可导，则可将 $\varPhi(i)$ 在 i_0 附近用泰勒级数展开为

$$\varPhi(i) = \varPhi(i_0) + \left[\frac{\mathrm{d}\varPhi(i)}{\mathrm{d}i}\right]_{i_0}(i-i_0) + \frac{1}{2!}\left[\frac{\mathrm{d}^2\varPhi(i)}{\mathrm{d}i^2}\right]_{i_0}(i-i_0)^2 + \cdots \quad (2\text{-}38)$$

当 $i - i_0$ 足够小时，略去高阶导数项，可得

$$\varPhi(i) = \varPhi(i_0) + \left[\frac{\mathrm{d}\varPhi(i)}{\mathrm{d}i}\right]_{i_0}(i-i_0) \quad (2\text{-}39)$$

令 $\Delta\varPhi = \varPhi(i) - \varPhi(i_0)$、$\Delta i = i - i_0$、$K = (\mathrm{d}\varPhi(i)/\mathrm{d}i)_{i_0}$，便可得到磁通 $\varPhi$ 与电流 i 之间的增量线性化方程，即

$$\Delta\varPhi(i) = K\Delta i \quad (2\text{-}40)$$

将式（2-37）中的变量变成偏量，则成为增量方程式，即

$$\Delta u_r = K_1 \frac{\mathrm{d}\Delta\varPhi(i)}{\mathrm{d}\Delta i}\frac{\mathrm{d}\Delta i}{\mathrm{d}t} + R\Delta i \quad (2\text{-}41)$$

将式（2-40）代入式（2-41），得

$$\Delta u_r = K_1 K \frac{\mathrm{d}\Delta i}{\mathrm{d}t} + R\Delta i \quad (2\text{-}42)$$

这就是铁心线圈电路的输入为 u_r 输出为 i 的线性化增量微分方程式。一般为了书写方便，常省略方程式中偏量的符号"Δ"，但是方程式中的变量均应理解为偏量。

在线性化过程中，由于只考虑泰勒级数中的一次偏量，故称为一次线性化方程。当然，在有些场合，非线性并不严重，偏量可以很大，这时线性化模型非常接近线性模型，甚至只是变量的表示形式不同而已。

要建立整个系统的线性化微分方程式，首先要确定系统各部件的工作点，然后列出各部件在工作点附近的偏量方程式，消去中间变量，最后得到整个系统以偏量表示的线性化方程式。假如有些部件方程式本来就是线性方程，为了使变量统一，可对线性方程式两端直接取偏量，即可得到以偏量表示的方程式。

2.3　传递函数

控制系统的微分方程，是在时域描述系统动态性能的数学模型。在给定外作用及初始条件下，求解微分方程可以得到系统的输出响应。这种方法比较直观，特别是借助于计算机，可以迅速而准确地求得结果。但是，如果系统中某个参数变化或者结构形式改变，便需要重新列写并求解微分方程，因此不便于对系统进行分析和设计。

对线性定常微分方程进行拉普拉斯（Laplace）变换，可以得到系统在复数域的数学模型，称其为传递函数。传递函数不仅可以表征系统的动态特性，而且可以研究系统的结构或参数变化对系统性能的影响。在经典控制理论中广泛应用的频率法和根轨迹法，就是在传递函数基础上建立起来的。因此，传递函数是经典控制理论中最基本也是最重要的概念。

2.3.1 传递函数的概念和性质

1. 传递函数的概念

研究图 2-9a 所示的 RC 电路中电容的端电压 $u_c(t)$。根据基尔霍夫定律，可列写如下微分方程：

$$u_r(t) = Ri(t) + u_c(t)$$

$$u_c(t) = \frac{1}{C}\int i(t)\,dt$$

消去中间变量 $i(t)$，得到输入 $u_r(t)$ 与输出 $u_c(t)$ 之间的线性定常微分方程，即

$$RC\frac{du_c(t)}{dt} + u_c(t) = u_r(t) \tag{2-43}$$

或

$$T\frac{du_c(t)}{dt} + u_c(t) = u_r(t) \tag{2-44}$$

式中，T 为 RC 电路的时间常数，$T=RC$。

现在对式 (2-44) 微分方程两端进行拉普拉斯变换，并考虑电容上的初始电压 $u_c(0)$，得

$$TsU_c(s) - Tu_c(0) + U_c(s) = U_r(s) \tag{2-45}$$

式中，$U_c(s)$、$U_r(s)$ 分别为 $u_c(t)$、$u_r(t)$ 的拉普拉斯变换。

由式 (2-45) 求出的 $U_c(s)$ 表达式为

$$U_c(s) = \frac{1}{Ts+1}U_r(s) + \frac{T}{Ts+1}u_c(0) \tag{2-46}$$

当输入为阶跃电压 $u_r(t) = u_o \cdot 1(t)$ 时（$1(t)$ 为单位阶跃函数），对 $U_c(s)$ 求拉普拉斯反变换，即得 $u_c(t)$ 的变化规律为

$$u_c(t) = u_o(1 - e^{-\frac{t}{T}}) + u_c(0)e^{-\frac{t}{T}} \tag{2-47}$$

从式中可以看出，$u_c(t)$ 由两个分量叠加而成。第一项称为零状态响应，它是在初始条件为零时，由 $u_r(t)$ 决定的分量；第二项称为零输入响应，它是在输入为零时，由初始电压 $u_c(0)$ 决定的分量。图 2-9b 表示各响应分量及 $u_c(t)$ 的变化曲线。

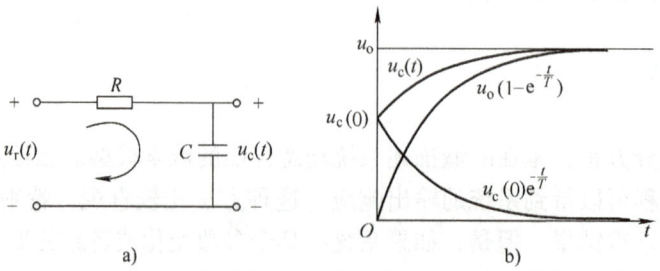

图 2-9 RC 电路的阶跃响应曲线

a) 电路原理图 b) 阶跃响应曲线

在式 (2-46) 中，如果把初始电压 $u_c(0)$ 也视为一个输入作用，则根据线性系统的叠加原理，可以分别研究在输入电压 $U_r(s)$ 和初始电压 $u_c(0)$ 作用时电路的输出响应。若 $u_c(0)=0$，

则有

$$U_c(s) = \frac{1}{Ts+1} U_r(s) \qquad (2\text{-}48)$$

式(2-48)表明，当输入电压 $U_r(s)$ 一定时，电路输出响应的拉普拉斯变换 $U_c(s)$ 完全由 $1/(Ts+1)$ 所确定，式(2-48)亦可写为

$$\frac{U_c(s)}{U_r(s)} = \frac{1}{Ts+1} \qquad (2\text{-}49)$$

由式(2-49)看出，当电容的初始电压为零时，无论输入电压 $U_r(s)$ 是什么形式，电路输出响应的像函数与输入电压的像函数之比，是一个只与电路结构及参数有关的函数。因此，可以用式(2-49)来表征电路本身的特性，称作 RC 电路的传递函数，记为

$$G(s) = \frac{1}{Ts+1} \qquad (2\text{-}50)$$

显然，传递函数 $G(s)$ 确立了电路输入电压与输出电压之间的关系。

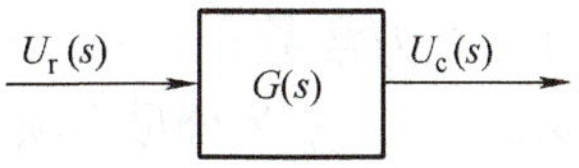

图 2-10 传递函数的框图

传递函数可用图 2-10 直观表示。图中，方框内写传递函数，进入方框的箭头表示输入信号，离开方框的箭头表示输出信号。该图表明了电路中电压的传递关系，即输入电压 $U_r(s)$，经过 $G(s)$ 的传递，得到输出电压 $U_c(s) = G(s)U_r(s)$。由 RC 电路得到的传递函数的概念，可以推广到一般的部件或系统。现在对传递函数做如下定义：

线性（或线性化）定常系统在零初始条件下，输出量的拉普拉斯变换与输入量的拉普拉斯变换之比称为系统的传递函数。

线性定常系统由下述 n 阶微分方程描述，即

$$\frac{d^n c}{dt^n} + a_1 \frac{d^{n-1} c}{dt^{n-1}} + \cdots + a_{n-1} \frac{dc}{dt} + a_n c = b_0 \frac{d^m r}{dt^m} + b_1 \frac{d^{m-1} r}{dt^{m-1}} + \cdots + b_{m-1} \frac{dr}{dt} + b_m r \qquad (2\text{-}51)$$

式中，$c(t)$ 是系统输出量；$r(t)$ 是系统输入量；$a_1, \cdots, a_n, b_0, b_1, \cdots, b_m$ 是与系统结构参数有关的常数。在初始条件为零时，对式（2-51）进行拉普拉斯变换，即 $C(s) = L[c(t)]$，$R(s) = L[r(t)]$，可得到关于 s 的代数方程，即

$$[s^n + a_1 s^{n-1} + \cdots + a_{n-1} s + a_n] C(s) = [b_0 s^m + b_1 s^{m-1} + \cdots + b_{m-1} s + b_m] R(s)$$

根据传递函数的定义，由式（2-51）描述的线性定常系统的传递函数为

$$G(s) = \frac{C(s)}{R(s)} = \frac{b_0 s^m + b_1 s^{m-1} + \cdots + b_{m-1} s + b_m}{s^n + a_1 s^{n-1} + \cdots + a_{n-1} s + a_n} = \frac{M(s)}{D(s)} \qquad (2\text{-}52)$$

式中，$M(s)$ 为传递函数的分子多项式，$M(s) = b_0 s^m + b_1 s^{m-1} + \cdots + b_{m-1} s + b_m$；$D(s)$ 为传递函数的分母多项式，$D(s) = s^n + a_1 s^{n-1} + \cdots + a_{n-1} s + a_n$。

传递函数是在初始条件为零时定义的。控制系统的零初始条件有两方面的含义，一是指输入作用是在 $t=0$ 以后才作用于系统的，因此，系统输入量及其各阶导数在 $t=0$ 时的值均为零；二是指系统在输入作用加入前是相对静止的，因此，系统输出量及其各阶导数在 $t=0$ 时的值也为零。实际的控制系统多属此类情况，这时传递函数可以完全表征系统的动态性能。

2. 传递函数的性质

从线性定常系统传递函数的定义式（2-52）可知，传递函数具有以下性质：

1）传递函数是复变量 s 的有理真分式函数。$s = \sigma + j\omega$，其中 σ 为实部，$j\omega$ 为虚部。分子的阶数 m 一般低于或等于分母的阶数 n，且所有系数均为实数。$m \leq n$，这是因为物理系统必然具有惯性，而且能源又是有限的缘故；各系数均为实数，是因为它们都是系统部件参数的函数，而部件的参数只能是实数。

2）传递函数只取决于系统和部件的结构和参数，与外作用及初始条件无关。

3）确定的传递函数一定有相应的零点、极点分布图与之对应，因此传递函数的零点、极点分布图也表征了系统的动态性能。将式（2-52）中分子多项式及分母多项式因式分解后，写为如下形式：

$$G(s) = \frac{C(s)}{R(s)} = K \frac{(s+z_1)(s+z_2)\cdots(s+z_m)}{(s+p_1)(s+p_2)\cdots(s+p_n)} \tag{2-53}$$

式中，K 为常数；$-z_1, \cdots, -z_m$ 为分子多项式方程的 m 个根，称为传递函数的零点；$-p_1, \cdots, -p_n$ 为分母多项式方程的 n 个根，称为传递函数的极点。显然，零、极点的数值完全取决于诸系数 $b_0, \cdots, b_m$ 及 $a_1, \cdots, a_n$，亦即取决于系统的结构和参数。一般地，$-z_i$、$-p_j$ 可为实数，也可为复数，且若为复数，必共轭成对出现。将零、极点标在复平面（s 平面）上，则得传递函数的零、极点分布图，如图 2-11 所示。图中零点用"○"表示，极点用"×"表示。

4）若令式（2-52）中的 $s = 0$，则

$$G(0) = \frac{b_m}{a_n} \tag{2-54}$$

称为传递系数（或静态放大系数）。从微分方程式（2-51）看，$s = 0$ 相当于所有导数项为零，方程蜕变为静态方程 $a_n c = b_m r$。

5）传递函数只能表示输入与输出的函数关系，至于系统中的中间变量无法反映出来。

6）一个传递函数只能表示一个输入对一个输出的函数关系，如果是多输入多输出系统，则需要用传递函数阵来描述。

2.3.2 典型环节的传递函数

控制系统是由若干元件或部件有机组合而成的。从形式和结构上来看，有各种各样不同的部件，但从动态性能或数学模型来看，却可分成为数不多的基本环节，也就是典型环节。不管元件或部件是机械式、电气式或液压式等，只要它们的数学模型一样，它们就是同一种环节。这样划分，为系统的分析和研究带来很大方便，对理解和掌握各种部件对系统动态性能的影响很有帮助。

以下列举几种典型环节及其传递函数。这些环节是构成系统的基本环节，有时简单的系统就是一个典型环节，它们的阶数最高不超过 2。

1. 比例环节

比例环节的传递函数为

$$G(s) = K \tag{2-55}$$

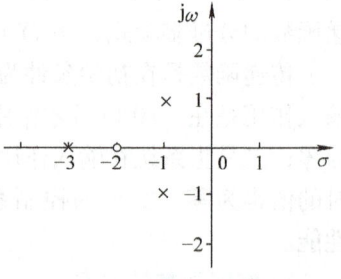

图 2-11 零、极点分布示意图

式中，K 为一常值。这表明，比例环节的输出量与输入量成正比，不失真也不延滞，所以比例环节又称为放大环节或无惯性环节。无弹性变形的杠杆、电位器、不计饱和的电子放大器、测速发电机（输出为电压、输入为转速时）等都可认为是比例环节。

2. 惯性环节

传递函数具有如下形式的环节称为惯性环节，即

$$G(s) = \frac{1}{Ts+1} \tag{2-56}$$

式中，T 为惯性环节的时间常数。

当惯性环节的输入量为单位阶跃函数时，该环节的输出量将按指数曲线上升，即输出响应具有惯性，时间常数 T 越大，惯性越大。在经过 3 个或 4 个 T 时，响应曲线达到稳态值的 95% 或 98%，如图 2-12b 所示。RC 电路、RL 电路、直流电动机电枢回路（当电枢电感可忽略不计时）都可看作惯性环节。

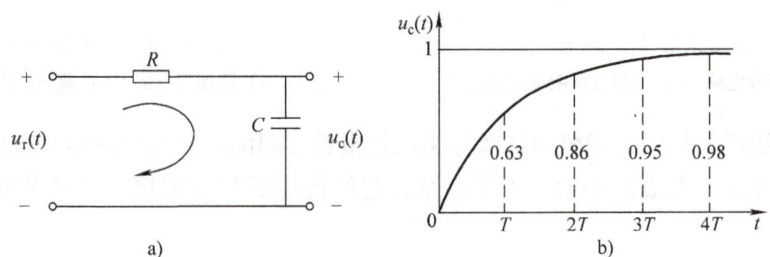

图 2-12　惯性环节
a) RC 电路　b) 单位阶跃响应曲线

3. 积分环节

图 2-13a 为控制系统中经常应用的积分电路。它的传递函数为

$$G(s) = \frac{1}{Ts} \tag{2-57}$$

式中，T 为积分时间常数，$T = RC$。

当积分环节的输入信号为单位阶跃函数时，则输出为 t/T，它随着时间直线增长，如图 2-13b 所示。直线的增长速度由 $1/T$ 决定，即 T 越小，上升越快。当输入突然除去时，积分停止，输出维持不变，故有记忆功能。对于理想的积分环节，只要有输入信号存在，输出就不断上升直至无限。对于实际部件，由于能量有限、饱和限制等，输出是不可能达到无限的。

比较图 2-12b 和图 2-13b 可以看出，当惯性环节的时间常数较大时，惯性环节的输出响应曲线在起始以后的较长一段时间内可以近似看作直线，这时惯性环节的作用就可近似为一个积分环节。

4. 微分环节

理想微分环节的传递函数为

$$G(s) = Ts \tag{2-58}$$

式中，T 为微分时间常数。

理想微分环节的输出量与输入量的一阶导数成正比。假如输入是单位阶跃函数 $1(t)$，则理想微分环节的输出为 $c(t) = T\delta(t)$，其中 $\delta(t)$ 是单位脉冲函数。由于微分环节能预示输入信号的变化趋势，所以常用来改善控制系统的动态性能。

理想微分环节如图 2-14 所示。其中图 2-14a 为测速发电机，$u = K_t \omega$，即输出电压与发电机轴的角速度成正比，但是如果考虑的是轴的转角 θ，则有 $u = K_t \dfrac{d\theta}{dt}$，为微分环节。图 2-14b 为微分运算放大器，它是近似的理想微分环节。

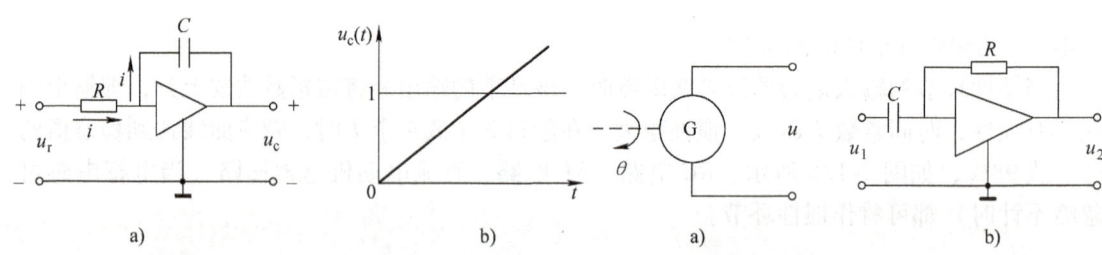

图 2-13 积分环节

a) 积分电路 b) 单位阶跃响应曲线

图 2-14 理想微分环节

a) 测速发电机 b) 微分运算放大器

在实际系统或元件中，理想的纯微分关系是很难实现的。实际工作中，微分环节可以采用近似的实现方法。考虑图 2-15a 所示电路，它的传递函数由理想微分环节和惯性环节组成，即

$$G(s) = \frac{U_2(s)}{U_1(s)} = \frac{Ts}{Ts+1} \tag{2-59}$$

式中，T 为微分时间常数，$T = RC$。在阶跃信号作用下该电路的响应曲线如图 2-15b 所示。T 越小，响应曲线越陡峭。当 $T \ll 1$ 时，$G(s) \approx Ts$，可近似为理想微分环节。

5. 比例 + 微分环节

这是经典控制理论中广泛应用的 PID 控制规律中的 PD 控制规律，它的传递函数为

$$G(s) = K_c(1 + Ts)$$

式中，K_c 为比例系数。

具有比例 + 微分环节特性的实际例子有无源电路和有源电路，如图 2-16 所示。图 2-16a 所示无源电路的传递函数为

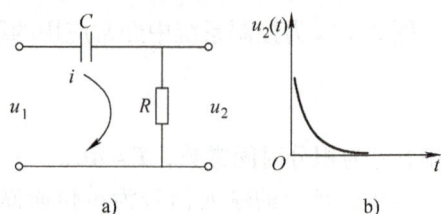

图 2-15 实际微分环节

a) RC 微分电路 b) 单位阶跃响应曲线

$$G(s) = \frac{1}{\alpha} \frac{\alpha Ts + 1}{Ts + 1} \tag{2-60}$$

式中，$T = \dfrac{R_1 R_2}{R_1 + R_2} C$，$\alpha = \dfrac{R_1 + R_2}{R_2}$。当 α 比较大时，式（2-60）就可看成是比例 + 微分环节。

6. 振荡环节

该环节包含两个储能元件，在动态过程中两个储能元件进行能量交换。它的传递函数为

$$G(s) = \frac{\omega_n^2}{s^2 + 2\omega_n \zeta s + \omega_n^2} \tag{2-61}$$

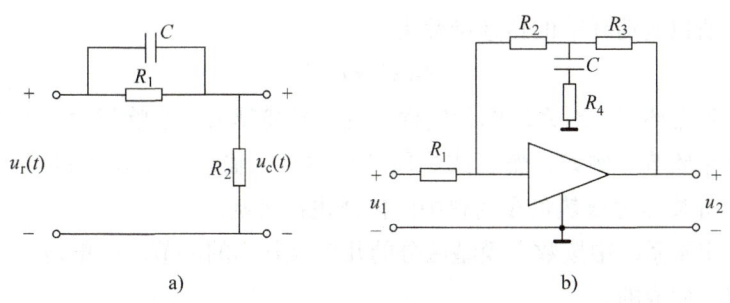

图 2-16 比例 + 微分环节

a) 无源电路 b) 有源电路

式中，ω_n 为无阻尼自然振荡频率；ζ 为阻尼比，$0 < \zeta < 1$。

振荡环节是一个二阶环节。对它的详细分析，将在第 3 章中进行。RLC 电路、机械位移系统、只考虑电枢电压控制作用的直流电动机（输出为转速）等，当参数满足一定条件时都是振荡环节。图 2-17 所示为振荡环节的实际例子和单位阶跃函数作用下的响应曲线。

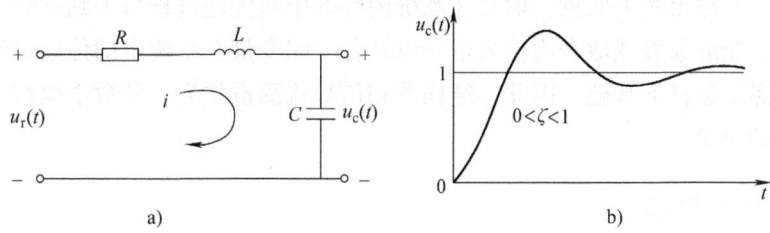

图 2-17 振荡环节

a) R-L-C 电路 b) 单位阶跃响应曲线

7. 延滞环节

在实际系统中经常会遇到这样一种典型环节，当输入信号 $r(t)$ 加入后，该环节的输出 $c(t)$ 要隔一定的时间后才能复现输入信号，如图 2-18 所示。在 $0 < 1 < \tau$ 内，输出为零，τ 称为延滞时间，这种环节称为延滞环节，具有延滞环节的系统称作延滞系统。

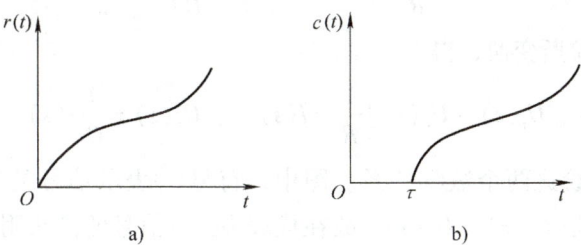

图 2-18 延滞环节

a) 输入信号 b) 输出信号

延滞环节的传递函数为

$$c(t) = r(t - \tau)$$

其拉普拉斯变换为

$$C(s) = \int_0^\infty r(t-\tau) e^{-st} dt = \int_0^\infty r(\zeta) e^{-s(\zeta+\tau)} d\zeta$$

$$= e^{-\tau s} R(s)$$

式中，$\zeta = t - \tau$。所以延滞环节的传递函数为

$$G(s) = e^{-\tau s} \tag{2-62}$$

系统中具有延滞环节，对系统的稳定性不利，延滞越大，影响越大。大多数过程控制系统中，都具有延滞环节。例如，燃料或物质的传输，从输入口至输出口需要一定传输时间（即延滞时间），介质压力或热量在物料中的传播也都有延滞。

以上是线性定常系统中按数学模型区分的几个最基本的环节。一般地，一个系统是由若干个典型环节组合而成的。

2.4 控制系统的结构图与信号流图

求取控制系统的传递函数时，需要对微分方程组或经拉普拉斯变换后的代数方程组进行消元。如果方程组的中间变量较多或子方程数较多，消元处理比较麻烦。而且消元处理之后，仅剩下输入与输出两个变量，信号在系统内部的中间传递过程得不到反映。而采用结构图或信号流图，能形象直观地表明输入信号以及各中间变量在系统中的传递过程，同时还为求取系统的传递函数打下基础。因此，结构图和信号流图也作为一种数学模型，在控制理论中得到了广泛的应用。

2.4.1 结构图的概念

首先以 RC 电路为例说明结构图的一般特点。图 2-19a RC 电路的微分方程式为

$$u_r = Ri + u_c \qquad u_c = \frac{1}{C}\int i\,dt$$

也可写为

$$\frac{u_r - u_c}{R} = i \qquad u_c = \frac{1}{C}\int i\,dt$$

对上面两式进行拉普拉斯变换，得

$$[U_r(s) - U_c(s)]\frac{1}{R} = I(s) \qquad U_c(s) = \frac{1}{Cs}I(s)$$

并用图 2-19b 形象描绘这两个数学关系。图中，符号 ⊗ 表示信号的代数和，箭头表示信号的传递方向。因为是 $U_r(s) - U_c(s)$，故在代表 $U_c(s)$ 信号的箭头附近标以负号，在代表 $U_r(s)$ 信号的箭头附近标以正号（为了简化，正号可以省略）。而由 ⊗ 输出的信号为 $U_r(s) - U_c(s)$，再经 1/R 转换为电流 $I(s)$。符号 ⊗ 常称作"相加点"或"综合点"。同理，流经电容器上的电流 $I(s)$ 经 1/Cs 转换为输出电压 $U_c(s)$。将图 2-19b 中的图形合并，并将输入量置于图的左端，输出量置于右端，同一变量的信号连接在一起，即得 RC 电路的结构图，如图 2-19c 所示。图中由 $U_c(s)$ 线段上引出的另一线段仍为 $U_c(s)$，该点称为"引出点"或"分支点"。需要注意，由引出点引出的信号是一样的，而不能理解为只是其中的一部分。

由上可见，结构图是由一些符号组成的。有表示信号输入和输出的通路及箭头，有

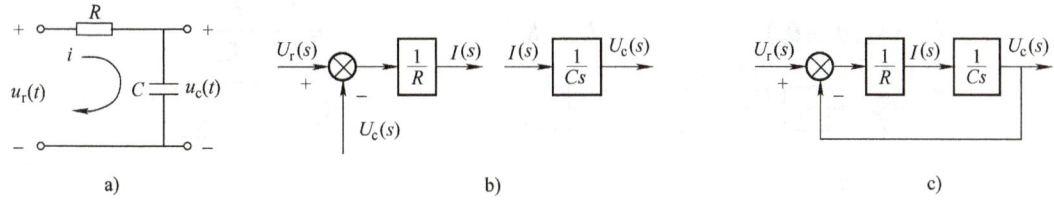

图 2-19 RC 电路的结构图

a) RC 电路　b) 与公式对应的结构图　c) 系统结构图

表示信号进行加减的综合点以及引出点，还有一些方框，方框内写入传递函数。根据由微分方程组得到的拉普拉斯变换方程组，对每个子方程都用上述符号表示，并将各图形正确地连接起来，即为结构图，又称为框图。结构图实际上是数学模型的图解化，在分析系统特性时，它有助于了解信号传递过程中各部分的联系，也将有助于了解部件参数对系统动态性能的影响。结构图和微分方程、传递函数一样，也是系统的一种数学模型。

2.4.2 控制系统结构图的建立

建立系统的结构图，其步骤如下：

1）建立控制系统各元件或部件的微分方程。在建立微分方程时，应分清输入量、输出量，同时应考虑相邻部件之间是否有负载效应。

2）对各元件或部件的微分方程进行拉普拉斯变换，然后绘出各部件的结构图。

3）按照系统中各变量的传递顺序，依次将各部件的结构图连接起来，置系统的输入变量于左端，输出变量于右端，便得到系统的结构图。

下面通过举例说明控制系统结构图的建立过程。

例 2-2　位置随动系统原理图如图 2-20 所示，试建立控制系统输入 θ_r 与输出 θ_c 之间的结构图。

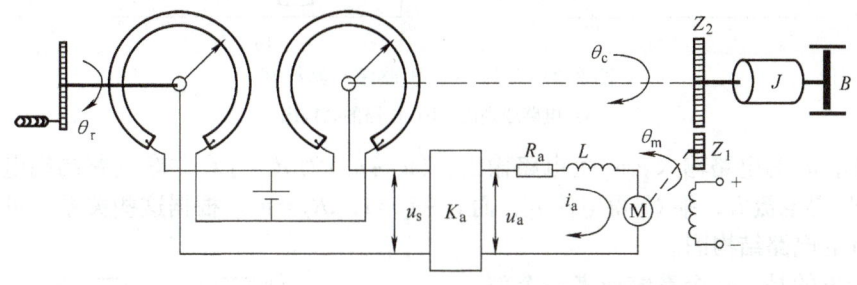

图 2-20　位置随动系统原理图

解　该系统各部分微分方程经拉普拉斯变换后的关系式及相应的局部结构图如图 2-21 所示。

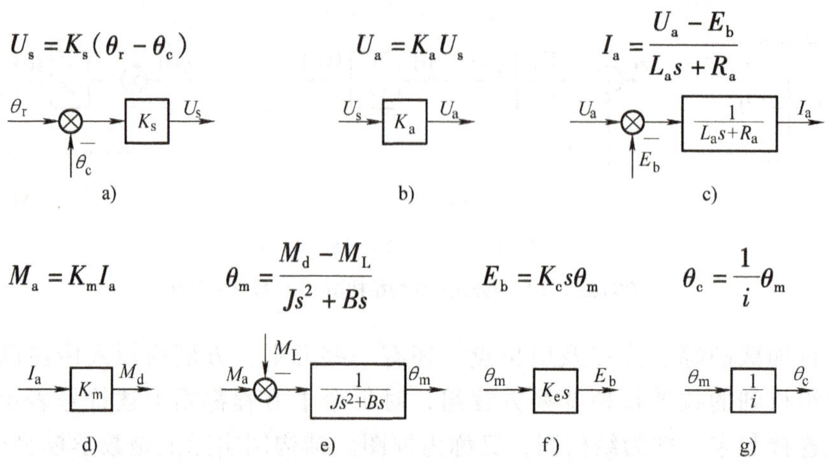

$$U_s = K_s(\theta_r - \theta_c) \qquad U_a = K_a U_s \qquad I_a = \frac{U_a - E_b}{L_a s + R_a}$$

$$M_a = K_m I_a \qquad \theta_m = \frac{M_d - M_L}{Js^2 + Bs} \qquad E_b = K_e s \theta_m \qquad \theta_c = \frac{1}{i}\theta_m$$

图 2-21 位置随动系统子方程结构图

将每个子方程的结构图按照相互关系，正确地连接起来，得到图 2-22 所示的系统结构图。

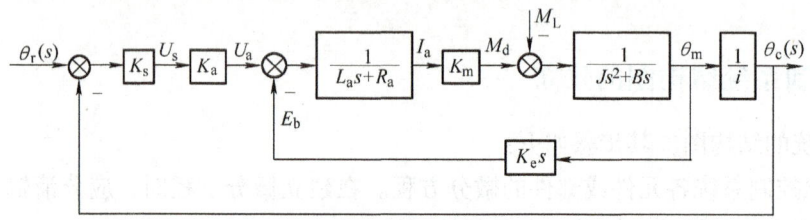

图 2-22 位置随动系统结构图

例 2-3 试绘制图 2-23a 所示无源电路的结构图。

解 对于较简单的多级无源电路以及一些放大器运算电路，往往可以运用电压、电流之间所遵循的定律，以及复阻抗的概念，不经过列写微分方程而直接建立结构图。

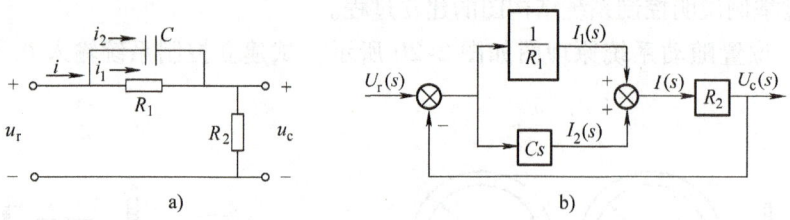

图 2-23 例 2-3 的电路图与结构图
a) 电路原理图　b) 电路的结构图

本例中，u_r 为电路输入，u_c 为电路输出。$(u_r - u_c)$ 为 R_1 与 C 并联支路的端电压，该端电压乘 $1/R_1$ 得电流 i_1，乘 Cs 得电流 i_2，而 $i_1 + i_2 = i$，$iR_2 = u_c$。根据这些关系，可立即绘出如图 2-23b 的电路结构图。

值得指出的是，一个系统或者一个部件，其结构图不是唯一的，可以绘出不同的形式。然而它们所表示的总的动态规律是唯一的，经过处理求得的总传递函数是完全相同的。上例所示电路的结构图还可用图 2-24 表示。

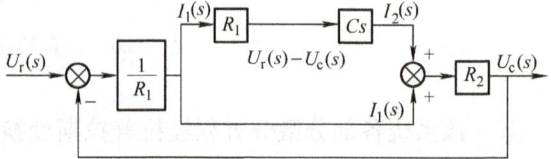

图 2-24 例 2-3 电路结构图的另一种形式

例 2-4 绘制图 2-25a 所示两级 RC 电路的结构图。

解 这是两个简单 RC 电路的串联。利用复阻抗概念,可直接绘出其结构图,如图 2-25b 所示。

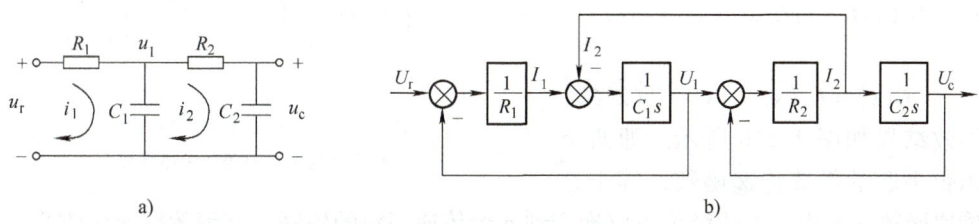

图 2-25 两级 RC 串联电路
a) 电路原理图 b) 电路的结构图

从图中明显地看到,后一级电路作为前一级电路的负载,对前级电路的输出电压 u_1 产生影响,此即所谓负载效应。这表明,不能简单地用两个单独 RC 电路结构图的串联表示组合电路的结构图。

如果在两级电路之间接入一个输入阻抗很大而输出阻抗很小的隔离放大器,如图 2-26a 所示,则该电路的结构图就可由两个简单的 RC 电路结构图组成,如图 2-26b 所示,这时,电路之间的负载效应已被消除。

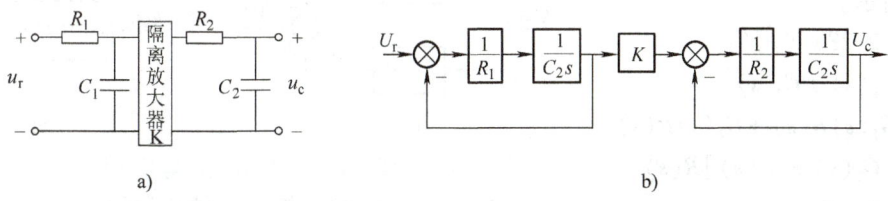

图 2-26 带隔离放大器的两级 RC 电路
a) 电路原理图 b) 电路的结构图

2.4.3 结构图的等效变换

为了进一步研究系统的动态性能,需要对系统的结构图进行运算和等效变换,求出总的传递函数。这种运算和等效变换,就是设法将结构图化为一个等效的方框,而方框中的数学表达式即为总传递函数。等效变换的实质相当于对方程组进行消元。

结构图的变换应按等效原则进行。所谓等效,即对结构图的任一部分进行等效变换时,变换前后输入、输出总的数学关系保持不变。另外,等效变换应尽量简单易行。

1. 结构图的基本组成

从前述的一些示例中可以看到,任何复杂系统的结构图都不外乎由串联、并联和反馈 3 种基本结构交织组成。

(1) 串联连接 方框与方框首尾相连,前一个方框的输出,作为后一个方框的输入,这种结构形式称为串联连接。图 2-22 中 K_s 与 K_a 两个方框即为串联连接。

两个传递函数分别为 $G_1(s)$ 与 $G_2(s)$ 的环节,以串联方式连接,如图 2-27a 所示。现欲将两者合并,用一个传递函数 $G(s)$ 代替,并保持 $R(s)$ 与 $C(s)$ 的关系不变。

由图 2-27a 可写出

$$X(s) = G_1(s)R(s)$$
$$C(s) = G_2(s)X(s)$$

消去 $X(s)$，则有

$$C(s) = G_1(s)G_2(s)R(s) = G(s)R(s)$$

所以

$$G(s) = G_1(s)G_2(s) \qquad (2\text{-}63)$$

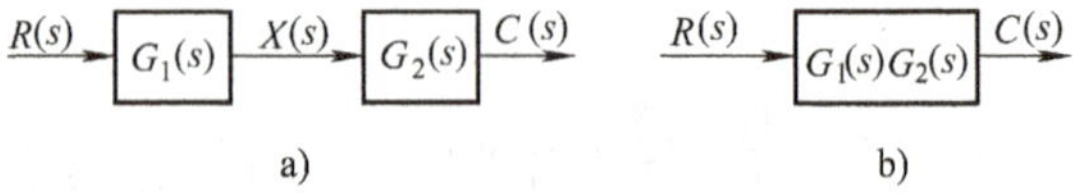

等效结果如图 2-27b 所示。即两个传递函数串联的等效传递函数，等于这两个传递函数的乘积。上述结论可以推广到 n 个传递函数的串联，其等效传递函数等于 n 个传递函数的乘积。

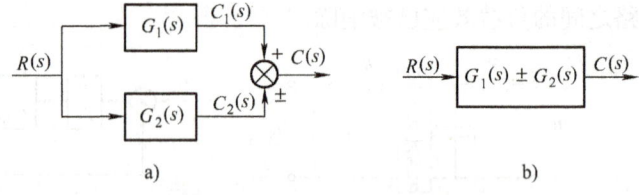

图 2-27　串联连接的等效变换
a) 串联连接　b) 等效传递函数

(2) **并联连接**　两个或两个以上方框具有同一个输入，而以各方框输出的代数和作为总输出，这种结构称为并联连接。图 2-23b 中 $1/R_1$ 与 Cs 两个方框的连接即为这种连接形式。

传递函数分别为 $G_1(s)$ 与 $G_2(s)$ 两个环节并联连接，其等效传递函数等于该两个传递函数的代数和，即

$$G(s) = G_1(s) \pm G_2(s) \qquad (2\text{-}64)$$

并联结构及等效变换结果如图 2-28 所示。

由图 2-28a 可写出

$$\begin{aligned} C(s) &= C_1(s) \pm C_2(s) \\ &= G_1(s)R(s) \pm G_2(s)R(s) \\ &= [G_1(s) \pm G_2(s)]R(s) \\ &= G(s)R(s) \end{aligned}$$

图 2-28　并联连接的等效变换
a) 并联连接　b) 等效传递函数

于是式(2-64)成立。这表明两个传递函数并联的等效传递函数，等于各传递函数的代数和，等效效果如图 2-28b 所示。同样，可将上述结论推广到 n 个传递函数的并联，其等效传递函数等于这 n 个传递函数的代数和。

(3) **反馈连接**　图 2-29a 所示结构为反馈连接。图中 A 处为综合点，两个信号代数相加后的 $E(s)$，作为 $G(s)$ 方框的输入，而 $G(s)$ 的输出，作为 $H(s)$ 方框的输入，并经 $H(s)$ 又返回作用于 $G(s)$ 方框的输入端，从而构成了反馈连接形式。返回至 A 处的信号取"+"，称为正反馈；取"-"，称为负反馈。负反馈连接是控制系统的基本结构形式。

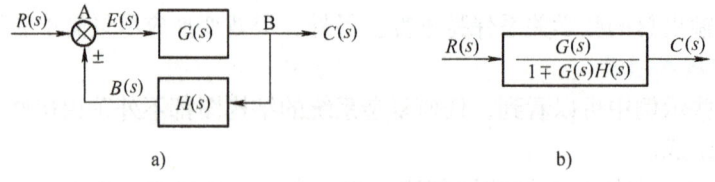

图 2-29　反馈连接的等效变换
a) 反馈连接　b) 等效传递函数

图中从 B 处引出信息的点称为引出点，由 B 点引出的信号均为 $C(s)$，而不能理解为只是 $C(s)$ 的一部分，这是应该注意的。

图中,从 $R(s)$ 到 $C(s)$ 的通道称为前向通道,前向通道中的传递函数 $G(s)$ 称为前向通道传递函数。从 $C(s)$ 到 $R(s)$ 的通道(从 B 点到 A 点)称为反馈通道,反馈通道中的传递函数 $H(s)$ 称为反馈通道传递函数。从 A 点经 $G(s)$、B 点、$H(s)$,又回到 A 点的通道称为回路。回路的特点是,从结构图的某一点开始,按箭头的指向,不重复地经过一些环节,再回到起点。

图 2-29b 为反馈连接的等效变换结果。由图 2-29a 按照信号传递的关系可写出

$$C(s) = G(s)E(s)$$
$$B(s) = H(s)C(s)$$
$$E(s) = R(s) \pm B(s)$$

消去 $E(s)$ 和 $B(s)$,得

$$C(s) = G(s)[R(s) \pm H(s)C(s)]$$
$$[1 \mp G(s)H(s)]C(s) = G(s)R(s)$$

因此

$$W(s) = \frac{C(s)}{R(s)} = \frac{G(s)}{1 \mp G(s)H(s)} \quad (2\text{-}65)$$

故将反馈结构图等效化简为一个方框,方框内的传递函数为式(2-65),称其为系统的闭环传递函数。式中,分母上的加号对应于负反馈,减号对应于正反馈。

若反馈通路的传递函数 $H(s) = 1$,常称作单位反馈,此时

$$W(s) = \frac{G(s)}{1 \mp G(s)} \quad (2\text{-}66)$$

式(2-63)~式(2-66)为结构图变换中最常用的基本公式,也称基本变换法则。

2. 综合点与引出点的移动

在图 2-25b 中,3 个反馈回路都不是相互独立的,而是通过综合点或引出点相互交叉在一起,因此无法直接应用反馈法则进行等效化简。必须在保证总的传递函数不变的条件下,设法将综合点或引出点的位置做适当的移动,消除回路间的交叉联系之后再做进一步变换。

(1)综合点的前后移动 图 2-30 表示了综合点前移的等效变换。如果欲将图 2-30a 中的综合点前移到 $G(s)$ 方框的输入端,而且仍要保持信号之间的关系不变,则必须在被移动的通路上串以 $G(s)$ 倒数的方框,如图 2-30b 所示。

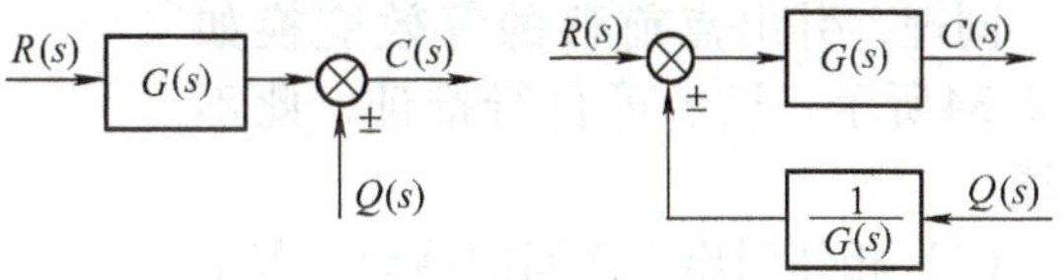

移动前的结构图中,信号关系为

$$C(s) = G(s)R(s) \pm Q(s)$$

移动后,信号关系为

图 2-30 综合点前移的等效变换
a)原始结构图 b)等效结构图

$$C(s) = G(s)[R(s) \pm G(s)^{-1}Q(s)]$$
$$= G(s)R(s) \pm Q(s)$$

两者是完全等效的。

同理,综合点后移的等效变换如图 2-31 所示,读者可自行推证,此不赘述。

(2)相邻综合点之间的移动 图 2-32 为相邻两个综合点前后移动的等效变换。因为总输出 $C(s)$ 是 $R(s)$、$X(s)$、$Y(s)$ 3 个信号的代数和,故更换综合点的位置不会影响总的输

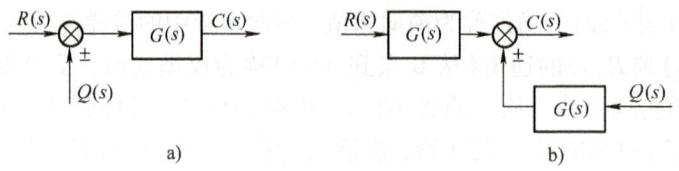

图 2-31 综合点后移的等效变换

a) 原始结构图　b) 等效结构图

出、输入关系。

移动前，总输出信号为

$$C(s) = R(s) \pm X(s) \pm Y(s)$$

移动后，总输出信号为

$$C(s) = R(s) \pm Y(s) \pm X(s)$$

两者完全相同。因此，多个相邻综合点之间，可以随意调换位置。

（3）引出点的前后移动　在图 2-33 中给出了引出点后移的等效变换。

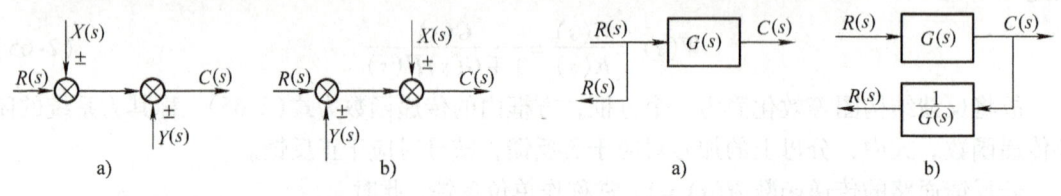

图 2-32 相邻综合点之间的移动

a) 原始结构图　b) 等效结构图

图 2-33 引出点后移的等效变换

a) 原始结构图　b) 等效结构图

将 $G(s)$ 方框输入端的引出点，移到 $G(s)$ 的输出端，仍要保持总的信号关系不变，则在被移动的通路上应该串入 $G(s)$ 的倒函数方框，如图 2-33b 所示。如此，移动后的支路上的信号仍为

$$R(s) = \frac{1}{G(s)} C(s) = \frac{1}{G(s)} G(s) R(s)$$
$$= R(s)$$

同理，引出点前移的等效变换如图 2-34 所示，读者可自行推证，此不赘述。

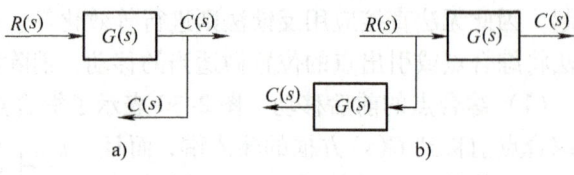

图 2-34 引出点前移的等效变换

a) 原始结构图　b) 等效结构图

（4）相邻引出点之间的移动　若干个引出点相邻，这表明是同一个信号输送到不同地方去。因此，引出点之间相互交换位置，完全不会改变引出信号的性质，亦即这种移动无须做任何传递函数的变换，如图 2-35 所示。

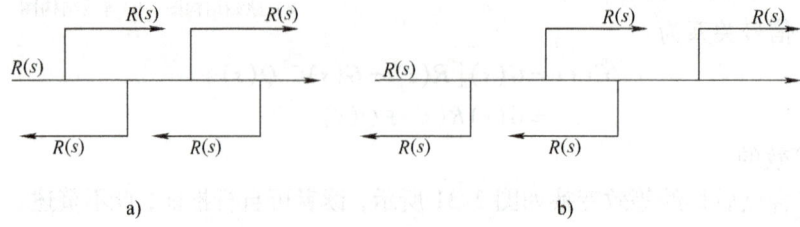

图 2-35 相邻引出点的移动

a) 原始结构图　b) 等效结构图

3. 结构图变换举例

例 2-5 试化简图 2-36 所示结构图，求出系统闭环传递函数 $U_c(s)/U_r(s)$。

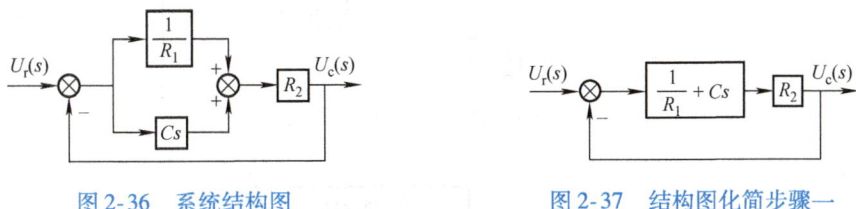

图 2-36　系统结构图　　　　图 2-37　结构图化简步骤一

解 这是一个由基本环节组成的结构图，可以按照串联、并联和反馈连接逐步化简写出其闭环传递函数。

首先将两个并联连接的方框等效为图 2-37 所示的一个方框中；然后根据串联连接等效变换得到图 2-38 所示的框图；最后按照反馈连接变换为一个方框，如图 2-39 所示，即得到系统总传递函数。

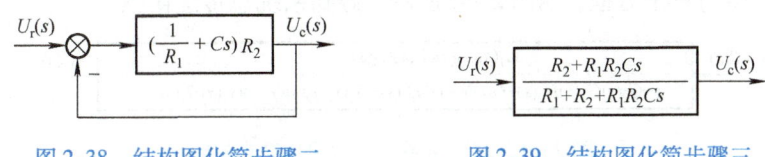

图 2-38　结构图化简步骤二　　　　图 2-39　结构图化简步骤三

例 2-6 化简图 2-40 所示系统的结构图，并求系统的传递函数，即 $C(s)/R(s)$。

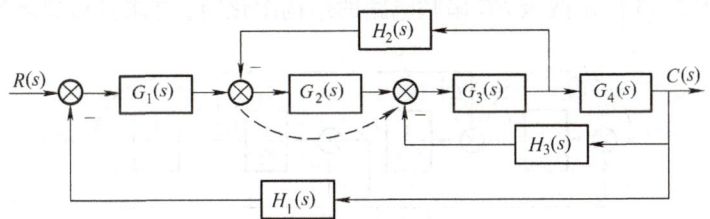

图 2-40　多回路系统结构图

解 这是一个多回路结构图，且有引出点、综合点的交叉。为了从内回路到外回路逐步化简，首先要消除交叉连接。方法之一是将综合点后移（图 2-40 中虚线标示处），然后交换综合点的位置，将图 2-40 化简为图 2-41。

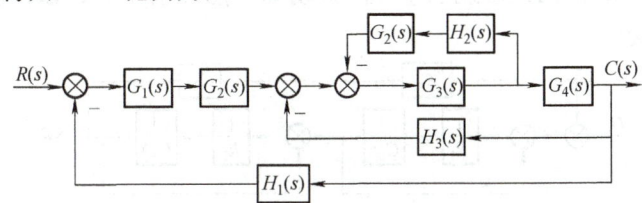

图 2-41　多回路系统结构图化简步骤一

然后，对图 2-41 中由 $G_2(s)$、$G_3(s)$、$H_2(s)$ 组成的小回路实行串联及反馈变换，进而化简为图2-42。

其次，对内回路再实行串联及反馈变换，则只剩一个主反馈回路，如图 2-43 所示。

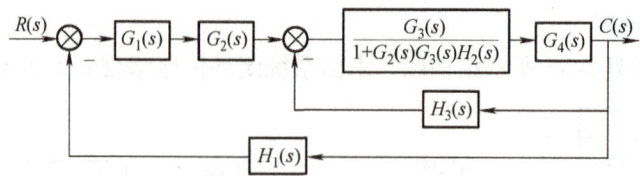

图 2-42 多回路系统结构图化简步骤二

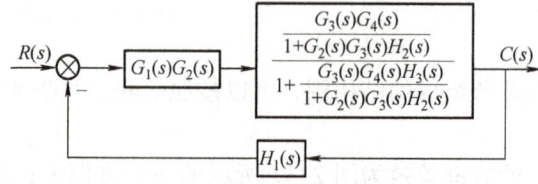

图 2-43 多回路系统结构图化简步骤三

最后，再变换为一个方框，如图 2-44 所示，得到系统总传递函数。

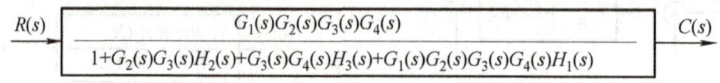

图 2-44 多回路系统结构图化简步骤四

第一步的变换也可采用其他的移动办法，读者可自行试做。

例 2-7 将图 2-45 所示两级 RC 串联电路的结构图化简，并求其传递函数 $U_c(s)/U_r(s)$。

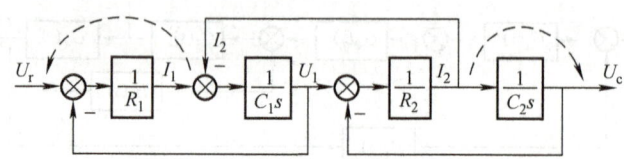

图 2-45 两级 RC 电路串联的结构图

解 在图 2-45 中，有两处引出点与综合点交叉。为了将反馈回路单独分离出来，必须移动综合点或引出点。移动的原则是使移动后的综合点相邻，或使移动后的引出点相邻。

首先，按照图 2-45 的两处虚线示意方向移动综合点和引出点，以消除回路之间的交叉关系，如图 2-46 所示。

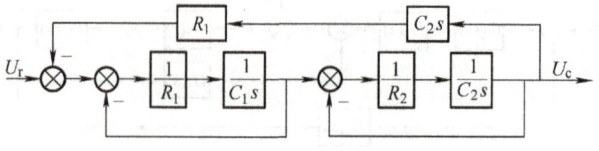

图 2-46 两级 RC 串联电路的结构图化简步骤一

然后，按照串联及反馈结构化简两个内回路，得到图 2-47。

最后，进行串联及反馈变换，得到两级 RC 串联电路的传递函数，如图 2-48 所示。

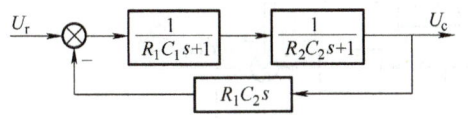

图 2-47 两级 RC 串联电路的结构图化简步骤二

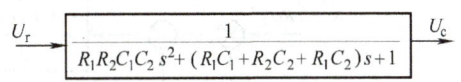

图 2-48 两级 RC 串联电路的结构图化简步骤三

例 2-8 试化简图 2-49 所示的多交叉系统结构图，求传递函数 $C(s)/R(s)$。

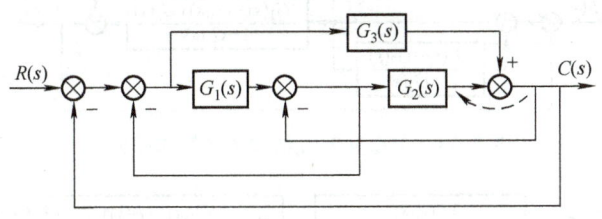

图 2-49 多交叉系统结构图

解 这是一个具有多回路，且综合点与引出点交替排列的多交叉系统结构，在应用上述结构图变换方法进行化简时应注意信号流向。

首先根据图 2-49 中虚线指示方向将引出点移动到综合点前面，同时在 $G_3(s)$ 方框输出端增加一条分支至 $G_1(s)$ 方框输出端，符号为负，如图 2-50 所示；其次根据图 2-50 中虚线示意方向进行引出点前移，同时合并两个并联连接，如图 2-51 所示；接着进行反馈连接和串联连接的化简，得到图 2-52；然后按照图 2-52 中虚线示意方向将引出点前移，得到图 2-53；最后进行反馈和并联连接化简，得到图 2-54。

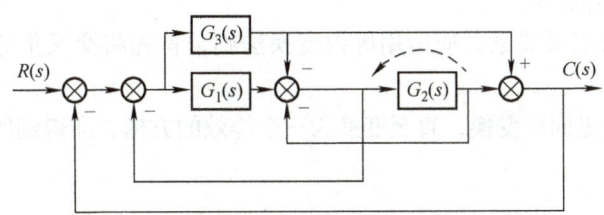

图 2-50 多交叉系统结构图化简步骤一

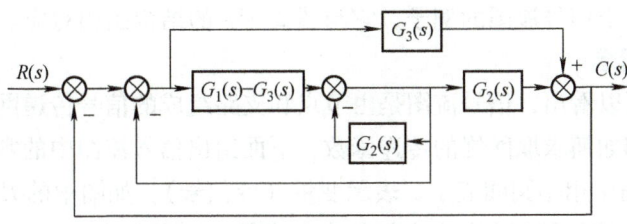

图 2-51 多交叉系统结构图化简步骤二

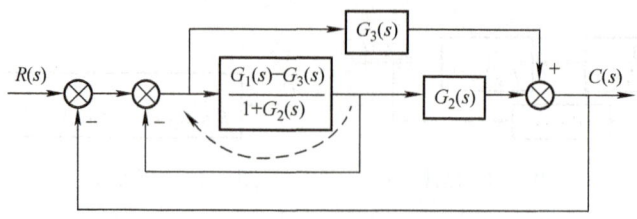

图 2-52 多交叉系统结构图化简步骤三

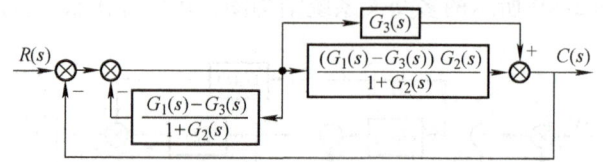

图 2-53 多交叉系统结构图化简步骤四

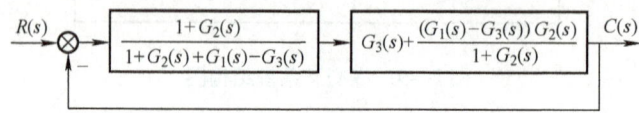

图 2-54 多交叉系统结构图化简步骤五

图 2-54 是一个具有单位负反馈的基本结构，可以直接写出总传递函数为

$$\frac{C(s)}{R(s)} = \frac{G_3(s) + G_1(s) G_2(s)}{1 + G_1(s) + G_2(s) + G_1(s) G_2(s)}$$

从以上几个例子，可以归纳出化简结构图求总传递函数的一般步骤：

1）确定输入量与输出量，如果作用在系统上的输入量有多个（分别作用在系统的不同部位），则必须分别对每个输入量逐个进行结构变换，求得各自的传递函数。对于有多个输出量的情况，也应分别处理。

2）若结构图中有交叉关系，应运用等效变换法则，首先将交叉消除，化为无交叉的单回路结构。

3）对于回路可由里向外变换，直至变换为一个等效的方框，即得到所求的传递函数。

2.4.4 信号流图

信号流图和结构图一样，都是控制系统中信号传递关系的图解描述。然而信号流图符号简单，便于绘制和运用，特别在控制系统的计算机模拟研究中，更能显示出信号流图的优越性。图 2-55b 就是一个信号流图的例子，它与图 2-55a 的结构图相对应。

1. 信号流图的概念

从图 2-55b 中可以看出，信号流图是由节点和支路组成的信号传递网络。为了进一步讨论信号流图的构成和如何求取网络的传递函数，下面给出信号流图中的常用术语。

（1）节点 在图中用小圆圈表示，表示变量（或信号），如图中的 $R(s)$、x_1、x_2 等。

（2）支路 是连接相邻两个节点之间的定向线段，如图中的 $x_1 \rightarrow x_2$、$x_3 \rightarrow x_4$ 等。它有一定的复数增益（即传递函数），称为支路增益，标记在相应的支路线段旁。信号只能在支路上沿箭头方向传递，经支路传递的信号应乘以支路的增益。

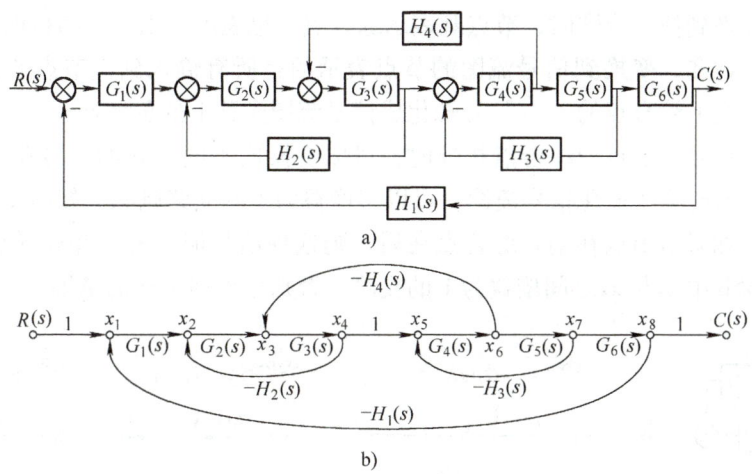

图 2-55 多回路系统的结构图与信号流图
a) 结构图　b) 信号流图

（3）输入节点　只有输出支路没有输入支路的节点称为输入节点。如图中的 $R(s)$，它一般表示系统的输入信号。

（4）输出节点　只有输入支路没有输出支路的节点称为输出节点。如图中的 $C(s)$，它一般表示系统的输出信号。

（5）混合节点　既有输入支路又有输出支路的节点称为混合节点。如图中的 x_2 和 x_3 等。在混合节点处，如果有多个输入支路，则它们相加后成为混合节点信号的值，而所有从混合节点输出的支路都取该值。

（6）通路　从某一节点开始沿支路箭头方向经过若干相连支路到另一节点所构成的路径称为通路。通路中各支路增益的乘积叫作通路增益。如图中 $x_3 \to x_4 \to x_5 \to x_6$ 之间的通路。

（7）前向通路　是指从输入节点开始并终止于输出节点且与其他节点相交不多于一次的通路。该通路的各增益乘积称为前向通路增益。如图中 $R(s) \to x_1 \to x_2 \to x_3 \to x_4 \to x_5 \to x_6 \to x_7 \to x_8 \to C(s)$ 的前向通路，相应的前向通路增益为 $G_1(s)\ G_2(s)\ G_3(s)\ G_4(s)\ G_5(s)\ G_6(s)$。

（8）回路　如果通路的终点就是通路的起点，并且与任何其他节点相交不多于一次的通路称为回路。回路中各支路增益的乘积称为回路增益。如图中 $x_2 \to x_3 \to x_4 \to x_2$ 的回路，相应的回路增益为 $-G_2(s)\ G_3(s)\ H_2(s)$。

（9）不接触回路　如果信号流图有多个回路，各回路之间没有任何公共节点，则称为不接触回路，反之称为接触回路。如图中 $x_2 \to x_3 \to x_4 \to x_2$ 回路与 $x_5 \to x_6 \to x_7 \to x_5$ 回路为两个不接触回路，而 $x_2 \to x_3 \to x_4 \to x_2$ 回路与 $x_3 \to x_4 \to x_5 \to x_6 \to x_3$ 回路有公共节点 x_3 和 x_4，所以为接触回路。

2. 由系统结构图绘制信号流图

信号流图可以根据系统微分方程经过拉普拉斯变换后绘制，也可以由系统结构图按照对应关系得出。从结构图变换为信号流图时，只要用小圆圈标出传递的信号，便是节点；用标有传递函数的有向线段代替结构图的方框，便得到支路。这样，结构图就变换为相应的信号流图了。

从结构图变换到信号流图时,节点既表示综合点,也表示引出点。结构图综合点表示两个以上信号的代数和,变换到信号流图的节点表示的是所有输入到该节点的信号相加,为此,需要将结构图上综合点的"-"号转化成信号流图支路上的负增益。

当结构图的信号引出点与综合点相邻时,可以变换成不同形式的信号流图,如图2-56所示。一般地,有时为了简化信号流图,可以将增益为1的支路删除,如图2-56c、d所示。需要指出的是,如果引出点在前,综合点在后,则这种信号流图的"单位传输"一定不能删除,如图2-55b中x_4与x_5之间增益为1的支路,否则会出现错误的结果。

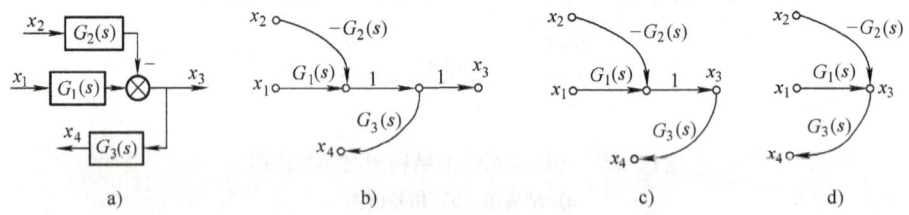

图2-56 结构图变换为信号流图示意

a) 结构图 b) 信号流图一 c) 信号流图二 d) 信号流图三

例2-9 试将如图2-57所示系统的结构图转化为信号流图。

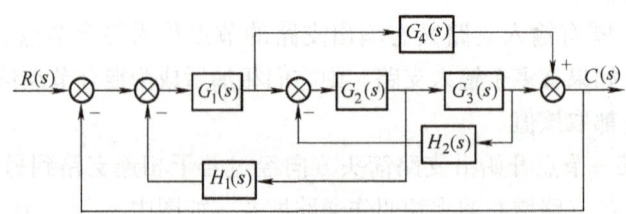

图2-57 例2-9系统的结构图

解 首先,将结构图上的综合点和引出点在信号流图上用小圆圈标注,即成为节点。其次,在信号流图上用有向线段连接相邻节点,成为支路,并在支路旁标注上相应的传递函数(注意正负号),有时需要用增益为1的支路连接两个节点。最后,简化图形,去掉不必要的节点,如图2-58所示。实际上,图2-58中的x_1和x_2两个节点可以合并,而x_3与x_4、x_6与x_7之间增益为1的支路则不能删除。

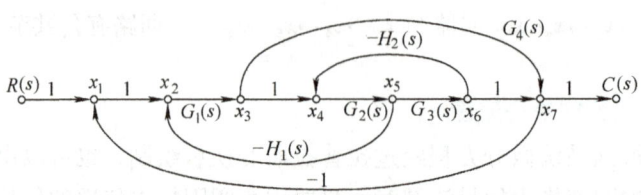

图2-58 转化后的信号流图

2.4.5 梅逊公式

信号流图可以经过等效变换求出输出量与输入量之间的传递函数,等效变换法则与结构图情况类似。但是,还有另一种更简捷的方法,就是利用梅逊(S. J. Mason)于 1956 年提出的信号流图增益计算公式,称为梅逊公式。借助于梅逊公式,可以不经任何结构变换,便可以直接得到系统的传递函数。当然,由于信号流图与结构图之间存在着对应关系,因此,梅逊公式也可直接用于系统结构图。在此先给出梅逊公式,然后举例说明其应用。

梅逊公式的表达式为

$$P = \frac{\sum_{k=1}^{n} P_k \Delta_k}{\Delta} \tag{2-67}$$

式中,P 为信号流图的总增益;Δ 为特征式,且

$$\Delta = 1 - \sum L_i + \sum L_i L_j - \sum L_i L_j L_k + \cdots \tag{2-68}$$

$\sum L_i$ 为所有回路的回路增益之和;$\sum L_i L_j$ 为所有两两互不接触回路的回路增益乘积之和;$\sum L_i L_j L_k$ 为所有 3 个互不接触回路的回路增益乘积之和;n 为从输入节点到输出节点所有前向通路的条数;P_k 为从输入节点到输出节点第 k 条前向通路的增益;Δ_k 为在 Δ 中将与第 k 条前向通路相接触的回路增益除去后所余下的部分,称为余子式。

注意,在回路增益中应包含代表反馈极性的正、负符号。

下面举例具体说明 Δ、P_k、Δ_k 的求法。

例 2-10 求图 2-58 所示信号流图的增益。

解 图中共有 4 个回路:$L_1 = -G_1(s)G_2(s)G_3(s)$,$L_2 = -G_1(s)G_2(s)H_1(s)$,$L_3 = -G_2(s)G_3(s)H_2(s)$,$L_4 = -G_1(s)G_4(s)$。
回路中 L_3 与 L_4 不接触,所以 $L_3 L_4 = [-G_2(s)G_3(s)H_2(s)][-G_1(s)G_4(s)]$。因而特征式为

$$\begin{aligned}\Delta &= 1 - L_1 - L_2 - L_3 - L_4 + L_3 L_4 \\ &= 1 + G_1(s)G_2(s)G_3(s) + G_1(s)G_2(s)H_1(s) + G_2(s)G_3(s)H_2(s) + G_1(s)G_4(s) + \\ &\quad G_1(s)G_2(s)G_3(s)G_4(s)H_2(s)\end{aligned}$$

图中有两条前向通路,故 $n = 2$。

第一条前向通路 $P_1 = G_1(s)G_2(s)G_3(s)$,与每个回路均有接触,故 P_1 的余子式 $\Delta_1 = 1$。

第二条前向通路 $P_2 = G_1(s)G_4(s)$,与回路 $L_3 = -G_2 G_3 H_2$ 不接触,故 P_2 的余子式 $\Delta_2 = 1 + G_2(s)G_3(s)H_2(s)$。

则由梅逊公式可得信号流图的增益为

$$P = \frac{P_1 \Delta_1 + P_2 \Delta_2}{\Delta}$$

$$= \frac{G_1(s)G_2(s)G_3(s) + G_1(s)G_4(s)[1 + G_2(s)G_3(s)H_2(s)]}{1 + G_1(s)G_2(s)G_3(s) + G_1(s)G_2(s)H_1(s) + G_2(s)G_3(s)H_2(s) + G_1(s)G_4(s) + G_1(s)G_2(s)G_3(s)G_4(s)H_2(s)}$$

例 2-11 图 2-59a 为三级 RC 滤波电路,试绘制其结构图,并转换为信号流图,求其传递函数。

解 将电路分为 3 个电流回路,回路电流分别为 i_1、i_2、i_3。

(1) 绘制结构图 用复阻抗与电压、电流关系,可以直接绘出电路的结构图,如图 2-59b 所示。

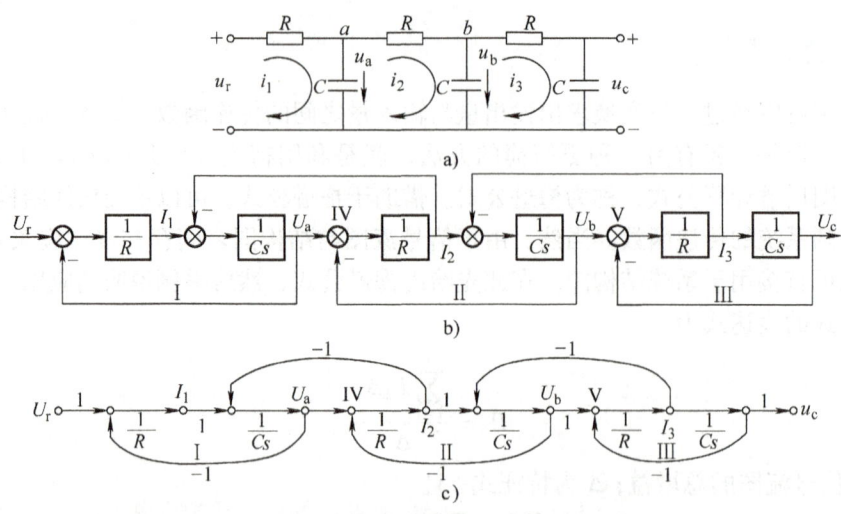

图 2-59 三级 RC 电路
a) 电路原理图　b) 电路结构图　c) 电路信号流图

(2) 绘制信号流图　利用结构图中已有的变量符号，直接标注在信号流图的小圆圈上，即得到图 2-59c。

(3) 求传递函数　运用等效法则化简结构图或信号流图是比较麻烦的，而采用梅逊公式求传递函数则简便得多。对比图 2-59b 和图 2-59c 可以看出，两者只是表现的形式不同，而在结构上完全一样。所以，利用结构图还是信号流图求系统的传递函数没有区别。

该结构图有 5 个反馈回路，回路传递函数均相同，即

$$L_1 = L_2 = \cdots = L_5 = -\frac{1}{RCs}$$

故

$$\sum L_i = -\frac{5}{RCs}$$

在这 5 个回路中，可以找出 6 对两两互不接触的回路，它们是 Ⅰ-Ⅱ、Ⅰ-Ⅲ、Ⅰ-Ⅴ、Ⅱ-Ⅲ、Ⅲ-Ⅳ 及 Ⅳ-Ⅴ，因此

$$\sum L_i L_j = \frac{6}{R^2 C^2 s^2}$$

在 5 个回路中还有一组三三互不接触的回路，即 Ⅰ-Ⅱ-Ⅲ，故

$$\sum L_i L_j L_k = -\frac{1}{R^3 C^3 s^3}$$

则特征式为

$$\Delta = 1 - \sum L_i + \sum L_i L_j - \sum L_i L_j L_k$$
$$= 1 + \frac{5}{RCs} + \frac{6}{R^2 C^2 s^2} + \frac{1}{R^3 C^3 s^3}$$

而前向通路只有一条，即

$$P_1 = \frac{1}{R^3 C^3 s^3}$$

且前向通路与各反馈回路均有接触，余子式 $\Delta_1 = 1$。

由梅逊公式求得总传递函数为

$$\frac{U_c(s)}{U_r(s)} = \frac{P_1 \Delta_1}{\Delta} = \frac{\dfrac{1}{R^3 C^3 s^3}}{1 + \dfrac{5}{RCs} + \dfrac{6}{R^2 C^2 s^2} + \dfrac{1}{R^3 C^3 s^3}}$$

$$= \frac{1}{R^3 C^3 s^3 + 5R^2 C^2 s^2 + 6RCs + 1}$$

应用梅逊公式将大大简化系统传递函数的求取。但当系统结构复杂时,容易发生混淆,或将回路以及互不接触的回路算错,在使用时应格外注意。

2.5 控制系统的传递函数

控制系统在工作过程中会受到两类外作用信号的影响。一类是有用信号,或称为输入信号、给定值、参考输入等,常用 $r(t)$ 表示。另一类则是扰动,或称为干扰,常用 $n(t)$ 表示。输入 $r(t)$ 通常是加在系统的输入端,而干扰 $n(t)$ 一般是作用在受控对象上,但也可能出现在其他元件或部件上,甚至夹杂在输入信号之中。一个闭环控制系统的典型结构可用图 2-60 表示。

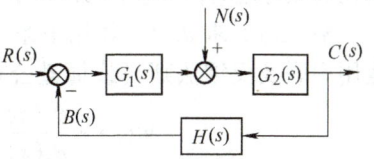

图 2-60 闭环控制系统典型结构

研究系统输出 $c(t)$ 的运动规律,只考虑输入 $r(t)$ 的作用是不完全的,往往还需要考虑干扰 $n(t)$ 对输出的影响。基于后面章节的需要,下面介绍一些关于控制系统传递函数的概念。

1. $r(t)$ 作用下系统的闭环传递函数

由于是线性系统,为了得到输入、输出之间的传递函数,可以令 $n(t)=0$,这时图 2-60 变为图 2-61,输出 $c(t)$ 对输入 $r(t)$ 之间的传递函数为

$$W(s) = \frac{C(s)}{R(s)} = \frac{G_1(s) G_2(s)}{1 + G_1(s) G_2(s) H(s)} \tag{2-69}$$

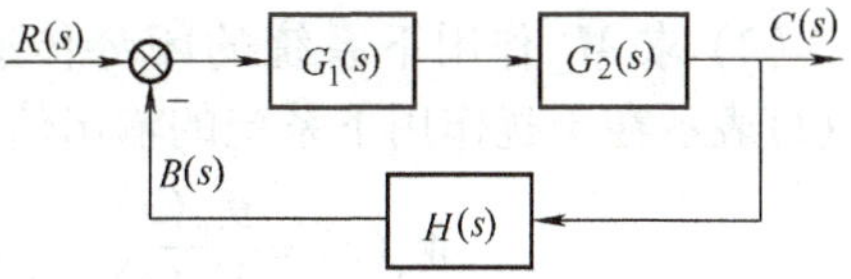

图 2-61 $r(t)$ 作用下的系统结构图

称 $W(s)$ 为在输入信号 $r(t)$ 作用下系统的闭环传递函数。而输出的拉普拉斯变换式为

$$C(s) = W(s) R(s) = \frac{G_1(s) G_2(s)}{1 + G_1(s) G_2(s) H(s)} R(s) \tag{2-70}$$

可见当系统中只有 $R(s)$ 信号作用时,系统的输出完全取决于闭环传递函数 $W(s)$ 及 $R(s)$ 的形式。

2. $n(t)$ 作用下系统的闭环传递函数

为研究干扰对系统的影响,需要求出 $c(t)$ 对 $n(t)$ 之间的传递函数。这时,令 $r(t)=0$,则图 2-60 转化为图 2-62。由图可得

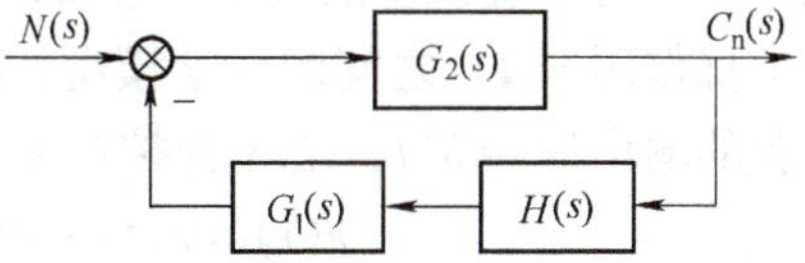

图 2-62 $n(t)$ 作用下的系统结构图

$$W_n(s) = \frac{C_n(s)}{N(s)} = \frac{G_2(s)}{1 + G_1(s) G_2(s) H(s)} \tag{2-71}$$

称 $W_n(s)$ 为在干扰 $n(t)$ 作用下系统的闭环传递函数。而此时系统输出的拉普拉斯变换式为

$$C_n(s) = W_n(s) N(s) = \frac{G_2(s)}{1 + G_1(s) G_2(s) H(s)} N(s) \tag{2-72}$$

由于干扰 $n(t)$ 在系统中的作用位置与输入信号 $r(t)$ 的作用位置不一定是同一个地方，故 $W_n(s)$ 与 $W(s)$ 一般是不相同的，这也表明引入干扰作用下系统闭环传递函数的必要性。

3. 系统的总输出

根据线性系统的叠加原理，系统的总输出应为各外作用引起的输出的总和。因而将式 (2-70) 与式 (2-72) 相加即得总输出量为

$$C_\Sigma(s) = C(s) + C_n(s)$$

$$= \frac{G_1(s)G_2(s)R(s)}{1 + G_1(s)G_2(s)H(s)} + \frac{G_2(s)N(s)}{1 + G_1(s)G_2(s)H(s)}$$

$$= \frac{G_1(s)G_2(s)R(s) + G_2(s)N(s)}{1 + G_1(s)G_2(s)H(s)} \tag{2-73}$$

例 2-12 根据图 2-22 位置随动系统的结构图，试求系统在给定值 $\theta_r(t)$ 作用下的传递函数及在负载力矩 M_L 作用下的传递函数，并求两信号同时作用下，系统总输出的拉普拉斯变换式。

解 （1）求 $\theta_r(t)$ 作用下系统的闭环传递函数。令 $M_L = 0$，系统结构图转化为图 2-63。运用串联及反馈法则（或梅逊公式），可求得

$$W(s) = \frac{\theta_c(s)}{\theta_r(s)} = \frac{K_a K_s K_m/(iR_a)}{Js^2 + (B + K_m K_e/R_a)s + K_a K_s K_m/(iR_a)}$$

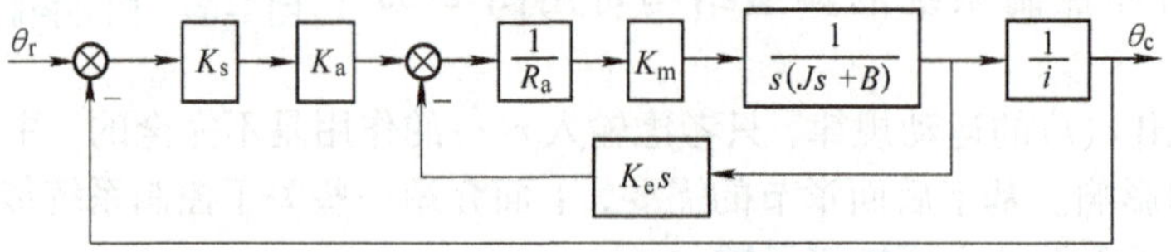

图 2-63 $M_L = 0$ 时位置随动系统结构图

（2）求 M_L 作用下系统的闭环传递函数。令 $\theta_r = 0$，系统结构图转化为图 2-64。图中 $\theta_{cn}(t)$ 表示在干扰作用下系统的输出信号。经结构图化简得

$$W_n(s) = \frac{\theta_{cn}(s)}{M_L(s)} = \frac{-1/i}{Js^2 + (B + K_m K_e/R_a)s + K_a K_s K_m/(iR_a)}$$

（3）求系统总输出。在 θ_r 及 M_L 同时作用下，系统的总输出为两部分叠加，即

$$\theta_\Sigma(s) = W(s)\theta_r(s) + W_n(s)M_L(s)$$

4. 闭环系统的误差传递函数

在系统分析时，除了要了解输出量的变化规律之外，还经常关心控制过程中误差的变化规律。因为系统误差的大小直接反映了系统工作的精度，故寻求误差和系统的控制信号 $r(t)$ 及干扰作用 $n(t)$ 之间的数学模型，就十分必要了。在图 2-65 中，定义参考输入 $r(t)$ 与测量装置的输出信号 $b(t)$ 之差为控制系统的误差信号 $e(t)$，即

$$e(t) = r(t) - b(t) \quad \text{或} \quad E(s) = R(s) - B(s)$$

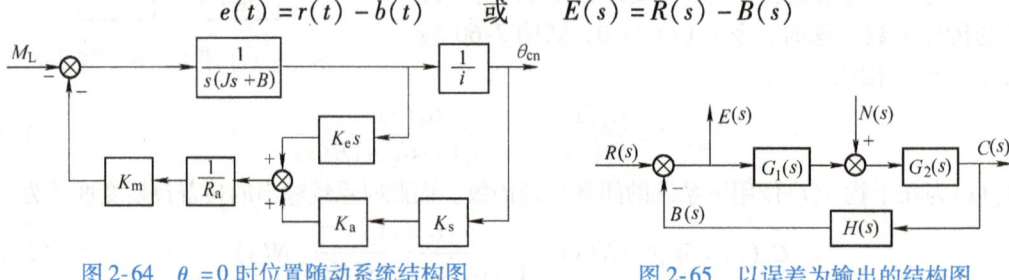

图 2-64 $\theta_r = 0$ 时位置随动系统结构图

图 2-65 以误差为输出的结构图

(1) $r(t)$ 作用下的误差传递函数 $E(s)/R(s)$，此时取 $n(t)=0$，可求得

$$W_e(s) = \frac{E(s)}{R(s)} = \frac{1}{1+G_1(s)G_2(s)H(s)} \quad (2\text{-}74)$$

(2) $n(t)$ 作用下的误差传递函数 $E_n(s)/N(s)$，此时取 $r(t)=0$，可求得

$$W_{en}(s) = \frac{E_n(s)}{N(s)} = \frac{-G_2(s)H(s)}{1+G_1(s)G_2(s)H(s)} \quad (2\text{-}75)$$

(3) 系统的总误差可根据叠加原理求得

$$E_\Sigma(s) = W_e(s)R(s) + W_{en}(s)N(s)$$

5. 闭环系统的特征方程

将上面导出的 4 个传递函数表达式（2-69）、式（2-71）、式（2-74）及式（2-75）相对比，可以看出它们虽然各不相同，但分母却是一样的，均为 $[1+G_1(s)G_2(s)H(s)]$，称其为闭环系统的特征多项式。这是闭环控制系统传递函数所具有的规律性。令

$$D(s) = 1 + G_1(s)G_2(s)H(s) = 0 \quad (2\text{-}76)$$

称为闭环系统的特征方程。如果将式（2-76）改写成

$$s^n + a_1 s^{n-1} + \cdots + a_{n-1}s + a_n = (s+p_1)(s+p_2)\cdots(s+p_n) = 0 \quad (2\text{-}77)$$

则 $-p_1, -p_2, \cdots, -p_n$ 称为特征方程的根，或称为闭环系统的极点。特征方程的根是一个非常重要的参数，因为它与控制系统的瞬态响应和系统的稳定性密切相关。

另外，如果适当选择系统中的参数，使 $|G_1(s)G_2(s)H(s)|\gg 1$ 及 $|G_1(s)H(s)|\gg 1$，则系统的总输出表达式（2-73）可近似为

$$C_\Sigma(s) \approx \frac{1}{H(s)}R(s) + 0 \cdot N(s)$$

即

$$E_\Sigma(s) = R(s) - H(s)C_\Sigma(s) \approx 0$$

这表明，采用反馈控制的系统适当地匹配元件或部件的结构参数，有可能获得较高的工作精度和很强的抑制干扰能力，同时又具备理想的复现、跟随指令输入的性能，这正是闭环控制优于开环控制之处。

6. 闭环系统的开环传递函数

闭环特征多项式 $1+G_1(s)G_2(s)H(s)$ 中的 $G_1(s)G_2(s)H(s)$ 称为开环传递函数。开环传递函数可以理解为，在图 2-60 中，将闭环回路在 $B(s)$ 处断开，从输入到 $B(s)$ 处的传递函数等于此时 $B(s)$ 与 $R(s)$ 的比值，亦即前向通路传递函数与反馈通路传递函数的乘积。开环传递函数并不是第 1 章所述的开环系统的传递函数，而是指闭环系统在开环时的传递函数。

2.6 控制系统数学模型的 MATLAB 描述

控制系统分析和设计首先要建立系统的数学模型，数学模型是系统分析与设计的基础。本节将结合具体的例子，介绍经典控制论中系统数学模型的 MATLAB 描述方法。

2.6.1 MATLAB 中传递函数的描述方法

1. 多项式之比形式的传递函数模型的相关函数

单输入单输出线性系统的传递函数为

$$G(s) = \frac{C(s)}{R(s)} = \frac{b_0 s^m + b_1 s^{m-1} + \cdots + b_{m-1} s + b_m}{a_0 s^n + a_1 s^{n-1} + \cdots + a_{n-1} s + a_n} = \frac{\text{num}(s)}{\text{den}(s)} \quad (2\text{-}78)$$

是由分子与分母多项式之比的形式表示的。

MATLAB 用行向量表征多项式，行向量的元素为降幂排列的多项式系数。n 次多项式用长度为 $n+1$ 的行向量表示，缺少的幂次项系数为 0，必须输入，不可缺省。

式（2-78）中分子多项式和分母多项式分别为

$$\text{num} = [\,b_0 \quad b_1 \quad \cdots \quad b_m\,];$$
$$\text{den} = [\,1 \quad a_1 \quad \cdots \quad a_n\,];$$

则式（2-78）的传递函数 $G(s)$ 可由函数 tf( ) 唯一确定，其格式为

$$G = \text{tf}(\text{num}, \text{den}, \text{Ts})$$

Ts 表示采样周期，默认时表示连续控制系统。

若已建立传递函数模型 G，函数 tfdata( ) 可提取模型的分子、分母系数向量。格式为

$$[\text{num}, \text{den}] = \text{tfdata}(G, \,'v')$$

其中，v 为关键字，其功能是返回行向量形式的分子、分母多项式系数。

若需要将多项式之比形式的传递函数进行部分分式展开，可以使用 residue( ) 函数，格式为

$$[k, p, r] = \text{residue}(\text{num}, \text{den})$$

其中 3 个返回参数 k、p、r 分别是子传递函数的增益、极点、余项。

将部分分式表示的传递函数转换为多项式之比形式可以采用同样的函数，即

$$[\text{num}, \text{den}] = \text{residue}(k, p, r)$$

只是输入 3 个参数，返回 2 个参数，各个参数的含义如前所述，执行的是相反的运算。

在控制系统的分析与研究中，常常需要求出系统的特征根或传递函数的零、极点，这些与多项式运算有关。MATLAB 控制系统工具箱为用户提供了一些多项式运算函数。

多项式乘法运算：k = conv(p, q)，其中 k 是多项式 p 与 q 的积。

多项式除法运算：[k, r] = deconv(p, q)，其中 k 是多项式 p 除以 q 的商，r 是余式。

求方程的根：x = roots(p)。

若已知方程的根，则 poly( ) 函数是 roots( ) 的逆运算，由根建立多项式：x = poly(p)。

计算给定变量值处多项式的取值：val = polyval(x, n)，x 为向量，代表给定多项式，n 为变量值。

例 2-13 已知两个系统模型

$$G_1(s) = \frac{(s+4)(s+1)}{s(s^2+5s+6)}, \quad G_2(s) = \frac{1}{s+1}$$

用 MATLAB 表示这两个传递函数，将 $G_1(s)$ 表示为多项式之比形式，并求出"+"运算后的新的传递函数，并将之展开为部分分式。

解 % MATLAB 程序 2-1

num1 = conv([1 4], [1 1]); den1 = [1 5 6 0];
sys1 = tf(num1, den1);   % $G_1(s)$ 的多项式之比形式
num2 = [1]; den2 = [1 1];
sys2 = tf(num2, den2);

```
sys = sys1 + sys2;                  % $G_1(s) + G_2(s)$
[num,den] = tfdata(sys,'v');        % 提取 sys 的分子、分母系数矩阵
[k,p,r] = residue(num,den);         % 部分分式展开
k = [-0.6667, 1.0000, 1.0000, 0.6667];
p = [-3.0000, -2.0000, -1.0000, 0];
r = [];
```

由运行结果可知，$G(s)$ 的部分分式展开式为

$$G(s) = \frac{-0.6667}{s+3} + \frac{1}{s+2} + \frac{1}{s+1} + \frac{0.6667}{s}$$

例 2-13 视频

2. 零极点形式传递函数的相关函数

传递函数除了分子、分母均用多项式表示之外，还可以表示为零、极点形式的模型，其原理是对传递函数的分子、分母进行因式分解，获得系统的零点和极点的表示形式。

$$G(s) = K\frac{(s-z_1)(s-z_2)\cdots(s-z_m)}{(s-p_1)(s-p_2)\cdots(s-p_n)}$$

式中，K 为系统增益；z 为零点；p 为极点。

在 MATLAB 中，零、极点模型用 [z p k] 向量组表示，即

$$z = [z1;z2;\cdots;zm]$$
$$p = [p1;p2;\cdots;pn]$$
$$k = [K]$$

函数 zpk() 用来建立传递函数的零极点模型，即

$$G = zpk(z,p,k)$$

若已建立传递函数模型 G，函数 zpkdata() 可提取模型的零极点与增益向量。格式为

$$[z,p,k] = zpkdata(G,'v')$$

其中，v 为关键字，其功能是返回列向量形式的零极点和增益向量。

MATLAB 控制系统工具箱提供了零极点模型与多项式之比（时间常数）模型的相互转换函数，即

$$[z,p,k] = tf2zp(num,den)$$
$$[num,den] = zp2tf(z,p,k)$$

函数 pzmap() 绘出传递函数在复平面上的零、极点图，调用格式为

$$[p,z] = pzmap(num,den)$$

不带返回参数调用，MATLAB 在复平面绘出零、极点图，否则，将求出的零、极点赋给 p、z 变量。复平面的零点用 "∘" 表示，极点用 "×" 表示。

例 2-14 已知传递函数 $G(s) = \dfrac{6s^2+1}{s^3+3s^2+3s+1}$，$H(s) = \dfrac{(s+1)(s+2)}{(s+2i)(s-2i)(s+3)}$，试用 MATLAB 求 $G(s)$ 的零、极点模型，$H(s)$ 的多项式之比模型，并求 $\dfrac{G(s)}{1+G(s)H(s)}$ 的零、极点。

解 % MATLAB 程序 2-2
```
num1 = [6 0 1];
den1 = [1 3 3 1];
```

```
[z,p,k] = tf2zp(num1,den1);
sys1 = zpk(z,p,k);% G(s)的零极点模型
zh = [-1;-2];
ph = [-2i;2i;-3];
kh = 1;
[num2,den2] = zp2tf(zh,ph,kh);
sys2 = tf(num2,den2);% H(s)的多项式之比模型
sys3 = 1 + sys1 * sys2;
sys = sys1/sys3;
sys = minreal(sys);
[z,p,k] = zpkdata(sys,'v');
```

$G(s)$的零极点模型,程序执行结果为

sys1

Zero/pole/gain:

$$\frac{6(s^2 + 0.1667)}{(s+1)^3}$$

求 $H(s)$ 的多项式之比形式,程序执行结果为

sys2

Transfer function:

$$\frac{s^2 + 3s + 2}{s^3 + 3s^2 + 4s + 12}$$

$\dfrac{G(s)}{1+G(s)H(s)}$ 的零、极点、增益分别为

$z = [0 \pm 0.4082i, 0 \pm 2i, -3]$

$p = [-1, -0.5192 \pm 0.6690i, -2.3326, -0.8145 \pm 2.7759i]$

$k = 6$

2.6.2 MATLAB 中的模型连接函数

一个复杂的控制系统可能由多个系统部件组合而成,它们之间以串联、并联或是反馈的形式连接,MATLAB 控制系统工具箱为用户提供了相应的函数来求取连接后的传递函数。

设 $G_1(s)$ 与 $G_2(s)$ 分别以串联、并联、反馈的形式连接,其中,$G_1(s) = \dfrac{\text{num1}(s)}{\text{den1}(s)} = \text{sys1}$,$G_2(s) = \dfrac{\text{num2}(s)}{\text{den2}(s)} = \text{sys2}$,连接后的传递函数为:$\dfrac{C(s)}{R(s)} = G(s) = \dfrac{\text{num}(s)}{\text{den}(s)} = \text{sys}$

已知分子分母多项式变量,通过 tf() 函数定义传递函数变量。如 sys1 = tf(num1,den1)。

可用以下函数求取连接后的传递函数：

串联连接：[num,den] = series(num1,den1,num2,den2)或 sys = series(sys1,sys2)

并联连接：[num,den] = parallel(num1,den1,num2,den2)或 sys = parallel(sys1,sys2)

反馈连接：[num,den] = feedback(num1,den1,num2,den2,sign)或 sys = feedback(sys1,sys2,sign)，sign 为反馈极性，负反馈取 -1，默认为负反馈。

例 2-15 已知图 2-66 的控制系统，其中 $G_1(s) = \dfrac{s}{s^2+4s+1}$, $G_2(s) = \dfrac{1}{s+5}$, $G_3(s) = \dfrac{1}{s}$, $H(s) = \dfrac{s+1}{s+2}$，求闭环传递函数 $\dfrac{C(s)}{R(s)}$。

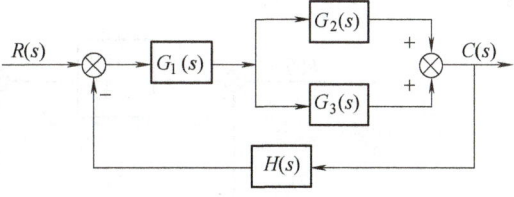

图 2-66 例 2-15 控制系统框图

解 %MATLAB 程序 2-3

num1 = [1 0]; den1 = [1 4 1]; sys1 = tf(num1,den1);

num2 = [1]; den2 = [1 5]; sys2 = tf(num2,den2);

num3 = [1]; den3 = [1 0]; sys3 = tf(num3,den3);

numh = [1 1]; denh = [1 2]; sysh = tf(numh,denh);

sys4 = parallel(sys2,sys3);%先求出 $G_2(s)G_3(s)$ 并联后的传递函数，赋给变量 sys4。

sysg = series(sys1,sys4);%前向回路传递函数为 sysg

sysg = minreal(sysg);%消去公因子

sys = feedback(sysg,sysh, -1);%加入负反馈，得到输出对输入传递函数

运行上面程序，求出例 2-16 控制系统闭环传递函数为

$$\frac{C(s)}{R(s)} = \frac{2s^2+9s+10}{s^4+11s^3+41s^2+54s+15}$$

2.6.3 利用 MATLAB 的符号运算求取传递函数

符号运算是 MATLAB 的一大特色，运算对象是符号变量。MATLAB 具有丰富的符号运算功能，应用在许多方面，如求解函数的微分、积分、代数方程的解析解等。在利用 MATLAB 符号运算求解问题时，首先要用 sym、syms 命令创建符号变量，调用格式如下：

sym 变量   ;%定义单个变量

syms 变量1 变量2 变量3 …;%定义多个变量

注意：各个变量间以空格相隔。

符号变量声明后，就可以进行符号运算。比如进行拉普拉斯变换、Z 变换、求解方程等。

例 2-16 已知函数 $y(t) = e^{-at}\sin bt$，求其拉普拉斯变换。

解 %MATLAB 程序 2-4

syms s a b t y;

y = exp(-a * t) * sin(b * t);

ys = laplace(y);

程序运行结果为

ys =
b/((s+a)^2 + b^2)

即得到 $y(s) = \dfrac{b}{(s+a)^2 + b^2}$

例 2-17 已知系统的框图如图 2-67 所示。试求加入局部反馈前后系统的开、闭环传递函数。

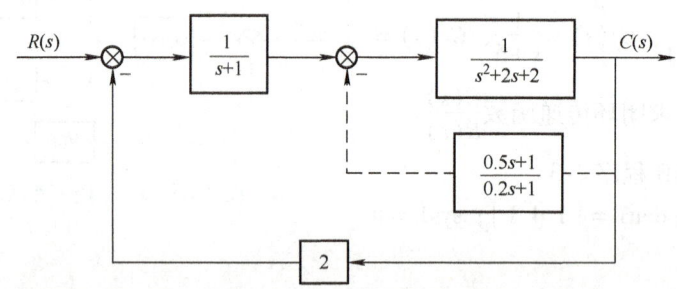

图 2-67 例 2-17 控制系统框图

解 % MATLAB 程序 2-5
局部反馈加入前：
syms s G1 G2 H2 Gj Gk Gb;
G1 = 1/(s + 1);
G2 = 1/(s * s + 2 * s + 2);
H2 = 0;
Gj = G2/(1 + G2 * H2);
Gk = factor(G1 * Gj); % 对符号表达式进行因式分解
Gb = factor(Gk/(1 + 2 * Gk));
pretty(Gk); % 优化输出结果
pretty(Gb);
则传递函数为

$$Gk = \dfrac{1}{(s+1)(s^2+2s+2)}, \quad Gb = \dfrac{1}{(s+2)(s^2+s+2)}$$

加入局部反馈后，只需在上述程序中重新定义 H2，H2 = 0 改为
H2 = (0.5 * s + 1)/(0.2 * s + 1);
再次运行程序 2-5，则传递函数为

$$Gk = \dfrac{2(s+5)}{(s+1)(2s^3+14s^2+29s+30)}, \quad Gb = \dfrac{2(s+5)}{(s+2)(2s^3+12s^2+19s+25)}$$

2.6.4 应用 Simulink 求控制系统的传递函数

在 Simulink 中创建系统的框图模型，然后利用线性化函数 linmod( ) 可以方便地导出其传递函数。该方法对于求解结构图较为复杂的系统传递函数尤为有效。

用 Simulink 建立框图模型的步骤为：启动 Simulink，打开一个新的模型文件，进入浏览库界面；拖动功能模块到模型文件窗口，设置功能模块参数；连接功能模块构成框图模型。

如果用 Simulink 建立了名为 model1 的控制系统框图，则 linmod( ) 函数求取控制系统数学模型的调用方法为

$$[a,b,c,d] = \text{linmod}('\text{model1}')$$

函数 linmod( ) 得到的是状态空间模型，应用 ss2tf( ) 函数转化为传递函数模型，即

$$[\text{num},\text{den}] = \text{ss2tf}(a,b,c,d)$$

例 2-18 应用 Simulink 创建例 2-17 中图 2-67 所示的控制系统，并求加入局部反馈时系统的闭环传递函数。

解

在 Simulink 创建系统框图如图 2-68 所示，将此模型文件命名为 model1 并存入 MATLAB 的工作路径，例子中所选模块来源见表 2-1。

例 2-18 视频

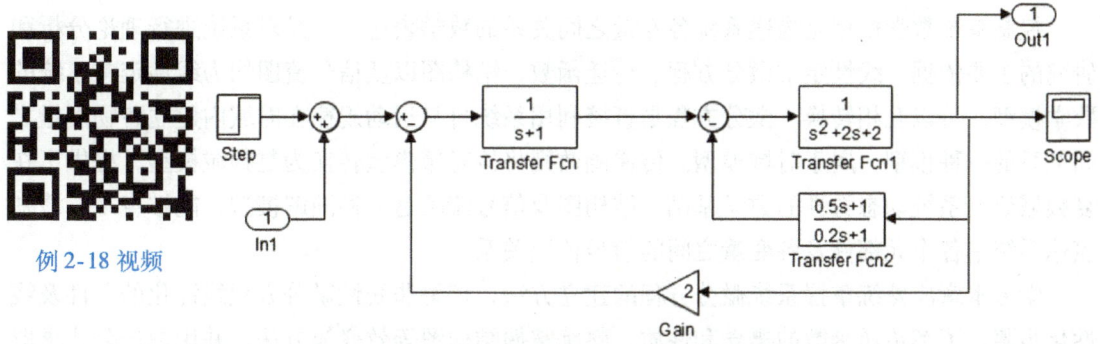

图 2-68 例 2-18 控制系统框图

注意：为求出输入、输出矩阵，输入的 In1 和输出的 Out1 不可缺少，之后执行如下程序。

% MATLAB 程序 2-6

open_system('model1')；

[a,b,c,d] = linmod('model1')；

[num,den] = ss2tf(a,b,c,d)；

sys = tf(num,den)；

minreal(sys)；% 消除 sys 中相同的零极点因子程序执行结果为

sys =

    s + 5

  ----

s^4 + 8 s^3 + 21.5 s^2 + 31.5 s + 25

与例 2-17 所求结果相同。

表 2-1　例 2-18 所用的模块

名称	来源	用途
Step	Sources	阶跃信号
In1	Sources	创建输入端口
Gain	Math Operations	增益
Sum	Math Operations	求和
Transfer Fcn	Continuous	多项式之比形式的传递函数
Scope	Sinks	示波器
Out1	Sinks	创建输出端口

本 章 小 结

控制系统数学模型是描述系统各变量之间关系的数学表达式，是对系统进行理论分析和研究的主要依据。线性定常微分方程、传递函数、结构图以及信号流图均为线性定常系统的数学模型，可以互相转换。微分方程是直接利用系统自身运动规律在时域内建立各物理量之间关系的一种模型，属于时域模型。传递函数则将该时域模型转换为复频域模型，提供了在复频域研究系统动态特性的数学基础。结构图及信号流图是一种图解模型，能够直观、清晰表达系统中各个元部件及各变量之间的信号传递关系。

学习本章应熟练掌握系统微分方程的建立方法，理解非线性微分方程线性化的条件及线性化步骤，了解传递函数的概念和性质，熟练掌握结构图等效变换方法，并用梅逊公式求取流图总增益。利用 MATLAB 的相关函数可以进行多项式运算、传递函数零点和极点的计算、闭环传递函数的求取和方框图模型的化简等。

习　题

2-1　试分别写出图 2-69 中各无源电路的输入 $u_r(t)$ 与输出 $u_c(t)$ 之间的微分方程。

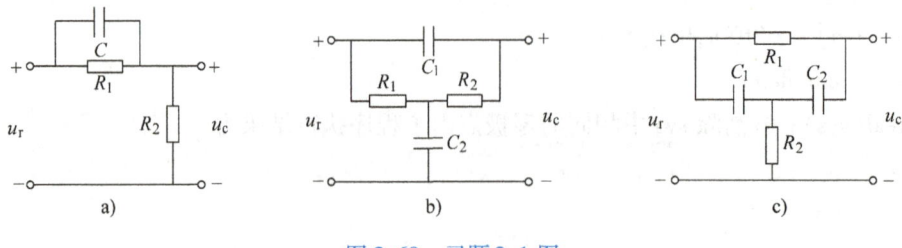

图 2-69　习题 2-1 图

2-2　试证明图 2-70a 所示电路与图 2-70b 所示的机械系统具有相同的微分方程。图 2-70b 中 $X_r(t)$ 为输入，$X_c(t)$ 为输出，均是位移量。

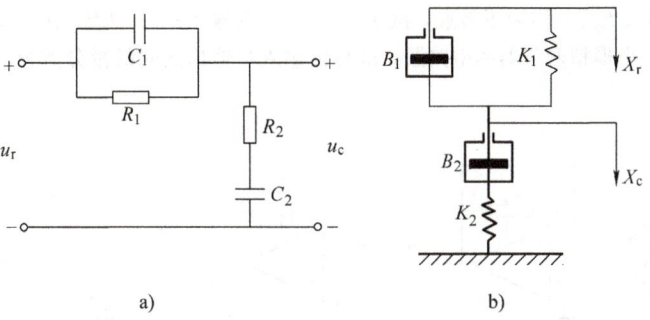

图 2-70 习题 2-2 图

2-3 试分别求出图 2-71 中各有源电路的输入 $u_r(t)$ 与输出 $u_c(t)$ 之间的微分方程。

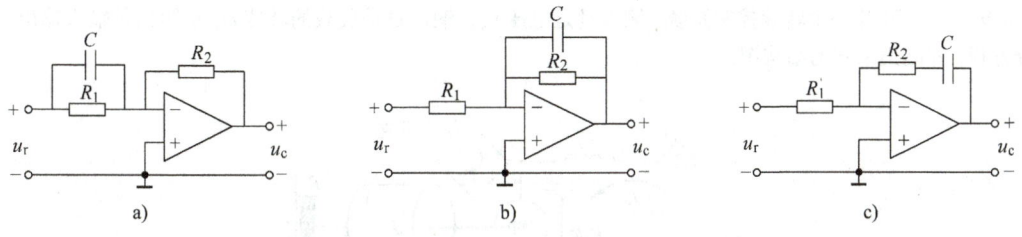

图 2-71 习题 2-3 图

2-4 磁场控制的直流电动机示意图如图 2-72 所示。设电枢电流 I_a 为常数，气隙磁通 $\Phi = K_f i_f$，其中 i_f 为励磁电流，K_f 为常数，即假设铁心不饱和，气隙磁通 Φ 工作在线性段。试建立输入、输出的微分方程式。

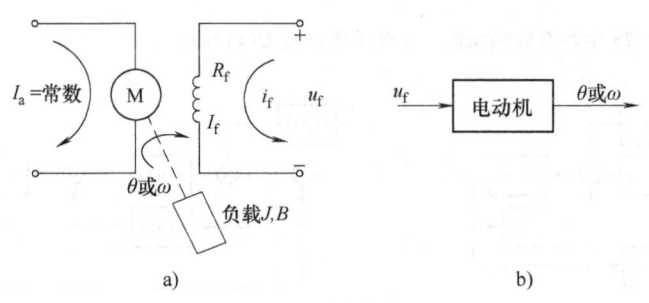

图 2-72 习题 2-4 图
a) 线路原理图 b) 结构图

2-5 给定流体过程如图 2-6 所示。如果输入量 Q_i、输出量 H 及中间变量 Q_o 在平衡点附近做微小变化，试求出线性化增量方程式。

2-6 设某系统的传递函数为 $G(s)$，在初始条件为零时，施加输入测试信号 $r(t) = t (t \geq 0)$，测得其输出响应为 $c(t) = 1 + \sin t + 2e^{-2t} (t \geq 0)$，试确定该系统的 $G(s)$。

2-7 系统的微分方程组如下：

$$x_1(t) = r(t) - c(t) \qquad x_2(t) = \tau \frac{dx_1(t)}{dt} + K_1 x_1(t)$$

$$x_3(t) = K_2 x_2(t) \qquad x_4(t) = x_3(t) - x_5(t) - K_5 c(t)$$

$$\frac{dx_5(t)}{dt} = K_3 x_4(t) \qquad K_4 x_5(t) = T \frac{dc(t)}{dt} + c(t)$$

其中 τ、K_1、K_2、K_3、K_4、K_5、T 均为正常数。试建立以 $r(t)$ 为输入 $c(t)$ 为输出的系统结构图。

2-8 图 2-73 是一个模拟调节器的电路图。试写出输入与输出之间的微分方程，并建立该调节器的结构图。

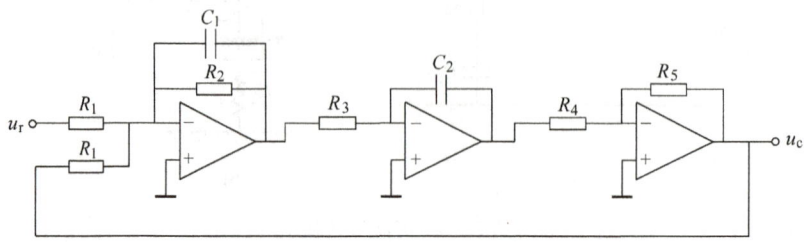

图 2-73 习题 2-8 图

2-9 图 2-74 是一个转速控制系统，输入量是电压 u_a，输出量是负载的转速 ω，试写出其输入输出间的微分方程，并画出系统的结构图。

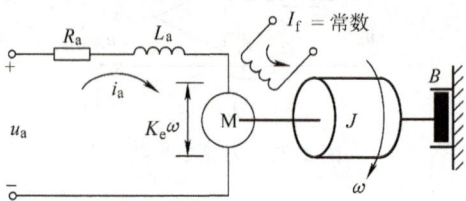

图 2-74 习题 2-9 图

2-10 试化简图 2-75 中各系统结构图，并求传递函数 $C(s)/R(s)$。

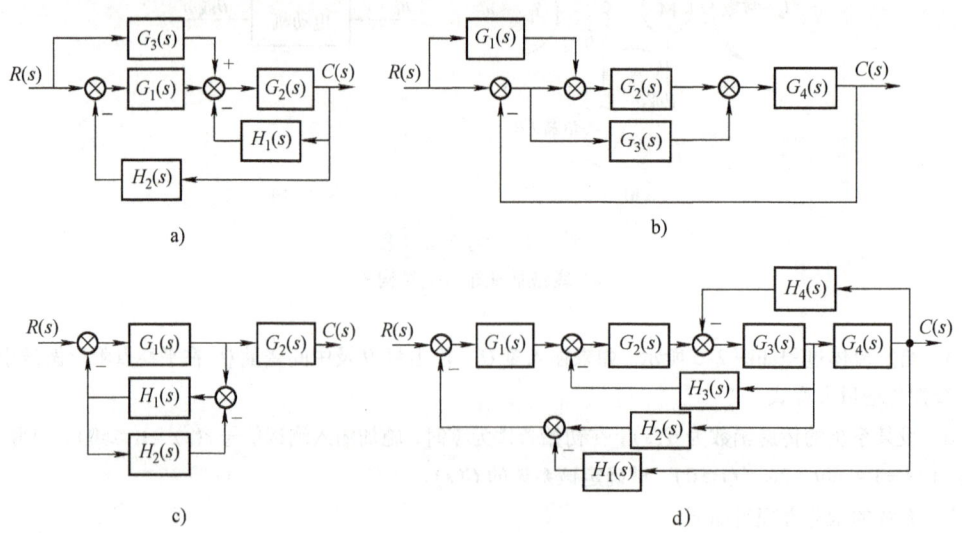

图 2-75 习题 2-10 图

2-11 系统结构如图 2-76 所示。试分别用结构图化简和梅逊公式求传递函数 $C(s)/R(s)$。

2-12 系统信号流图如图 2-77 所示，试用梅逊公式求 $C(s)/R(s)$。

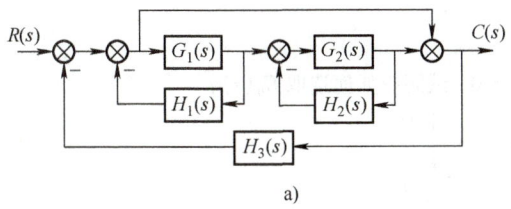
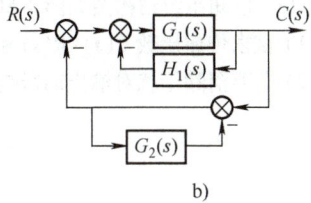

图 2-76　习题 2-11 图

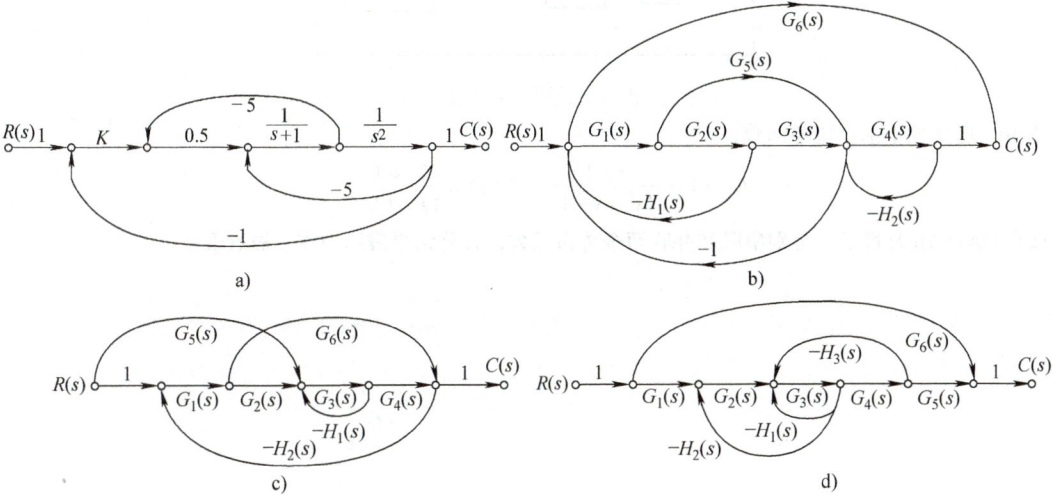

图 2-77　习题 2-12 图

2-13　试用梅逊公式求图 2-78 所示结构图的传递函数 $C(s)/R(s)$。

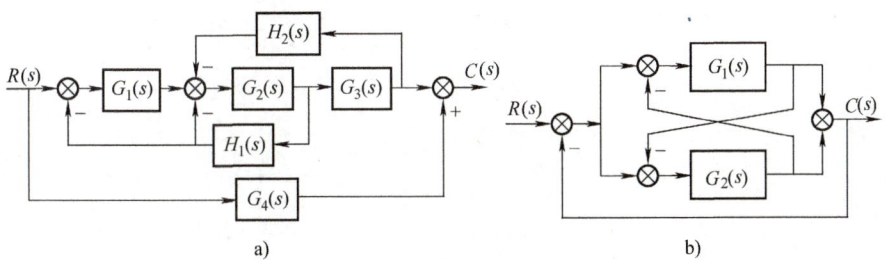

图 2-78　习题 2-13 图

2-14　已知系统结构图如图 2-79 所示，试写出系统在输入 $R(s)$ 及扰动 $N(s)$ 同时作用下输出 $C(s)$ 的表达式。

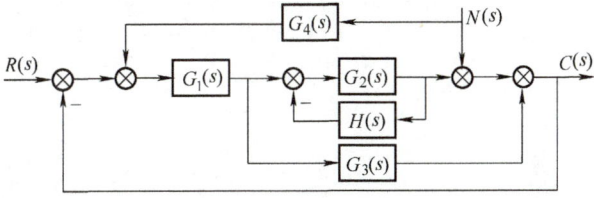

图 2-79　习题 2-14 图

2-15 已知系统结构图如图 2-80 所示。
(1) 试求传递函数 $C(s)/R(s)$ 和 $C(s)/N(s)$。
(2) 若要消除干扰对输出的影响,即 $C(s)/N(s)=0$,试问应如何选取 $G_0(s)$?

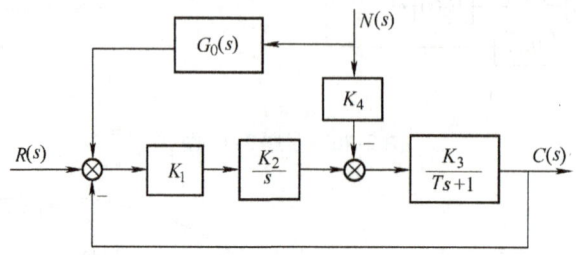

图 2-80　习题 2-15 图

2-16 已知如下两个传递函数：

$$G_1(s)=\frac{s+1}{s(s^2+s+1)},\quad G_2(s)=\frac{2s+3}{(s+1)^2}$$

试在 MATLAB 环境下,分别串联和并联两个传递函数,并将结果表示为零、极点形式。

第 3 章 时域分析法

在抽象出描述实际系统运动规律的数学模型之后，便可以用几种不同的方法求解数学模型，对系统的动态性能和稳态性能进行分析和研究，分析系统在指定的性能指标方面是否满足要求。在经典控制理论中常用时域分析法、根轨迹分析法和频域分析法来分析系统的性能。

本章主要研究时域分析法，介绍一阶系统、二阶系统及高阶系统的瞬态响应分析、控制系统的时域响应性能指标、闭环传递函数的零点和极点对系统瞬态响应的影响、控制系统的稳定性概念及判别方法、反馈控制系统的稳态误差计算和降低稳态误差的主要措施等内容，并简要介绍线性系统时域分析的 MATLAB 方法。

3.1 概述

对于线性定常系统的性能分析主要包括动态性能、稳定性和控制精度等 3 方面内容。

动态性能是指控制系统的输出在输入信号作用下的暂态变化情况。在实际工程中，有各种各样的输入信号，有的输入信号不变化，有的输入信号变化很快，有的输入信号按周期性规律变化，还有的信号以无法预测的方式变化。在分析和设计系统时，需要有一个对系统的性能进行比较的标准，工程上常把对预先规定的具有典型意义的实验信号作用下的系统响应过程作为衡量动态过程好坏的标准。这样的实验信号称为典型输入信号。在时域分析法中常用的典型输入信号有阶跃函数和脉冲函数等。为了描述系统输出响应的好坏，就要提出一系列的动态性能指标。表征系统输出响应在阶跃信号作用下的动态性能指标有超调量、调节时间等。一般地讲，输出响应越快越好，超调量越小越好。

自动控制系统是按照负反馈原理构成的闭环系统，如果系统的参数选择不合理，该系统就可能不稳定，而不稳定的系统是不能正常工作的。线性系统的稳定与否完全由系统的结构和参数决定，判别一个系统是否稳定有多种方法，如劳斯（Routh）判据、赫尔维茨（Hurwitz）判据、奈奎斯特（Nyquist）判据、李雅普诺夫（Lyapunov）第二方法等。劳斯判据与赫尔维茨判据是代数判据，它们适用于线性定常系统，方法简单，易于掌握。

控制系统在稳定的情况下，其稳态性能一般用稳态误差来描述，稳态误差是系统控制精度的度量。稳态误差除了与系统的结构和参数有关外，还与输入信号有关。当系统的结构和参数确定时，即使系统对于变化较慢的输入信号的稳态误差为零，其对于变化较快的输入信号的稳态误差也可能为某一常值或无穷大。采取何种措施消除或减小稳态误差也是本章讨论的内容。

3.2 瞬态响应

瞬态响应是指系统在输入信号作用下，其输出量从初始状态到进入稳定状态之间随时间变化的过程。分析系统的瞬态响应，可以考查系统的稳定性和动态性能。

本节首先给出几个常用的典型输入信号，然后分析一阶、二阶系统在给定输入信号作用下的瞬态响应，重点讨论二阶系统的性能指标与系统参数之间的关系，最后介绍如何采用近似方法处理高阶系统的问题。

3.2.1 典型输入信号

系统的瞬态响应不仅取决于系统本身的固有特性，还与输入信号的形式及系统的初始状态有关。这里仅讨论零初始状态下系统的暂态响应。在实际中，控制系统所接受的输入信号可能各不相同，有时还具有随机性质。为了便于分析和比较不同系统的性能，需要有一个进行比较的基准。通常，将某个典型输入信号作用于系统，通过考察系统对该典型输入信号的响应，来评价系统性能的优劣。这样，对系统性能的分析就归结为系统在典型输入信号作用下的响应性能。一般地，典型输入信号应满足这样一些条件：它们应该是实际输入信号的近似和抽象，其数学描述要简单且便于实验验证，另外还应考虑实际系统的极限工作状况，尽量选取最不利情况下的输入信号作为典型输入信号。通常选用的典型输入信号有以下几种时间函数。

1. 阶跃函数

这是最常用的一种实验输入信号。指令突然转换、合闸、负荷突变等，均可视为阶跃函数，如图 3-1 所示。阶跃函数的表达式为

$$r(t) = \begin{cases} A, & t \geq 0 \\ 0, & t < 0 \end{cases} \tag{3-1}$$

当 $A = 1$ 时，则称为单位阶跃函数，记作 $1(t)$。阶跃函数是评价系统动态性能时经常应用的一种典型输入信号。

2. 斜坡函数

斜坡函数是从零开始随时间线性增加的信号，所以也叫等速度函数，如图 3-2 所示。数控机床加工斜面的进给指令、机械手的等速移动指令及船闸升降时主拖动系统发出的位置信号等均可视为斜坡信号。它等于阶跃函数对时间的积分。斜坡函数的表达式为

$$r(t) = \begin{cases} At, & t \geq 0 \\ 0, & t < 0 \end{cases} \tag{3-2}$$

当 $A = 1$ 时，则称为单位斜坡函数。

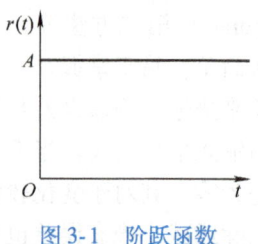

图 3-1 阶跃函数

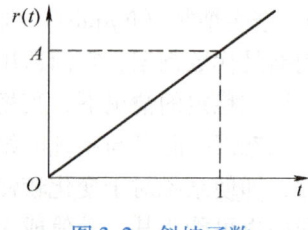

图 3-2 斜坡函数

3. 抛物线函数

抛物线函数也叫等加速度函数，如图 3-3 所示，它可由对斜坡函数的积分而得到。抛物线函数的表达式为

$$r(t) = \begin{cases} \dfrac{1}{2}At^2, & t \geq 0 \\ 0, & t < 0 \end{cases} \tag{3-3}$$

当 $A=1$，则称为单位抛物线函数。

4. 脉冲函数

脉冲函数的表达式为

$$r(t) = \begin{cases} \dfrac{1}{\varepsilon}, & 0 \leq t < \varepsilon \\ 0, & t<0 \text{ 及 } t \geq \varepsilon \end{cases} \tag{3-4}$$

其图形如图 3-4a 所示，它是一宽度为 ε、高度为 $1/\varepsilon$ 的矩形脉冲，当 ε 趋于零时成为单位脉冲函数（亦称 δ 函数），如图 3-4b 所示。单位脉冲函数的表达式为

$$\delta(t) = \begin{cases} \infty, & t=0 \\ 0, & t \neq 0 \end{cases} \quad \text{且} \quad \int_{0^-}^{0^+} \delta(t)\,dt = 1 \tag{3-5}$$

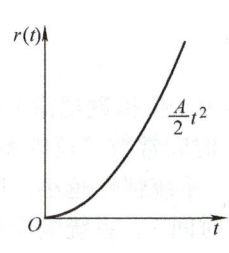
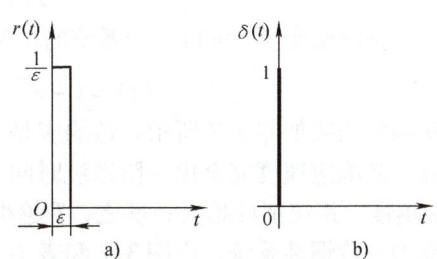

图 3-3 抛物线函数

图 3-4 脉冲函数
a) 脉冲函数　b) δ 函数

理想的单位脉冲函数是对脉冲宽度足够小的实际脉冲的数学抽象。实际的脉冲信号、撞击力等均可视为理想脉冲。若已知线性系统 $G(s)$ 对单位脉冲输入函数 $\delta(t)$ 的响应 $g(t)$ 为

$$g(t) = L^{-1}\{G(s)R(s)\} = L^{-1}\{G(s)\}$$

则系统对任意输入信号 $r(t)$ 的响应就可采用卷积积分求得，即

$$c(t) = \int_{-\infty}^{t} g(t-\tau)r(\tau)\,d\tau = L^{-1}\{G(s)R(s)\} \tag{3-6}$$

5. 正弦信号

除了上面阐述的典型输入信号外，正弦信号也是一种常用的典型输入信号，如图 3-5 所示。正弦信号的表达式为

$$r(t) = \begin{cases} A\sin\omega t, & t \geq 0 \\ 0, & t < 0 \end{cases} \tag{3-7}$$

式中，A 为振幅；ω 为角频率，$\omega = 2\pi/T$。

系统对不同频率正弦输入信号的稳态响应，称为频率响应。通过频率响应亦可获得关于系统性能的全部信息。相关内容将在第 5 章中介绍。

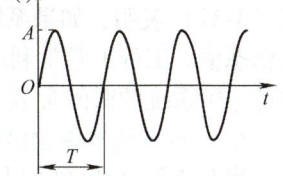

图 3-5 正弦信号

在分析和设计系统时，究竟选用哪种典型输入信号作为实验信号，应视系统的实际输入信号情况而定。通常，如果系统输入的信号大多具有突变性质时，应选用阶跃函数作为实验信号；如果系统输入大部分是随时间逐渐增加的信号时，则选用斜坡函数作为实验信号。

3.2.2 一阶系统的瞬态响应

可用一阶微分方程描述其动态过程的系统，称为一阶系统，这是工程中最基本、最简单

的一类系统。如 RC 网络、电动机、电冰箱、热处理炉及水箱等，均可近似为一阶系统。

图 3-6 所示的系统为典型的单位反馈一阶系统，系统的闭环传递函数为

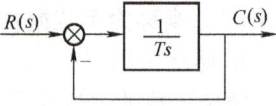

图 3-6 一阶系统典型结构

$$W(s) = \frac{C(s)}{R(s)} = \frac{1/(Ts)}{1+1/(Ts)} = \frac{1}{Ts+1} \quad (3-8)$$

式中，T 为一阶系统的时间常数。

1. 一阶系统的单位阶跃响应

当系统输入为单位阶跃函数 $r(t) = 1(t)$ 时，$R(s) = 1/s$，输出响应的拉普拉斯变换为

$$C(s) = W(s)R(s) = \frac{1}{Ts+1}\frac{1}{s} = \frac{1}{s} - \frac{1}{s+1/T} \quad (3-9)$$

对 $C(s)$ 取拉普拉斯反变换，可得一阶系统的单位阶跃响应为

$$c(t) = 1 - e^{-\frac{1}{T}t}, \quad t \geq 0 \quad (3-10)$$

单位阶跃响应曲线如图 3-7 所示。该响应是一个由初值为 0，按指数规律上升并趋于 1 的无振荡响应，其响应速度完全由一阶系统时间常数 T 决定。时间常数 T 反映系统的惯性，T 越大，响应越慢，系统惯性越大；反之，T 越小，响应越快，系统惯性越小，所以一阶系统通常也被称为一阶惯性系统。由图 3-7 和表 3-1 可知，经过时间 T，系统响应达到其稳态值的 63.2%，经过时间 $(3\sim4)T$，系统响应将达到其稳态值 95%~98%，通常可以认为这时系统动态过程已经结束。所以，对于一阶系统而言，一般认为经过 $(3\sim4)T$ 的时间，系统动态过程结束。根据式 (3-10) 可得出表 3-1 的数据。

表 3-1 一阶系统的单位阶跃响应

T	0	T	$2T$	$3T$	$4T$	$5T$	...	∞
$c(t)$	0	0.632	0.865	0.95	0.982	0.993	...	1

对式 (3-10) 求导并令 $t \to 0$，可以得到一阶系统单位阶跃响应曲线在原点处的斜率，其值等于时间常数的倒数，即

$$\left.\frac{dc(t)}{dt}\right|_{t=0} = \left.\frac{1}{T}e^{-\frac{1}{T}t}\right|_{t=0} = \frac{1}{T} \quad (3-11)$$

式 (3-11) 表明，如果系统响应始终以这一初始速率持续增加，则经过时间 T 便可以达到其稳态值。工程上常常利用这一特性，通过考察系统阶跃响应的实测曲线在原点处的斜率来估计一阶系统的时间常数 T。

2. 一阶系统的单位脉冲响应

当系统输入为单位脉冲信号 $r(t) = \delta(t)$ 时，$R(s) = 1$，则输出响应的拉普拉斯变换为

$$C(s) = W(s)R(s) = \frac{1}{Ts+1} = \frac{1/T}{s+1/T} \quad (3-12)$$

对 $C(s)$ 取拉普拉斯反变换，可得一阶系统的单位脉冲响应为

$$c(t) = \frac{1}{T}e^{-\frac{1}{T}t}, \quad t \geq 0 \quad (3-13)$$

事实上，一阶系统的单位脉冲响应就是系统传

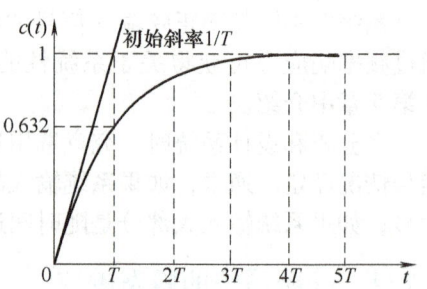

图 3-7 一阶系统的单位阶跃响应曲线

递函数的拉普拉斯反变换，它包含了系统动态特性的全部信息。一阶系统的单位脉冲响应曲线如图 3-8 所示，是一单调下降的指数曲线。由图 3-8 可见，一阶系统对脉冲性冲击作用具有自恢复能力，其恢复的快慢完全由一阶系统的时间常数 T 决定。

3. 一阶系统的单位斜坡响应

当系统输入为单位斜坡函数 $r(t) = t \cdot 1(t)$ 时，$R(s) = 1/s^2$，输出响应的拉普拉斯变换为

$$C(s) = W(s)R(s) = \frac{1}{Ts+1} \cdot \frac{1}{s^2} = \frac{1}{s^2} - \frac{T}{s} + \frac{T^2}{Ts+1}$$

(3-14)

图 3-8 一阶系统的单位脉冲响应曲线

对 $C(s)$ 取拉普拉斯反变换，可得一阶系统的单位斜坡响应为

$$c(t) = (t-T) + Te^{-\frac{1}{T}t}, (t \geq 0) \tag{3-15}$$

系统的跟踪误差为

$$e(t) = r(t) - c(t) = T(1 - e^{-\frac{1}{T}t}) \tag{3-16}$$

式 (3-16) 表明随着时间 t 趋于无穷，误差信号 $e(t)$ 趋于 T。一阶系统单位斜坡响应曲线如图 3-9 所示。可以看出减小系统的时间常数不仅可以提高系统的响应速度，还可以减小系统对斜坡输入的稳态误差。

3.2.3 二阶系统的瞬态响应

可用二阶微分方程描述其动态过程的系统称为二阶系统。在分析和设计控制系统时，二阶系统的响应特性常被视为一种基准，很多实际系统可用二阶模型描述其运动规律，如电动机、机械动力系统、小功率随动系统等均可近似为二阶系统；相当一部分高阶系统，在一定条件下也可以按照一定的化简原则将其降阶，用二阶系统来近似。因此，二阶系统的瞬态响应分析，在自动控制理论中有着重要地位。

典型二阶系统微分方程的一般式为

$$\frac{d^2c(t)}{dt^2} + 2\zeta\omega_n\frac{dc(t)}{dt} + \omega_n^2 c(t) = \omega_n^2 r(t) \quad (3-17)$$

式中，ζ 为阻尼比；ω_n 为无阻尼自然振荡频率。

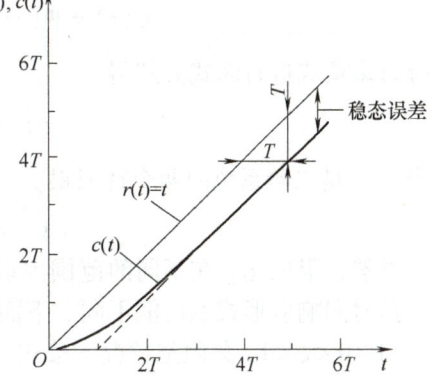

图 3-9 一阶系统的单位斜坡响应

图 3-10 所示为典型二阶系统结构图，其闭环传递函数为

$$W(s) = \frac{C(s)}{R(s)} = \frac{\omega_n^2}{s^2 + 2\zeta\omega_n s + \omega_n^2} \tag{3-18}$$

由上式可以看出，ζ 和 ω_n 是决定二阶系统动态特性的两个非常重要的参数。常常把式 (3-18) 称为二阶系统闭环传递函数的标准形式或标准方程。

例如，图 2-1 中 $R\text{-}L\text{-}C$ 电路，其传递函数为

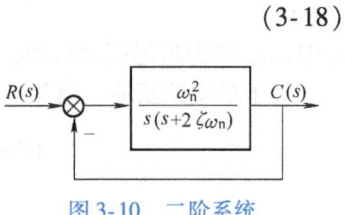

图 3-10 二阶系统

$$W(s) = \frac{U_c(s)}{U_r(s)} = \frac{1}{LCs^2 + RCs + 1} \qquad (3\text{-}19)$$

或

$$W(s) = \frac{1/(LC)}{s^2 + \frac{R}{L}s + \frac{1}{LC}} = \frac{\omega_n^2}{s^2 + 2\zeta\omega_n s + \omega_n^2}$$

式中，ω_n 是 RLC 电路当 $R=0$ 时的谐振频率，$\omega_n = \frac{1}{\sqrt{LC}} = \frac{1}{\sqrt{T_1 T_2}}$；$\zeta = \frac{R}{L}\big/(2\omega_n) = \frac{1}{2}\sqrt{\frac{T_2}{T_1}}$。

又如图 2-3 中电枢电压控制的直流电动机，角速度 ω 与电枢电压 u_a 之间传递函数为

$$W(s) = \frac{\Omega(s)}{U_a(s)} = \frac{1/K_e}{T_a T_m s^2 + T_m s + 1} \qquad (3\text{-}20)$$

或

$$W(s) = \frac{1}{K_e} \frac{1/(T_a T_m)}{s^2 + \frac{1}{T_a}s + \frac{1}{T_a T_m}} = \frac{1}{K_e} \frac{\omega_n^2}{s^2 + 2\zeta\omega_n s + \omega_n^2}$$

式中，$\omega_n = \frac{1}{\sqrt{T_a T_m}}$；$\zeta = \frac{1}{2\omega_n T_a} = \frac{1}{2}\sqrt{\frac{T_m}{T_a}}$。

上面两个例子说明，作为反映二阶系统动态特性的两个重要参数 ζ 和 ω_n，完全由实际系统的结构和元件参数决定。通过适当调节实际系统元件参数就可以改变二阶系统的阻尼比 ζ 和无阻尼自然振荡频率 ω_n，进而达到改善二阶系统动态性能的目的。

1. 二阶系统的单位阶跃响应

设 $r(t) = 1(t)$，$R(s) = 1/s$，初始条件为零，则由式（3-18），系统的输出可由 $c(t)$ 的拉普拉斯变换求得

$$C(s) = W(s)R(s) = \frac{\omega_n^2}{(s^2 + 2\zeta\omega_n s + \omega_n^2)} \frac{1}{s} \qquad (3\text{-}21)$$

对分母多项式进行因式分解得

$$C(s) = \frac{\omega_n^2}{s(s - s_1)(s - s_2)} \qquad (3\text{-}22)$$

式中，$s_{1,2}$ 是二阶系统的两个特征根。

$$s_{1,2} = -\zeta\omega_n \pm \omega_n\sqrt{\zeta^2 - 1} \qquad (3\text{-}23)$$

显然，阻尼比 ζ 在不同的范围内取值时，二阶系统的特征根在 s 平面上的分布区域不同，其时间响应形式就可能不同。下面分别进行讨论。

（1）$0 < \zeta < 1$，欠阻尼情况。按式（3-18），系统传递函数可改写为

$$W(s) = \frac{\omega_n^2}{(s + \zeta\omega_n + j\omega_d)(s + \zeta\omega_n - j\omega_d)} \qquad (3\text{-}24)$$

由式（3-24）可知，系统的两个闭环特征根是一对具有负实部的共轭复数根，即

$$s_{1,2} = -\zeta\omega_n \pm j\omega_d \qquad (3\text{-}25)$$

式中，ω_d 称为阻尼振荡频率，$\omega_d = \omega_n\sqrt{1-\zeta^2}$。

对于单位阶跃输入信号，系统输出为

$$C(s) = W(s)R(s) = \frac{\omega_n^2}{(s^2 + 2\zeta\omega_n s + \omega_n^2)} \frac{1}{s}$$

$$= \frac{1}{s} - \frac{s + \zeta\omega_n}{(s + \zeta\omega_n)^2 + \omega_d^2} - \frac{\zeta\omega_n}{(s + \zeta\omega_n)^2 + \omega_d^2} \qquad (3\text{-}26)$$

单位阶跃响应时域表达式为

$$c(t) = L^{-1}[C(s)] = 1 - e^{-\zeta\omega_n t}\left(\cos\omega_d t + \frac{\zeta}{\sqrt{1-\zeta^2}}\sin\omega_d t\right)$$

$$= 1 - \frac{1}{\sqrt{1-\zeta^2}}e^{-\zeta\omega_n t}\sin\left(\omega_n\sqrt{1-\zeta^2}\,t + \arctan\frac{\sqrt{1-\zeta^2}}{\zeta}\right) \tag{3-27}$$

它是一个衰减的振荡过程，如图 3-11 所示，其振荡频率就是阻尼振荡频率 ω_d，而其幅值则按指数曲线衰减，两者均由参数 ζ 和 ω_n 决定。

当无阻尼（$\zeta=0$）时，系统的两个特征根 $s_{1,2} = \pm j\omega_n$ 为一对共轭虚根，单位阶跃响应为

$$c(t) = 1 - \cos\omega_n t \tag{3-28}$$

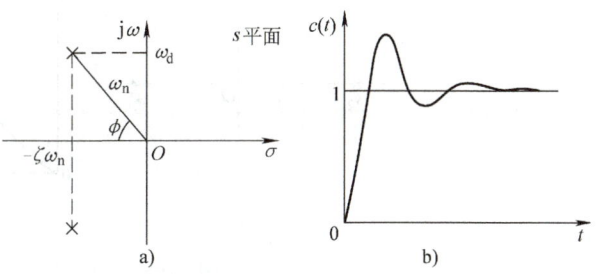

图 3-11　欠阻尼情况（$0<\zeta<1$）
a) 根分布　b) 单位阶跃响应

称为无阻尼响应，是一个等幅振荡响应过程。其振荡频率就是无阻尼自然振荡频率 ω_n。应当指出，实际系统必然有一定的阻尼（$\zeta \neq 0$），所以实际二阶系统的有阻尼衰减振荡频率 ω_d 总是小于无阻尼自然振荡频率 ω_n。

（2）$\zeta=1$，临界阻尼情况。当 $\zeta=1$ 时，系统有两个相等的负实数根。

$$s_1 = s_2 = -\omega_n \tag{3-29}$$

系统对单位阶跃输入的响应如下：

$$C(s) = \frac{\omega_n^2}{(s+\omega_n)^2}\frac{1}{s} = \frac{1}{s} - \frac{\omega_n}{(s+\omega_n)^2} - \frac{1}{s+\omega_n} \tag{3-30}$$

取 $C(s)$ 的拉普拉斯反变换，求得临界阻尼二阶系统的单位阶跃响应为

$$c(t) = 1 - e^{-\omega_n t}(1+\omega_n t) \tag{3-31}$$

其根分布及单位阶跃响应曲线如图 3-12 所示。它是一个稳态误差为零的既无超调也无振荡的单调响应过程。

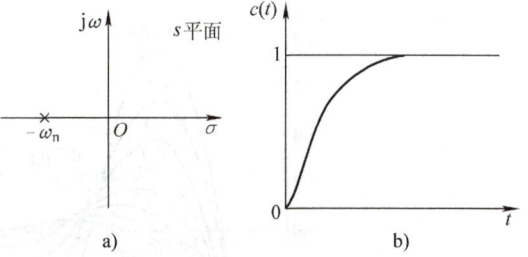

图 3-12　临界阻尼情况（$\zeta=1$）
a) 根分布　b) 单位阶跃响应曲线

（3）$\zeta>1$，过阻尼情况。当阻尼比 $\zeta>1$ 时，系统有两个不相等的负实数根。

$$s_{1,2} = -\zeta\omega_n \pm \omega_n\sqrt{\zeta^2-1} \tag{3-32}$$

对于单位阶跃输入，输出为

$$C(s) = \frac{1}{s} + \frac{[2(\zeta^2-\zeta\sqrt{\zeta^2-1}-1)]^{-1}}{s+\zeta\omega_n-\omega_n\sqrt{\zeta^2-1}} + \frac{[2(\zeta^2+\zeta\sqrt{\zeta^2-1}-1)]^{-1}}{s+\zeta\omega_n+\omega_n\sqrt{\zeta^2-1}} \tag{3-33}$$

对式（3-33）进行拉普拉斯反变换，从而求得过阻尼二阶系统的单位阶跃响应为

$$c(t) = 1 + \frac{1}{2(\zeta^2-\zeta\sqrt{\zeta^2-1}-1)}e^{-(\zeta-\sqrt{\zeta^2-1})\omega_n t} + \frac{1}{2(\zeta^2+\zeta\sqrt{\zeta^2-1}-1)}e^{-(\zeta+\sqrt{\zeta^2-1})\omega_n t}$$

$$\tag{3-34}$$

式（3-34）包括两个衰减指数曲线项，由式（3-32）可知，当 $\zeta \gg 1$ 时，一个根距虚轴

较近，而另一个根远离虚轴，远离虚轴根对响应的影响很小，可以忽略不计，这时二阶系统可近似化简为一阶惯性系统。

图 3-13 为过阻尼二阶系统的根分布和单位阶跃响应曲线，显然阶跃响应无超调，且响应过程比 $\zeta=1$ 时拖得更长。

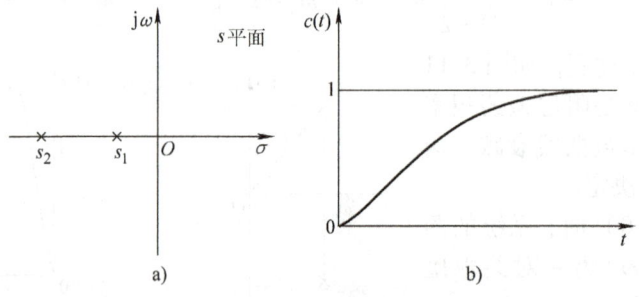

图 3-13　过阻尼情况($\zeta>1$)
a) 根分布　b) 单位阶跃响应曲线

当 $\zeta<0$ 时，称为负阻尼，系统的两个特征根均具有正实部，其阶跃响应发散，也就是说阶跃响应的幅值随时间的增加趋于无穷。这样的系统不稳定，不能正常工作。

根据以上分析，在初始条件为零的情况下，由式（3-27）、式（3-31）和式（3-34）可以得到不同 ζ 值下的二阶系统单位阶跃响应曲线族，如图 3-14 所示。由于横坐标为 $\omega_n t$，所以曲线族只与 ζ 有关。由图可见，欠阻尼系统比临界阻尼系统更快地达到稳态值。与 ζ 值在一定范围内的欠阻尼系统相比，过阻尼系统反应迟钝，动作很缓慢，所以一般的控制系统大都设计成欠阻尼系统。

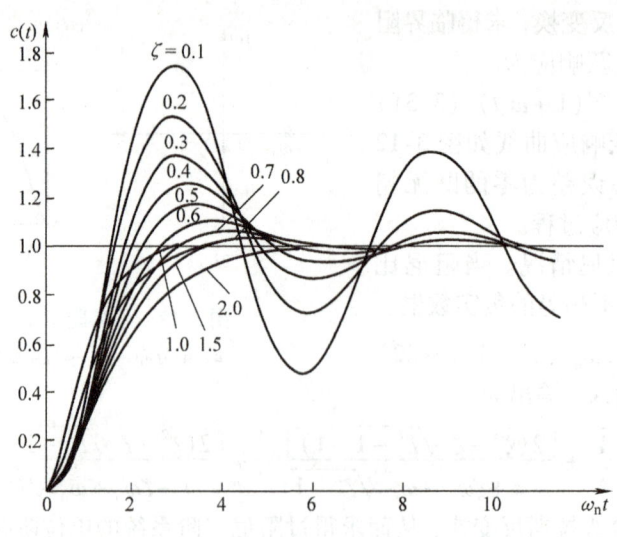

图 3-14　二阶系统单位阶跃响应曲线族

另外，对于 ζ 相同而 ω_n 不同的二阶系统，由于具有相同的振荡模式和过调，其相对稳定程度相同。

2. 二阶系统的脉冲响应

当输入信号 $r(t)$ 为单位脉冲函数 $\delta(t)$，即 $R(s)=1$ 时，二阶系统的单位脉冲响应的拉普拉斯变换式为

$$C(s) = W(s) = \frac{\omega_n^2}{s^2 + 2\zeta\omega_n s + \omega_n^2} \tag{3-35}$$

其时域响应为

$$c(t) = g(t) = L^{-1}[W(s)] = L^{-1}\left[\frac{\omega_n^2}{s^2 + 2\zeta\omega_n s + \omega_n^2}\right] \tag{3-36}$$

从式（3-36）可以看出，系统传递函数的拉普拉斯反变换就是系统的脉冲响应函数，记作 $g(t)$。脉冲响应函数和传递函数一样，都可以用来描述系统的特征。

由式（3-36），对欠阻尼系统（$0<\zeta<1$），有

$$c(t) = g(t) = \frac{\omega_n}{\sqrt{1-\zeta^2}} e^{-\zeta\omega_n t} \sin\omega_n\sqrt{1-\zeta^2}\, t \tag{3-37}$$

对临界阻尼系统（$\zeta=1$），有

$$c(t) = g(t) = \omega_n^2 t e^{-\omega_n t} \tag{3-38}$$

对过阻尼系统（$\zeta>1$），有

$$c(t) = g(t) = \frac{\omega_n}{2\sqrt{\zeta^2-1}}\left[e^{-(\zeta-\sqrt{\zeta^2-1})\omega_n t} - e^{-(\zeta+\sqrt{\zeta^2-1})\omega_n t}\right] \tag{3-39}$$

其实，由于单位脉冲函数是单位阶跃函数对时间的导数，线性定常系统的单位脉冲响应必定是单位阶跃响应对时间的导数（证明见本章 3.2.6 节）。所以上述各式均可以分别由式（3-27）、式（3-31）和式（3-34）对时间求导来获得。

图 3-15 表示不同 ζ 值时的单位脉冲响应曲线。由式（3-38）、式（3-39）和图 3-15 可知，当 $\zeta \geq 1$ 时，单位脉冲响应是仅有一个峰值的脉冲曲线，且 $c(t) \geq 0$。

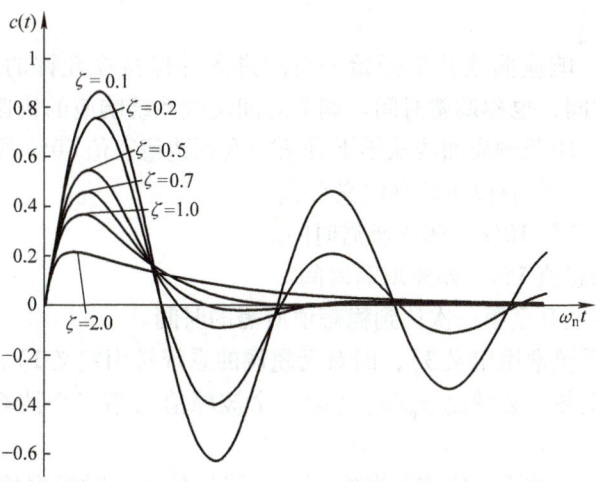

图 3-15 二阶系统单位脉冲响应曲线

3.2.4 时域性能指标

为评价控制系统性能,需要研究系统在典型输入信号作用下的响应过程,从中发现反映系统性能好坏的特征。性能指标就是衡量系统性能的一组特征参数。对系统稳态响应和瞬态响应的要求,常由系统在一定的典型输入信号作用下的具体性能指标来表示。性能指标有多种形式,它随研究方法的不同而不同,而且各有其特点。常用的性能指标有时域性能指标和频域性能指标等。时域性能指标在时间域内比较直观地反映控制系统的性能,这里着重讨论时域的瞬态响应性能指标。关于系统稳态响应的性能指标将在本章 3.4 节介绍,而频域性能指标将在第 5 章中介绍。

一般认为,阶跃输入对系统来说是较为恶劣和严格的工作状态,因此,在系统能稳定工作的前提下,其瞬态性能通常以初始条件为零时系统对单位阶跃输入信号的响应特性来衡量,如图 3-16 所示。

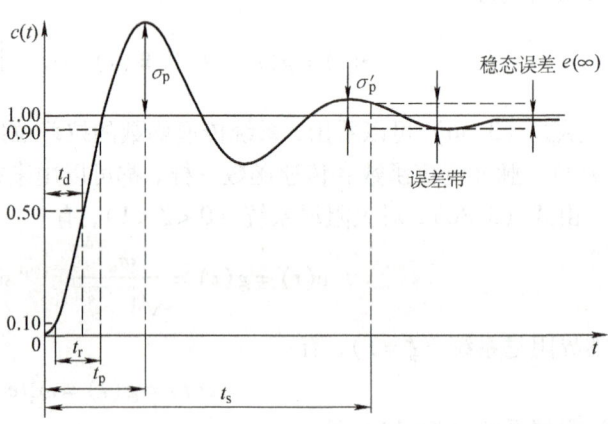

图 3-16 单位阶跃响应曲线

时域瞬态响应的性能指标一般有:

(1) 峰值时间 t_p　阶跃响应曲线超过其稳态值而到达第一个峰值所需要的时间。

(2) 最大百分比超调量 $\sigma\%$　响应曲线最大峰值超过稳态值的部分,即是最大超调量 σ_p。最大超调量 σ_p 与稳态值之比的百分数,称为最大百分比超调量 $\sigma\%$,即

$$\sigma\% = \frac{c(t_p) - c(\infty)}{c(\infty)} \times 100\% \tag{3-40}$$

最大百分比超调量 $\sigma\%$ 说明系统的相对稳定性。如果系统响应单调变化,则响应无超调。

(3) 调节时间 t_s　响应曲线从零开始一直到进入并保持在允许的误差带内(±2% 或 ±5%)所需的最短时间,也称调整时间。调节时间反映系统响应的快速性。

(4) 延滞时间 t_d　阶跃响应曲线从零上升第一次到达稳态值 50% 所需的时间。

(5) 上升时间 t_r　一般有以下几种定义形式:

1) 响应曲线从稳态值 10%~90% 所需时间。

2) 响应曲线从稳态值 5%~95% 所需时间。

3) 响应曲线从零上升至第一次达到稳态值所需的时间。

一般对有超调的系统常用定义 3),而对无超调的系统常用定义 1)。

另外,还有振荡次数,衰减比 σ_p/σ_p'(第一个波峰值与第二个波峰值之比)等其他性能指标。

在评价系统性能时,并不一定需要考察所有上述指标,有时根据使用条件和实际情况,只对其中几个认为重要的性能指标提出要求。比如,对于恒值控制系统,它的主要任务是维持恒值输出,外扰动为主要输入,所以常以系统对单位扰动输入信号时的响应特性来衡量瞬

态性能。这时参考输入不变、输出的希望值不变，响应曲线围绕原来工作状态上下波动，如图 3-17 所示。相应的性能指标为 σ_p、t_s、t_p、σ_p/σ_p'，或者再加振荡次数等。

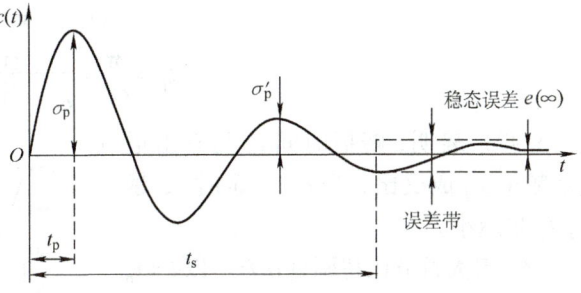

图 3-17 单位扰动输入

3.2.5 瞬态响应分析

通常，工程实际中往往习惯把二阶系统设计成欠阻尼工作状态。此时，系统调节灵敏，响应快，且平稳性也较好。而过阻尼和临界阻尼系统的响应过程，虽然平稳性好，但响应过程缓慢。所以，采用欠阻尼瞬态响应指标来评价二阶系统的响应特性，具有较大实际意义。

1. 欠阻尼二阶系统在阶跃输入作用下的瞬态响应指标

（1）上升时间 t_r　根据定义，上升时间 t_r 是指系统输出量从零上升至第一次达到其稳态值所需的时间。

由式（3-27），令 $c(t_r)=1$，可得

$$c(t_r)=1-\frac{e^{-\zeta\omega_n t_r}}{\sqrt{1-\zeta^2}}\sin\left(\omega_d t_r+\arctan\frac{\sqrt{1-\zeta^2}}{\zeta}\right)=1$$

因为 $e^{-\zeta\omega_n t_r}\neq 0$，所以

$$\sin\left(\omega_d t_r+\arctan\frac{\sqrt{1-\zeta^2}}{\zeta}\right)=0$$

因为上升时间是输出响应第一次达到稳态值所需的时间，所以有

$$\omega_d t_r+\arctan\frac{\sqrt{1-\zeta^2}}{\zeta}=\pi$$

即

$$t_r=\frac{1}{\omega_d}\left(\pi-\arctan\frac{\sqrt{1-\zeta^2}}{\zeta}\right)=\frac{\pi-\varphi}{\omega_d} \tag{3-41}$$

式中，$\varphi=\arctan\dfrac{\sqrt{1-\zeta^2}}{\zeta}$。

由式（3-41）可见，要使系统反应快，必然要减小 t_r。因此当 ζ 一定时，ω_n 必须加大；若 ω_n 为定值，则 ζ 越小，t_r 也越小。

（2）峰值时间 t_p　根据定义，峰值时间 t_p 是响应曲线第一次达到最大峰值所需的时间。按式（3-27），对 $c(t)$ 求一阶导数，并令其为零，即 $\left.\dfrac{dc(t)}{dt}\right|_{t=t_p}=0$，可得到

$$\omega_d\cos(\omega_d t_p+\varphi)-\zeta\omega_n\sin(\omega_d t_p+\varphi)=0$$

$$\tan(\omega_d t_p+\varphi)=\frac{\omega_d}{\zeta\omega_n}=\frac{\sqrt{1-\zeta^2}}{\zeta}=\tan\varphi$$

所以，达到第一个峰值时有

$$\omega_d t_p = \pi$$
$$t_p = \frac{\pi}{\omega_d} = \frac{\pi}{\omega_n \sqrt{1-\zeta^2}} \quad (3-42)$$

式（3-42）表明，峰值时间 t_p 与有阻尼振荡频率 ω_d 成反比。当 ω_n 一定时，ζ 越小，t_p 也越小。

（3）最大百分比超调量 $\sigma\%$ 以 $t=t_p$ 代入式（3-40），可得到最大百分比超调量，即

$$\sigma\% = \left| \frac{c(t_p) - c(\infty)}{c(\infty)} \right| \times 100\%$$
$$= e^{-\zeta \pi / \sqrt{1-\zeta^2}} \times 100\% \quad (3-43)$$

由式（3-43）可见，最大百分比超调量 $\sigma\%$ 仅由 ζ 决定，ζ 越小，超调量越大。当 $\zeta=0$ 时，$\sigma\%=100\%$；而当 $\zeta=1$ 时，$\sigma\%=0$，此时系统响应无超调。$\sigma\%$ 与 ζ 的关系曲线如图 3-18 所示。

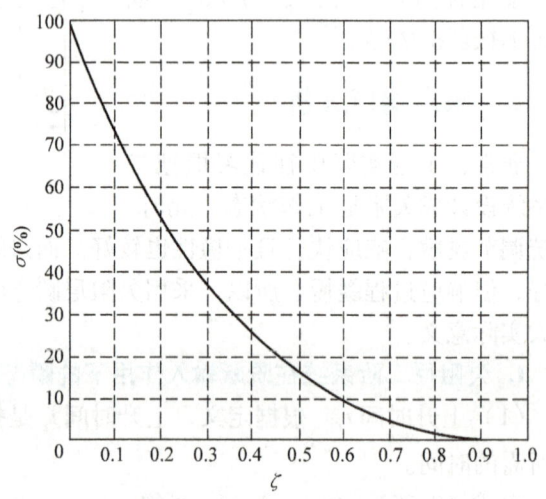

图 3-18　$\sigma\%$ 与 ζ 的关系

（4）调节时间 t_s 调节时间 t_s 定义为响应曲线进入并保持在允许的误差带内（±2% 或 ±5%）所需的最短时间，即

$$|c(t) - c(\infty)| \leq \Delta \times c(\infty), \quad t \geq t_s, \quad \begin{cases} \Delta = 2\% \\ \Delta = 5\% \end{cases}$$

根据式（3-27）系统单位阶跃响应表达式及 $c(\infty)=1$，可得

$$\left| \frac{1}{\sqrt{1-\zeta^2}} e^{-\zeta \omega_n t} \sin(\omega_d t + \varphi) \right| \leq \Delta, \quad t \geq t_s \quad (3-44)$$

根据式（3-44）直接求解出 t_s 的表达式极为困难。如图 3-19 所示，$1 \pm \dfrac{e^{-\zeta \omega_n t}}{\sqrt{1-\zeta^2}}$ 是系统单位阶跃响应衰减振荡曲线的包络线。可以看出，只要包络线进入误差带，则响应曲线一定进入误差带。所以，式（3-44）可近似简化为

$$\frac{1}{\sqrt{1-\zeta^2}} e^{-\zeta \omega_n t} \leq \Delta, \quad t \geq t_s$$

解上式，得调节时间为

$$t_s = \frac{1}{\zeta \omega_n} \ln\left(\frac{1}{\Delta \sqrt{1-\zeta^2}} \right) \quad (3-45)$$

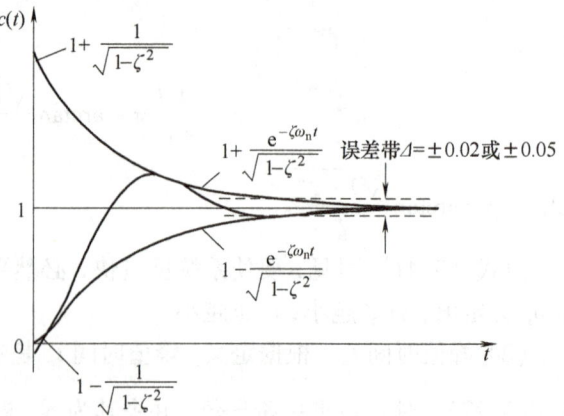

图 3-19　二阶系统单位阶跃响应包络线

如果取 $\Delta = 2\%$，则有

$$t_s = \frac{1}{\zeta \omega_n} \left[4 + \ln\left(\frac{1}{\sqrt{1-\zeta^2}} \right) \right]$$

如果取 $\Delta = 5\%$，则有

$$t_s = \frac{1}{\zeta\omega_n}\left[3 + \ln\left(\frac{1}{\sqrt{1-\zeta^2}}\right)\right]$$

当 $0 < \zeta < 0.9$ 时，式（3-45）可进一步由下面两式近似表示，即

$$t_s = \frac{4}{\zeta\omega_n} = 4T, \quad \Delta = 2\%$$

或

$$t_s = \frac{3}{\zeta\omega_n} = 3T, \quad \Delta = 5\% \tag{3-46}$$

由此可见，$\zeta\omega_n$ 越大，t_s 就越小。当 ω_n 一定时，则 t_s 与 ζ 成反比，这与 t_p、t_r 与 ζ 的关系正好相反。

图 3-20 为经数值计算得到的 t_s 随 ζ 变化的关系曲线。图中 $T = 1/(\zeta\omega_n)$，为 $c(t)$ 包络曲线的时间常数，在 $\zeta = 0.69$（或 0.77），t_s 有最小值，以后 t_s 随 ζ 的增大而近乎线性地上升。图 3-20 中曲线的不连续性是由于 ζ 在虚线附近稍微变化就会引起 t_s 突变造成的，如图 3-21 所示。

根据以上分析，可以看出欠阻尼二阶系统瞬态响应性能完全取决于阻尼比 ζ 和无阻尼自然振荡频率 ω_n。如何选取 ζ 和 ω_n 使系统满足设计要求，应从如下几点考虑。

1）当 ω_n 一定时，要减小 t_r 和 t_p，必须减少 ζ 值，要减少 t_s 则应增大 $\zeta\omega_n$ 值，而且 ζ 值有一定范围，不能过大。

2）增大 ω_n，能使 t_r、t_p 和 t_s 都减少。

3）最大百分比超调量 $\sigma\%$ 只由 ζ 决定，ζ 越小，$\sigma\%$ 越大。所以，一般根据 $\sigma\%$ 的要求选择 ζ 值，在实际系统中，ζ 值一般在 $0.5 \sim 0.8$ 之间。而对各种时间性能指标的要求，则可通过 ω_n 的选取来满足。要实现这一点，一般需要对图 3-10 所示的二阶系统进行校正。

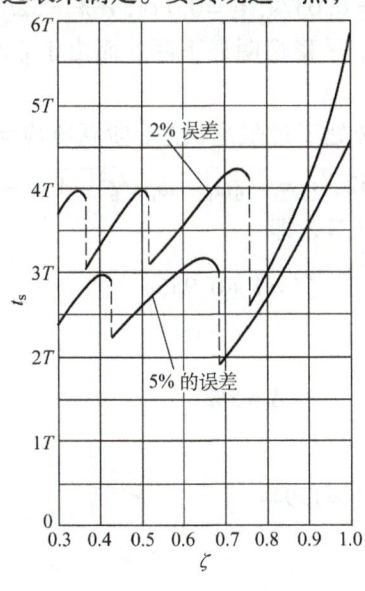

图 3-20 t_s 与 ζ 的关系曲线

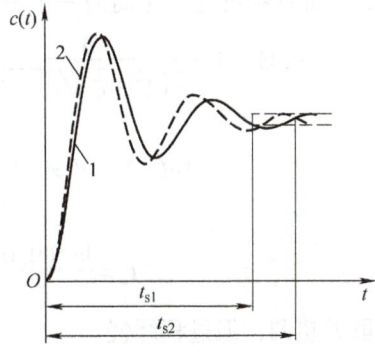

图 3-21 ζ 稍微突变引起的 t_s 突变

例 3-1 已知位置随动系统结构图如图 3-22 所示。

设系统中电动机、负载及传感器的参数均已确定，只有放大器增益 K_a 可调，经等效变

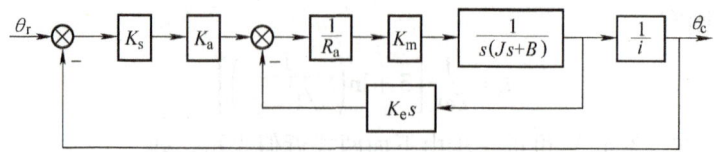

图 3-22 位置随动系统结构图

换后得开环传递函数为

$$G(s) = \frac{5K_a}{s(s+34.5)}$$

试计算 $K_a = 200$ 时，系统阶跃响应性能指标 t_p、t_s 和 $\sigma\%$。如果增益提高到 1500 或降低到 10，对系统响应有何影响？

解 系统开环传递函数为

$$G(s) = \frac{\omega_n^2}{s(s+2\zeta\omega_n)} = \frac{5K_a}{s(s+34.5)}$$

（1）当 $K_a = 200$ 时，$\omega_n = \sqrt{1000} = 31.6 \text{s}^{-1}$，$\zeta = 34.5/(2\omega_n) = 0.545$。代入式（3-42）、式（3-43）和式（3-46），得

$$t_p = \frac{\pi}{\omega_n \sqrt{1-\zeta^2}} = 0.12\text{s}$$

$$t_s = \frac{3}{\zeta\omega_n} = 0.17\text{s}$$

$$\sigma\% = e^{-\pi\zeta/\sqrt{1-\zeta^2}} \times 100\% = 13\%$$

（2）$K_a = 1500$ 时，得 $\omega_n = 86.2\text{s}^{-1}$，$\zeta = 0.2$；$t_p = 0.037\text{s}$，$t_s = 0.17\text{s}$，$\sigma\% = 52.7\%$。可以看出，提高增益将使响应初始段加快。但振荡强烈，平稳性明显下降。而由于 ζ 小，ω_n 大，调节时间并无多大变化。

（3）$K_a = 10$ 时，得 $\omega_n = 7.07\text{s}^{-1}$，$\zeta = 2.44$，系统处于过阻尼状态，阶跃响应无超调。二阶系统两个特征根为 $s_1 = -\zeta\omega_n + \omega_n\sqrt{\zeta^2-1} = -1.52$，$s_2 = -\zeta\omega_n - \omega_n\sqrt{\zeta^2-1} = -32.99$，因 s_2 远大于 s_1，二阶系统可近似化简为一个一阶惯性环节，即

$$c(t) \approx 1 + \frac{1}{2(\zeta^2 - \zeta\sqrt{\zeta^2-1})} e^{-(\zeta+\sqrt{\zeta^2-1})\omega_n t} = 1 + 0.956 e^{-1.52t}$$

由

$$|c(t_s) - c(\infty)| = \Delta c(\infty), \quad \Delta = 5\%$$

得

$$t_s = \frac{\ln(0.05/0.956)}{-1.52} \approx 1.94\text{s}$$

此时，响应虽无超调，但过程缓慢。

2. 改善二阶系统性能的措施

分析例 3-1 改变放大器增益 K_a 对系统稳定性和快速性的影响发现，为提高响应速度而加大开环增益，结果是阻尼比减小，振荡加剧；反之，减小增益能显著改善平稳性，但响应过程又过于缓慢。仅仅改变系统原有部件参数难于全面满足性能指标。此时可以通过适当改

变系统结构，改善系统的品质。

（1）误差的比例+微分控制　图 3-23 为具有比例+微分控制的二阶系统结构图。

系统在误差控制作用的基础上，又引入误差微分控制，T_d 称为微分时间常数。系统开环传递函数为

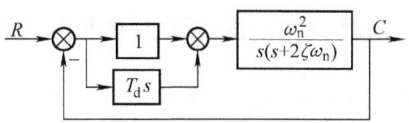

图 3-23　二阶系统的比例+微分控制

$$G(s) = \frac{(1+T_d s)\omega_n^2}{s(s+2\zeta\omega_n)}$$

闭环传递函数为

$$W(s) = \frac{(1+T_d s)\omega_n^2}{s^2 + 2(\zeta + T_d \omega_n/2)\omega_n s + \omega_n^2} = \frac{(1+T_d s)\omega_n^2}{s^2 + 2\zeta_d \omega_n s + \omega_n^2} \qquad (3\text{-}47)$$

其中

$$\zeta_d = \zeta + T_d \omega_n/2 \qquad (3\text{-}48)$$

式(3-48)表明，引入比例+微分控制使二阶系统可以通过调节 T_d，在保持原系统 ζ、ω_n 不变的情况下，增大阻尼作用，提高平稳性。由于 $T_d s$ 对 $r(t)$ 的微分控制作用，适当调节 T_d 还可以提高系统响应的快速性。

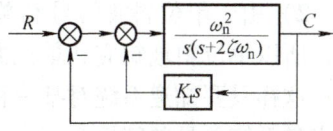

图 3-24　二阶系统的输出速度反馈控制

（2）输出量的速度反馈控制　输出的速度反馈控制结构图如图 3-24 所示，K_t 称为速度反馈系数。

系统闭环传递函数为

$$W(s) = \frac{\omega_n^2}{s^2 + 2(\zeta + K_t \omega_n/2)\omega_n s + \omega_n^2} = \frac{\omega_n^2}{s^2 + 2\zeta_t \omega_n s + \omega_n^2} \qquad (3\text{-}49)$$

其中

$$\zeta_t = \zeta + K_t \omega_n/2 \qquad (3\text{-}50)$$

输出的速度反馈控制也使二阶系统的等效阻尼比增大，系统动态平稳性提高。比较式（3-47）和式（3-49）可知，由于输出速度反馈控制系统无微分控制作用，与比例+微分控制相比，系统阶跃响应的动态平稳性更好，但快速性改善作用不强。

3.2.6　线性定常系统的重要特性

对于初始条件为零的线性定常系统，当输入为 $r(t)$ 时，其输出 $c(t)$ 的拉普拉斯变换为 $C(s) = W(s)R(s)$。若系统输入为 $r_1(t) = \dfrac{dr(t)}{dt}$，则由拉普拉斯变换的微分法则，其拉普拉斯变换为 $R_1(s) = L^{-1}\left[\dfrac{dr(t)}{dt}\right] = sR(s)$，这时系统输出为

$$C_1(s) = W(s)sR(s) = sC(s)$$

所以

$$c_1(t) = \frac{dc(t)}{dt}$$

上式说明，当线性定常系统输入信号为原来输入信号的导数时，这时系统的输出也为原来输出的导数。

同理，由拉普拉斯变换的积分法则，若系统的输入为 $r_2(t) = \int r(t)\mathrm{d}t$，其拉普拉斯变换为 $R_2(s) = \dfrac{1}{s}R(s)$，这时

$$C_2(s) = W(s)R_2(s) = W(s)\frac{1}{s}R(s) = \frac{1}{s}C(s)$$

$$c_2(t) = \int c(t)\mathrm{d}t$$

此式说明，在零初始条件下，当线性定常系统输入信号为原来输入信号对时间的积分时，则系统的输出同样为原来输出对时间的积分，积分常数由零初始条件决定。

由上可以得出线性定常系统的重要特性：

1) 由于单位脉冲信号是单位阶跃信号对时间的一阶导数，所以单位脉冲响应也应是单位阶跃响应对时间的一阶导数。

2) 由于单位斜坡信号和单位抛物线信号分别是单位阶跃信号对时间的一重和二重积分，所以单位斜坡响应和单位抛物线响应也应是单位阶跃响应对时间的一重和二重积分。

这样只要知道系统对某一种典型信号的响应，对其他典型信号的响应也可推知。这是线性定常系统独具的特性。

3.2.7 高阶系统的近似分析

实际的自动控制系统有相当多是高于二阶的系统，即高阶系统。高阶系统的传递函数一般可以写为

$$W(s) = \frac{C(s)}{R(s)} = \frac{b_0 s^m + b_1 s^{m-1} + \cdots + b_{m-1} s + b_m}{a_0 s^n + a_1 s^{n-1} + \cdots + a_{n-1} s + a_n}, \quad m \leq n \tag{3-51}$$

将式 (3-51) 写成为零、极点的形式，则

$$W(s) = \frac{C(s)}{R(s)} = K \frac{\prod\limits_{i=1}^{q}(s+z_i)\prod\limits_{i=1}^{l}(s^2 + 2\zeta_{mi}\omega_{mi}s + \omega_{mi}^2)}{\prod\limits_{j=1}^{k}(s+p_j)\prod\limits_{j=1}^{r}(s^2 + 2\zeta_{nj}\omega_{nj}s + \omega_{nj}^2)} \quad (m \leq n)$$

式中，$K = \dfrac{b_0}{a_0}$；$q + 2l = m$；$k + 2r = n$。

设输入为单位阶跃函数，则

$$C(s) = K \frac{\prod\limits_{i=1}^{q}(s+z_i)\prod\limits_{i=1}^{l}(s^2 + 2\zeta_{mi}\omega_{mi}s + \omega_{mi}^2)}{\prod\limits_{j=1}^{k}(s+p_j)\prod\limits_{j=1}^{r}(s^2 + 2\zeta_{nj}\omega_{nj}s + \omega_{nj}^2)} \cdot \frac{1}{s}$$

假设系统的所有闭环极点各不相同，则

$$C(s) = \frac{b_m}{a_n}\frac{1}{s} + \sum_{j=1}^{k}\frac{C_j}{s+p_j} + \sum_{j=1}^{r}\frac{A_j(s+\zeta_{nj}\omega_{nj}) + B_j\omega_{nj}\sqrt{1-\zeta_{nj}^2}}{s^2 + 2\zeta_{nj}\omega_{nj}s + \omega_{nj}^2}$$

$$c(t) = \frac{b_m}{a_n} + \sum_{j=1}^{k}C_j e^{-p_j t} + \sum_{j=1}^{r} e^{-\zeta_{nj}\omega_{nj}t}\left(A_j\cos\omega_{nj}\sqrt{1-\zeta_{nj}^2}\,t + B_j\sin\omega_{nj}\sqrt{1-\zeta_{nj}^2}\,t\right), \quad t \geq 0$$

$$\tag{3-52}$$

由式（3-52）可见，高阶系统的响应是由组成高阶系统的基本环节（包括惯性环节和振荡环节等基本环节）的单位阶跃响应构成，各响应分量的相对大小由系数 C_j、A_j 和 B_j 决定，所以了解了各分量及其相对大小，就可以了解和掌握高阶系统的瞬态响应性能。

当系统稳定时，由式（3-52）及拉普拉斯反变换求系数可知：

1) 高阶系统瞬态响应各分量的衰减快慢由 p_j 和 $\zeta_{nj}\omega_{nj}$ 决定，也即系统极点在 s 平面左半部离虚轴越远，相应的分量衰减越快，反之，极点在 s 平面左半部离虚轴越近，相应的分量衰减越慢，这部分响应分量是高阶系统瞬态响应的主要成分。

2) 各分量所对应的系数决定于系统的零、极点分布。当某极点 $-p_j$ 靠近零点，而远离其他极点和原点时，则相应的系数 C_j、A_j 和 B_j 越小，该分量的影响就越小；若一对零、极点互相很接近，则在输出 $c(t)$ 中与该极点对应的响应分量几乎可以被忽略。这样的一对零、极点称为偶极子。在高阶系统瞬态响应的近似分析时，闭环传递函数中具有偶极子关系的这对零、极点可以对消。

若某极点 $-p_j$ 远离零点、越接近其他极点和原点，则相应的系数 C_j 越大，该瞬变分量影响也就越大。

3) 系统的零点、极点共同决定了系统瞬态响应曲线的形状。根据上述，对于系数很小（影响很小）的分量、远离虚轴衰减很快的分量常常可以忽略，因而高阶系统的性能就可用其降阶系统的性能近似。

假如高阶系统中距虚轴最近的极点，其实数部分为其他极点的 1/5 或更小，并且附近又没有零点，由于其他极点对应响应分量的衰减速度是其 5 倍及以上，很快消失，则可认为系统的响应主要由该极点（或共轭复数极点）决定。这种对系统瞬态响应起主导作用的极点，称为系统的主导极点。一般情况下，高阶系统具有振荡性，所以主导极点常常是共轭复数极点。找到了一对共轭复数主导极点，高阶系统就可以近似地当作二阶系统来分析，相应的性能指标都可以按二阶系统进行近似估计。

根据一定条件找出主导极点，在系统分析中很重要；在系统设计时，也常常应用主导极点这一概念，将高阶系统人为构造出一对主导极点以满足性能要求。

例 3-2 已知四阶系统的闭环传递函数为

$$W(s) = \frac{3.12 \times 10^5 s + 6.25 \times 10^6}{s^4 + 100s^3 + 8.0 \times 10^3 s^2 + 4.4 \times 10^5 s + 6.24 \times 10^6}$$

试将该系统用二阶模型简化近似，并求二阶近似系统的单位阶跃响应 $c(t)$。

解 首先对高阶系统进行分解因式。经分解因式得

$$W(s) = \frac{3.12 \times 10^5 (s + 20.03)}{(s+20)(s+60)(s^2 + 20s + 5.2 \times 10^3)}$$

零、极点分布如图 3-25 所示。观察题图可知系统闭环传递函数有一个零点（-20.03）和一个极点（-20）彼此距离很近，并远离其他零、极点。可以对消此对零、极点得

$$W(s) \approx \frac{3.12 \times 10^5}{(s+60)(s^2 + 20s + 5.2 \times 10^3)}$$

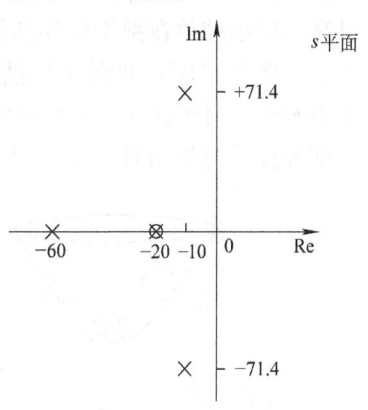

图 3-25　例 3-2 系统零极点分布图

上式中，$s_1 = -60$，$\text{Re}[s_{2,3}] = -10$。可见，s_1 距虚轴的距离是 $s_{2,3}$ 距虚轴距离的 5 倍以上。可以进一步将高阶系统简化近似为一个二阶系统，即

$$W(s) \approx \frac{5.2 \times 10^3}{s^2 + 20s + 5.2 \times 10^3}$$

则本例高阶系统近似的单位阶跃响应为

$$c(t) \approx 1 - e^{-10t}\sin(71.4t + 1.43), \quad t \geq 0$$

3.3 稳定性

在分析和设计闭环控制系统时，稳定性是控制系统的重要性能。从实用的角度来看，不稳定的系统没有什么应用价值，控制系统稳定是其得以实际应用的先决条件，所以在控制系统设计时必须保证系统稳定。许多物理系统原本开环是不稳定的，通过构成反馈控制使开环不稳定的系统闭环稳定是系统分析和设计的重要内容。当然，开环稳定的系统，仍然需要通过反馈控制设计使系统闭环响应的快速性和控制精度等性能满足设计指标要求。

分析系统的稳定性，研究影响系统稳定性的原因，掌握判定系统稳定与否的方法并提出保证系统稳定的措施，是控制理论的重要任务之一，也是系统综合与设计的基本前提。

3.3.1 稳定性的基本概念

稳定性是指原本处于平衡状态的系统，在干扰作用下偏离了原平衡状态，而干扰消失后，系统恢复到原平衡状态的能力。如果一个系统是稳定的，则在干扰作用下即使最初系统偏离了原平衡状态，但当干扰消失后一定能恢复到原平衡状态。如果一个系统是不稳定的，则即使在干扰消失后，系统的状态也会随时间的推移而发散，不可能恢复到原来的平衡状态。为建立稳定性概念，首先通过直观的图示予以说明。让小球自由地停在抛物面内的底端平衡位置"A"，如图 3-26a 所示。在外力作用下，使小球由原平衡点"A"移动到位置"B"，当外力撤除后，小球在重力作用下，由位置"B"回到位置"A"，但因惯性作用，小球继续向前运动，到达位置"C"，此后小球围绕点"A"反复振荡，经过一段时间，摩擦阻尼使其能量耗尽，最后停留在原平衡点"A"处。可见，在外力作用下，小球暂时偏离了原工作点，当外力撤除后，经过一段时间，又回到原平衡点上，故称"A"为稳定平衡点。反过来，将小球放在抛物面外部的顶端，如图 3-26b 所示。显然，在外力作用下，小球一旦离开了平衡点"D"，即使干扰消失，它也不能回到原平衡点"D"，故称这样的平衡点为不稳定平衡点。对于图 3-26c 所示的情况，小球受到小的扰动力作用时，"A"为稳定平衡点，而受到大扰动力作用时，"A"点则是不稳定的平衡点。

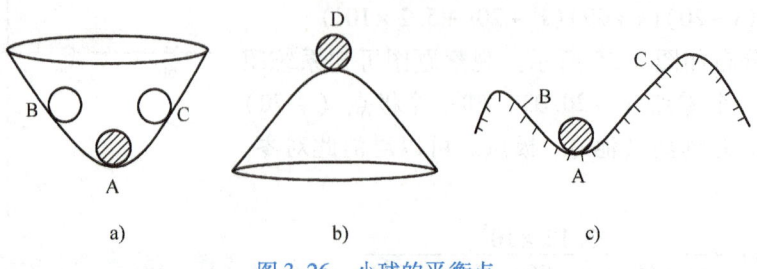

图 3-26 小球的平衡点

从上面稳定性的图示可以初步建立起稳定性概念，并可以给出稳定性的一般定义：如果系统受到扰动，偏离了平衡点，但当扰动消失后，能回到原平衡点，称这个系统是稳定的，反之，就是不稳定的。

稳定性严密的数学定义，最早是由俄国学者李雅普诺夫在1892年建立的。它是具有普遍性意义的稳定性理论，不仅适用于线性定常系统，而且适用于时变系统和非线性系统。本节只讨论单输入单输出线性定常系统的稳定性问题，不全面介绍李雅普诺夫稳定性理论，只是从激励和响应的关系上分析线性定常系统的稳定性问题。分析当扰动消失后，系统是否能回到原平衡点。

不失一般性，设系统的激励包括参考输入 $r(t)$、扰动输入 $n(t)$ 和系统各储能元件存储的初始能量，即初始条件。在上述激励作用下，线性系统总的响应为

$$c(t) = c_0(t) + c_n(t) \tag{3-53}$$

式中，$c_0(t)$ 为 $r(t)$ 作用下的响应分量和系统的初始条件产生的响应分量之和；$c_n(t)$ 为扰动输入 $n(t)$ 作用下的响应分量。

假设在扰动作用之前，系统处于平衡工作状态，即 $n(t)=0$ 时，线性系统的响应为 $c_0(t)$。

设在 $t_1 < t < t_2$ 区间，扰动输入 $n(t)(\neq 0)$ 作用于系统，扰动输入引起的响应为 $c_n(t)$。线性系统总的响应为

$$c(t) = c_0(t) + c_n(t), \quad t > t_1 \tag{3-54}$$

一般而言，$c(t) \neq c_0(t)$，即扰动输入 $n(t)$ 作用之后，系统的响应偏离了原平衡工作点。当 $t \geq t_2$ 时，$n(t)=0$，扰动消失。

根据李雅普诺夫稳定性理论，当 $t > t_2$ 时，如果经过一定的时间，系统的工作状态能回到原平衡工作点，即

$$\lim_{t\to\infty} c(t) = c_0(t) \quad \text{或} \quad \lim_{t\to\infty} c_n(t) = 0 \tag{3-55}$$

则称系统是稳定的，或称系统是在李雅普诺夫稳定性理论意义下渐近稳定的。相反，经过一定的时间，系统的工作状态无限偏离原平衡工作点，即

$$\lim_{t\to\infty} c(t) = \infty \quad \text{或} \quad \lim_{t\to\infty} c_n(t) = \infty \tag{3-56}$$

则称系统是不稳定的。

另外，当经过一定的时间后，系统的工作状态既不回到原平衡工作点又不无限偏离原平衡工作点，而表现为在原平衡工作点附近的一个有限的区域内做等幅振荡运动或收敛于一个有限的新的平衡工作点，则称系统是在李雅普诺夫稳定性理论意义下临界稳定的。

为使推导过程简便，设线性系统在扰动输入作用之前，参考输入为零且初始储能为零，则系统原平衡工作点 $c_A(t) = 0$；不失一般且便于分析，又设扰动输入为单位脉冲函数，即 $n(t) = \delta(t)$，$N(s) = 1$。扰动输入引起的系统输出响应为 $c(t) = c_n(t) = g(t)$，$C(s) = C_n(s) = L^{-1}[g(t)]$。

不失一般性，设 n 阶系统，扰动输入引起系统输出的闭环传递函数为

$$W_n(s) = \frac{C_n(s)}{N(s)} = \frac{b_0 s^m + b_1 s^{m-1} + \cdots + b_{m-1} s + b_m}{a_0 s^n + a_1 s^{n-1} + \cdots + a_{n-1} s + a_n} \tag{3-57}$$

系统输出的拉普拉斯变换为

$$C(s) = C_n(s) = W_n(s)N(s) = \frac{b_0 s^m + b_1 s^{m-1} + \cdots + b_{m-1} s + b_m}{a_0 s^n + a_1 s^{n-1} + \cdots + a_{n-1} s + a_n} \cdot N(s) \quad (3-58)$$

因 $a_j (j=0,1,2,\cdots,n)$ 为实数,可得系统闭环极点为实数或共轭复数,所以式(3-58)可表示为

$$C(s) = C_n(s) = \frac{b_0}{a_0} \cdot \frac{\prod_{i=1}^{m}(s+z_i)}{\prod_{j=1}^{k}(s+\lambda_j)\prod_{j=1}^{r}(s^2+2\sigma_j\omega_j s+\omega_j^2)} \quad (3-59)$$

式中, $k+2r=n$ 。对式(3-59)进行等效变换写成部分分式和的形式,并取拉普拉斯反变换得

$$c(t) = c_n(t) = \sum_{j=1}^{k} C_j e^{\lambda_j t} + \sum_{j=1}^{r} e^{\sigma_j t}(A_j \cos\omega_j t + B_j \sin\omega_j t) \quad (3-60)$$

式中,系数 A_j、B_j 和 C_j 由系统结构参数决定。

由式(3-60)可知:

1) 若 $-\lambda_j < 0$,$-\sigma_j < 0$ (即都是负数),则式(3-55)成立。系统最终能恢复至原平衡状态,所以是稳定的。但由于存在复数根($\omega_j \neq 0$),故系统响应为衰减振荡。

2) 若 $-\lambda_j < 0$,$-\sigma_j < 0$,且 $\omega_i = 0$,则系统仍是稳定的,系统响应按指数规律衰减。

3) 若 $-\lambda_j$ 或 $-\sigma_j$ 中有一个或一个以上是正数,则条件式(3-55)不成立。$t \to \infty$ 时,偏差越来越大,系统是不稳定的。

4) 只要 $-\sigma_j$ 中有一个为零(即有一对虚根),则式(3-55)不成立。当 $t \to \infty$ 时,系统不能恢复原平衡状态,其输出或者为一常值,或者为等幅振荡,这时称系统处于临界稳定状态。处于临界稳定状态的系统,虽然按李雅普诺夫关于稳定的定义来说是稳定的,但在控制系统的实际应用中,一般认为临界稳定属于系统的实际不稳定工作状态。因为实际系统元件参数值的漂移等,可能导致 $-\lambda_j$ 或 $-\sigma_j$ 为正的情况出现,而使系统不稳定。

总结上述,可以得出如下结论:

线性系统的稳定性仅与系统闭环传递函数的极点(又称系统特征方程式的根)的分布有关。它仅取决于系统的结构和参数,与扰动输入的形式和作用点无关。

线性系统稳定的充分与必要条件是系统特征方程式的所有特征根均为负实数,或具有负的实部。

由于系统特征方程式的根与 s 平面上的点一一对应,所以上述结论又可以表述为:线性系统稳定的充分必要条件是系统特征方程式的所有根均在 s 平面的左半部分。

表3-2列举了几个系统稳定性的简单例子。通过观察系统闭环传递函数特征方程式的根及闭环极点在 s 平面上的分布与其相应单位阶跃响应的关系,可以清楚地看到线性系统的稳定性完全由系统闭环极点决定。需要指出的是,对于线性定常系统,根据系统特征方程的根在 s 平面上的分布情况来判断系统的稳定性反映了事物的本质,因为特征方程的根是由微分方程的结构和参数决定的,即系统的稳定性由且仅由系统的结构和参数决定,而与输入信号和初始条件无关。

如果系统中每个元件都是由常系数线性微分方程描述的,那么,这样的系统在大偏差情况下也是稳定的。如果系统中有的元件或对象是线性化的,这时用线性定常系统稳定性理论

判断系统是稳定的，只能说这个系统在小偏差情况下是稳定的，而在大偏差时系统不一定稳定，更不能保证系统在任意工作点时系统都是稳定的。

线性定常系统稳定的充分必要条件是系统特征方程的所有根均具有负的实部。假如特征方程式的根能求得，系统稳定性自然就可断定。但是当系统阶数为四阶或更高时，求解特征方程式是相当麻烦而且困难的，往往要求助于计算机。为了避开对特征方程的直接求解，一些学者研究了闭环系统特征方程的根与其系数之间的关系，根据特征方程式的各项系数，间接地分析系统的稳定性。这些方法统称为判别系统稳定性的代数稳定判据。其中最主要的一个是 1884 年由 E. J. Routh 提出的代数稳定判据，称为劳斯稳定判据，另一个是 1895 年 A. Hurwitz 提出的代数稳定判据，称之为赫尔维茨稳定判据。

表 3-2 系统稳定性的简单例子

系统特征方程及其特征根	极点分布	单位阶跃响应	稳定性
$s^2 + 2\zeta\omega_n + \omega_n^2 = 0$ $s_{1,2} = -\zeta\omega_n \pm j\omega_n\sqrt{1-\zeta^2}$ $(0 < \zeta < 1)$		$c(t) = 1 - \dfrac{1}{\sqrt{1-\zeta^2}} e^{-\zeta\omega_n t}\sin(\omega_d t + \varphi)$	稳定
$s^2 + \omega_n^2 = 0$ $s_{1,2} = \pm j\omega_n$ $(\zeta = 0)$		$c(t) = 1 - \cos\omega_n t$	临界 （属不稳定）
$s^2 + 2\zeta\omega_n + \omega_n^2 = 0$ $s_{1,2} = -\zeta\omega_n \pm j\omega_n\sqrt{1-\zeta^2}$ $(0 > \zeta > -1)$		$c(t) = 1 - \dfrac{1}{\sqrt{1-\zeta^2}} e^{-\zeta\omega_n t}\sin(\omega_d t + \varphi)$	不稳定
$Ts + 1 = 0$ $s = -\dfrac{1}{T}$		$c(t) = 1 - e^{-t/T}$	稳定
$Ts - 1 = 0$ $s = \dfrac{1}{T}$		$c(t) = -1 + e^{-t/T}$	不稳定

3.3.2 劳斯判据

1. 系统稳定性的初步判别

设系统的闭环特征方程为

$$D(s) = a_0 s^n + a_1 s^{n-1} + \cdots + a_{n-1} s + a_n = 0 \tag{3-61}$$

式中,所有系数均为实数,且 $a_0 > 0$,则系统稳定的必要条件是上述系统特征方程的所有系数均为正数,即 $a_i > 0 (i = 0, 1, 2, \cdots, n)$。

证明如下:

设式(3-61)有 n 个根,其中 k 个实根 $\lambda_j (j = 1, 2, \cdots, k)$,$r$ 对复根 $\sigma_i \pm j\omega_i (i = 1, 2, \cdots, r)$,$n = k + 2r$。则特征方程式可写为

$$D(s) = a_0 (s - \lambda_1) \cdots (s - \lambda_k) [(s - \sigma_1)^2 + \omega_1^2] \cdots [(s - \sigma_r)^2 + \omega_r^2] \tag{3-62}$$

假如所有的根均在左半平面,即 $\lambda_j < 0$,$\sigma_i < 0$,则式(3-62)中 $-\lambda_1$,$-\lambda_2$,$\cdots$,$-\lambda_k$ 和 $-\sigma_1$,$-\sigma_2$,$\cdots$,$-\sigma_r$ 均为正数,则化为式(3-61)形式时,所有系数都是正数。

根据这一原则,在判别系统的稳定性时,可首先检查系统特征方程的系数是否都为正数。假如有任何系数为负数或等于零(缺项),则系统就是不稳定的。但是,假若所有系数均为正数,系统并不一定就是稳定的,还要做进一步的判别。因为上述条件只是系统稳定的必要条件,尚不充分。例如特征方程为 $D(s) = (s + 2)(s^2 - s + 4) = s^3 + s^2 + 2s + 8 = 0$ 的系统,尽管多项式系数都为正数,但从特征根的分布可以看出系统是不稳定的。劳斯稳定判据给出了判别系统稳定与否的充分必要条件。

2. 劳斯稳定判据

若系统特征方程式为

$$D(s) = a_0 s^n + a_1 s^{n-1} + \cdots + a_{n-1} s + a_n = 0$$

应用劳斯稳定判据判别系统稳定的步骤如下:

(1) 系统稳定的必要性判别 劳斯稳定判据的必要条件要求 $a_0 > 0$,且系统特征方程式各项系数均为正数。

(2) 构造劳斯阵列表 由特征方程式的系数构造劳斯阵列表如下:

$$
\begin{array}{c|cccc}
s^n & a_0 & a_2 & a_4 & \cdots \\
s^{n-1} & a_1 & a_3 & a_5 & \cdots \\
s^{n-2} & b_1 & b_2 & b_3 & \cdots \\
s^{n-3} & c_1 & c_2 & c_3 & \cdots \\
s^{n-4} & d_1 & d_2 & d_3 & \cdots \\
\vdots & \vdots & \vdots & \vdots \\
s^1 & f_1 \\
s^0 & g_1
\end{array}
$$

其中,劳斯阵列表中系数计算方法为

$$b_1 = -\frac{1}{a_1}\begin{vmatrix} a_0 & a_2 \\ a_1 & a_3 \end{vmatrix},\ b_2 = -\frac{1}{a_1}\begin{vmatrix} a_0 & a_4 \\ a_1 & a_5 \end{vmatrix},\ b_3 = -\frac{1}{a_1}\begin{vmatrix} a_0 & a_6 \\ a_1 & a_7 \end{vmatrix},\ \cdots$$

直至其余 b 项均为零。

$$c_1 = -\frac{1}{b_1}\begin{vmatrix}a_1 & a_3\\ b_1 & b_2\end{vmatrix},\quad c_2 = -\frac{1}{b_1}\begin{vmatrix}a_1 & a_5\\ b_1 & b_3\end{vmatrix},\quad c_3 = -\frac{1}{b_1}\begin{vmatrix}a_1 & a_7\\ b_1 & b_4\end{vmatrix},\quad \cdots$$

按此规律一直计算到 $n+1$ 行为止。在上述计算过程中，为了简化数值运算，可将某一行中的各数均乘（或除）一个正整数，不影响稳定性判断。

（3）系统稳定性的判别　考察阵列表第一列系数的符号，假若劳斯阵列表中第一列系数均为正数，则该系统是稳定的，即特征方程式所有的根均位于根平面的左半平面。假若第一列系数有负数，则第一列系数符号改变的次数等于系统特征方程式在 s 右半平面上根的个数。这是判别系统稳定的充分必要条件。

例 3-3　系统特征方程式为
$$s^4 + 8s^3 + 24s^2 + 32s + 15 = 0$$
试用劳斯判据判别系统的稳定性。

解　从系统特征方程看出，它的所有系数均为正实数，满足系统稳定的必要条件。

列写劳斯阵列表如下：

s^4	1	24	15
s^3	8	32	
s^2	20	15	
s^1	26		
s^0	15		

第一列系数均为正实数，故系统稳定。事实上，经因式分解可将特征方程式改写为
$$(s+1)(s+3)(s^2+4s+5) = 0$$
其根分别为 -1、-3、$-2\pm j$，都具有负的实部。

例 3-4　已知系统特征方程式为
$$s^5 + 3s^4 + 2s^3 + s^2 + 5s + 6 = 0$$
试用劳斯判据判别系统的稳定性。

解　列写劳斯阵列

s^5	1	2	5
s^4	3	1	6
s^3	5	9	（各系数均已乘3）
s^2	-11	15	（各系数均已乘5/2）
s^1	174		（各系数均已乘11）
s^0	15		

劳斯阵列表第一列有负数，所以系统是不稳定的。由于第一列系数的符号改变了两次（5→ -11 →174），所以，系统特征方程有两个正实部根。

（4）劳斯判据的两种特殊情况　在应用劳斯判据分析系统的稳定性时，有时会出现两种特殊情况，使得劳斯阵列表的计算无法进行下去。

第一种情况是在劳斯阵列表中任意一行，出现第一列系数为零，而该行其余列系数至少有一个为非零。第二种情况是劳斯阵列表中，出现全零行。

下面针对这两种特殊情况，分别说明如何应用劳斯稳定判据。

1) 如果劳斯阵列表中任意一行的第一列系数为零，而该行其余列系数至少有一个为非零，则这个零使得下一行的所有系数变为无穷大，劳斯阵列表的计算过程无法进行下去。这时可用一个很小的正数 ε 来代替这个零，从而可使劳斯阵列表得以继续算下去。如果 ε 上下两行系数的符号相同，则说明系统特征方程有一对虚根，系统处于临界稳定状态；如果 ε 上下两行系数的符号不同，则说明出现一次符号变化，系统不稳定。

例 3-5 设系统特征方程为

$$s^4 + 2s^3 + s^2 + 2s + 1 = 0$$

试用劳斯判据判别系统的稳定性。

解 劳斯阵列表为

s^4	1	1	1
s^3	2	2	
s^2	ε	1	
s^1	$2 - \dfrac{2}{\varepsilon}$		
s^0	1		

令 $\varepsilon \to 0$，s^1 行第一列系数符号为负。则第一列系数符号改变次数为 2，因此特征方程有两个具有正实部的根，系统不稳定。

对上述问题，还可以通过用 $(s+a)$ 乘特征方程的办法来解决。这里 a 取任意正数。如取 $a=3$，则原特征方程变为

$$(s^4 + 2s^3 + s^2 + 2s + 1)(s+3) = s^5 + 5s^4 + 7s^3 + 5s^2 + 7s + 3 = 0$$

对新的特征方程计算出的劳斯阵列表如下：

s^5	1	7	7
s^4	5	5	3
s^3	6	33/5	
s^2	$-1/2$	3	
s^1	$-213/10$		
s^0	3		

从上面的劳斯阵列表看出，第一列系数符号改变两次，特征方程有两个具有正实部的根。这个结论与以 ε 代替零的处理方法所得结论一致。由于附加因子 $(s+3)$ 仅使新特征方程增加了一个负根，与原特征方程相比，正根的个数及数值不变。

2) 若劳斯阵列表中第 k 行所有系数均为零，说明在根平面内存在原点对称的实根、共轭虚根或（和）共轭复数根。此时，系统要么不稳定，要么处于临界稳定状态。

在这种情况下可做如下处理：①利用第 $(k-1)$ 行的系数构成辅助多项式，它的次数总是偶数；②求辅助多项式对 s 的导数，将其系数构成新行，以代替全部为零的一行；③继续计算劳斯阵列表；④对原点对称的根可由辅助多项式等于零（即辅助方程式）求得。

例 3-6 已知系统特征方程式为

$$s^5 + 2s^4 + 24s^3 + 48s^2 - 25s - 50 = 0$$

试用劳斯判据确定系统右半平面闭环特征根的个数。

解 劳斯阵列表如下：

s^5	1	24	−25	辅助多项式→	$2s^4+48s^2-50$
s^4	2	48	−50		↓求导数
s^3	0	0		←构成新行	$8s^3+96s$
	8	96			
s^2	24	−50			
s^1	338/3				
s^0	−50				

劳斯阵列表第一列变号一次，故有一个根在右半平面。由辅助方程式

$$2s^4+48s^2-50=2(s+1)(s-1)(s+\mathrm{j}5)(s-\mathrm{j}5)$$

可得 $s_{1,2}=\pm1$，$s_{3,4}=\pm\mathrm{j}5$，它们均对原点对称，其中一个根在 s 平面右半平面。

3. 劳斯判据的应用

上述劳斯判据的应用解决了判别系统是否稳定的问题，但是没有给出系统稳定程度及系统结构和参数对系统稳定性影响的信息。应用劳斯判据不仅可以判别系统的绝对稳定性，而且也可检验系统是否有一定的稳定裕量，即相对稳定性，还可以用来确定系统稳定的临界参数，分析系统参数对稳定性的影响。

（1）稳定裕量的检验　系统稳定与否是通过观察其闭环特征根位于 s 平面虚轴的左侧或右侧来判别的。由于实际系统的元器件参数会由于环境的变化等原因而发生微小的变化，这将导致系统闭环特征根在 s 平面的位置发生相应的改变，从而改变特征根与虚轴的位置关系，既而影响系统的稳定性。一个有效的检验系统相对稳定性的方法是通过平移虚轴，并重新应用劳斯判据来确定系统闭环特征根与虚轴的距离，从而检验系统的相对稳定性。方法如下：如图 3-27 所示，令

$$s=z-\sigma_1 \tag{3-63}$$

即把虚轴左移 σ_1，将式（3-63）代入式（3-61），得到以 z 为变量的新的特征方程式，然后再检验新特征方程式有几个根位于新虚轴（垂直线 $s=-\sigma_1$）的右边。如果所有根均在新虚轴的左边（新劳斯阵列式第一列均为正数），则说明系统具有稳定裕量 σ_1。

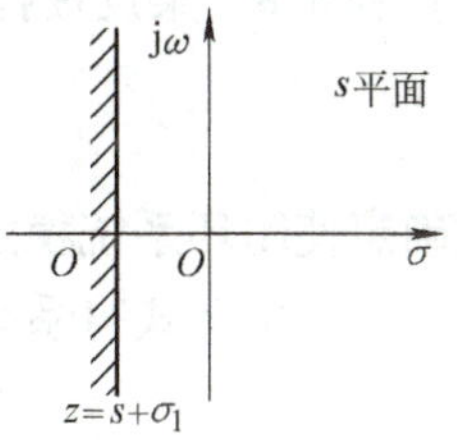

图 3-27　稳定裕量 σ_1

例 3-7　系统特征方程式为

$$s^3+8s^2+15s+20=0$$

检验有几个根在垂直线 $s=-1$ 的右边。

解　令 $s=z-1$，代入特征方程式，得

$$(z-1)^3+8(z-1)^2+15(z-1)+20=0$$

即

$$z^3+5z^2+2z+12=0$$

列出劳斯阵列表为

z^3	1	2
z^2	5	12
z^1	−2/5	
z^0	12	

从表中可看出，第一列符号改变两次，故有两个根在垂直线 $s=-1$（即新坐标虚轴）的

右边，因此稳定裕量达不到 1。

（2）分析系统参数对稳定性的影响　设一单位反馈的控制系统，其开环传递函数为

$$G(s) = \frac{K}{s(0.1s+1)(0.2s+1)}$$

系统的特征方程式为

$$s(s+10)(s+5) + 50K = 0$$
$$s^3 + 15s^2 + 50s + 50K = 0$$

列写劳斯阵列表为

$$\begin{array}{ll}
s^3 & 1 \qquad\qquad 50 \\
s^2 & 15 \qquad\qquad 50K \\
s^1 & \dfrac{50(15-K)}{15} \\
s^0 & 50K
\end{array}$$

根据劳斯判据，若要使系统稳定，其充分必要条件是劳斯阵列表的第一列系数均为正数，即 $K > 0$ 和 $15 - K > 0$，所以

$$0 < K < 15$$

其稳定的临界值为 15。

由此可以看出，为了保证系统稳定，系统的 K 值有一定限制，但为了降低稳态误差，有时则要求较大的 K 值，两者是矛盾的。为了满足这两方面的要求，可采取校正的方法来处理。

例 3-8　某反馈控制系统开环传递函数为

$$G(s)H(s) = \frac{K(s+1)}{s(Ts+1)(2s+1)}$$

试确定使闭环系统稳定时，K 与 T 之间的关系。

解　由上式得系统的特征方程式为

$$2Ts^3 + (T+2)s^2 + (K+1)s + K = 0$$

劳斯阵列表为

$$\begin{array}{ll}
s^3 & 2T \qquad\qquad (K+1) \\
s^2 & T+2 \qquad\qquad K \\
s^1 & \dfrac{2(K+1) + T(1-K)}{T+2} \\
s^0 & K
\end{array}$$

则由劳斯阵列表可以看出，要使系统稳定，必须满足

$$K > 0,\ T > 0 \text{ 及 } \frac{2(K+1) + T(1-K)}{T+2} > 0$$

则系统稳定的条件为 $K > 0$、$0 < T < \dfrac{2(K+1)}{K-1}$。

3.3.3　赫尔维茨判据

若系统特征方程式为

$$D(s) = a_0 s^n + a_1 s^{n-1} + \cdots + a_{n-1} s + a_n = 0$$

赫尔维茨判据认为：系统稳定的充分和必要条件是在 $a_0 > 0$ 的情况下，赫尔维茨行列式对角线上所有子行列式 $\Delta_i(i=1,2,\cdots,n)$ 均大于零。

赫尔维茨行列式根据特征方程的系数按下述规则构成：主对角线上为特征方程式自第2项系数 a_1 写至系数 a_n；在主对角线以下的各行中各项元素的下标依次减少；而在主对角线以上的各行中各项元素的下标依次增加；当元素的下标大于 n 或小于 0 时，行列式中的该项取 0。赫尔维茨行列式的阶数是系统特征方程的阶数，即

$$\Delta_n = \begin{vmatrix} a_1 & a_3 & a_5 & a_7 & \cdots & 0 \\ a_0 & a_2 & a_4 & a_6 & \cdots & 0 \\ 0 & a_1 & a_3 & a_5 & \cdots & 0 \\ 0 & a_0 & a_2 & a_4 & \cdots & 0 \\ \vdots & \vdots & \vdots & \vdots & & \vdots \\ 0 & 0 & 0 & 0 & \cdots & a_n \end{vmatrix}$$

事实上，赫尔维茨判据可从劳斯判据推导。当 n 较大时，应用赫尔维茨判据比较麻烦，故它常应用于 $n \leq 4$ 的场合。

(1) 当 $n=1$，特征方程式为

$$a_0 s + a_1 = 0$$

稳定条件为

$$a_0 > 0, \quad \Delta_1 = a_1 > 0$$

即要求系统特征方程的所有系数为正数。

(2) 当 $n=2$，特征方程式为

$$a_0 s^2 + a_1 s + a_2 = 0$$

稳定条件为

$$a_0 > 0, \quad \Delta_1 = a_1 > 0, \quad \Delta_2 = \begin{vmatrix} a_1 & 0 \\ a_0 & a_2 \end{vmatrix} = a_1 a_2 > 0$$

即只要特征方程的所有系数为正数，系统总是稳定的。

(3) 当 $n=3$，特征方程式为

$$a_0 s^3 + a_1 s^2 + a_2 s + a_3 = 0$$

稳定条件为

$$a_0 > 0, \quad \Delta_1 = a_1 > 0, \quad \Delta_2 = \begin{vmatrix} a_1 & a_3 \\ a_0 & a_2 \end{vmatrix} = a_1 a_2 - a_0 a_3 > 0, \quad \Delta_3 = \begin{vmatrix} a_1 & a_3 & 0 \\ a_0 & a_2 & 0 \\ 0 & a_1 & a_3 \end{vmatrix} = a_3 \Delta_2 > 0$$

即要求所有系数为正数，而且还需 $\Delta_2 > 0$。

(4) 当 $n=4$，特征方程式为

$$a_0 s^4 + a_1 s^3 + a_2 s^2 + a_3 s + a_4 = 0$$

稳定条件为

$$a_0 > 0$$

$$\Delta_1 = a_1 > 0$$

$$\Delta_2 = \begin{vmatrix} a_1 & a_3 \\ a_0 & a_2 \end{vmatrix} = a_1 a_2 - a_0 a_3 > 0$$

$$\Delta_3 = \begin{vmatrix} a_1 & a_3 & 0 \\ a_0 & a_2 & a_4 \\ 0 & a_1 & a_3 \end{vmatrix} = a_3 \begin{vmatrix} a_1 & a_3 \\ a_0 & a_2 \end{vmatrix} - a_1 \begin{vmatrix} a_1 & 0 \\ a_0 & a_4 \end{vmatrix} = a_3 \Delta_2 - a_1^2 a_4 > 0$$

$$\Delta_4 = \begin{vmatrix} a_1 & a_3 & 0 & 0 \\ a_0 & a_2 & a_4 & 0 \\ 0 & a_1 & a_3 & 0 \\ 0 & a_0 & a_2 & a_4 \end{vmatrix} = a_4 \Delta_3 > 0$$

所以，稳定条件是特征方程式所有系数为正数，还要 $\Delta_3 > 0$。

例 3-9 设系统特征方程式为

$$s^3 + 7s^2 + 14s + 8 = 0$$

试用赫尔维茨判据判别系统的稳定性。

解 从特征方程式看出所有系数为正数，满足稳定的必要条件。计算赫尔维茨行列式

$$\Delta_2 = \begin{vmatrix} 7 & 8 \\ 1 & 14 \end{vmatrix} = 90 > 0$$

所以系统是稳定的。

由例 3-9 可以得出利用赫尔维茨判据判别三阶系统稳定性的快速方法，即：如果三阶系统特征方程系数的内项之积大于外项之积，则系统稳定。

3.4 稳态误差分析

对控制系统的要求是稳定、快速、准确。在稳定的基础上，不仅要求系统具有较快的动态响应速度，还应具有令人满意的稳态控制精度。稳态误差是系统控制精度的度量。它体现了系统进入稳态时，实际输出与希望输出之间的偏差。

系统的稳态误差既与系统的结构、参数有关，又受到外部输入信号作用的影响，同时，系统静特性不稳定和参数变化等因素也会导致系统产生一定的稳态误差。分析具有不同结构、参数或不同传递函数的系统在不同输入信号作用下稳态误差产生的原因与规律，以及系统静特性不稳定或参数变化对系统稳态响应的影响，寻求计算误差的方法是本节的主要内容。

3.4.1 稳态误差的概念

设控制系统误差分析结构图如图 3-28 所示。由结构图可知，参考输入端比较器的输出为

$$E(s) = R(s) - B(s) = R(s) - H(s)C(s) \tag{3-64}$$

由负反馈控制理论知，闭环系统在 $e(t)$ 的控制作用下，使输出量的实际值 $c(t)$ 趋向于其希望值 $c_r(t)$。通常把 $E(s)$ 称为系统的误差信号，简称系统误差。此种方法定义的误差，在实际系统中是可以测量的，具有一定的实际意义。另一种误差是在输出端定义的。定义系统的

误差为系统输出量的希望值 $c_r(t)$ 与其实际值 $c(t)$ 之差。其拉普拉斯变换表达式为

$$E'(s) = C_r(s) - C(s) \tag{3-65}$$

这种误差的定义，在实际系统中有时由于 $c_r(t)$ 是不可测量的，而只具有概念上的意义。上述两种误差的定义之间存在着内在的联系。对图 3-28 所示结构图进行等效变换得到图 3-29。

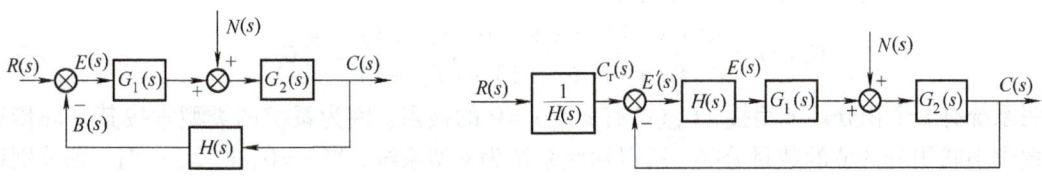

图 3-28　控制系统误差分析结构图　　　　图 3-29　在输出端定义误差的分析结构图

由图 3-29 可得

$$E'(s) = C_r(s) - C(s) = \frac{1}{H(s)}R(s) - \frac{1}{H(s)}B(s) = \frac{1}{H(s)}E(s) \tag{3-66}$$

对于单位反馈系统，即 $H(s) = 1$，有 $E'(s) = E(s)$。由式(3-66)可知 $E(s)$ 可以反映 $E'(s)$，且可测量。因此，除非特别说明，本书关于误差分析与计算均采用式(3-64)的误差定义式。

由图 3-28 及式(3-64)可得，误差时域表达式为

$$e(t) = r(t) - b(t) \tag{3-67}$$

如果误差的极限存在，则此极限定义为稳态误差，记作

$$e_{ss} = \lim_{t \to \infty} e(t) \tag{3-68}$$

由拉普拉斯变换终值定理知，误差 $e(t)$ 的极限存在，即 $sE(s)$ 在右半 s 平面及虚轴上解析，或者说，$sE(s)$ 的极点均位于 s 平面虚轴之左(包括坐标原点)，则系统稳态误差可表示为

$$e_{ss} = \lim_{t \to \infty} e(t) = \lim_{s \to 0} sE(s) \tag{3-69}$$

式(3-69)表明，求 $t \to \infty$ 时，$e(t)$ 的极限可以用求解 $s \to 0$ 时 $sE(s)$ 的极限替代，通常 $E(s)$ 的解析表达式比 $e(t)$ 的解析表达式更容易得到，而且人们更关心的是系统的稳态误差 e_{ss}。因此，在求取系统稳态误差时，更多地是利用式(3-69)进行计算。

3.4.2　稳态误差的计算

由图 3-28，系统在参考输入和扰动输入的共同作用下，误差的拉普拉斯变换为

$$E(s) = \frac{1}{1 + G_K(s)}R(s) - \frac{G_2(s)H(s)}{1 + G_K(s)}N(s) \tag{3-70}$$

式中，$G_K(s) = G_1(s)G_2(s)H(s)$。

式(3-70)表明，系统误差不仅与系统的结构、参数有关，还决定于输入信号的形式及作用点。在参考输入和扰动输入共同作用下，系统的误差包括参考输入引起的误差和扰动输入引起的误差。下面分别进行讨论。

1. 参考输入作用下的稳态误差计算

当仅考虑参考输入引起系统误差时，即 $N(s) = 0$，由式(3-70)得系统误差表达式为

$$E(s) = W_{er}(s)R(s) = \frac{1}{1+G_K(s)}R(s) \tag{3-71}$$

若系统稳定，根据式(3-71)，控制输入引起的系统稳态误差为

$$e_{ssr} = \lim_{s \to 0} sE(s) = \lim_{s \to 0} s\frac{1}{1+G_K(s)}R(s) \tag{3-72}$$

（1）系统的类型　若控制系统的开环传递函数为

$$G_K(s) = \frac{K(\tau_1 s+1)(\tau_2 s+1)\cdots(\tau_m s+1)}{s^v(T_1 s+1)(T_2 s+1)\cdots(T_n s+1)} = \frac{K}{s^v}G_0(s) \tag{3-73}$$

说明系统有 v 个积分环节串接，$G_K(s)$ 有 v 重 $s=0$ 的极点。因为系统的类型常按其开环传递函数中串联积分环节的数目分类，所以称此系统为 v 型系统，当 $v=0、1、2、\cdots$ 时，则分别称之为 0 型、Ⅰ型、Ⅱ型、$\cdots$ 系统。增加型号数，可使系统精度提高，但对稳定性不利，实际系统中通常选 $v \leq 2$。$G_K(s)$ 的其他零、极点，对分类没有影响。

下面基于系统的类型，分析各种典型输入信号作用下的系统稳态误差。

（2）典型输入信号作用下的系统稳态误差

1）阶跃输入作用下的稳态误差及位置误差系数的计算。设系统参考输入为阶跃函数 $r(t) = A \cdot 1(t)$，A 为阶跃函数的幅值。按式(3-72)计算有

$$e_{ss} = \lim_{s \to 0} \frac{s}{1+G_K(s)} \cdot \frac{A}{s} = \frac{A}{1+G_K(0)} \tag{3-74}$$

令

$$K_p = \lim_{s \to 0} G_K(s) = G_K(0) \tag{3-75}$$

K_p 定义为静态位置误差系数，对于 0 型系统，它实际上等于系统的开环放大系数 K。

因此

$$e_{ss} = \frac{A}{1+K_p} \tag{3-76}$$

对于 0 型系统，$v=0$，则

$$K_p = \lim_{s \to 0} \frac{K(\tau_1 s+1)(\tau_2 s+1)\cdots}{(T_1 s+1)(T_2 s+1)\cdots} = K(\text{开环放大系数})$$

$$e_{ss} = \frac{1}{1+K}$$

对于Ⅰ型及Ⅰ型以上的系统，$v \geq 1$，则

$$K_p = \lim_{s \to 0} \frac{K(\tau_1 s+1)(\tau_2 s+1)\cdots}{s^v(T_1 s+1)(T_2 s+1)\cdots} = \infty$$

$$e_{ss} = 0$$

由上述分析可知，由于 0 型系统中没有积分环节，对阶跃输入的稳态误差为一定值，系统开环放大系数 K 愈大，e_{ss} 愈小，但误差始终存在，除非 K 为无穷大。所以这种没有积分环节的 0 型系统，又常称为有差系统。

对于实际系统，通常允许存在稳态误差，只要它不超过规定指标就可以。所以有时为了降低稳态误差，常在稳态条件允许的前提下，增大 K_p 或 K。若要求系统对阶跃输入的稳态误差为零，则系统必须是Ⅰ型或Ⅰ型以上的系统，其前向通道中必须具有积分环节。

2）斜坡输入作用下的稳态误差及速度误差系数的计算。设系统参考输入为斜坡函数 $r(t) = At \cdot 1(t)$，A 为斜坡输入的斜率。系统的稳态误差为

$$e_{ss} = \lim_{s \to 0} \frac{s}{1 + G_K(s)} \frac{A}{s^2} = \lim_{s \to 0} \frac{A}{sG_K(s)} \quad (3\text{-}77)$$

令

$$K_v = \lim_{s \to 0} sG_K(s) \quad (3\text{-}78)$$

K_v 定义为静态速度误差系数，所以

$$e_{ss} = \frac{A}{K_v} \quad (3\text{-}79)$$

对于 0 型系统，$v = 0$，则

$$K_v = \lim_{s \to 0} \frac{K(\tau_1 s + 1)(\tau_2 s + 1)\cdots}{(T_1 s + 1)(T_2 s + 1)\cdots} = 0$$

$$e_{ss} = \infty$$

对于 I 型系统，$v = 1$，则

$$K_v = \lim_{s \to 0} \frac{K(\tau_1 s + 1)(\tau_2 s + 1)\cdots}{s(T_1 s + 1)(T_2 s + 1)\cdots} = K$$

$$e_{ss} = \frac{1}{K}$$

对于 II 型或高于 II 型系统，$v \geq 2$，则

$$K_v = \lim_{s \to 0} \frac{K(\tau_1 s + 1)(\tau_2 s + 1)\cdots}{s^v(T_1 s + 1)(T_2 s + 1)\cdots} = \infty$$

$$e_{ss} = 0$$

以上表明，0 型系统对于等速度输入（斜坡输入），输出不能跟随输入，最后稳态误差为 ∞。具有单位反馈的 I 型系统，其输出能跟踪等速度输入，但始终存在一定误差，为使稳态误差不超过系统的规定值，K 值必须足够大。对于 II 型或高于 II 型系统，稳态误差为零，这种系统有时称为二阶无差系统。

所以对于等速度输入信号，要使系统稳态误差一定为零，必须使 $v \geq 2$，即必须有足够的积分环节数。

3）抛物线函数（等加速度函数）输入作用下的稳态误差及加速度误差系数的计算。设系统参考输入为等加速度函数 $r(t) = \frac{1}{2}At^2 \cdot 1(t)$，$A$ 为等加速度。系统的稳态误差为

$$e_{ss} = \lim_{s \to 0} \frac{s}{1 + G_K(s)} \frac{A}{s^3} = \lim_{s \to 0} \frac{A}{s^2 G_K(s)} \quad (3\text{-}80)$$

令

$$K_a = \lim_{s \to 0} s^2 G_K(s) \quad (3\text{-}81)$$

K_a 定义为静态加速度误差系数，所以

$$e_{ss} = \frac{A}{K_a} \quad (3\text{-}82)$$

对于 0 型系统，$v = 0$，则

$$K_a = \lim_{s \to 0} s^2 \frac{K(\tau_1 s + 1)(\tau_2 s + 1)\cdots}{(T_1 s + 1)(T_2 s + 1)\cdots} = 0$$

$$e_{ss} = \infty$$

对于 I 型系统，$v = 1$，则

$$K_a = \lim_{s \to 0} s^2 \frac{K(\tau_1 s + 1)(\tau_2 s + 1)\cdots}{s(T_1 s + 1)(T_2 s + 1)\cdots} = 0$$

$$e_{ss} = \infty$$

对于 II 型系统，$v = 2$，则

$$K_a = \lim_{s \to 0} s^2 \frac{K(\tau_1 s + 1)(\tau_2 s + 1)\cdots}{s^2(T_1 s + 1)(T_2 s + 1)\cdots} = K$$

$$e_{ss} = \frac{A}{K}$$

对于 II 型以上系统，则

$$K_a = \infty$$

$$e_{ss} = 0$$

所以当输入为抛物线函数时，0 型或 I 型系统都不能满足要求，II 型系统能工作，但要有足够大的 K_a 或 K。只有 II 型以上的系统 ($v \geq 3$)，当它为单位反馈时，系统输出才能紧跟输入，且稳态误差为零。但必须指出，当前向通道积分环节数增多时，会降低系统的稳定性。

当输入信号是上述典型函数的组合时，为使系统满足稳态响应的要求，v 值应按最复杂的输入函数来选定（例如，输入函数包含阶跃和等速度函数时，v 值必须大于或等于 1）。

综上所述，表 3-3 概括了不同系统在各种控制输入信号作用下的稳态误差。

表 3-3 系统的稳态误差 e_{ss}

系 统	阶跃输入 $r(t) = A$	斜坡输入 $r(t) = At$	抛物线输入 $r(t) = \frac{1}{2}At^2$
0 型	$\frac{A}{1+K}$	∞	∞
I 型	0	$\frac{A}{K}$	∞
II 型	0	0	$\frac{A}{K}$

例 3-10 两个系统如图 3-30 所示，当参考输入 $r(t) = 4 + 6t + 3t^2$ 时，试分别求出两个系统的稳态误差。

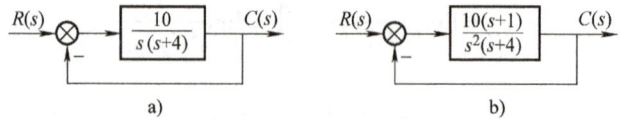

图 3-30 例 3-10 的系统
a) I 型系统 b) II 型系统

解 系统 a 为 I 型系统，其 $K_a = 0$，不能紧跟 $r(t)$ 的 $3t^2$ 分量，所以

$$e_{ss} = \infty$$

系统 b 为 II 型系统，其 $K_a = K = 10/4$，所以

$$e_{ss} = \frac{6}{K_a} = \frac{24}{10} = 2.4$$

该例说明，当输入为阶跃、斜坡和抛物线函数的组合时，抛物线函数分量要求系统型号最高。系统 b 的 $v=2$，能跟随输入信号中的抛物线函数分量，但仍有稳态误差；而系统 a，由于 v 数不足，故不能跟随抛物线函数分量，稳态误差为 ∞。

例 3-11 已知系统结构如图 3-31 所示，设 $r(t) = r_0 \cdot 1(t) + V_0 t \cdot 1(t)$，且误差定义为 $e = r - c$，试求系统的稳态误差。

解 原系统闭环传递函数为

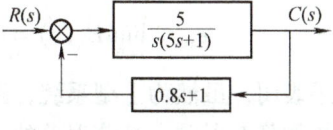

图 3-31 例 3-11 的系统

$$W(s) = \frac{C(s)}{R(s)} = \frac{1}{s^2 + s + 1}$$

由闭环传递函数可知系统稳定。将其等效为 r 对 c 的单位反馈系统，并设该系统的开环传递函数为 $G(s)$，则有

$$W(s) = \frac{G(s)}{1 + G(s)} = \frac{1}{s^2 + s + 1}$$

由此得

$$G(s) = \frac{1}{s(s+1)}$$

由 $G(s)$ 可以看出：$v=1$，$K=1$。稳态时，系统可以无误差地跟踪阶跃输入，而跟踪斜坡输入的稳态误差为常值 V_0/K。则系统在 $r(t) = r_0 \cdot 1(t) + V_0 t \cdot 1(t)$ 作用下的总误差为

$$e_{ss} = 0 + \frac{V_0}{K} = V_0$$

2. 主扰动输入引起的稳态误差

上面讨论的是系统在参考输入信号作用下，系统的稳态误差计算问题。实际上，系统还可能承受各种扰动信号的作用，如系统负载的变化、电压的波动，以及环境工况引起的参数变化等。在这些扰动信号的作用下，系统也将产生稳态误差，称为扰动稳态误差。

由图 3-28，在扰动输入信号作用下，即 $R(s) = 0$ 时，系统误差表达式为

$$E(s) = W_{en}(s)N(s) = -\frac{G_2(s)H(s)}{1 + G_K(s)}N(s) \tag{3-83}$$

根据终值定理，扰动输入引起的稳态误差为

$$e_{ssn} = \lim_{t \to \infty} e(t) = \lim_{s \to 0} sE(s) = \lim_{s \to 0} s\frac{-G_2(s)H(s)}{1 + G_K(s)}N(s) \tag{3-84}$$

若扰动为单位阶跃函数 $n(t) = 1(t)$ 时，则

$$e_{ssn} = -\frac{G_2(0)H(0)}{1 + G_1(0)G_2(0)H(0)} \approx -\frac{1}{G_1(0)} \tag{3-85}$$

由此可见，在扰动作用点以前的系统前向通道 $G_1(s)$ 的静态放大系数愈大，则由扰动引起的稳态误差就愈小。对于无差系统，$v \geq 1$，$G_1(0) = \infty$，扰动不影响稳态响应，由此产生的稳态误差为零。

以图 3-32 所示的随动系统为例，讨论当参考输入 $r(t) = 1(t)$、扰动输入 $n(t) = 1(t)$ 皆为单位阶跃信号时，系统总的稳态误差 e_{ss}。

这是一个稳定的二阶系统。先求控制输入引起的稳态误差。由阶跃输入作用下的稳态误

差及位置误差系数的计算公式得

$$K_p = \lim_{s \to 0} G_K(s) = \lim_{s \to 0} \frac{K_1 K_2}{s(Ts+1)} = \infty$$

$$e_{ssr} = \frac{1}{1+K_p} = 0$$

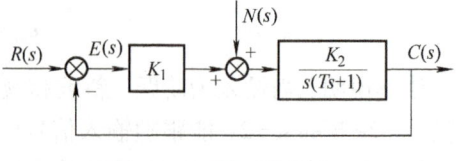

图 3-32 随动系统结构图

再求扰动输入引起的稳态误差。根据终值定理

$$e_{ssn} = \lim_{s \to 0} sE_n(s) = \lim_{s \to 0} sW_{en}(s)N(s) = \lim_{s \to 0} s \frac{-K_2}{s(Ts+1)+K_1K_2} \frac{1}{s} = -\frac{1}{K_1}$$

结果表明，虽然为 I 型系统，跟踪阶跃参考输入的稳态误差为零，但阶跃扰动输入却引起了系统的稳态误差，且该误差的大小与扰动作用点之前系统前向通道放大系数 K_1 有关。由此可以看出，系统的稳态误差不但与输入信号有关，还与输入信号的作用点有关。$n(t)$ 作用与 $r(t)$ 作用相比，误差规律是不同的。参考输入作用下的稳态误差计算方法对于因扰动输入引起的稳态误差计算不再适用，必须具体问题具体分析。

如果令扰动作用点之前的系统前向通道传递函数为

$$G_1(s) = \frac{K_1(\tau s+1)}{s}$$

则扰动输入引起的稳态误差为

$$e_{ssn} = \lim_{s \to 0} s \frac{-K_2}{s(T+1)+K_2G_1(s)} \frac{1}{s} = \lim_{s \to 0} \frac{-1}{G_1(s)} = \lim_{s \to 0} \frac{-s}{K_1(\tau s+1)} = 0$$

上述分析表明，为了降低或消除主扰动引起的稳态误差，可以采用增大扰动作用点之前向通道的放大系数或通过在扰动作用点之前引入积分环节的办法来实现，但是，这样可能会给系统带来结构不稳定问题。

3. 系统静特性变化引起的误差

由环境条件改变、元件发热、磨损、老化、特性漂移、库仑摩擦间隙等各种原因引起的系统参数或静特性的变化，都将导致输出变化，产生稳态误差。这些系统内部的变化（系统的内部扰动）所引起的稳态误差，有时是很严重的，尤其是要求较高的场合，不得不考虑。假定参考输入一定，那么图 3-33 所示的非单位反馈系统在稳态时有

$$c_{ss} = \frac{G(0)}{1+G(0)H(0)} r$$

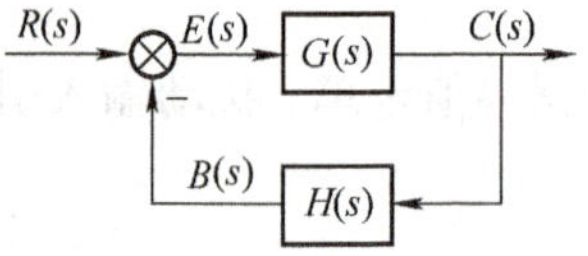

当由于上述原因，$G(0)$ 和 $H(0)$ 变化时，系统的输出 c_{ss} 也将发生相应变化，即

$$\Delta c_{ss} = \frac{\Delta G(0) - G^2(0)\Delta H(0)}{[1+G(0)H(0)]^2} r \quad (3\text{-}86)$$

图 3-33 非单位反馈系统

式中，$\Delta G(0)$ 和 $\Delta H(0)$ 为前向通道传递系数和反馈系数的增量；Δc_{ss} 为由此而引起的系统稳态输出增量，后者的相对值为

$$\frac{\Delta c_{ss}}{c_{ss}} = \frac{1}{1+G(0)H(0)} \frac{\Delta G(0)}{G(0)} - \frac{G(0)H(0)}{1+G(0)H(0)} \frac{\Delta H(0)}{H(0)} \quad (3\text{-}87)$$

由于系统开环传递系数一般较大，$G(0)H(0) \gg 1$，所以

$$\frac{\Delta c_{ss}}{c_{ss}} \cong \frac{1}{1+G(0)H(0)} \frac{\Delta G(0)}{G(0)} - \frac{\Delta H(0)}{H(0)} \quad (3\text{-}88)$$

分析式（3-88）中的两项，可以看出：①反馈系数变化或不准确，将使系统输出发生同样大小（相对值）的变化或误差，所以为使系统具有一定的精度，检测元件或反馈通道环节应该准确恒定；②前向通道环节发生变化而引起的误差，差不多是与 $G(0)H(0)$ 成反比的，由于 $G(0)H(0)$ 较大，故 $G(0)$ 变化对系统输出影响不大，对它的准确度和恒定性的要求可以大大降低，这正是负反馈系统的特点。

3.4.3　降低稳态误差的主要措施

概括起来，降低稳态误差的措施包括：

1) 保证元件有一定的精度和性能稳定性，尤其是反馈通道元件。避免在反馈通道引入干扰。有时还应考虑实际的环境条件，采取必要的误差补偿，甚至人工环境等措施。

2) 在满足系统稳定性能要求的前提下，增大系统开环放大系数或增加前向通道中积分环节数使系统型号提高，保证对参考输入的跟踪能力；增大扰动作用点之前的前向通道放大系数或增加扰动作用点之前的前向通道的积分环节数，以降低扰动引起的稳态误差。

3) 增加前向通道中积分环节数改变了闭环传递函数的极点，会降低系统的稳定性和动态性能，所以必须同时对系统进行校正，以保证系统的稳定性、快速性和控制精度。作用于系统的主要干扰可以测量时，可以采用复合控制来降低系统误差，消除扰动影响。图 3-34 为一个按输入反馈——按扰动前馈的复合控制系统。图中，$G(s)$ 为被控对象的传递函数，$G_c(s)$ 为控制器传递函数，$G_n(s)$ 为干扰信号 $N(s)$ 影响系统输出的干扰

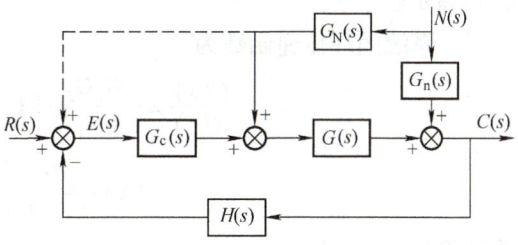

图 3-34　复合控制系统

通道的传递函数，$G_N(s)$ 为前馈控制器的传递函数。如果扰动量是可测的，并且 $G_n(s)$ 是已知的话，则可通过适当选择 $G_N(s)$ 来消除扰动所引起的误差。

$G_N(s)$ 的确定：按系统结构图可求出 $C(s)$ 对 $N(s)$ 的传递函数，即

$$C(s) = \frac{G_n(s) + G(s)G_N(s)}{1 + G(s)G_c(s)H(s)} N(s)$$

若取 $G_N(s)$ 使 $\quad G_n(s) + G(s)G_N(s) = 0$

即

$$G_N(s) = -\frac{G_n(s)}{G(s)}$$

则可消除扰动对系统的影响，其中包括对稳态响应的影响，从而提高系统的精度。

由于前馈控制是开环控制，精度受限，且对参考输入引起的响应没有作用。所以为了满足系统对参考输入响应的要求，以及为消除或降低其他扰动的影响，在复合控制系统中还需借助反馈和适当选取 $G_c(s)$ 来满足要求。

为了提高系统对参考输入的跟踪能力，也可按参考输入前馈来消除或降低误差。其原理与按扰动前馈相同，只是 $G_r(s)$ 的输入不是 $N(s)$ 而是 $R(s)$，如图 3-35 所示。此时确定传递函数 $G_r(s)$ 的方法是

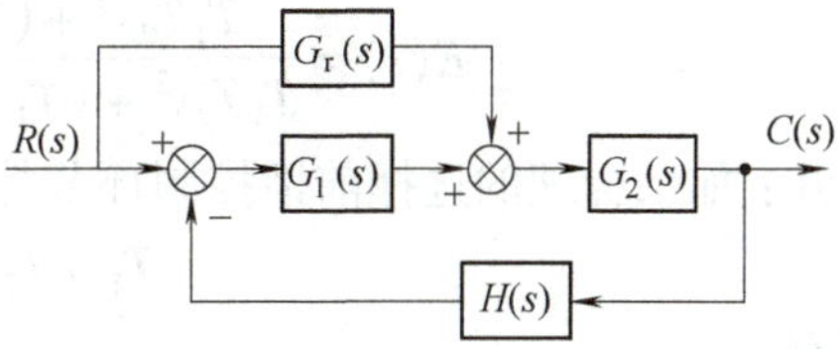

图 3-35　按参考输入顺馈的复合控制系统

使系统在参考输入作用下的稳态误差为零。

按系统结构图，可求出 $E(s)$ 对 $R(s)$ 的传递函数，即

$$E(s) = \frac{1 - G_r(s)G_2(s)H(s)}{1 + G_1(s)G_2(s)H(s)}R(s)$$

令

$$1 - G_r(s)G_2(s)H(s) = 0$$

即

$$G_r(s) = \frac{1}{G_2(s)H(s)}$$

则系统可消除由参考输入信号作用所引起的误差。

例 3-12 在图 3-35 的复合控制系统中，设

$$G_1(s) = K_1, G_2(s) = \frac{K_2}{s(T_1s+1)}, G_r(s) = \frac{as^2 + bs}{T_2s + 1}, H(s) = 1$$

K_1、K_2、T_1、T_2 均为已知正值。当输入量 $r(t) = t^2/2$ 时，要求系统的稳态误差为零，试确定参数 a 和 b。

解 系统闭环传递函数为

$$\frac{C(s)}{R(s)} = \frac{G_1 G_2}{1 + G_1 G_2}\left(1 + \frac{G_r}{G_1}\right) = \frac{G_2(G_1 + G_r)}{1 + G_1 G_2}$$

$$C(s) = \frac{G_2(G_1 + G_r)}{1 + G_1 G_2}R(s)$$

系统误差为

$$E(s) = R(s) - C(s) = \left(\frac{1 - G_2 G_r}{1 + G_1 G_2}\right)R(s)$$

代入 $R(s) = 1/s^3$ 及 G_1、G_2、G_r，得

$$\frac{C(s)}{R(s)} = \frac{K_2[as^2 + (b + K_1 T_2)s + K_1]}{T_1 T_2 s^3 + (T_1 + T_2)s^2 + (1 + K_1 K_2 T_2)s + K_1 K_2}$$

闭环特征方程为

$$T_1 T_2 s^3 + (T_1 + T_2)s^2 + (1 + K_1 K_2 T_2)s + K_1 K_2 = 0$$

在题设条件下，应用劳斯稳定判据得，如果下列不等式成立

$$(T_1 + T_2)(1 + K_1 K_2 T_2) > K_1 K_2 T_1 T_2$$

则闭环系统稳定，且与待求参数 a、b 无关（此结论说明闭环系统的稳定性只与环内环节有关，与环外环节无关）。因系统闭环稳定，此时，讨论稳态误差是有意义的。由误差表达式

$$E(s) = \frac{T_1 T_2 s^3 + (T_1 + T_2 - K_2 a)s^2 + (1 - K_2 b)s}{T_1 T_2 s^3 + (T_1 + T_2)s^2 + (1 + K_1 K_2 T_2)s + K_1 K_2} \cdot \frac{1}{s^3}$$

可知：如果合理的选择前馈控制环节的参数，满足

$$T_1 + T_2 - K_2 a = 0, \quad 1 - K_2 b = 0$$

则有

$$E(s) = \frac{T_1 T_2}{T_1 T_2 s^3 + (T_1 + T_2)s^2 + (1 + K_1 K_2 T_2)s + K_1 K_2}$$

系统的稳态误差为

$$e_{ss} = \lim_{s \to 0} sE(s) = 0$$

因此可求出待定参数为

$$a = \frac{T_1 + T_2}{K_2}, \quad b = \frac{1}{K_2}$$

3.5 应用 MATLAB 进行控制系统时域分析

控制系统的时域分析包括瞬态响应、稳定性、稳态误差分析几个方面。本节简单介绍应用 MATLAB 进行控制系统时域分析的方法。

3.5.1 系统的瞬态响应分析

计算机仿真是系统瞬态响应分析有效的方法。MATLAB 控制系统工具箱提供了脉冲、阶跃、任意函数等多个时域响应求解函数。

如线性定常系统的传递函数 $G(s)$ 的分子与分母的多项式系数分别表示为向量 num 与 den；t 为仿真时间；y 是在时间 t 内的输出响应，x 是时间 t 内的状态响应，sys 是由函数 tf( ) 得到的代表 $G(s)$ 的传递函数变量。则时域响应函数的调用格式为

脉冲响应：[y,x,t] = impulse(num,den,t) 或 [y,t] = impulse(sys,t)
阶跃响应：[y,x,t] = step(num,den,t) 或 [y,t] = step(sys,t)
任意函数响应：[y] = lsim(num,den,u,t) 或 [y,t] = lsim(sys,u,t)
任意函数由 u 定义，它是与时间向量 t 相对应的输入向量。
调用时如果没有设定返回变量，MATLAB 则直接绘出输出的响应曲线。
如果调用 step( ) 和 impulse( ) 缺省输入参数 t，则 MATLAB 自动确定仿真时间和采样周期。
求阶跃响应的稳态值：dc = dcgain（num，den），或 dc = dcgain（sys）

例 3-13 已知单位负反馈系统的开环传递函数为 $G(s) = \dfrac{1}{s^2 + 0.4s}$，用 MATLAB 求其 30s 内的脉冲响应、单位阶跃响应、单位斜坡响应、周期为 10s 幅值为 4V 的三角波响应，并绘制出响应曲线，求出阶跃响应的性能指标。

解 用 MATLAB 程序求出四种函数的响应并绘制曲线。

```
% MATLAB 程序 3 – 1.1
num = [1] ;den = [1 0.4 0] ;
[num1,den1] = feedback(num,den,1,1, -1) ;
sys = tf(num1,den1) ;                    % 求出闭环传递函数
t = 0:0.05:30;                            % 定义求解时间与采样周期
u1 = [0:0.08:4];
u2 = [3.92: -0.08: -4];
u3 = [ -3.92:0.08:0];
u4 = [0.08:0.08:4];
```

u5 = [3.92: -0.08: -4];
u6 = [-3.92:0.08:0];
u = [u1,u2,u3,u4,u5,u6,u4,u5,u6],;   % 定义三个周期的三角波输入向量
[y1,t] = lsim(sys,u,t);   % y_1 三角波响应
[y2,t] = step(sys,t);   % y_2 为阶跃响应
[y3,t] = impulse(sys,t);   % y_3 为脉冲响应
sys2 = tf([1],[1 0]); sys1 = sys * sys2;
[y4,t] = step(sys1,t);   % y_4 为斜坡响应
subplot(2,2,1); plot(t,y1,t,u); grid;title('三角波响应')
subplot(2,2,2);plot(t,y2); grid;title('阶跃响应')
subplot(2,2,3);plot(t,y3); grid;title('脉冲响应')
subplot(2,2,4);plot(t,y4); grid;title('斜坡响应')
程序执行后，结果如图 3-36 所示。

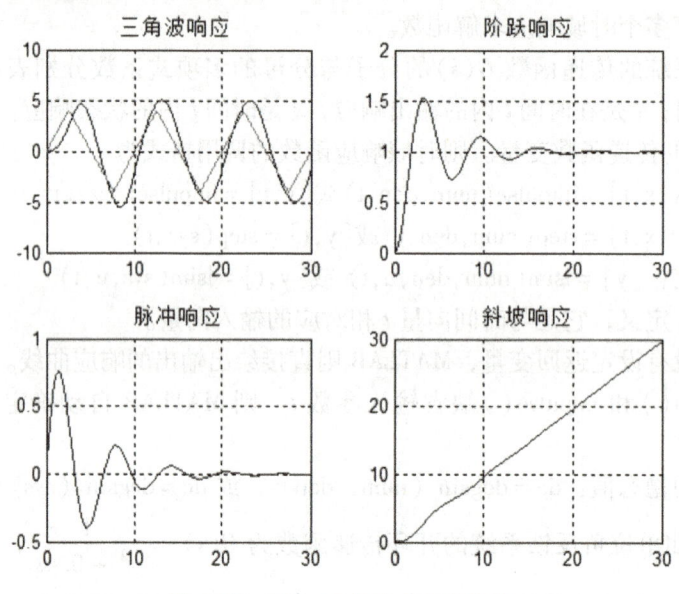

图 3-36　例 3-13 的输出响应曲线

接上述程序，求出阶跃响应性能指标。
% MATLAB 程序 3 - 1.2
[Y,k] = max(y2);   % y_2 为阶跃响应，求出 y_2 的峰值及数组中对应序号
Peak_time = t(k);   % 取得峰值时间
dc = dcgain(num1,den1);   % 求取阶跃响应的稳态值
overshoot = 100 * (Y - dc)/dc;   % 计算超调量
i = 1;
while y2(i) < dc
i = i + 1;
end

```
rise_time = t(i);                    %求出上升时间
i = length(t);
while(y2(i) > 0.98 * dc) & (y2(i) < 1.02 * dc);
i = i - 1;
end
settling_time = t(i);                %求出调节时间
```
结果为:
Peak_time = 3.2;
overshoot = 52.66%;
rise_time = 1.85;
settling_time = 19.6;

例 3-14 已知控制系统的闭环传递函数为

$$W(s) = \frac{C(s)}{R(s)} = \frac{19.2s + 48}{s^4 + 13s^3 + 45s^2 + 44s + 32}$$

以主导极点的概念求其近似二阶系统的单位阶跃响应,并与其单位阶跃响应进行比较。

解 先求闭环系统的零、极点

```
% MATLAB 程序 3-2.1
num = [19.2 48];
den = [1 13 45 44 32];
[z,p,k] = tf2zp(num,den);
```

求出

z = -2.5;
p = [-8.0000, -4.0000, -0.5000 ± 0.8660i];
k = 19.2;

例3-14 视频

闭环传递函数可以写成

$$W(s) = \frac{C(s)}{R(s)} = \frac{19.2(s + 2.5)}{(s + 8)(s + 4)(s + 0.5 + 0.866i)(s + 0.5 - 0.866i)}$$

$$W(s) = \frac{C(s)}{R(s)} = \frac{12.8 \times 1.5(s + 2.5)}{(s + 8)(s + 4)(s^2 + s + 1)}$$

本四阶系统有一对共轭复数主导极点 $s_{1,2} = -0.5 \pm 0.866j$,非主导极点 $s_3 = -4$,$s_4 = -8$,实部的模比主导极点实部的模大 5 倍以上,闭环零点 $z = -2.5$ 不在主导极点附近,可将其近似为二阶系统。

$$W(s) = \frac{C(s)}{R(s)} = \frac{1.5}{s^2 + s + 1}$$

运行以下 MATLAB 程序,可求出四阶系统和其近似二阶系统的单位阶跃响应。

```
% MATLAB 程序 3-2.2
num = [19.2 48];
den = [1 13 45 44 32];
sys = tf(num,den);
```

```
sys1 = tf(1.5,[1 1 1] );
step(sys,'b - ',sys1,'r:');
```

程序运行结果如图 3-37 所示,可见二阶近似系统很好地逼近原四阶系统,使分析计算简化。

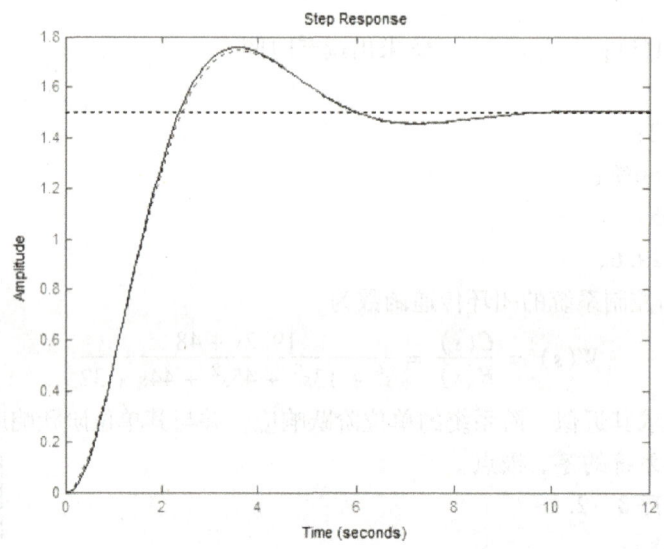

图 3-37　例 3-14 四阶与二阶近似系统阶跃响应曲线

用 step( ) 等函数求出的时域响应曲线,可通过游动鼠标的方法得出曲线上的所有数据,用鼠标单击曲线上任意一点,图形窗口会弹出一个小方框,小方框显示出此点的横(时间)、纵(幅值)坐标,按住鼠标左键在曲线上移动,可以读出每一点的坐标值。依性能指标定义,用这种方法可以求出响应的性能指标,由于显示精度和移动鼠标的动作误差,这种方法得到的结果会有误差,但不影响我们学习中分析问题。这种方法不适用于 plot( ) 命令绘制的图形。

3.5.2　系统的稳定性分析

控制系统工具箱为用户提供了多种求解系统特征根的方法。在第 2 章第 6 节已经介绍过求多项式根 roots( ) 函数及绘制传递函数的零、极点图 pzmap( ) 函数,这里给出计算系统极点的 pole( ) 函数的调用方法和使用实例。

计算系统极点:P = pole(sys)

sys 是由 tf( ) 函数得到的表征 $W(s)$ 的传递函数变量,P 是由系统特征根构成的列向量。

例 3-15　如图 3-38 所示的闭环控制系统,求出使系统稳定的 K 的取值范围。

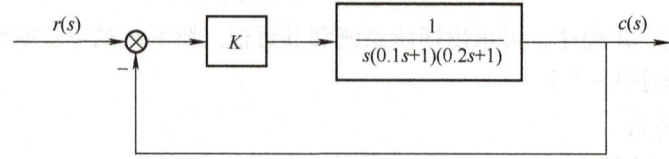

图 3-38　例 3-15 控制系统框图

解 先求 $K=1$ 时系统的闭环传递函数。

```
% MATLAB 程序 3-3.1
K = 1;
num = K; den = conv([0.1 1 0],[0.2 1]);
sys1 = tf(num,den);
sys2 = tf(1,1)
sys = feedback(sys1,sys2,-1);
eig(sys)
```

$K=1$ 时的闭环传递函数，程序执行结果为

Transfer function：

$$\frac{50}{s^3 + 15s^2 + 50s + 50}$$

$K=1$ 时的极点，程序执行结果为

−10.7985
−2.1007 + 0.4660i
−2.1007 − 0.4660i

可见，在 $K=1$ 时闭环系统稳定。
系统的闭环特征方程为

$$D(s) = s^3 + 15s^2 + 50s + 50K = 0$$

系统稳定时 K 的取值范围由以下程序求出。

```
% MATLAB 程序 3-3.2
K = 0;
D = [1 15 50 K*50];              %定义多项式 D(s)
[m,n] = size(D);                 %求向量 D 的维数
p = roots(D);                    %求 K=0 时的特征根
I = 1;                           %定义循环变量初值
while(all(p< =0))                %全部特征根在左半平面时进入循环，否则退出
    P(:,I) = p;                  %将符合稳定条件的特征根存入矩阵 P
    I = I+1;                     %循环变量 +1
    D(:,n) = D(:,n)+0.2;         %50K +0.2
    p = roots(D);                %在新的 K 值下继续计算特征根
end
K = D(:,n)/50;                   %第一个不符合稳定条件的 K 值
```

程序退出循环时，$K=15$。稳定范围为 $0<K<15$。

3.5.3 系统的稳态误差分析

应用 MATLAB 求极限的函数 limit( ) 可以方便地求出误差系数。下面给出求静态位置误差系数 K_p、静态速度误差系数 k_v 和静态加速度误差系数 K_a 的调用方法，即

Kp = limit(G,s,0,'right');
Kv = limit(s*G,s,0,'right');
Ka = limit(s^2*G,s,0,'right');

其中，G 为系统的开环传递函数 $G_K(s)$ 的表达式的符号变量，s 是符号变量，使用前通过 syms() 命令进行符号变量定义。

例 3-16 已知单位负反馈系统的开环传递函数为

$$G(s) = \frac{4}{5s^2 + 10s + 15}$$

试求系统的静态位置、速度、加速度误差系数。

解

先判别系统稳定性。

% MATLAB 程序 3-4.1
num1 = [4]; den1 = [5 10 15];
sys1 = tf(num1,den1);
sys2 = tf(1,1);
sys = feedback(sys1,sys2,-1);
p = pole(sys)

求出特征根为

-1.0000 + 1.6733i
-1.0000 - 1.6733i

系统是稳定的。

% MATLAB 程序 3-4.2
syms s G; % 定义符号变量
G = 4/(5*s^2 + 10*s + 15);
Kp = limit(G,s,0,'right');
Kv = limit(s*G,s,0,'right');
Ka = limit(s^2*G,s,0,'right');

执行后，结果为

Kp = 4/15
Kv = 0
Ka = 0

例 3-17 为保持飞机的航向和飞行高度，设计了如图 3-39 所示的自动驾驶仪。

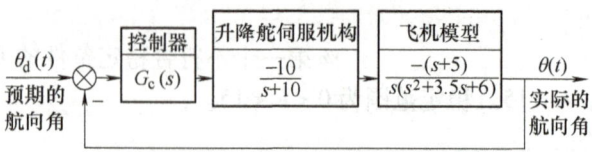

图 3-39 飞机自动驾驶仪结构图

(1) 假设采用比例（P）控制器 $G_c(s) = 2$，输入为预期的航向角 $\theta_d(t) = at$，a =

0.5°/s。试应用函数 lsim( )计算并绘制系统实际的输出姿态角,求 10s 后的航向角偏差。

(2) 为减小稳态跟踪误差,采用比例积分(PI)控制器,即

$$G_c(s) = K_1 + \frac{K_2}{s} = 2 + \frac{1}{s}$$

试重复(1)中的仿真计算,并比较两种情况下的稳态跟踪误差。

例 3-17 视频

解 问题(1)与(2)由以下 MATLAB 程序解出。

```
% MATLAB 程序 3-5
num1 = [-10];
den1 = [1 10];
num2 = [-1 -5];
den2 = [1 3.5 6 0];
numpi = [2 1];
denpi = [1 0];
[num,den] = series(num1,den1,num2,den2);
[numP,denP] = feedback(2*num,den,1,1);      % 比例控制下的闭环传递函数
[num,den] = series(numpi,denpi,num,den);
[numPI,denPI] = feedback(num,den,1,1);      % PI 控制下的闭环传递函数
t = 0:0.1:15;
r = 0.5*t;                                   % 定义斜坡输入(预期航向角)
c1 = lsim(numP,denP,r,t);                    % 比例控制下的实际航向角
c2 = lsim(numPI,denPI,r,t);                  % 比例积分控制下的实际航向角
subplot(1,2,1),plot(t,r,t,c1,t,r-c1');grid;  % r-c1'为比例控制时航向角偏差
title('比例控制时斜坡输入的跟踪响应');
xlabel('时间(秒)');
ylabel('航向角(度)');
subplot(1,2,2),plot(t,r,t,c2,t,r-c2');grid;  % r-c1'为比例积分控制时航向角偏差
title('比例积分控制时斜坡输入的跟踪响应');
xlabel('时间(秒)');
ylabel('航向角(度)');
```

运行程序分别得到比例控制与比例积分控制的自动驾驶仪系统对斜坡输入的响应曲线,如图 3-40 所示。可见,比例控制时为 I 型系统,跟踪斜坡输入有稳态误差;比例积分控制时为 II 型系统,能准确跟踪斜坡输入,稳态误差为零,10s 后输入曲线与输出曲线重合。

从误差曲线上求出 10s 时比例控制的稳态误差 $e_1 = 0.3$,比例积分控制的稳态 $e_2 = 0$。

注:用 plot( )指令绘制的曲线插入数据光标的方法,在选择菜单的"Tools"选项,在弹出的子菜单里选择"Data Cursor",即可用光标找的曲线上每一点的坐标值。

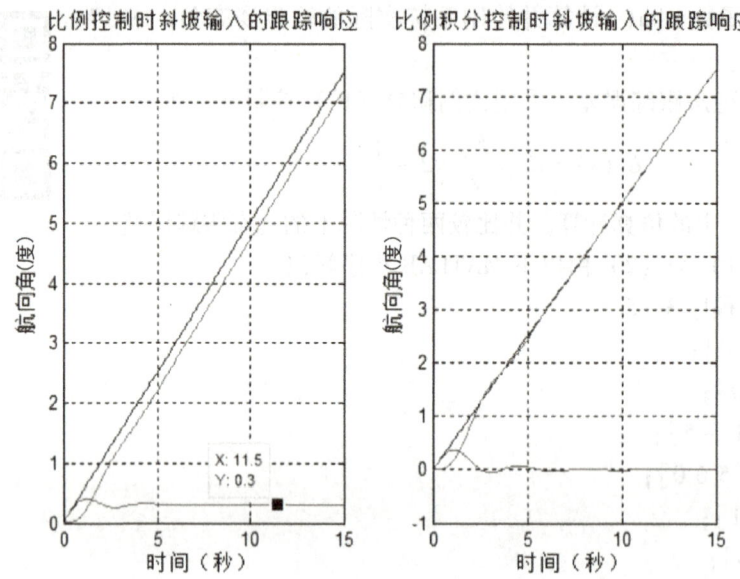

图 3-40 例 3-17 控制系统在两种控制下斜坡输入的响应曲线

本 章 小 结

时域分析法是通过直接求解系统在典型输入信号作用下的时间响应，来分析控制系统的稳定性、动态性能和稳态性能的方法。由于系统的传递函数与微分方程之间具有确定关系，所以可以通过传递函数来进行时域分析，而不必求解微分方程。

瞬态响应性能指标是以典型二阶系统单位阶跃响应曲线为基准定义的，掌握二阶系统特征参数与系统性能之间的关系，是分析高阶系统的基础；线性系统的稳定性是系统的一种固有特性，仅取决于系统的结构和参数，与外作用信号的形式无关；稳态误差是系统的稳态响应性能指标，既与系统的结构和参数有关，又与外作用信号的形式和大小有关，还与干扰信号的作用点有关。

学习本章，应掌握线性系统稳定性的判别方法，时域性能指标和稳态误差的定义及计算。掌握应用 MATLAB 对系统进行瞬态响应、稳定性、稳态误差分析的方法。

习 题

3-1 已知系统的单位阶跃响应为 $c(t) = 1 + 0.2e^{-60t} - 1.2e^{-10t}, (t \geq 0)$。
试求：(1) 系统的闭环传递函数 $W(s)$；(2) 阻尼比 ζ；无阻尼自然振荡频率 ω_n。

3-2 设图 3-41a 所示系统的单位阶跃响应如图 3-41b 所示。试确定系统参数 K_1、K_2 和 a。

3-3 已知 $G(s) = 10/(0.2s + 1)$。如图 3-42 所示，现欲通过引入位置反馈的方法，将过渡过程时间 t_s 减小为原来的 0.1 倍，且保证总的放大系数保持不变。试确定参数 K_h 和 K_0 的数值。

3-4 设系统如图 3-43 所示。
(1) 求闭环传递函数 $C(s)/R(s)$，并在 s 平面上画出零、极点分布图。
(2) 当 $r(t)$ 为单位阶跃函数时，求 $c(t)$ 并做出 $c(t)$ 与 t 的关系曲线。

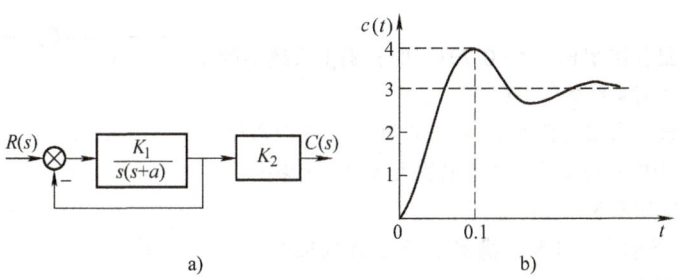

图 3-41　习题 3-2 图

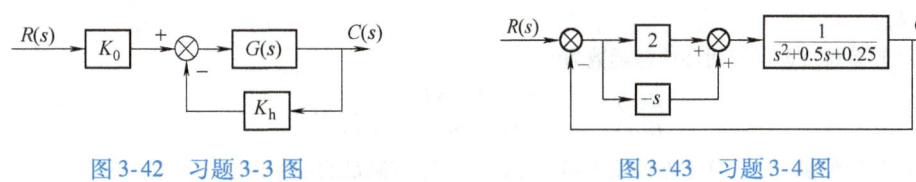

图 3-42　习题 3-3 图　　　　　　　　　图 3-43　习题 3-4 图

3-5　已知二阶系统的闭环传递函数为

$$\frac{C(s)}{R(s)} = \frac{\omega_n^2}{s^2 + 2\zeta\omega_n s + \omega_n^2}$$

分别在下述参数下确定闭环极点的位置，求系统的单位阶跃响应和调节时间。

(1) $\zeta = 0.2$，$\omega_n = 5s^{-1}$。

(2) $\zeta = 1.2$，$\omega_n = 5s^{-1}$。

(3) 说明当 $\zeta \geq 1.5$ 时，可忽略其中距原点较远的极点作用的理由。

3-6　设控制系统如图 3-44 所示。试求反馈通道传递函数 $H(s)$，使闭环系统的阻尼比提高到 $\zeta_1 = 0.707$，但增益和无阻尼自然频率 ω_n 保持不变。

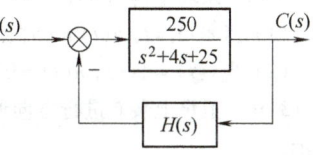

图 3-44　习题 3-6 图

3-7　给定典型二阶系统的设计性能指标：相对超调量 $\sigma\% \leq 5\%$，调节时间 $t_s < 3s$，峰值时间 $t_p < 1s$，试确定系统极点配置的区域，以获得预期的响应特性。

3-8　系统的特征方程式如下，要求利用劳斯判据判定每个系统的稳定性，并确定在右半 s 平面其根的个数及纯虚根。

(1) $s^4 + 3s^3 + 3s^2 + 2s + 2 = 0$。

(2) $0.02s^3 + 0.3s^2 + s + 2 = 0$。

(3) $s^5 + 12s^4 + 4s^3 + 48s^2 + s + 12 = 0$。

(4) $0.1s^4 + s^3 + 2.6s^2 + 26s + 25 = 0$。

3-9　某控制系统的开环传递函数为

$$G(s)H(s) = \frac{K(s+1)}{s(Ts+1)(2s+1)}$$

试确定能使闭环系统稳定的参数 K、T 的取值范围。

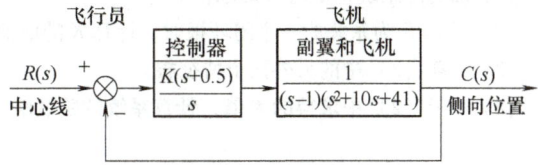

图 3-45　习题 3-10 飞机侧向位置控制系统结构图

3-10　考虑海军飞行员驾驶飞机在航空母舰上降落时的情况。飞行员有 3 个基本任务：引导飞机沿跑道的中轴线接近航母；保持合适的滑翔角；保持恰当的飞行速度。飞机侧向位置控制系统的模型如图 3-45 所示，当 $K \geq 0$ 时，试确定使系统稳定的 K 的取值范围。

3-11　某控制系统的结构图如图 3-46 所示。

(1) 当 $a = 0$ 时，试确定系统的阻尼比 ζ，无阻尼自然振荡频率 ω_n 和单位斜坡信号作用时系统的稳态误差。

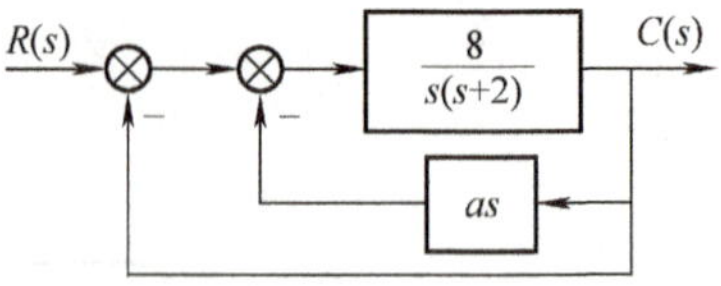

(2) 当系统具有最佳阻尼比（$\zeta = 0.707$）时，确定系统中的 a 值和单位斜坡信号作用时系统的稳态误差。

(3) 若要保证系统具有最佳阻尼比（$\zeta = 0.707$），且稳态误差等于 0.25，确定系统中的 a 值及前向通道的放大系数应为多少？

3-12 设控制系统如图 3-47 所示。

要求：（1）选择参数 K_1 和 K_t，满足系统动态性能指标 $\sigma\% \leq 20\%$、$t_s = 1.8s$ 的要求。

(2) 求出系统的位置误差系数 K_p，速度误差系数 K_v，加速度误差系数 K_a。

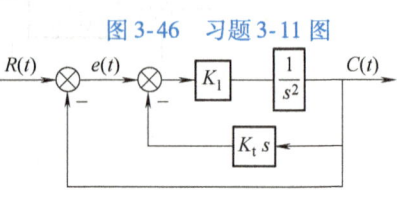

图 3-46 习题 3-11 图

图 3-47 习题 3-12 图

3-13 已知单位反馈系统闭环传递函数为

$$\frac{C(s)}{R(s)} = \frac{b_1 s + b_0}{s^4 + 1.25s^3 + 5.1s^2 + 2.6s + 6}$$

(1) 求单位斜坡输入时，使稳态误差为零，参数 b_0、b_1 应满足的条件。

(2) 在（1）求得的参数 b_0、b_1 下，求单位抛物线输入时，系统的稳态误差。

3-14 设前馈控制系统如图 3-48 所示。输入信号 $r(t)$ 和扰动 $n(t)$ 都是单位斜坡函数。要求：

(1) 计算 $K_d = 0$ 时系统的稳态误差 e_{ss}。

(2) 选择 K_d 值，使系统稳态输出 $c(t)$ 与希望输出 $r(t)$ 之间不存在稳态误差。

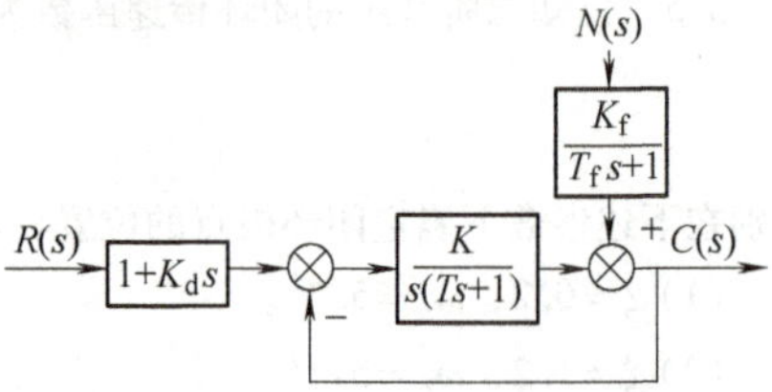

3-15 系统结构图如图 3-49 所示。

(1) 当 $r(t) = t$，$n(t) = t$ 时，试求系统总稳态误差。

(2) 当 $r(t) = 1(t)$，$n(t) = 0$ 时，试求 $\sigma\%$、t_p。

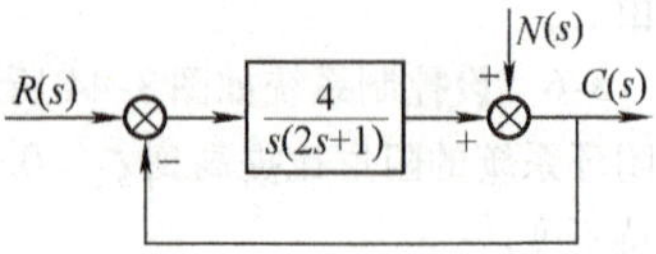

图 3-48 习题 3-14 前馈控制系统结构图

3-16 卫星上装有进行方向调节的指向系统，其结构图如图 3-50 所示。

(1) 确定该闭环控制系统的二阶近似模型。

(2) 应用（1）中得到的二阶近似模型，问是否可以选择增益 K 值，使系统对于阶跃输入的超调小于 15%，稳态误差小于 12%。为什么？

图 3-49 习题 3-15 图

3-17 火星自主漫游车的导向控制系统如图 3-51 所示。该系统在漫游车前后部都装有导向轮，设计要求 $H(s) = Ks + 1$。

(1) 确定使系统稳定的 K 的取值。

(2) 当 $s = 5$ 为系统的一个闭环根时，计算 K 的取值。

(3) 计算（2）中的另外两个特征根。

(4) 对于（2）中求得的 K 值，计算系统的阶跃响应。

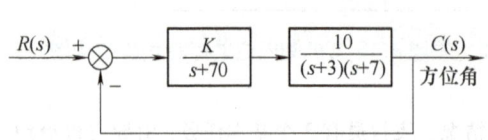

图 3-50 习题 3-16 卫星指向控制系统结构图

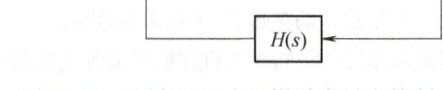

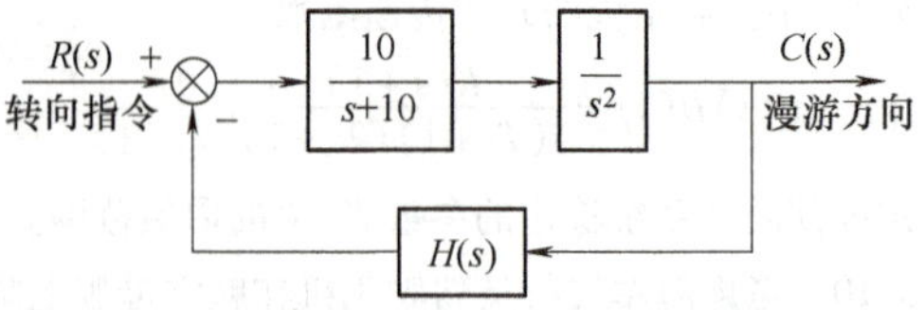

图 3-51 习题 3-17 火星漫游车导向控制系统结构图

第 4 章 根轨迹分析法

根轨迹分析法是一种图解方法,主要用于线性定常控制系统的分析和设计。根轨迹分析法的优点是不仅避免了求解高阶系统特征方程的困难,在分析和计算的同时,还可以直观看出系统中某些参数的变化对控制系统闭环特征根分布影响的趋势,因此,在工程上得到了广泛的应用。本章主要介绍根轨迹的基本概念,根轨迹的绘制方法,以及如何利用所绘制的根轨迹来分析系统性能等问题。

4.1 概述

自动控制系统的稳定性完全由系统闭环特征方程的根(即闭环极点)来决定。而系统瞬态响应的基本性能则取决于闭环传递函数的极点和零点的分布,因此分析系统性能必须求解微分方程。此外,闭环传递函数分子的阶次通常较低,其零点容易求得;而闭环传递函数的分母则往往是高阶多项式,若求它的极点,除非应用计算机辅助求解,否则对于系统高于三阶时很难求出其闭环极点。特别是当开环放大系数(或其他参数)改变时,需要进行反复地计算才能得到所要求的结果。显然,这就限制了时域分析法在三阶以上控制系统中的应用。

1948 年,伊文思(W. R. Evans)提出了一种求解特征方程根的简单方法,并且在控制工程的分析与设计中得到了广泛应用,这种工程方法称为根轨迹分析法。

所谓根轨迹是指当系统开环传递函数中某一参数从零变化到无穷时,闭环特征方程式的根在 s 平面上运动的轨迹。而根轨迹法是在已知控制系统开环传递函数零、极点在 s 平面分布的基础上,研究某一个或某些参数的变化对控制系统闭环传递函数极点分布影响的一种图解方法。因此,利用系统的根轨迹不仅可以分析结构、参数已知的闭环系统的稳定性和瞬态响应特性,还可以分析参数变化对系统性能的影响。根轨迹法的最大优点在于只需要通过简单的计算,即可看出某一参数变化对系统闭环极点的影响趋势。这种定性分析,在研究和设计控制系统时具有重要意义,并且在改善系统性能方面具有指导作用。

4.2 根轨迹的概念

本节主要介绍根轨迹的基本概念,在讨论闭环零、极点与开环零、极点关系的基础上,推导根轨迹方程。

1. 解析法绘制根轨迹

闭环系统的根轨迹可以用解析法或图解法求出。为了说明根轨迹的概念,首先用解析法以图 4-1 所示的控制系统为例进行介绍。

由图 4-1 可知,系统的闭环传递函数为

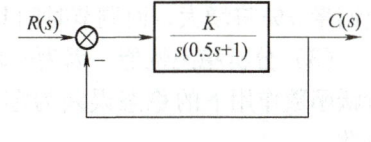

图 4-1 控制系统

$$\frac{C(s)}{R(s)} = \frac{2K}{s^2 + 2s + 2K} \tag{4-1}$$

因此，其闭环特征方程为

$$s^2 + 2s + 2K = 0 \tag{4-2}$$

求解该方程可得闭环特征根为

$$\begin{aligned} s_1 &= -1 + \sqrt{1-2K} \\ s_2 &= -1 - \sqrt{1-2K} \end{aligned} \tag{4-3}$$

从式（4-3）可以看出，闭环特征根 s_1 和 s_2 与开环增益 K 有关。当开环增益 K 从零变化到无穷时，可求出系统的全部特征根。表 4-1 列出了当开环增益 K 取不同值时对应的特征根 s_1、s_2。

表 4-1　开环增益 K 取不同值时对应的闭环特征根 s_1、s_2

K	0	0.5	1	2.5	…	∞
s_1	0	-1	$-1+j$	$-1+j2$	…	$-1+j\infty$
s_2	-2	-1	$-1-j$	$-1-j2$	…	$-1-j\infty$

根据表 4-1，在 s 平面上标出 K 变化时相应的 s_1、s_2 点，并将它们用粗实线连接起来，如图 4-2 所示。图中的粗实线即为根轨迹。根轨迹上的箭头表示当 K 增大时，特征根移动的方向；旁边的数值注明特征根位置所对应的 K 值。

从图中可以看出开环增益 K 的变化对闭环特征根分布的影响：

当 $K = 0$ 时，闭环系统的两个特征根为 $s_1 = 0$，$s_2 = -2$，这就是根轨迹的起始点；当 K 值逐渐增大，两个闭环特征根由起始点沿实轴相对移动，直到 $K = 0.5$ 时，两特征根相同，即 $s_1 = s_2 = -1$ 为重根；随着 K 值继续增大，两个闭环特征根变为一对共轭复根，离开实轴并分为两路沿着 -1 和虚轴相平行的直线背向移动，直至无穷远处。

有了根轨迹图，就可以方便地分析闭环系统的各种性能。以图 4-2 为例：

（1）分析稳定性　由于在 $0 < K$ 范围内，系统的闭环特征根均在 s 平面的左半部，因此系统是稳定的。

（2）分析动态性能　当 $0 \leqslant K < 0.5$ 时，闭环特征根为两个不相等的负实根，系统是过阻尼的；当 $K = 0.5$ 时，系统为临界阻尼状态；当 $K > 0.5$ 时，闭环特征根为共轭复根，系统是欠阻尼的，阶跃响应为衰减振荡状态。

若已知 $K = 1$，则可以利用根轨迹图查得系统的闭环极点为 $-1 \pm j$，从而得到系统参数 $\zeta = 0.707$，$\omega_n = 0.414$，

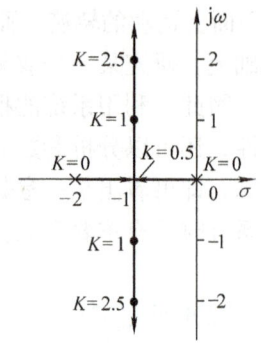

图 4-2　二阶系统的根轨迹

进而求得系统的瞬态响应性能指标超调量 $\sigma\% = 4.3\%$，调节时间 $t_s = 3\text{s}$。当 K 继续增大，其超调量 $\sigma\%$ 将增大，而调节时间基本不变。

（3）分析稳态性能　因为开环传递函数有一个位于原点的极点，所以该系统是 I 型的，阶跃函数作用下的稳态误差为零。由根轨迹上对应的 K 值可以求出系统的静态速度误差系数。

上述分析表明，根轨迹图展示了闭环系统的稳定性以及其他主要性能指标的相关信息，

对于系统分析和设计具有指导作用。但这种用直接求解闭环特征根绘制根轨迹的办法，对于高阶系统显然是不适用的，因为根轨迹法的思路是利用开环传递函数确定系统的闭环特征根，所以希望通过简单的计算即可画出根轨迹的大致图形，这就是图解法。

2. 根轨迹方程

控制系统的一般结构如图 4-3 所示。闭环传递函数为

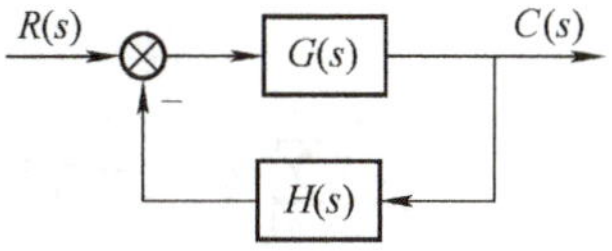

$$\frac{C(s)}{R(s)} = \frac{G(s)}{1 + G(s)H(s)} \quad (4\text{-}4)$$

图 4-3 控制系统结构图

其闭环特征方程为

$$1 + G(s)H(s) = 0 \quad (4\text{-}5)$$

或写成

$$G(s)H(s) = -1 \quad (4\text{-}6)$$

因为满足方程式（4-6）的 s 值是系统的特征值，必定是根轨迹上的点，因此式（4-6）称为根轨迹方程。

通常系统开环传递函数 $G(s)H(s)$ 等于系统各环节传递函数之积，即

$$G(s)H(s) = \frac{K\prod_{i=1}^{m}(\tau_i s + 1)}{\prod_{j=1}^{n}(T_j s + 1)} \quad (4\text{-}7)$$

式（4-7）又可写成

$$G(s)H(s) = K^* \frac{\prod_{i=1}^{m}(s + z_i)}{\prod_{j=1}^{n}(s + p_j)} \quad (4\text{-}8)$$

式中，$-z_i$ 和 $-p_j$ 分别为系统的开环零点和开环极点，这里 $-z_i = -\frac{1}{\tau_i}$（$i = 1, 2, \cdots, m$），$-p_j = -\frac{1}{T_j}$（$j = 1, 2, \cdots, n$），它们既可以是实数，也可以是复数；K^* 为系统的根轨迹增益，$K^* = \frac{K\tau_1\cdots\tau_m}{T_1\cdots T_n}$，简称根迹增益；$K$ 为系统的开环放大系数，也称开环增益，它与根轨迹增益 K^* 之间只差一个比例系数。

在绘制根轨迹图时，一般用符号 × 表示系统的开环极点，用符号 ○ 表示系统的开环零点。

综合式（4-6）和式（4-8），根轨迹方程也可写成

$$K^* \frac{\prod_{i=1}^{m}(s + z_i)}{\prod_{j=1}^{n}(s + p_j)} = -1 \quad (4\text{-}9)$$

由于 $G(s)H(s)$ 是复变量 s 的函数，所以式（4-9）可以用向量形式表示成以下两个方程，即

$$K^* \frac{\prod_{i=1}^{m} |s + z_i|}{\prod_{j=1}^{n} |s + p_j|} = 1 \qquad (4\text{-}10)$$

$$\sum_{i=1}^{m} \angle(s + z_i) - \sum_{j=1}^{n} \angle(s + p_j) = \pm 180°(2k + 1), k = 0, 1, 2, \cdots \qquad (4\text{-}11)$$

式（4-10）与式（4-11）分别称为根轨迹方程的幅值条件和相角条件。

从式（4-10）和式（4-11）可以看出，在 s 平面上，凡是能满足相角条件的点都是系统的特征根，这些点的连线就是根轨迹。所以，相角条件是绘制根轨迹的依据。而幅值条件只是用来确定根轨迹上某点的相应 K^* 值。

4.3 根轨迹的绘制

本节以根轨迹增益 K^* 为可变参数，针对相角条件满足式（4-11）的系统介绍绘制根轨迹的基本规则。用这些规则绘制的根轨迹一般称为常规根轨迹或 180° 根轨迹。

4.3.1 绘制根轨迹的基本规则

1. 根轨迹的起点和终点

根据根轨迹的定义，根轨迹起始于 $K^*=0$，终止于 $K^* \to \infty$。由幅值条件式（4-10）得

$$\frac{\prod_{i=1}^{m} |s + z_i|}{\prod_{j=1}^{n} |s + p_j|} = \frac{1}{K^*} \qquad (4\text{-}12)$$

当 $K^*=0$ 时，$s \to -p_j$ $(j=1, 2, \cdots, n)$，为系统的开环极点。

当 $K^* \to \infty$ 时，$s \to -z_i$ $(i=1, 2, \cdots, m)$，为系统的开环零点。

结论：根轨迹起始于开环极点，终止于开环零点。如果开环零点数目 m 小于开环极点数目 n，则有 $(n-m)$ 条根轨迹终止于无穷远处。

2. 根轨迹的分支数、连续性和对称性

根轨迹是闭环特征根的变化轨迹，所以每个闭环特征根的变化轨迹都是整个根轨迹的一个分支。因此根轨迹的分支数与闭环特征方程根的数目相同。由式（4-9）得系统的特征方程为

$$\prod_{j=1}^{n}(s + p_j) + K^* \prod_{i=1}^{m}(s + z_i) = 0 \qquad (4\text{-}13)$$

可见，特征根的数目等于 m 和 n 中的较大者，即根轨迹的分支数与 m 和 n 中的较大者相等。

由式（4-12）知，参数 K^* 的无限小增量与 s 平面上的长度 $|s+p_j|$ 及 $|s+z_i|$ 的无限小增量相对应，即复变量 s 在 n 条根轨迹上均有一个无限小的位移。因此，当 K^* 从零向无穷大连续变化时，根轨迹在 s 平面上一定是连续的。

由于闭环特征方程的根只有实数根或复数根两种，而复数根又都是成对出现的共轭复

数，所以这些根必然对称于实轴。在绘制根轨迹时，只要画出 s 平面上半部的轨迹，就可根据对称性得到下半平面的根轨迹。

结论：根轨迹的分支数等于特征方程的阶次，即开环零点数 m 和开环极点数 n 中的较大者；根轨迹是连续的，且以实轴为对称轴的曲线。

3. 实轴上根轨迹的分布

设系统开环零、极点分布如图 4-4 所示。$-p_1$、$-p_2$ 和 $-z_1$ 分别是实数极点和零点；$-p_3$ 与 $-p_4$ 是一对共轭复数极点。为了在实轴上确定属于根轨迹的部分，首先选一试验点 s_0。s_0 在根轨迹上的充分必要条件是它应满足式（4-11）的相角条件。由于复数极（零）点必是共轭成对的，故它们至 s_0 点的相角之和恒为 $0°$ 或 $\pm 360°k$（$k=0,1,\cdots$）。因此实轴上的根轨迹只取决于实轴上零、极点的分布。由图 4-4 可知，

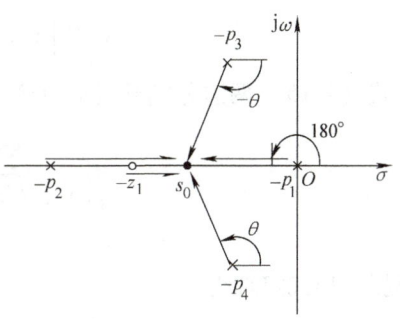

图 4-4　确定实轴上根轨迹示意图

s_0 点右边的零点、极点至 s_0 点向量的相角均为 $\pm 180°$；而 s_0 点左边的零、极点至 s_0 点向量的相角均为 $0°$。由此可以得到根轨迹在实轴上的分布规律：若试验点 s_0 右边零、极点个数之和为奇数，则 s_0 点所在的线段是根轨迹的一部分；若试验点 s_0 右边零、极点个数之和为偶数，则 s_0 点所在的线段不是根轨迹。

结论：实轴上属于根轨迹的部分，其右边开环零、极点的个数之和为奇数。复数极、零点对实轴上根轨迹的分布没有影响。

对于图 4-4 所示系统，实轴上的根轨迹分布在 $-p_1$ 至 $-z_1$ 之间及 $-p_2$ 左侧的实轴上。

4. 根轨迹的渐近线

如果系统开环极点数 n 大于开环零点数 m，则当根迹增益 $K^* \to \infty$ 时，将有 $(n-m)$ 条根轨迹趋向无穷远处。因此，需要确定这 $(n-m)$ 条根轨迹趋向无穷远点的方向，即渐近线。

渐近线包括两项内容，即渐近线与实轴的夹角和交点。因为根轨迹以实轴对称，所以渐近线的夹角和交点都是对实轴而言的。将系统开环传递函数式（4-8）展开得

$$G(s)H(s) = K^* \frac{s^m + \sum_{i=1}^{m} z_i s^{m-1} + \cdots + \prod_{i=1}^{m} z_i}{s^n + \sum_{j=1}^{n} p_j s^{n-1} + \cdots + \prod_{j=1}^{n} p_j}$$

$$= \frac{K^*}{\dfrac{s^n + \sum_{j=1}^{n} p_j s^{n-1} + \cdots + \prod_{j=1}^{n} p_j}{s^m + \sum_{i=1}^{m} z_i s^{m-1} + \cdots + \prod_{i=1}^{m} z_i}}$$

$$= \frac{K^*}{s^{n-m} + \left(\sum_{j=1}^{n} p_j - \sum_{i=1}^{m} z_i\right) s^{n-m-1} + \cdots} \quad (4\text{-}14)$$

当 s 很大时，式（4-14）可近似为

$$G(s)H(s) = \frac{K^*}{s^{n-m} + \left(\sum_{j=1}^{n} p_j - \sum_{i=1}^{m} z_i\right)s^{n-m-1}}$$

由 $G(s)H(s) = -1$，得渐近线方程

$$s^{n-m}\left[1 + \left(\sum_{j=1}^{n} p_j - \sum_{i=1}^{m} z_i\right)s^{-1}\right] = -K^* \tag{4-15}$$

对式（4-15）两边分别开 $(n-m)$ 次方，得

$$s\left(1 + \frac{\sum_{j=1}^{n} p_j - \sum_{i=1}^{m} z_i}{s}\right)^{\frac{1}{n-m}} = (-K^*)^{\frac{1}{n-m}} \tag{4-16}$$

根据二项式定理得

$$\left(1 + \frac{a-b}{s}\right)^{\frac{1}{n-m}} = 1 + \frac{a-b}{(n-m)s} + \frac{1}{2!}\frac{1}{n-m}\left(\frac{1}{n-m} - 1\right)\left(\frac{a-b}{s}\right)^2 + \cdots$$

由于 s 很大，取前两项近似有

$$\left(1 + \frac{\sum_{j=1}^{n} p_j - \sum_{i=1}^{m} z_i}{s}\right)^{\frac{1}{n-m}} = 1 + \frac{\sum_{j=1}^{n} p_j - \sum_{i=1}^{m} z_i}{(n-m)s} \tag{4-17}$$

将式（4-17）代入式（4-16），得

$$s + \frac{\sum_{j=1}^{n} p_j - \sum_{i=1}^{m} z_i}{n-m} = (-K^*)^{\frac{1}{n-m}}$$

或

$$\left(s + \frac{\sum_{j=1}^{n} p_j - \sum_{i=1}^{m} z_i}{n-m}\right)^{n-m} = -K^* \tag{4-18}$$

这就是 $K^* \to \infty$ 时渐近线的表达式。

令式（4-18）中的 $K^* \to 0$，得

$$\left(s + \frac{\sum_{j=1}^{n} p_j - \sum_{i=1}^{m} z_i}{n-m}\right)^{n-m} = 0$$

由此求得渐近线的起始点，即与实轴的交点为

$$s = -\frac{\sum_{j=1}^{n} p_j - \sum_{i=1}^{m} z_i}{n-m}$$

由根轨迹的对称性，s 点必定在实轴上，即

$$\sigma = -\frac{\sum_{j=1}^{n} p_j - \sum_{i=1}^{m} z_i}{n-m} \qquad (4\text{-}19)$$

根据式（4-18）及相角条件，有

$$(n-m)\angle\left(s + \frac{\sum_{j=1}^{n} p_j - \sum_{i=1}^{m} z_i}{n-m}\right) = \pm 180°(2k+1)$$

因此得到渐近线与实轴的夹角为

$$\theta = \frac{\pm 180°(2k+1)}{n-m}, \qquad k=0,1,2,\cdots,n-m-1 \qquad (4\text{-}20)$$

渐近线夹角计算公式从几何上是容易理解的。当 s 很大时，系统各开环零点、极点至 s 点的向量趋于相同，设其相角为 θ。再由相角条件可以得到式（4-20）。

结论：如果系统的有限开环零点数 m 少于其开环极点数 n，则当根轨迹增益 $K^* \to \infty$ 时，趋向无穷远处根轨迹的渐近线共有 $(n-m)$ 条。这些渐近线在实轴上共交于一点，其坐标是

$$\left(-\frac{\sum_{j=1}^{n} p_j - \sum_{i=1}^{m} z_i}{n-m}, j0\right)$$

而它们与实轴正方向的夹角为

$$\frac{\pm 180°(2k+1)}{n-m}$$

其中，k 可取 $0,1,2,\cdots,n-m-1$。

例 4-1 控制系统开环传递数为

$$G(s)H(s) = \frac{K}{s(s+1)(0.5s+1)}$$

试确定该系统根轨迹在实轴上的分布及渐近线。

解 系统开环传递函数可改写为

$$G(s)H(s) = \frac{K^*}{s(s+1)(s+2)}$$

其中，$K^* = 2K$。

首先将开环极点标注在 s 平面的直角坐标系上。因为系统开环极点数 $n=3$，开环零点数 $m=0$，所以由规则 1~4 知：

1) 根轨迹有 3 条分支，分别起始于 0、-1 和 -2，且这 3 条根轨迹都将趋向无穷远处。
2) 实轴上根轨迹分布在 $-1 \sim 0$ 以及 $-\infty \sim -2$ 之间。
3) 根轨迹的渐近线共有 $n-m=3$ 条，其在实轴上的交点和夹角按式（4-19）和式（4-20）计算如下：

$$\sigma = -\frac{\sum_{j=1}^{3} p_j}{3-0} = -\frac{0+1+2}{3} = -1$$

令 $k=0$ 及 1，可得到 3 条渐近线的夹角为

$$\theta = \frac{\pm 180°(2k+1)}{3-0} = \pm 60°, 180°$$

绘出根轨迹在实轴上的分布以及渐近线，如图 4-5 所示（图中平行的那条渐近线应与负实轴重合，此处稍微上移以示清晰）。

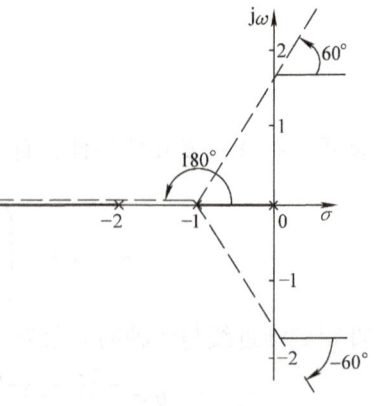

图 4-5　根轨迹在实轴上的分布以及渐近线

5. 根轨迹的分离点与会合点

两条或两条以上的根轨迹分支在 s 平面上某点相遇又立即分开，则称该点为分离点（或会合点）。由于根轨迹是以实轴为对称的，所以根轨迹的分离、会合点一般位于实轴上，但有时也会以共轭形式成对出现在复平面中。

当根轨迹分支在实轴上某点相遇又向复平面运动时，该交点称为根轨迹的分离点；当根轨迹分支从复平面运动到实轴上某点时，该交点称为会合点。

一般情况下，两个极点间的根轨迹上至少有一个分离点；两个零点（其中一个可以是无限零点）间的根轨迹上至少有一个会合点；而在一个零点和一个极点间的轨迹上，或既没有分离点也没有会合点，或分离点与会合点同时存在。

下面介绍两种求取分离、会合点的方法。

(1) 对开环传递函数求导法　系统开环传递函数 $G(s)H(s)$ 通常是两个多项式之比，可写为

$$G(s)H(s) = \frac{K^* P(s)}{Q(s)} \tag{4-21}$$

所以，系统特征方程为

$$D(s) = K^* P(s) + Q(s) = 0$$

根轨迹在 s 平面上相遇，说明闭环特征方程有重根。根据代数方程中重根的条件，有 $D(s)=0, \dot{D}(s)=0$。

因此特征方程的重根可由下列联立方程求解而得：

$$\begin{cases} K^* P(s) + Q(s) = 0 \\ K^* P'(s) + Q'(s) = 0 \end{cases} \tag{4-22}$$

由式 (4-22) 消去 K^*，可得

$$P(s)Q'(s) - P'(s)Q(s) = 0 \tag{4-23}$$

解式 (4-23) 即得到特征方程的重根。

应该指出，所求出的重根如果在根轨迹上，则它们是分离点或会合点；如果不在根轨迹上，则不是分离点或会合点（它们对应的 K^* 值在 $-\infty \sim 0$ 之间）。

为便于记忆，式 (4-23) 可改写为

$$\frac{\mathrm{d}[G(s)H(s)]}{\mathrm{d}s} = 0 \tag{4-24}$$

(2) 开环极、零点分式求和相等法　由式 (4-13)，系统的闭环特征方程为

$$D(s) = \prod_{j=1}^{n}(s+p_j) + K^* \prod_{i=1}^{m}(s+z_i) = 0$$

由于上述方程有重根的条件是 $D(s)=0$，$\dot{D}(s)=0$。因此，特征方程的重根可由下列联立方程求解而得：

$$\begin{cases} K^* \prod_{i=1}^{m}(s+z_i) + \prod_{j=1}^{n}(s+p_j) = 0 \\ K^* \dfrac{\mathrm{d}}{\mathrm{d}s}\prod_{i=1}^{m}(s+z_i) + \dfrac{\mathrm{d}}{\mathrm{d}s}\prod_{j=1}^{n}(s+p_j) = 0 \end{cases}$$

或

$$\prod_{j=1}^{n}(s+p_j) = -K^* \prod_{i=1}^{m}(s+z_i) \tag{4-25}$$

$$\frac{\mathrm{d}}{\mathrm{d}s}\prod_{j=1}^{n}(s+p_j) = -K^* \frac{\mathrm{d}}{\mathrm{d}s}\prod_{i=1}^{m}(s+z_i) \tag{4-26}$$

式 (4-26) 除以式 (4-25)，得

$$\frac{\dfrac{\mathrm{d}}{\mathrm{d}s}\prod_{j=1}^{n}(s+p_j)}{\prod_{j=1}^{n}(s+p_j)} = \frac{\dfrac{\mathrm{d}}{\mathrm{d}s}\prod_{i=1}^{m}(s+z_i)}{\prod_{i=1}^{m}(s+z_i)}$$

即

$$\frac{\mathrm{d}\ln\prod_{j=1}^{n}(s+p_j)}{\mathrm{d}s} = \frac{\mathrm{d}\ln\prod_{i=1}^{m}(s+z_i)}{\mathrm{d}s} \tag{4-27}$$

因为

$$\ln\prod_{j=1}^{n}(s+p_j) = \sum_{j=1}^{n}\ln(s+p_j)$$

$$\ln\prod_{i=1}^{m}(s+z_i) = \sum_{i=1}^{m}\ln(s+z_i)$$

式 (4-27) 可写为

$$\sum_{j=1}^{n}\frac{\mathrm{d}\ln(s+p_j)}{\mathrm{d}s} = \sum_{i=1}^{m}\frac{\mathrm{d}\ln(s+z_i)}{\mathrm{d}s}$$

所以有

$$\sum_{j=1}^{n}\frac{1}{s+p_j} = \sum_{i=1}^{m}\frac{1}{s+z_i} \tag{4-28}$$

解方程式 (4-28)，可得根轨迹的分离点或会合点。

若开环传递函数没有有限零点，则在分离点方程式 (4-28) 中应取 $\sum_{i=1}^{m}\dfrac{1}{s+z_i}=0$。

根轨迹离开分离点处的切线与实轴正方向的夹角称为分离角；根轨迹进入会合点的切线与实轴正方向的夹角称为会合角。如果 l 为离开分离点或进入会合点根轨迹的分支数，则分

离、会合角可通过 $\pm 180°(2k+1)/l$ 计算。通常，两支根轨迹相遇的情况较多，$l=2$ 时，其分离、会合角为 $\pm 90°$。

结论：根轨迹分离点或会合点的坐标，可以通过求解方程

$$\frac{\mathrm{d}[G(s)H(s)]}{\mathrm{d}s}=0 \quad \text{或} \quad \sum_{j=1}^{n}\frac{1}{s+p_j}=\sum_{i=1}^{m}\frac{1}{s+z_i}$$

的根得到。

6. 根轨迹与虚轴的交点

当根轨迹增益 K^* 值逐渐增大时，根轨迹有可能穿过虚轴进入 s 右半平面，此时表明出现实部为正的特征根。因此需要确定根轨迹与虚轴的交点，并计算对应的临界稳定增益。

求取根轨迹与虚轴的交点可利用下面两种方法之一。

（1）用 $s=\mathrm{j}\omega$ 代入特征方程法　根轨迹与虚轴相交，意味着系统有实部为零、位于虚轴上的闭环特征根。因此将 $s=\mathrm{j}\omega$ 代入特征方程式（4-5）中，即

$$1+G(\mathrm{j}\omega)H(\mathrm{j}\omega)=0$$

或

$$\mathrm{Re}[1+G(\mathrm{j}\omega)H(\mathrm{j}\omega)]+\mathrm{Im}[1+G(\mathrm{j}\omega)H(\mathrm{j}\omega)]=0 \tag{4-29}$$

令式（4-29）两边的实部和虚部分别相等，有

$$\mathrm{Re}[1+G(\mathrm{j}\omega)H(\mathrm{j}\omega)]=0$$
$$\mathrm{Im}[1+G(\mathrm{j}\omega)H(\mathrm{j}\omega)]=0$$

联立求解上面两个方程，即可求出与虚轴交点处的 K^* 值和 ω 值。

（2）应用劳斯判据法　应用劳斯判据，根据特征方程式的系数和系统临界稳定的条件，可以求得根轨迹与虚轴的交点。方法是：列出劳斯表，令其第一列中包含 K^* 的 s^1 项系数为零，确定根轨迹与虚轴交点处的 K^* 值；解由 s^2 行系数构成的辅助方程，可求出纯虚根数值。

结论：根轨迹与虚轴的交点坐标及临界稳定增益，可以通过用 $s=\mathrm{j}\omega$ 代入系统闭环特征方程求取，也可以应用劳斯判据列表的方法确定。

例 4-2　试求例 4-1 中根轨迹的分离点和与虚轴的交点，画出完整的根轨迹。

解　由图 4-5 知，在极点 0 和 -1 之间的根轨迹上一定有分离点。

令 $\mathrm{d}[G(s)H(s)]/\mathrm{d}s=0$，整理后可得

$$3s^2+6s+2=0$$

解出根 $s_1=-0.42$（分离点）；$s_2=-1.58$（舍去）。其中 s_1 点在根轨迹上，是分离点，所对应 K^* 由幅值条件确定，即

$$K_1^*=|s_1||s_1+1||s_1+2|=0.42\times 0.58\times 1.58=0.38$$

s_2 点不在根轨迹上，故不是分离点，应舍去。分离点处的分离角为 $\pm 90°$。

用劳斯判据法求与虚轴的交点。由

$$1+G(s)H(s)=1+\frac{K^*}{s(s+1)(s+2)}=0$$

所以特征方程式为

$$D(s)=s(s+1)(s+2)+K^*=s^3+3s^2+2s+K^*=0$$

劳斯阵列表为

s^3	1	2
s^2	3	K^*
s^1	$\dfrac{6-K^*}{3}$	
s^0	K^*	

令 $(6-K^*)/3 = 0$，所以 $K^* = 6$；

解辅助方程 $3s^2 + K^* = 0$，得 $s_{1,2} = \pm j\sqrt{2} = \pm j1.414$。

完整的根轨迹如图 4-6 所示。从图中可以看出：

1）当 $0 < K^* \leq 0.38$ 时，系统响应为非周期过渡过程。

2）当 $0.38 < K^* < 6$ 时，系统响应为衰减振荡过渡过程。

3）当 $K^* = 6$ 时，系统响应为等幅振荡过渡过程。

4）当 $K^* > 6$ 时，系统是不稳定的。

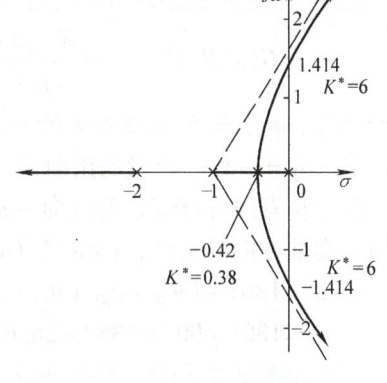

图 4-6　例 4-2 的根轨迹图

7. 根轨迹的出射角和入射角

根轨迹离开开环复数极点处的切线方向与正实轴间的夹角称为出射角，用 θ_{p_l} 表示；根轨迹进入开环复数零点处的切线方向与正实轴间的夹角称为入射角，用 θ_{z_l} 表示。

设控制系统开环极、零点数目分别为 n 和 m。在根轨迹上无限靠近待求出射角的开环极点 $-p_l$ 附近取一点 s_1。由于 s_1 无限接近 $-p_l$ 点，所以除了 $-p_l$ 点之外，其他开环零点和极点到 s_1 点的矢量相角都可用它们到 $-p_l$ 点的矢量相角来代替，而 $-p_l$ 点到 s_1 点的矢量相角即为出射角。因为 s_1 点在根轨迹上，必满足相角条件，有

$$\sum_{i=1}^{m} \angle(s+z_i) - \sum_{\substack{j=1 \\ j \neq l}}^{n} \angle(s+p_j) - \theta_{p_l} = \pm 180°(2k+1)$$

也即

$$\theta_{p_l} = \mp 180°(2k+1) + \sum_{i=1}^{m} \angle(s+z_i) - \sum_{\substack{j=1 \\ j \neq l}}^{n} \angle(s+p_j) \qquad (4\text{-}30)$$

用相似的方法，可推导出复数零点 $-z_l$ 入射角的计算公式，即

$$\theta_{z_l} = \pm 180°(2k+1) - \sum_{\substack{i=1 \\ i \neq l}}^{m} \angle(s+z_i) + \sum_{j=1}^{n} \angle(s+p_j) \qquad (4\text{-}31)$$

应该指出，在根轨迹的相角条件中，$180°(2k+1)$ 与 $-180°(2k+1)$ 是等价的。在计算出射角和入射角时，均可用 $180°$ 代替。

结论：开环复数极点的出射角和复数零点的入射角可根据下面的公式计算：

$$\theta_{p_l} = 180° + \sum_{i=1}^{m} \angle(s+z_i) - \sum_{\substack{j=1 \\ j \neq l}}^{n} \angle(s+p_j) \qquad (4\text{-}32)$$

$$\theta_{z_l} = 180° - \sum_{\substack{i=1 \\ i \neq l}}^{m} \angle(s+z_i) + \sum_{j=1}^{n} \angle(s+p_j) \qquad (4\text{-}33)$$

例 4-3 某控制系统开环传递函数为

$$G(s)H(s) = \frac{K^*(s+2)}{s(s+3)(s^2+2s+2)}$$

其开环零、极点分布如图 4-7 所示。试确定根轨迹从复数极点 $-p_1 = -1+j$ 出发的出射角。

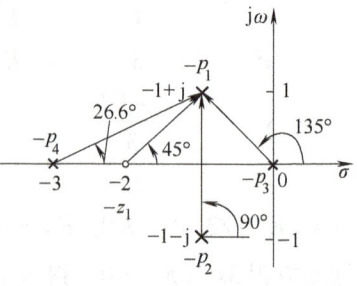

图 4-7 求根轨迹出射角示意图

解 从有限开环零、极点向 $-p_1$ 引矢量，计算其矢量与正实轴方向的夹角，再由式（4-32），得

$$\theta = 180° - (\theta_{p2} + \theta_{p3} + \theta_{p4}) + \theta_{z1}$$
$$= 180° - 90° - 135° - 26.6° + 45° = -26.6°$$

8. 闭环极点之和与闭环极点之积

由式（4-14），其特征方程可写为

$$s^n + \sum_{j=1}^{n} p_j s^{n-1} + \cdots + \prod_{j=1}^{n} p_j + K^* \left[s^m + \sum_{i=1}^{m} z_i s^{m-1} + \cdots + \prod_{i=1}^{m} z_i \right] = 0 \quad (4\text{-}34)$$

式中，$-z_i$、$-p_j$ 分别为系统的开环零点、极点；K^* 为根迹增益。

若系统满足 $n-m \geq 2$，s^m 项的阶次比 s^{n-1} 项的阶次低，因而式（4-34）中 s^{n-1} 项的系数为 $\left(\sum_{j=1}^{n} p_j \right)$，即

$$s^n + \sum_{j=1}^{n} p_j s^{n-1} + \cdots + \left(\prod_{j=1}^{n} p_j + K^* \prod_{i=1}^{m} z_i \right) = 0 \quad (4\text{-}35)$$

闭环极点即特征方程的根，若为 $-s_j$（$j=1, 2, \cdots, n$），有

$$\prod_{j=1}^{n} (s+s_j) = s^n + \sum_{j=1}^{n} s_j s^{n-1} + \cdots + \prod_{j=1}^{n} s_j = 0 \quad (4\text{-}36)$$

由于式（4-35）和式（4-36）的 s^{n-1} 项系数相等，所以有

$$\sum_{j=1}^{n} s_j = \sum_{j=1}^{n} p_j$$

或

$$\sum_{j=1}^{n} (-s_j) = \sum_{j=1}^{n} (-p_j) \quad (4\text{-}37)$$

通常把 $\sum_{j=1}^{n} (-s_j)/n$ 称为极点的重心。式（4-37）表明在开环极点确定的情况下，这是一个常量。当 K^* 值变化时，s 平面上某些闭环根向左移动，另一些闭环根则必然向右移动。

比较式（4-35）和式（4-36）的常数项，可得 n 个闭环特征根之积为

$$\prod_{j=1}^{n} (-s_j) = (-1)^n \left(\prod_{j=1}^{n} p_j + K^* \prod_{i=1}^{m} z_i \right) \quad (4\text{-}38)$$

若系统有在原点的开环极点，则

$$\prod_{j=1}^{n} (-s_j) = (-1)^n K^* \prod_{i=1}^{m} z_i \quad (4\text{-}39)$$

若没有开环零点，式（4-39）中的 $\prod_{i=1}^{m} z_i = 1$。

结论：当系统满足 $n-m \geq 2$ 时，系统闭环极点之和等于开环极点之和，且当有开环极点位于原点时，闭环极点之积与根轨迹增益成正比。

应该指出，一般绘制根轨迹时视具体情况可以选择应用上述规则 1~7，规则 8 可用来估计根轨迹曲线的变化趋势，且有助于确定闭环极点位置及相应的 K^* 值。

4.3.2 根轨迹绘制举例

根据前面讨论的基本规则，下面举例说明根轨迹的绘制过程。

例 4-4 已知系统的开环传递函数为

$$G(s)H(s) = \frac{K^*(s+3)}{(s+1)(s+2)}$$

试绘制根轨迹。

解 根据绘制根轨迹基本规则，其具体步骤为：

（1）画出开环零、极点分布图，起点在 $-p_1 = -1$，$-p_2 = -2$ 处，终点在 $-z_1 = -3$ 及无穷远处。

（2）根轨迹有两条分支，且对称于实轴。

（3）实轴上的根轨迹分布在 $-2 \sim -1$ 之间和 $-\infty \sim -3$ 之间。

（4）本例中 $n=2$，$m=1$，因此有

$$\sigma = -\frac{\sum_{j=1}^{n} p_j - \sum_{i=1}^{m} z_i}{n-m} = -\frac{(1+2)-3}{2-1} = 0$$

$$\theta = \frac{\pm 180°(2k+1)}{2-1} = \pm 180° \quad (k=0)$$

所以，渐近线为整个负实轴，有一条根轨迹沿实轴趋于 $-\infty$。

（5）由规则 5 可知，两极点 -1 和 -2 之间是根轨迹，必有分离点；零点 -3 与 $-\infty$ 之间是根轨迹，必有会合点。设交点为 s，根据式（4-28）有

$$\frac{1}{s+1} + \frac{1}{s+2} = \frac{1}{s+3}$$

由上式求得 $s = -3 \pm \sqrt{2}$，即 $s_1 = -1.586$（分离点）；$s_2 = -4.414$（会合点）。

由幅值条件，可求得在 s_1 处的 $K^* = 0.172$，在 s_2 处的 $K^* = 5.818$。根据以上计算和分析，可绘出根轨迹如图 4-8 所示。

如果用 $s = \alpha + j\beta$ 代入特征方程 $1 + G(s)H(s) = 0$ 中，经整理可得到以下方程式：

$$(\alpha+3)^2 + \beta^2 = (\sqrt{2})^2$$

显然，这是个圆的方程式，其圆心的坐标为 $(-3, 0)$，半径为 $\sqrt{2}$。

由此例可以推广到一般形式，可以证明：若系统的开环传递函数为

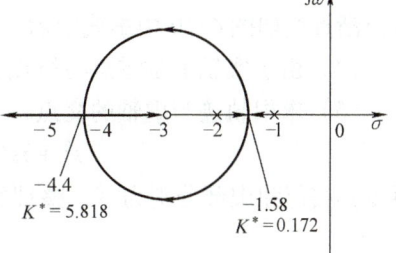

图 4-8 例 4-4 的根轨迹图

$$G(s)H(s) = \frac{K(s+z_1)}{(s+p_1)(s+p_2)}$$

且 z_1 大于 p_1 和 p_2（即开环零点位于两开环极点之左），则系统根轨迹在复平面上为一个圆，其圆心在 $-z$，半径为 $\sqrt{(z_1-p_1)(z_1-p_2)}$。

如果上述开环极点 p_1 和 p_2 是一对共轭复数极点，则复平面上的根轨迹将是圆的一部分，如图4-9a 所示。若系统有两个开环零点，且分布如图4-9b、c 所示，则其根轨迹也将是圆或圆弧。需要说明的是，图4-9b 中圆的中心不在开环零点处。

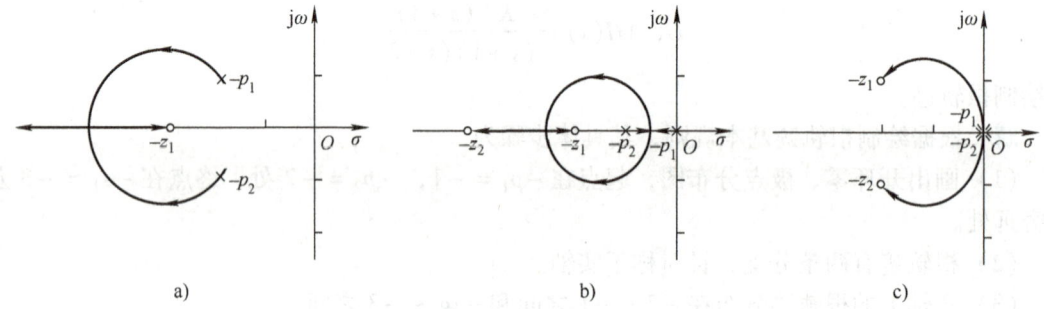

图 4-9 根轨迹是圆或圆弧的示例

例 4-5 某控制系统的开环传递函数为

$$G(s)H(s) = \frac{K^*(s+2)}{s(s+3)(s^2+2s+2)}$$

试绘制系统根轨迹图。

解 根据根轨迹绘制规则，计算步骤为：

（1）有 4 个开环极点，1 个开环零点，故有 4 条根轨迹，分别起始于 0、-3、$-1 \pm j$；1 条根轨迹终止于 -2，另外 3 条根轨迹趋于无穷远处。

（2）实轴上的根轨迹分布在 $-2 \sim 0$ 之间及 $-\infty \sim -3$ 之间。

（3）渐近线的条数为 $n-m=4-1=3$。渐近线的交点及夹角分别为

$$\sigma = -\frac{(3+1+j+1-j)-2}{4-1} = -1$$

$$\theta = \pm 60°, \quad -180°$$

绘出渐近线如图 4-10 中虚线所示。

（4）由于实轴上是零点与极点间的根轨迹，故没有分离点及会合点。

（5）求根轨迹与虚轴的交点 令 $s = j\omega$ 代入特征方程，即

$$s^4 + 5s^3 + 8s^2 + (6+K^*)s + 2K^* = 0$$

再令其实部和虚部分别为零，整理后得

$$-5\omega^3 + (6+K^*)\omega = 0$$

$$\omega^4 - 8\omega^2 + 2K^* = 0$$

解此方程组，舍去无意义解后得 $\omega = \pm 1.61$，此时 $K^* = 7$。即根轨迹与虚轴的交点为 $\pm j1.61$，对应的根轨迹增益 $K^* = 7$。

(6) 求复数极点的出射角 以 $-p_1 = -1 + j$ 为参考极点的出射角计算见例 4-3，为
$$\theta_{p1} = -26.6°$$

同理，由根轨迹关于实轴的对称性，极点 $-p_2 = -1 - j$ 的出射角为 $+26.6°$。所绘完整根轨迹如图 4-10 所示。本题根轨迹与虚轴的交点 1.61 小于渐近线与虚轴的交点 1.732，所以该根轨迹从复数极点出发穿过渐近线后向右半平面移动。

在该题中，如果要确定 $K^* = 7$ 时系统的另外两个闭环根 $-s_1$ 和 $-s_2$，可用规则 8。由式（4-37）和式（4-39），有
$$\begin{cases} s_1 + s_2 = 5 \\ 1.61^2 \cdot s_1 \cdot s_2 = 2K^* \end{cases}$$
联立求解，得 $-s_1 = -1.58$，$-s_2 = -3.42$。

例 4-6 某系统的开环传递函数为
$$G(s)H(s) = \frac{K^*}{s(s+4)(s^2+4s+20)}$$
试绘制控制系统的根轨迹图。

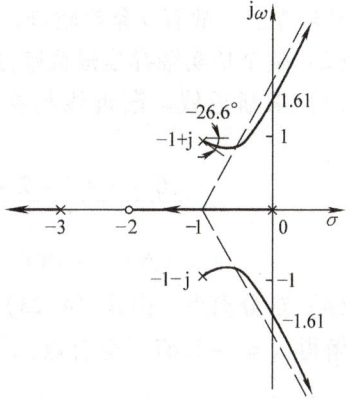

图 4-10 例 4-5 的根轨迹图

解 根据根轨迹绘制规则，具体步骤为：

(1) $n = 4$，即开环极点分别为 $p_1 = 0$，$p_2 = -4$，$p_3 = -2 + j4$，$p_4 = -2 - j4$；$m = 0$。故有 4 条根轨迹，均趋于无限零点。

(2) 实轴上的根轨迹位于 $0 \sim -4$ 之间。

(3) 求渐近线。渐近线与实轴的交点及夹角分别为
$$\sigma = \frac{0 - 4 - 2 + j4 - 2 - j4}{4} = -2$$
$$\theta = \frac{\pm 180°(2k+1)}{4} = \pm 45°, \pm 135°, \quad k = 0, 1$$

(4) 求分离点。由式（4-23）可知，分离点方程为
$$s^3 + 6s^2 + 18s + 20 = 0$$
解得 $s_1 = -2$，$s_2 = -2 + j2.45$，$s_3 = -2 - j2.45$。故在复平面上有分离点。

(5) 求与虚轴的交点。令 $s = j\omega$，代入特征方程
$$s(s+4)(s^2+4s+20) + K^* = 0$$
得
$$j\omega(j\omega+4)[(j\omega)^2 + 4j\omega + 20] + K^* = \omega^4 - 36\omega^2 + K^* + j\omega(-8\omega^2 + 80) = 0$$
令上式两边实部和虚部分别相等，有
$$\begin{cases} \omega^4 - 36\omega^2 + K^* = 0 \\ \omega(-8\omega^2 + 80) = 0 \end{cases}$$
联立求解，得
$$\omega = \pm \sqrt{10} = \pm 3.16$$
$$K^* = 260$$

(6) 求复数极点的出射角。复数极点 $-2 + j4$ 的出射角为 $180° - 90° - 180° = -90°$。因此 $-2 - j4$ 的出射角为 $90°$。绘制系统根轨迹如图 4-11 所示。

例 4-7 某系统的开环传递函数为 $G(s)H(s) = K^*/[s(s^2+4s+5)]$，试绘制系统的根轨迹图。

解 根据根轨迹绘制规则，步骤如下：

（1）由给定开环传递函数，求出其开环极点分别为：0，$-2+j$ 和 $-2-j$，在 s 平面标出开环极点位置；没有开环零点。故有 3 条根轨迹，均趋于无穷远处。

（2）整个负实轴都是根轨迹分布区间。

（3）求渐近线。渐近线与实轴的交点和夹角分别为

$$\sigma = \frac{0-2+j-2-j}{3} = -\frac{4}{3}$$

$$\theta = \pm 60°, -180°$$

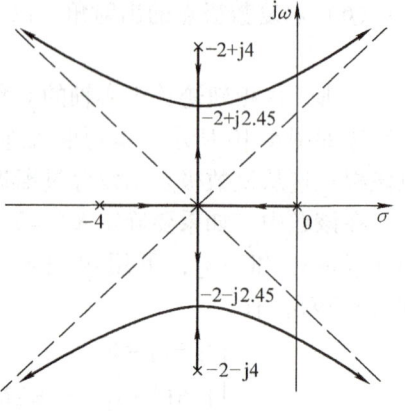

图 4-11 例 4-6 系统根轨迹图

（4）求分离点。由式（4-23）可求出分离点方程为 $3s^2+8s+5=0$。

解得 $s_1 = -1.67$（会合点），$s_2 = -1$（分离点），说明在负实轴上既有会合点，也有分离点。

利用幅值条件求出相应的 K^* 值，即

$$K_1^* = |s||s+2+j||s+2-j||_{s=1.67} = 1.85$$

$$K_2^* = |s||s+2+j||s+2-j||_{s=1} = 2$$

（5）求与虚轴交点。将 $s=j\omega$ 代入特征方程 $s^3+4s^2+5s+K^*=0$ 中，得 $\omega = \sqrt{5} = 2.24$，$K^* = 20$。绘出根轨迹如图 4-12a 所示。

（6）求复数极点 $-2+j$ 的出射角，即

$$\theta_p = 180° - 90° - (90° + \arctan 2) = -63.4°$$

分析：当 $0 < K^* < 20$ 时，系统是稳定的；其中在 $1.85 \leq K^* \leq 2$ 区间，系统的响应是过阻尼的。

如果系统的一对开环极点改为 $-1+j$ 和 $-1-j$，则根轨迹则为图 4-12b 所示。由此可见，在开环极点（或零点）数目不变的情况下，其位置的微小变化会引起根轨迹形状的改变。

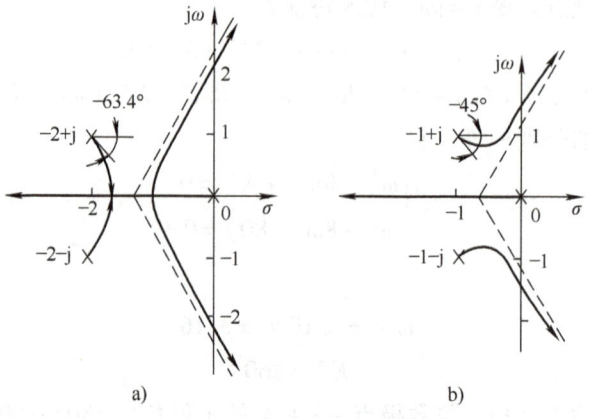

图 4-12 例 4-7 根轨迹图

例 4-8 设某系统的开环传递函数为

$$G(s)H(s) = \frac{K^*(s+0.125)}{s^2(s+5)(s+20)(s+50)}$$

试绘制该系统的根轨迹图。

解 根据题意有：

（1）系统的开环极点为 0、0、-5、-20 和 -50，故 $n=5$。系统的开环零点为 -0.125，故 $m=1$。所以，根轨迹共有 5 条分支，分别起于 5 个开环极点，1 条终于零点 -0.125，另外 4 条趋于无穷远点。

（2）实轴上的轨迹分布于 -0.125 ~ -5 之间和 -20 ~ -50 之间。

（3）渐近线。因为 $n-m=4$，故有 4 条渐近线。

$$\sigma = -\frac{(50+20+5)-0.125}{5-1} = -18.7$$

$$\theta = \frac{\pm 180°(2k+1)}{5-1} = \pm 45°, \pm 135°$$

（4）实轴上的分离点及会合点。

在该系统中，开环零点 -0.125 和开环极点 0 之间相距很近，而与其他开环极点间的距离相距很远。因此可做如下近似处理：在绘制原点附近的根轨迹时，略去远离原点极点的影响。在绘制远离原点的根轨迹时，略去原点附近的一对零、极点的影响。

1）求原点附近的根轨迹和会合点。略去远离原点的极点，传递函数简化为

$$G(s)H(s) = \frac{K^*(s+0.125)}{s^2}$$

因此，实轴上根轨迹分布在零点 -0.125 的左侧，并且一定有会合点。在原点处为二重极点，其分离角为 $\pm 90°$。令 $\mathrm{d}[G(s)H(s)]/\mathrm{d}s = 0$，整理得

$$2s(s+0.125) - s^2 = 0$$

解此方程，得 $s_1 = -0.25$，即为会合点；$s_2 = 0$，即为重极点的分离点。在原点附近的根轨迹如图 4-13b 所示。

2）求远离原点的根轨迹和分离点。略去原点附近的一对开环零、极点（即零点 -0.125 和原点处的极点 0），传递函数简化为

$$G(s)H(s) = \frac{K^*}{s(s+5)(s+20)(s+50)}$$

令 $\mathrm{d}[G(s)H(s)]/\mathrm{d}s = 0$，整理得

$$s^3 + 56.25s^2 + 675s + 1250 = 0$$

解此方程，并舍去无意义根，得到两个分离点为 $s_1 = -2.26$，$s_2 = -40.3$。分离点处的分离角为 $\pm 90°$。

（5）根轨迹与虚轴的交点。令 $s = \mathrm{j}\omega$ 并代入特征方程，经整理后得

$$\begin{cases} -75\omega^2 + 5000\omega = 0 \\ \omega^4 - 1350\omega^3 + K^* = 0 \end{cases}$$

解此方程组得：$\omega = \pm 8.16$，$K^* = 8.65 \times 10^4$。完整的根轨迹如图 4-13a 所示。

注意：该题中的零点 -0.125 和极点 -5 之间既有会合点，也有分离点。

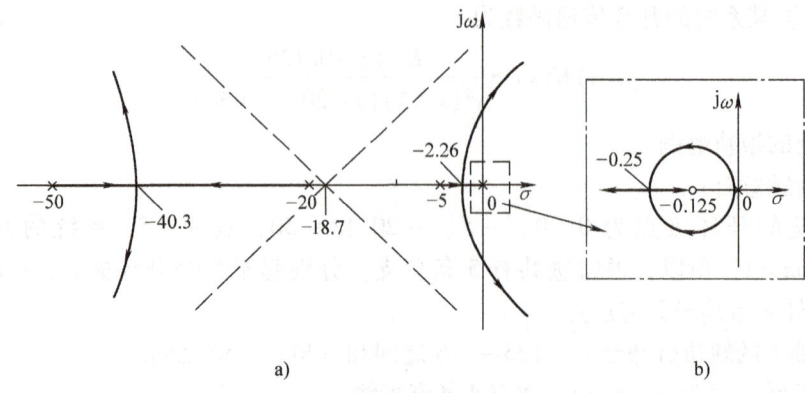

图 4-13 例 4-8 的根轨迹图

4.4 广义根轨迹的绘制

前面讨论的是以开环根轨迹增益 K^* 为可变参量的负反馈系统根轨迹的绘制方法,这是最常见的情况,一般称为常规根轨迹。在实际应用中,除了增益 K^* 外,还经常研究系统其他参数变化时对闭环特征根的影响,或有时也需绘制正反馈系统的根轨迹。通常将以非开环根轨迹增益为可变参数,或非负反馈系统的根轨迹称为广义根轨迹。本节将讨论参变量根轨迹和正反馈系统根轨迹的绘制方法。

4.4.1 参变量根轨迹的绘制

以非开环根轨迹增益为可变参数绘制的根轨迹,称作参变量根轨迹,也称参数根轨迹。参变量根轨迹可以用来分析系统中的各种参数,如环节的时间常数、PID 控制器中的微分时间和积分时间常数等对系统性能的影响。

绘制参变量根轨迹的规则与常规根轨迹完全相同。只是在绘制参变量根轨迹之前,需将控制系统的特征方程进行等效变换,求出等效开环传递函数。

由式(4-21)知,系统开环传递函数可写为

$$G(s)H(s) = \frac{K^* P(s)}{Q(s)}$$

则系统闭环特征方程为

$$K^* P(s) + Q(s) = 0$$

用不含待讨论参数的各项除方程两端,将其写成符合于以非开环增益的待定参数 K' 为可变参量时绘制根轨迹的形式,即

$$1 + [G(s)H(s)]' = 1 + K'\frac{P'(s)}{Q'(s)} = 0 \quad (4\text{-}40)$$

式中,$P'(s)$ 及 $Q'(s)$ 都是复变量 s 的多项式。其中,s 最高次项的系数为 1,而且它们必须满足方程

$$K'P'(s) + Q'(s) = 1 + G(s)H(s) = 0 \quad (4\text{-}41)$$

式(4-40)中的

$$[G(s)H(s)]' = K'\frac{P'(s)}{Q'(s)} = -1 \qquad (4\text{-}42)$$

称为等效开环传递函数，K' 称为等效根轨迹增益。

根据式（4-42）等效开环传递函数，按照 4.3 节介绍的根轨迹绘制规则可以绘制出以 K' 为变量的参数根轨迹。应该指出，等效开环传递函数满足式（4-41），是在系统特征方程相同这一点上的等效。因此，由等效开环传递函数描述的系统与原系统具有相同的闭环极点，但其闭环零点一般是不同的。因为系统的闭环极点和零点对动态性能均有影响，所以在用闭环零、极点分布来分析系统性能时，应该采用参变量根轨迹上的闭环极点和原系统的闭环零点。

下面举例说明参变量根轨迹的绘制方法。

例 4-9　设一随动系统如图 4-14 所示。当开环放大系数 $K=5$ 时，试绘制以速度反馈系数 K_t 为参变量的根轨迹。

解　系统开环传递函数为

$$G(s)H(s) = \frac{10(1+K_t s)}{s(s+2)}$$

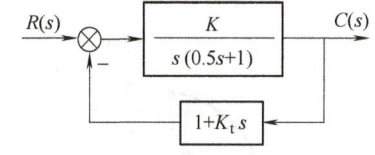

图 4-14　随动系统结构图

为绘制以 K_t 为参量的根轨迹，首先写出特征方程为

$$s^2 + 2s + 10 + 10K_t s = 0$$

以特征方程中不含 K_t 的项（$s^2+2s+10$）除方程式各项，得

$$1 + \frac{10K_t s}{s^2 + 2s + 10} = 0$$

因此等效开环传递函数为

$$[G(s)H(s)]' = \frac{10K_t s}{s^2 + 2s + 10} = \frac{K' s}{(s+1+j3)(s+1-j3)}$$

式中，$K' = 10K_t$ 为等效根轨迹增益。

根轨迹绘制步骤如下：

1）等效开环极点数 $n=2$，等效开环零点数 $m=1$，根轨迹有两条分支，分别起始于极点 $-1+j3$ 和 $-1-j3$，终止于有限零点 0 及无穷远点。

2）实轴上的根轨迹分布在 $0 \sim -\infty$ 之间。

3）求会合点。令

$$\frac{\mathrm{d}[G(s)H(s)]'}{\mathrm{d}s} = 0$$

解出 $s = \pm\sqrt{10} = \pm 3.12$；$s_1 = +3.12$ 不合题意，舍去；$s_2 = -3.12$ 为会合点，会合角为 $\pm 90°$。

由幅值条件，可求得会合点处的 K'，即

$$K' = \frac{|s+1+j3||s+1-j3|}{|s|} = \frac{3.65 \times 3.65}{3.12} = 4.3$$

所以 $K_t = 0.43$。

4）求复数极点 $-1+j3$ 的出射角，即

$$\theta_p = 180° - 90° + (180° - \arctan 3) = 198°$$

以 K_t 为参变量的根轨迹如图 4-15 所示。

事实上，在例 4-9 中，系统等效开环传递函数可以写为

$$[G(s)H(s)]' = \frac{2KK_t s}{s^2 + 2s + 2K} = \frac{K's}{(s+1+\sqrt{1-2K})(s+1-\sqrt{1-2K})}$$

可见等效开环零点是固定的，在原点处；等效开环极点由 K 值确定，参见前面的图 4-2 根轨迹，当 K 取值大于 0.5 时，等效开环极点为一对共轭复数，其实部总是 -1，虚部随 K 值增加向复平面延伸。如 K 分别取 1、2.5、5 及 8.5 时，虚部分别为 $\pm j$、$\pm j2$、$\pm j3$ 和 $\pm j4$。按照例 4-9 步骤，可以类似地得到以速度反馈系数 K_t 为参变量的根轨迹簇，如图 4-16 所示。由此可见，以 K_t 为参变量的根轨迹的起始点，在以 K 为变量的根轨迹上。

读者可以思考：当 K 值小于或等于 0.5 时，根轨迹是什么形状？

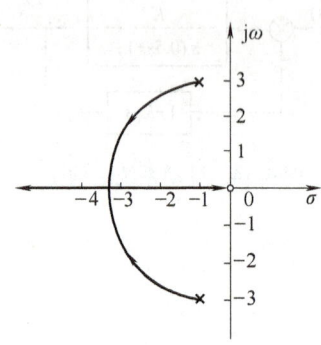

图 4-15 例 4-9 根轨迹图

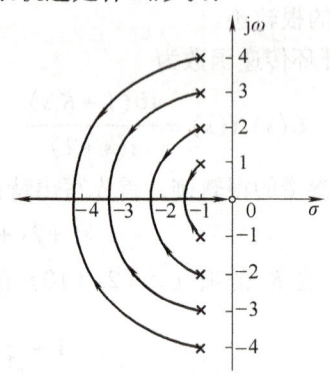

图 4-16 K 取不同值时的根轨迹簇

4.4.2 正反馈系统根轨迹的绘制

对于具有开环传递函数为 $G(s)H(s)$ 的正反馈系统，其闭环特征方程为

$$1 - G(s)H(s) = 0$$

所以，正反馈系统的根轨迹方程为

$$G(s)H(s) = 1 \qquad (4\text{-}43)$$

幅值条件为

$$|G(s)H(s)| = 1 \qquad (4\text{-}44)$$

相角条件为

$$\angle G(s)H(s) = \pm 2k\pi, \qquad k = 0,1,2,\cdots \qquad (4\text{-}45)$$

与负反馈系统的根轨迹方程相比，它们的幅值条件相同，相角条件不同。负反馈系统的相角满足 $\pi + 2k\pi$，而正反馈系统的相角满足 $0 + 2k\pi$。所以，通常也称负反馈系统的根轨迹为 180°根轨迹，正反馈系统的根轨迹为 0°根轨迹。在正反馈系统根轨迹的绘制规则中，需要调整的规则如下，其他规则不变。

(1) 实轴上根轨迹的确定　实轴上属于根轨迹的部分，其右边开环零、极点的个数为偶数。

(2) 根轨迹的渐近线　如果系统的有限开环零点数 m 少于其开环极点数 n，则当根轨

迹增益 $K^* \to \infty$ 时，趋向无穷远处根轨迹的渐近线共有 $(n-m)$ 条。这些渐近线在实轴上交于一点，其坐标是

$$\sigma = -\frac{\sum_{j=1}^{n} p_j - \sum_{i=1}^{m} z_i}{n - m} \tag{4-46}$$

而它们与实轴正方向的夹角为

$$\theta = \frac{\pm 2k\pi}{n - m} \tag{4-47}$$

其中 k 可取 $0, 1, 2, \cdots, n-m-1$。

（3）根轨迹的出射角和入射角 开环复数极、零点的出射角与入射角可根据下面的公式计算：

$$\theta_{p_l} = \sum_{i=1}^{m} \angle(s + z_i) - \sum_{\substack{j=1 \\ j \neq l}}^{n} \angle(s + p_j) \tag{4-48}$$

$$\theta_{z_l} = -\sum_{\substack{i=1 \\ i \neq l}}^{m} \angle(s + z_i) + \sum_{j=1}^{n} \angle(s + p_j) \tag{4-49}$$

需要指出，这里所说的正反馈系统，不能仅从系统结构上判断，而应看系统根轨迹方程的相角条件是否满足式（4-45）。正反馈系统的来源可能取决于两个方面：一是系统中包含有正反馈回路；其次是系统中含有 s 最高次幂的系数为负的因子。

例 4-10 设负反馈控制系统的开环传递函数为

$$G(s)H(s) = \frac{K^*(-s^2 - s + 2)}{s(s^2 + 2s + 5)}$$

试绘制系统的根轨迹。

解 首先将系统的开环传递函数改写为

$$G(s)H(s) = \frac{-K^*(s^2 + s - 2)}{s(s^2 + 2s + 5)}$$

按式（4-9）的根轨迹方程，有

$$\frac{-K^*(s-1)(s+2)}{s(s+1+\mathrm{j}2)(s+1-\mathrm{j}2)} = -1$$

亦即

$$\frac{K^*(s-1)(s+2)}{s(s+1+\mathrm{j}2)(s+1-\mathrm{j}2)} = 1$$

由上式可知，该根轨迹方程与正反馈系统根轨迹方程式（4-43）的形式一样，因此，应按 $0°$ 根轨迹的规则绘图。步骤如下：

1）系统开环零点数 $m=2$，且 $-z_1 = -2$，$-z_2 = 1$；开环极点数 $n=3$，且 $-p_1 = 0$，$-p_2 = -1+\mathrm{j}2$，$-p_3 = -1-\mathrm{j}2$。

2）由 $0°$ 根轨迹的绘制规则可知，实轴上的根轨迹分布为 $[0, -2]$ 及 $[1, \infty)$ 两段。

3）渐近线与实轴正方向的夹角为 $0°$，故渐近线与实轴重合。

4）求会合点。由

$$\frac{d[G(s)H(s)]}{ds} = 0$$

得会合点方程

$$s^4 + 2s^3 - 9s^2 - 8s - 10 = 0$$

用试探法解得会合点 $s = 2.8$。

5）求出射角。在两个复数极点处，根轨迹的出射角为

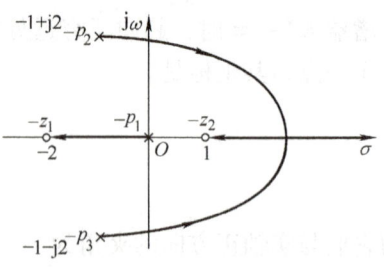

图 4-17 例 4-10 根轨迹图

$$\begin{aligned}
\theta_{p_2} &= 0° + \angle(p_2 + z_1) + \angle(p_2 + z_2) \\
&\quad - \angle(p_2 + p_1) - \angle(p_2 + p_3) \\
&= 0° + 63.4° + 135° - 116.6° - 90° = -8.2°
\end{aligned}$$

$$\theta_{p_3} = 8.2°$$

6）求根轨迹与虚轴的交点。此时，系统特征方程为

$$s^3 + (2 - K^*)s^2 + (5 - K^*)s + 2K^* = 0$$

用劳斯判据求得根轨迹与虚轴的交点为 $s_{1,2} = \pm j1.92$，相应 $K^* = 1.3$。

根据以上所求数据，绘出根轨迹如图 4-17 所示。

4.5 控制系统的根轨迹分析

应用根轨迹法分析系统，首先根据系统开环零、极点的分布绘出系统的根轨迹图，再由根轨迹来分析系统的稳定性，研究闭环极点随系统中某个参数变化而改变其在复平面上的分布位置，从而找到使系统性能随之发生变化的规律。也可以根据系统对性能指标的要求，在根轨迹上选择合适的闭环极点位置，为改善控制系统性能提供理论依据。

4.5.1 性能指标在 s 平面上的表示

系统的闭环极点在系统性能分析中起着主要作用，而系统过渡过程与特征方程的根在 s 平面上的分布密切相关。因此，通过观察特征根的位置就可以进一步了解过渡过程质量的大致情况。前面已经讨论了控制系统的主要性能指标，如最大百分比超调量、调节时间、振荡频率等，它们都可以定量地在 s 平面上表示出来。

下面讨论针对二阶系统闭环传递函数

$$\frac{C(s)}{R(s)} = \frac{\omega_n^2}{s^2 + 2\zeta\omega_n s + \omega_n^2}$$

中，当 $0 < \zeta < 1$ 时，也就是一对闭环特征根为 $s_{1,2} = -\zeta\omega_n \pm j\omega_n\sqrt{1-\zeta^2}$ 的情况。

（1）最大百分比超调量 在 s 平面上，考虑从原点出发的一条射线，若射线与负实轴的夹角为 β，射线上任一点的坐标为 $(-\zeta\omega_n, j\omega_n\sqrt{1-\zeta^2})$，则

$$\cos\beta = \zeta \tag{4-50}$$

如图 4-18a 所示。

式 (4-50) 说明，只要 ζ 一定，则 β 就一定，射线 OP 的方向就不变。换句话说，在射

线 OP 上具有相同的 ζ 值,故称此射线为等 ζ 线。

当 $\zeta \to 0$ 时,$\beta \to 90°$,等 ζ 线趋近虚轴,系统过渡过程接近于等幅振荡;当 $\zeta \to 1$ 时,$\beta \to 180°$,等 ζ 线靠近实轴,系统过渡过程基本为不振荡。

由第 3 章知,最大百分比超调量的计算公式为

$$\sigma\% = e^{-\frac{\pi\zeta}{\sqrt{1-\zeta^2}}} \times 100\%$$

因此,最大百分比超调量 $\sigma\%$ 是阻尼比 ζ 的函数,且当 ζ 越小,百分比超调量 $\sigma\%$ 越大。

(2) 调节时间　系统的调节时间,也称过渡过程时间或调整时间。当 $0 < \zeta < 0.9$ 时,调节时间可用 $3/(\zeta\omega_n)$(误差带 $\pm 5\%$)或 $4/(\zeta\omega_n)$(误差带 $\pm 2\%$)估算。也就是说,调节时间只取决于特征根的实部。因此,在 s 平面上做一条垂直于实轴的直线,在这条直线上的特征根都具有相同的实部,所以这些根所对应的过渡过程时间基本相同,故称这条垂直线为等时线。

当 $\zeta\omega_n$ 增加时,调节时间相应变短;反之,调节时间相应就长。如果对调节时间有限制的话,就要使特征根与虚轴保持一定的距离。如图 4-18b 所示,在等时线的左侧画上阴影,则阴影区域内的特征根对应于较短的时间响应过程,这个区域就是调节时间的合格区。

(3) 振荡频率　系统过渡过程的振荡频率 $\omega_d = \omega_n\sqrt{1-\zeta^2}$,为特征根的虚部。如果两系统的 ω_d 相同,则它们的振荡频率就相同。即在 s 平面上,当特征根的虚部相同时,将对应于相同振荡频率的过渡过程。取 ω_d 等于常数,做一条平行于实轴的直线,该直线称为等频线。

ω_d 值越大,系统的振荡频率越高;反之,ω_d 值越小,相应的振荡频率越低。在控制系统设计中,不希望振荡频率过高。因为振荡频率过高,意味着系统中一些元件的动作过于频繁,会造成过大的磨损而增加维修工作量。为了延长元件寿命,振荡频率应在某值以下。如图 4-18c 中所示的阴影区为工作频率的合格区。

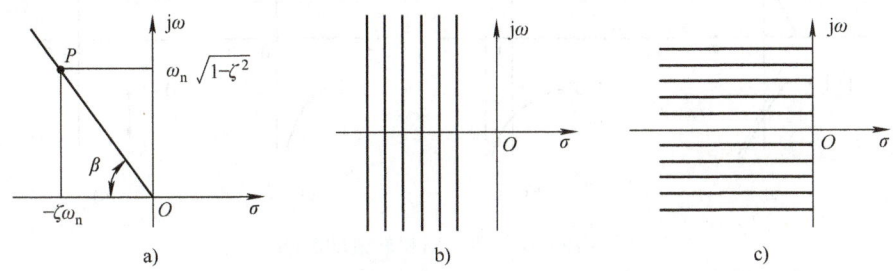

图 4-18　s 平面上的 3 种规律
a) 等 ζ 线　b) 等时线　c) 等频线

综合上述讨论,在 s 平面上有 3 种规律:第一,是在通过原点射线上的特征根,这些特征根都对应于百分比超调量相同的过程;第二,是在垂直于实轴直线上的特征根,它们对应有基本相同的调节时间;第三,是在平行于实轴直线上的特征根,它们对应振荡频率相等的过程。这 3 种规律是分析设计自动控制系统的有用依据。

4.5.2　开环零、极点对根轨迹的影响

由于根轨迹的形状取决于系统的开环零、极点的分布,因此在系统中增加开环零、极点的个数或改变开环零、极点在 s 平面上的位置,可以改变根轨迹的形状,也可以影响控制系

统的性能。

1. 增加开环零点对根轨迹的影响

为了说明增加开环零点对根轨迹图的影响，首先考虑渐近线在增加零点前后的变化。对于一般的反馈控制系统，其开环极点数 n 通常都大于开环零点数 m。因此，渐近线在实轴上的交点和夹角可按式（4-19）和式（4-20）计算。

当增加一个开环零点 $-z_0$ 后（此时开环零点数为 $m+1$），渐近线在实轴上的交点和夹角分别用 σ_z 和 θ_z 表示，则式（4-19）和式（4-20）可改写为

$$\sigma_z = -\frac{\sum_{j=1}^{n} p_j - \sum_{i=1}^{m} z_i - z_0}{n - m - 1} \tag{4-51}$$

及

$$\theta_z = \frac{\pm 180°(2k+1)}{n - m - 1} \tag{4-52}$$

式（4-51）和式（4-52）表明，增加零点后，根轨迹渐近线的形状和重心将发生变化，且随 $-z_0$ 数值增大，σ_z 向左移动的距离也愈大。因此，渐近线将带动根轨迹向左半 s 平面弯曲或移动。

图 4-19 说明了增加开环零点对根轨迹的影响。图 4-19a 为具有 3 个开环极点的根轨迹图，当增加一个开环零点 $-z_0$，且分别取零点 $-z_0 = -3$、-2 和 0，绘出所对应的根轨迹如图 4-19b、c、d 所示。

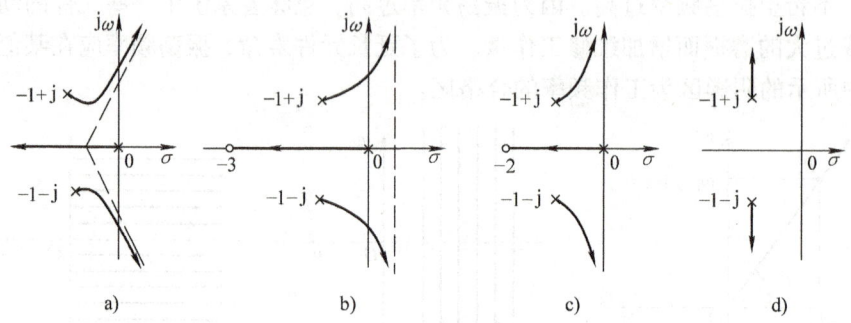

图 4-19 增加零点对根轨迹的影响

a）原系统根轨迹　b）增加零点 $-z_0 = -3$　c）增加零点 $-z_0 = -2$　d）增加零点 $-z_0 = 0$

从图中看出，增加开环零点后，使得根轨迹图形向 s 左半平面弯曲或移动，从而使闭环系统的稳定性得到提高。而且，零点 $-z_0$ 值愈大，即零点愈靠近虚轴，改善的效果愈明显。

必须指出，上述结论并不意味着零点愈大愈好。如果零点过于接近原点，则闭环系统的一个主要实数根距离虚轴太近，会使系统的过渡过程时间很长，这通常也是不希望的。

下面再举例说明增加零点对系统性能的影响。

例 4-11 某控制系统的开环传递函数为

$$G(s)H(s) = \frac{K_c(T_d s + 1)}{(s - 1)(0.5s + 1)(0.2s + 1)}$$

试讨论微分时间常数 T_d 对系统性能的影响。

解 根据题意，如果 $T_d = 0$，系统开环传递函数为

$$G(s)H(s) = \frac{K^*}{(s-1)(s+2)(s+5)}$$

式中，$K^* = 10K_c$。从开环传递函数表达式中可以看出，该系统存在一个正值开环极点（又称不稳定极点）。根据根轨迹绘图规则，其关键数据为：

渐近线交点坐标 $\sigma = -2$，渐近线夹角 $\theta = \pm 60°$，$-180°$；分离点 $s_1 = -0.27$，相应 $K_c = 1.04$；根轨迹与虚轴的交点 $s_{2,3} = \pm j1.7$，相应 $K_c = 2.8$；在原点处 $s_0 = 0$ 时，相应 $K_c = 1$。

所以系统只有在 $1 < K_c < 2.8$ 的很小范围内才是稳定的，该系统常称为条件稳定系统。

为改善系统性能，采用比例微分控制器，也即增加一个开环零点，零点的位置在 $-1/T_d$ 处。

（1）选 $T_d = 0.4$，则系统开环传递函数为

$$G(s)H(s) = \frac{K^*(s+2.5)}{(s-1)(s+2)(s+5)}$$

式中，$K^* = 10K_cT_d = 4K_c$。

依据根轨迹绘制规则，求出关键数据：渐近线交点 $\sigma = -1.75$，夹角 $\theta = \pm 90°$；分离点 $s_1 = -0.9$，相应 $K_c = 1.34$；根轨迹在原点，即 $s_0 = 0$ 时，$K_c = 1$。绘出根轨迹如图 4-20a 所示。

（2）选 $T_d = 1$，则系统开环传递函数为

$$G(s)H(s) = \frac{K^*(s+1)}{(s-1)(s+2)(s+5)}$$

式中，$K^* = 10K_cT_d = 10K_c$。

求出根轨迹关键数据：渐近线交点 $\sigma = -2.5$，夹角 $\theta = \pm 90°$；分离点 $s_1 = -3.27$，相应 $K_c = 0.413$；根轨迹在原点，即 $s_0 = 0$ 时，$K_c = 1$。绘出根轨迹如图 4-20b 所示。

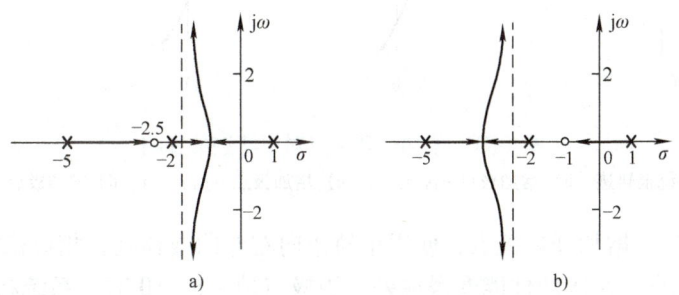

图 4-20 增加开环零点对根轨迹的影响
a）增加开环零点 -2.5　b）增加开环零点 -1

由图 4-20 可知，增加开环零点后，将原来系统的两条主要根轨迹拉向了左半 s 平面，使原来稳定程度很低的系统变为具有良好稳定性的系统，只要 $K_c > 1$，系统就是稳定的。所以增加开环零点对系统稳定性是有利的。

但是零点位置不同，改善的效果有所不同。当 T_d 值较小，即零点位于 $-5 \sim -2$ 之间时，选择适当 K_c 值，使得系统具有一对共轭复数主导极点，可以获得满意的衰减振荡过程；

当 T_d 值较大,即零点位于 $-2 \sim 0$ 之间时,闭环主导极点将是一个实数极点,且离虚轴较近,系统的时间响应将是较为缓慢的过阻尼过渡过程。所以微分时间常数的选择要适当。

2. 增加开环极点对根轨迹的影响

如前所述,当增加一个开环极点 $-p_0$ 后(此时开环极点数为 $n+1$),渐近线与实轴的交点和夹角分别用 σ_p 和 θ_p 表示,则式(4-19)和式(4-20)可改写为

$$\sigma_p = -\frac{\sum_{j=1}^{n} p_j - \sum_{i=1}^{m} z_i + p_0}{n - m + 1} \tag{4-53}$$

及

$$\theta_p = \frac{\pm 180°(2k+1)}{n - m + 1} \tag{4-54}$$

由式(4-53)和式(4-54)知,增加开环极点后,根轨迹渐近线的重心将沿实轴向右移动,渐近线的方向也将向右倾斜。且 $-p_0$ 数值愈大,向右移动的距离也愈大。因此,渐近线将带动根轨迹向右半 s 平面弯曲或移动,从而可能引起系统性能变差,甚至造成系统不稳定。

图 4-21 说明了增加开环极点对根轨迹的影响。图 4-21a 为具有两个开环极点的根轨迹图,当增加一个开环极点 $-p_0$,且分别取极点 $-p_0 = -4$、-1 和 0,绘出所对应的根轨迹如图 4-21b、c、d 所示。

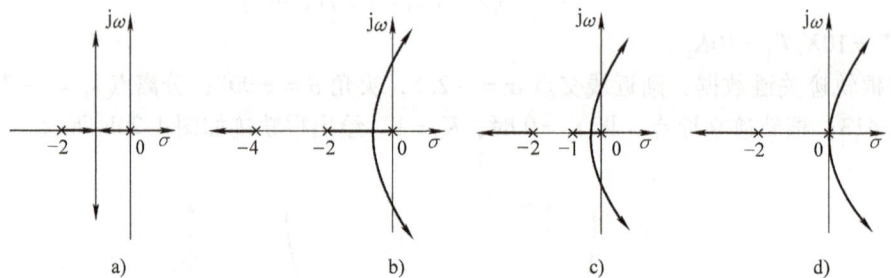

图 4-21 增加开环极点对根轨迹的影响
a)原系统根轨迹 b)增加极点 $-p_0 = -4$ c)增加极点 $-p_0 = -1$ d)增加极点 $-p_0 = 0$

由图 4-21 可见,增加开环极点,使得根轨迹向右弯曲或移动,相对稳定性变差。而且,当极点值愈接近原点,系统的性能变得愈差。当极点值 $-p_0 = 0$ 时,系统将始终处于不稳定状态。

4.5.3 闭环零、极点分布与系统性能的关系

当系统的闭环零、极点位置确定以后,则可以根据闭环零、极点分布与系统瞬态响应的关系来分析系统的性能。

1. 闭环系统的瞬态响应

典型控制系统(见图 4-3)的闭环传递函数为

$$\frac{C(s)}{R(s)} = \frac{G(s)}{1+G(s)H(s)} = K_B \frac{\prod_{i=1}^{m}(s+z_i)}{\prod_{j=1}^{n}(s+s_j)} \tag{4-55}$$

式中，$-z_i$ 为系统的闭环零点。由式（4-55）可知，系统的闭环零点由系统前向通道的零点与反馈通道的极点组成。对于单位反馈系统，闭环零点就是开环零点，所以闭环零点是已知的；$-s_j$ 为系统的闭环极点，可由根轨迹图确定；K_B 为与系统闭环增益成比例的系数，由式（4-55）可知，它也是已知的。

单位阶跃输入时系统输出函数的拉普拉斯变换为

$$C(s) = K_B \frac{\prod_{i=1}^{m}(s+z_i)}{s\prod_{j=1}^{n}(s+s_j)}$$

对上式求拉普拉斯反变换，得

$$c(t) = L^{-1}[C(s)] = C_0 + \sum_{j=1}^{n} C_j e^{-s_j t} \tag{4-56}$$

式中，C_0、$C_j(j=1, 2, \cdots, n)$ 分别是 $C(s)$ 在坐标原点和闭环极点处的留数，即

$$\begin{cases} C_0 = C(s)s \Big|_{s=0} \\ C_j = C(s)(s+s_j) \Big|_{s=-s_j} \end{cases} \tag{4-57}$$

因此，只要根据系统的开环传递函数 $G(s)H(s)$ 绘制出系统的根轨迹，由根轨迹图求得系统的闭环极点，再利用式（4-56）、式（4-57）就能求得单位阶跃输入的瞬态响应曲线$c(t)$。

例 4-12 一随动系统结构图如图 4-22 所示。试分析系统开环增益 K 值对系统性能的影响，并计算阻尼系数 $\zeta=0.5$ 时系统的性能指标。

解 系统开环传递函数为

$$G(s)H(s) = \frac{Ks}{0.25s^2+1} = \frac{K^* s}{s^2+4}$$

式中，根轨迹增益 $K^* = 4K$。开环零点 $-z_1 = 0$，两个开环极点分别是 $-p_1 = j2$ 和 $-p_2 = -j2$。系统的根轨迹如图 4-23 所示。

从图中看出，只要在 $K>0$ 的范围内系统都是稳定的。当 $K<1$ 时，闭环系统特征方程的两个根为具有负实部的复数根，故过渡过程是衰减振荡的；若 $K \geq 1$，两个特征根在负实轴上，即有两个负实根，其过渡过程是不振荡的。当 K 较小时，过渡过程将出现较严重的

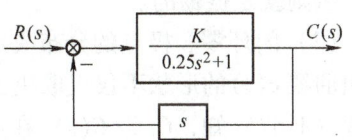

图 4-22 随动系统结构图

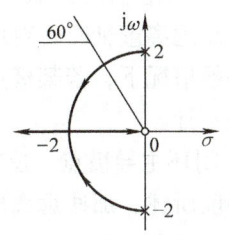

图 4-23 例 4-12 根轨迹图

超调。

因为 $\zeta = \cos\beta = 0.5$，故 $\beta = 60°$。画出等 ζ 线，并求出该射线与根轨迹的交点，此即为系统闭环极点。其中 $s_1 = -1 + j\sqrt{3}$，另一个闭环极点 $s_2 = -1 - j\sqrt{3}$。系统闭环特征方程为

$$(s + 1 + j\sqrt{3})(s + 1 - j\sqrt{3}) = s^2 + 2s + 4 = 0$$

相应于 s_1 点的根轨迹增益计算如下：

$$K^* = \frac{|s_1 + j2||s_1 - j2|}{|s_1|}\bigg|_{s_1 = -1+j\sqrt{3}} = 2$$

因此，该点开环增益 $K = 0.5$。系统闭环传递函数为

$$\frac{C(s)}{R(s)} = \frac{2}{s^2 + 2s + 4}$$

设输入信号为单位阶跃函数，即 $R(s) = 1/s$，故

$$c(t) = L^{-1}[C(s)] = K_B\left[1 - \frac{1}{\sqrt{1-\zeta^2}}e^{-\zeta\omega_n t}\sin\left(\omega_n\sqrt{1-\zeta^2}\,t + \arctan\frac{\sqrt{1-\zeta^2}}{\zeta}\right)\right]$$

$$= 0.5[1 - 1.155e^{-t}\sin(1.732t + 60°)]$$

系统的性能指标为：最大百分比超调量 $\sigma\% = 16.3\%$；调节时间（按 5% 误差带计算）$t_s = 3s$。

2. 闭环零、极点对系统瞬态性能的影响

由于系统闭环零、极点的位置会影响瞬态响应曲线的形状及其性能指标，因此，在定性讨论系统瞬态响应等性能时，应掌握以下分析原则和方法。

（1）**闭环极点的分布决定了瞬态响应的类型**　瞬态响应是由多个分量叠加而成，每个分量都与一个闭环极点相对应。瞬态响应各分量的性质，完全取决于相应极点的位置。若极点位于 s 平面的左半平面，则该分量是衰减的，极点离虚轴愈远，衰减愈快；若极点位于右半 s 平面，则该分量是渐增的，系统是不稳定的；若极点位于实轴上，则该分量是非振荡的，否则就是振荡的。

（2）**闭环零、极点的分布决定了瞬态响应曲线的形状及指标**　分析式（4-56）可知：输出曲线 $c(t)$ 的形状不仅仅取决于各瞬态分量的类型，它还和各瞬态分量的相对大小有关。由式（4-57）知，C_j 是 $C(s)$ 在点 $-s_j$ 的留数，其值取决于全部零、极点的分布。虽然可以用式（4-56）、式（4-57）准确算出 $c(t)$ 表达式，但进一步掌握零、极点的分布与 $c(t)$ 曲线的基本关系对分析及综合反馈系统都很重要。

（3）**远离虚轴的极点（或零点）对瞬态响应的影响**　由式（4-56）和式（4-57）可知，当极点远离虚轴时，对应瞬态分量衰减较快，其幅值也较小，因此对瞬态响应的影响也较小。一般情况下，若某极点是其他极点距虚轴距离的 5~7 倍时，则它对瞬态响应的影响可以略去不计。

（4）**闭环主导极点**　反馈系统的零、极点都影响系统的瞬态响应，但影响大小是有差别的。如前所述，那些远离虚轴的零、极点对瞬态响应的影响很小，可以略去不计。而那些离虚轴较近的零点和极点则起主导作用，决定了瞬态响应性能。如果某一对（或一个）闭环极点距虚轴距离是其他极点的 1/7~1/5，附近又没有其他零点，则称这些极点为闭环主导极点。

利用主导极点这一概念可使系统分析大为简化。在高阶系统设计中，常常希望具有一对复数主导极点，以便克服某些非线性因素（如死区等）的影响。对这类系统的分析，就可以引用二阶系统瞬态分析的全部结果。

（5）偶极子对瞬态响应的影响 当某个闭环极点和零点相距很近，与其他闭环零、极点相距很远（1/10 或更小）时，则这一对闭环极点和零点就构成了偶极子。由式（4-57）可知，此时瞬态响应表达式中留数 C_j 很小，相应瞬态分量幅度也较小。故闭环偶极子对瞬态响应的影响可略去不计。因此可以利用这一特性去抵消系统中不利极点的影响。

如某系统闭环传递函数为

$$W(s) = \frac{1}{(0.67s+1)(0.01s^2+0.1s+1)}$$

由于闭环实数极点距离虚轴较近，在瞬态响应中起主要作用，系统基本是非周期的过阻尼过渡过程。若在其分子上添加一因子（$0.59s+1$），即相当于加一闭环零点 -1.7，与原有闭环极点 -1.5 构成一对偶极子，则其对瞬态响应的影响可以忽略。闭环传递函数变为

$$W(s) = \frac{1}{0.01s^2+0.1s+1}$$

按照二阶系统计算动态性能指标。因为 $\zeta=0.5$，$\omega_n=10$，所以百分比超调量 $\sigma\% = 16.3\%$，调节时间 $t_s = 0.6\text{s}$（按 5% 误差计算）。

（6）闭环零、极点对瞬态响应的影响。实际系统中除了主导极点外，往往还有一些不能完全忽略的零点或极点。对于不能忽略的闭环零点可使系统响应速度加快，超调量增大，在一定条件下调节时间缩短；而不能忽略的闭环极点可使系统响应速度减慢，超调量减小，调节时间加长。

4.6 利用 MATLAB 绘制根轨迹图

利用 MATLAB 绘制根轨迹主要使用 rlocus( )、rlocfind( ) 函数。函数 rlocus( ) 的作用与调用格式为

求根或绘制根轨迹：[r,k] = rlocus(num,den) 或 [r,k] = rlocus(sys)；

求特定增益下的根：[r] = rlocus(num,den,K) 或 [r] = rlocus(sys,K)；

不带输出变量调用时，MATLAB 自动绘出系统的根轨迹，带输出变量调用得到一组与 K 对应的极点数据，数据以 r、k 为变量名存入工作空间。

一幅图上用不同颜色和线型画出多条根轨迹：rlocus(sys1,'r',sys2,'g*',sys3,'b+')；

函数 rlocfind( ) 的作用与调用格式为

计算给定一组根的根轨迹增益：[k,p] = rlocfind(num,den) 或 [k,p] = rlocfind(sys)

函数 rlocfind( ) 要求先绘制好根轨迹，执行该命令后产生一个十字光标，单击根轨迹上某一点，根轨迹每个分支上出现红色十字标志，根轨迹上这点对应的 K 值和在这个 K 值下的所有的闭环极点存入工作空间的变量 k 和 p。

这里 num 和 den 分别表示开环传递函数降幂排列的分子、分母系数向量，sys 是由 tf( ) 或 zpk( ) 函数得到的开环传递函数变量。

例 4-13 已知单位反馈系统的开环传递函数为

$$G(s) = \frac{K}{s^2(s^2+4s+5)}$$

(1) 画出根轨迹，并判断闭环系统的稳定性。

(2) 若在前向通道增加开环零点 $z = -0.5$，画出改变后的根轨迹，判断闭环系统的稳定性，分析开环零点的作用。

解 以下 MATLAB 程序求解问题（1）。

```
% MATLAB 程序 4-1.1
num = [1];
den = [1 4 5 0 0];
rlocus(num,den);sgrid
```
% 绘制根轨迹,并绘制出阻尼系数和自然频率栅格。

例 4-13 视频

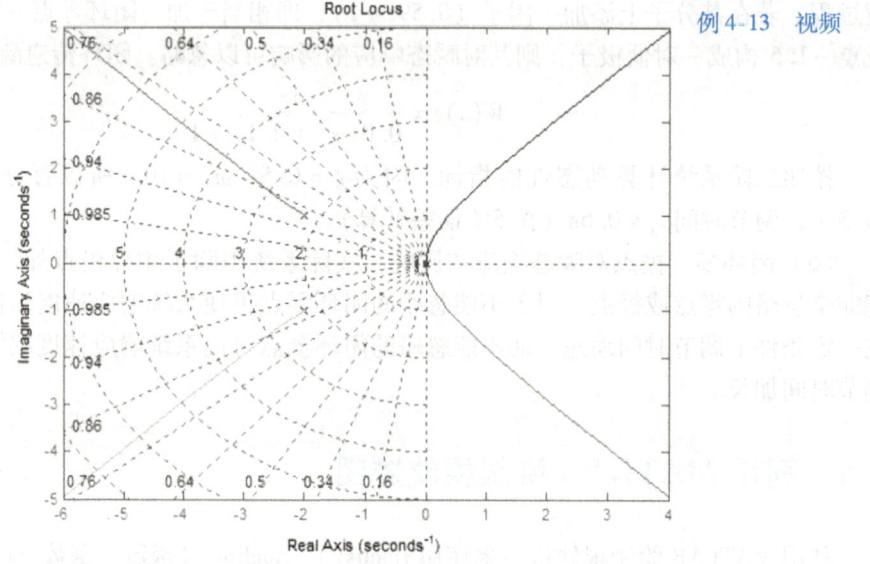

图 4-24 例 4-13 无零点时的根轨迹图

结果如图 4-24 所示。由图可见，有两条起始于原点的根轨迹始终位于右半平面，因此，无零点时闭环系统不稳定。

```
% MATLAB 程序 4-1.2 求解问题(2)
num = [1 0.5];
den = [1 4 5 0 0];
rlocus(num,den);
[K,P] = rlocfind(num,den);
```

结果如图 4-25 所示。在根轨迹图上求出穿越虚轴时 K 约为 11.93。由根轨迹可见，增加开环零点 $z = -0.5$，使根轨迹向开环零点处偏移，此时当 $K \in (0, 11.93)$ 时系统是稳定的。可见，适当引入开环零点可以使系统的稳定性变好，同时也会改善系统的动态性能。

例 4-14 设控制系统如图 4-26 所示，根据参数 K_t 绘制根轨迹，并求使系统具有最佳阻尼比的 K_t 取值，确定闭环极点，能否将之近似为二阶系统？

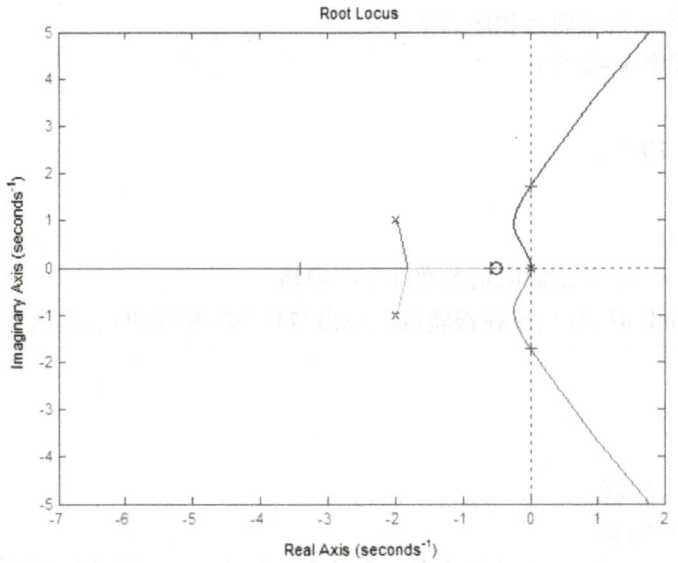

图 4-25　例 4-13 增加零点时的根轨迹图

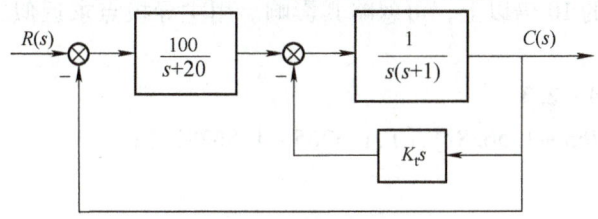

图 4-26　例 4-14 控制系统框图

解　为求 K_t 为参量的根轨迹，首先写出特征方程，由以下 MATLAB 程序解出。

```
% MATLAB 程序 4 - 2.1
syms s G1 G2 H1 Kt Gj Gk Gb
G1 = 100/(s + 20);
G2 = 1/(s*(s + 1));
H1 = Kt*s;
Gj = G2/(1 + G2*H1);
Gk = factor(G1*Gj);
Gb = factor(Gk/(1 + Gk));
pretty(Gk)
pretty(Gb)
```

运行程序，求出闭环传递函数

$$G_b = \frac{100}{s^3 + 21s^2 + K_t s^2 + 20s + 20K_t s + 100}$$

特征方程为 $s^3 + 21s^2 + 20s + 100 + K_t s^2 + 20K_t s = 0$。

以不含 K_t 的项 $(s^3 + 21s^2 + 20s + 100)$ 除特征方程，得出等效开环传递函数为

$$[G(s)H(s)]' \frac{K_t(s^2 + 20s)}{s^3 + 21s^2 + 20s + 100}$$

绘制以 K_t 为参量的根轨迹程序如下：
```
%MATLAB 程序 4-2.2
n1 = [1 20 0];
d1 = [1 21 20 100];
axis('equal')
rlocus(n1,d1)
sgrid(0.707,-1);%绘制阻尼系数 0.707 栅格
[k,p] = rlocfind(n1,d1);%在根轨迹上标出与 0.707 相交的点,求出
Kt = 2.4456
p =
 -20.2925
  -1.5765 + 1.5628i
  -1.5765 - 1.5628i
```

根轨迹如图 4-27 所示。此时系统有一个负实数极点，一对共轭复数极点，实数极点与虚轴距离是复数极点的 10 倍以上，可忽略其影响。用主导极点求近似二阶系统的特征方程并对系统进行分析。

```
%MATLAB 程序 4-2.3
D = conv([1,1.5765+1.5628i],[1,1.5765-1.5628i]);
N = D(1,3);
sys1 = tf(N,D);
[w,z] = damp(sys1);
```

得出 w 为（ω_n）2.2198、z（ζ）为 0.7102。

注：函数 damp( ) 的作用是求系统极点的固有频率和阻尼系数，其调用格式为

$$[w,z,p] = damp(sys) \text{或} [w,z] = damp(sys)$$

返回变量 w、z、p 分别为固有频率、阻尼比、特征根向量。

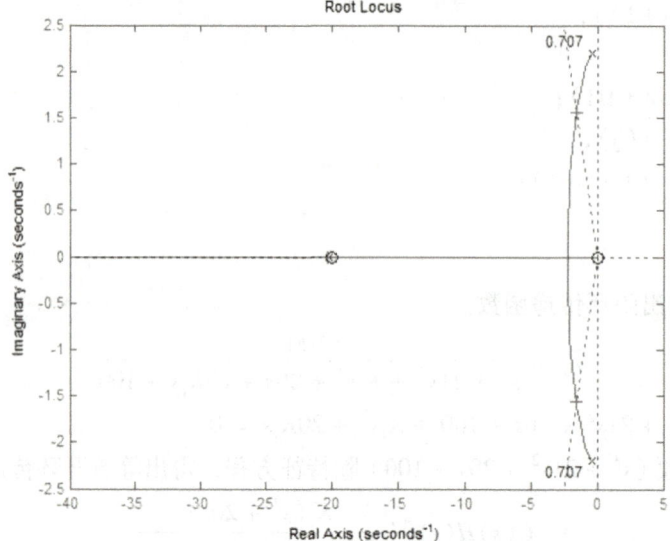

图 4-27　例 4-14 控制系统根轨迹图

当 K_t 为 2.45 时，用 Simulink 建立系统及其近似二阶系统的阶跃响应仿真框图，如图 4-28 所示。阶跃信号在 $t=1\mathrm{s}$ 时给出，其仿真结果如图 4-29 所示，可见两条曲线非常逼近。

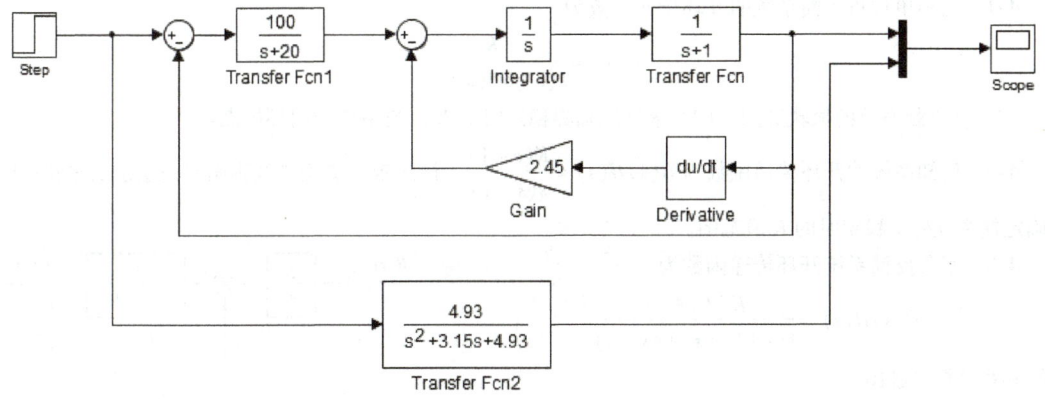

图 4-28　当 $K_t = 2.45$ 时系统与近似二阶系统的 Simulink 模型框图

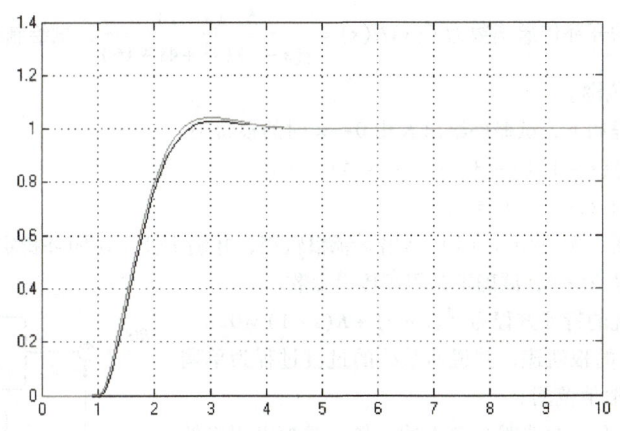

图 4-29　当 $K_t = 2.45$ 时系统与近似二阶系统的阶跃响应

本 章 小 结

根轨迹法是利用开环传递函数的零点、极点确定闭环特征根分布的图解方法。根轨迹的绘制规则是根据根轨迹方程确定的。绘制根轨迹时首先要将开环传递函数写成零、极点的形式。绘制以非开环增益为变量的根轨迹需要先求出等效开环传递函数，如果等效开环零点的数目多于等效开环极点数目，这时将有 $(m-n)$ 条根轨迹从无穷远处起始。增加系统开环传递函数的零点会使系统稳定性变好，增加开环极点则使系统稳定性变差。

学习本章，要理解根轨迹的基本概念，掌握根轨迹绘制规则（180°根轨迹、0°根轨迹和参变量根轨迹），从绘制的根轨迹图上分析系统的性能。应用 MATLAB 有关函数可以很容易的得到根轨迹图，并可以方便地确定根轨迹上关键点的数值。

习 题

4-1 已知单位负反馈系统的开环传递函数为

$$G(s) = \frac{K}{s(s+3)(s+6)}$$

（1）试绘制系统的根轨迹图。（2）求系统临界稳定时的 K 值与系统的闭环极点。

4-2 已知系统的开环传递函数为 $G(s)H(s) = \dfrac{K(s+1)}{s(s-1)}$，试按根轨迹绘制规则画出该系统的根轨迹图，并确定使系统处于稳定时的 K 值范围。

4-3 某负反馈系统开环传递函数为

$$G(s)H(s) = \frac{K^*(s+3)}{s(s+5)(s^2+4s+8)}$$

试绘制系统根轨迹图。

4-4 已知系统如图 4-30 所示。试按步骤绘制 K 从 $0 \to \infty$ 变化时的根轨迹图，并确定系统闭环稳定的 K 值范围。

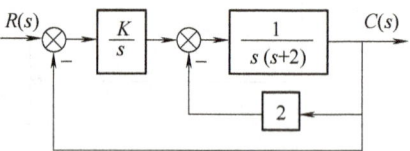

图 4-30 习题 4-4 图

4-5 设控制系统的开环传递函数为 $G(s)H(s) = \dfrac{K^*(s+1)}{s(s-1)(s^2+4s+16)}$，试绘制系统根轨迹图，并确定使系统稳定的开环增益范围。

4-6 系统特征方程如下，试概略绘出 K 由 $0 \to \infty$ 时的根轨迹。

（1）$(s+1)(s+3)(s-1)(s-3) + K(s^2+4) = 0$；

（2）$s^3 + 3s^2 + (K+2)s + 10K = 0$。

4-7 系统结构如图 4-31 所示。（1）画出系统根轨迹，并确定使系统闭环稳定的 K 值范围；（2）若已知闭环系统的一个极点为 -1，试确定其闭环传递函数。

4-8 已知闭环系统的特征方程为 $s^2(s+a) + K(s+1) = 0$。

（1）画出 $a=10$ 时的根轨迹，并说明系统的过渡过程为单调变化和阻尼振荡时 K 的取值范围。

（2）确定根轨迹具有一个非零分离点的 a 值，并画出相应的根轨迹。

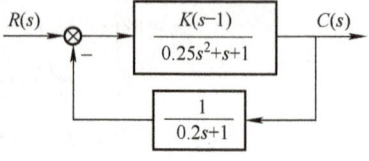

图 4-31 习题 4-7 图

（3）在上述（2）中确定的 a 值下，求闭环传递函数具有二重极点时所对应的 K 值。

（4）画出 $a=5$ 时的根轨迹。当 $K=12$ 时，已知一个闭环极点为 $-s_1 = -2$，问该系统能否等效为一个二阶系统，为什么？

4-9 设单位反馈系统的开环传递函数为

$$G(s) = \frac{K}{s(s+a)}$$

试绘出 K 和 a 从零变到无穷大时的根轨迹簇；当 $K=4$ 时，绘出以 a 为参变量的根轨迹。

4-10 设单位反馈系统的开环传递函数为

$$G(s) = \frac{K}{s(s+1)(T_a s+1)}$$

其中开环增益 K 可自行选定。试分析时间常数 T_a 对系统性能的影响。

4-11 设单位负反馈系统开环传递函数 $G(s) = \dfrac{s+a}{s(s+1)^2}$。（1）绘制 a 从 $0 \to +\infty$ 时闭环系统的根轨迹；（2）当输入 $r(t) = t$ 时，确定使系统稳态误差 $e_{ss} \leq 0.5$ 的 a 值范围。

4-12 设控制系统开环传递函数为 $G(s) = \dfrac{K(s+1)}{s^2(s+2)(s+4)}$，试分别画出正反馈系统和负反馈系统的根轨迹图，并指出它们的稳定情况有何不同。

4-13 已知系统如图 4-32 所示。画出其根轨迹，并求出当闭环共轭复数极点在阻尼比 $\zeta = 0.707$ 时，系统的单位阶跃响应。

4-14 系统的开环传递函数为

$$G(s)H(s) = \dfrac{K(s^2 - 2s + 5)}{(s+2)(s-0.5)}$$

(1) 绘制系统的根轨迹图。
(2) 确定系统稳定时 K 的取值范围。
(3) 若要求系统单位阶跃响应的超调量为 16.3%，确定相应的 K 值。

4-15 已知系统的信号流图如图 4-33 所示，且可变系数 $\alpha \geq 0$。
(1) 证明该系统实轴以外部分的参数根轨迹为半圆周。
(2) 完整准确地画出系统的参数根轨迹。
(3) 以根轨迹为依据，求出满足系统阻尼比 $\zeta = 0.5$ 时的 α 值。

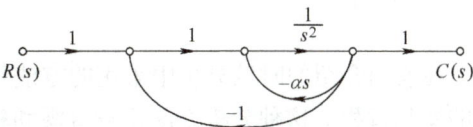

图 4-32 习题 4-13 图

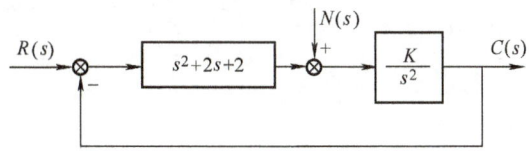

图 4-33 习题 4-15 图

4-16 某系统开环传递函数为

$$G(s) = \dfrac{K}{s(s+1)(0.5s+1)}$$

试应用根轨迹法分析系统的稳定性，并计算闭环主导极点具有阻尼比为 0.5 时的性能指标 $\sigma\%$ 及 t_s（按照 5% 误差计算）。

4-17 设单位负反馈系统的开环传递函数为 $G(s) = \dfrac{K(s+a)}{s^2(s+1)}$。当 $K = 0.25$ 时，试画出以 a 为参量的根轨迹，并确定使系统衰减振荡的 a 取值范围；若希望系统存在 $\zeta = 0.5$ 的一对主导极点，求 a 值为多少？

4-18 系统结构如图 4-34 所示。
(1) 试求当 K 从 $0 \sim \infty$ 时系统 $C(s)/N(s)$ 的根轨迹图。
(2) 若 $N(s) = 1/s$，讨论 K 值大小对输出响应的影响。

图 4-34 习题 4-18 图

第5章 频域分析法

频域分析法是研究控制系统的一种工程方法。应用线性系统的频率特性,可以间接地研究系统的动态性能和稳态性能,因此在实际中得到了广泛的应用。本章将讨论频率特性的基本概念、典型环节和系统的频率特性、奈奎斯特稳定判据、频域性能指标与时域性能指标间的关系等。

5.1 概述

在前面介绍的时域分析中采用的方法是直接求解系统的微分方程,即求出被控变量随时间的变化过程。这种分析方法比较直观和精确,但是对于高阶系统,如果不借助于计算机求解,想要得到其时间响应将非常烦琐。

建立在频率特性基础上的分析控制系统的频域分析法弥补了时域分析法中的不足,因而获得了广泛的应用。所谓频率特性是系统的频率响应与正弦输入信号的复数比。而频率响应是指系统在正弦输入信号作用下,线性系统输出的稳态分量。频域分析法的优势主要体现在:

1) 频率特性虽然是一种稳态特性,但它不仅仅反映系统的稳态性能,还可以用来研究系统的稳定性和瞬态性能,而且不必解出特征方程的根。

2) 频率特性与二阶系统的过渡过程性能指标有着确定的对应关系,从而可以较方便地分析系统中参量对系统瞬态响应的影响。

3) 线性系统的频率特性可以非常容易地由解析法得到。

4) 许多元件和稳定系统的频率特性都可用实验的方法来测定,这对于很难从分析其物理规律着手来列写动态方程的元件和系统来说,具有特别重要的意义。

5) 频域分析法不仅适用于线性系统,也可以推广到某些非线性系统的分析研究中。

5.2 频率特性

5.2.1 频率特性的基本概念

首先以图 5-1 所示的 RC 网络为例,说明频率特性的概念。

RC 网络的输入和输出的关系可由下面微分方程描述:

$$T\frac{du_c}{dt} + u_c = u_r \tag{5-1}$$

式中,$T = RC$ 为时间常数。网络的传递函数为

$$\frac{U_c(s)}{U_r(s)} = \frac{1}{Ts+1} \tag{5-2}$$

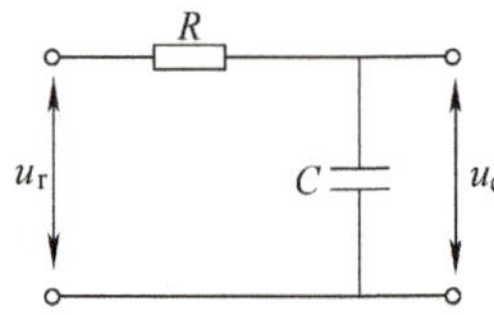

图 5-1 RC 网络

设输入是一个正弦信号，即

$$u_\mathrm{r} = A\sin\omega t$$

由式（5-2）可得

$$U_\mathrm{c}(s) = \frac{1}{Ts+1}U_\mathrm{r}(s) = \frac{1}{Ts+1}\frac{A\omega}{s^2+\omega^2} \tag{5-3}$$

对式（5-3）取拉普拉斯反变换，得到输出为

$$u_\mathrm{c} = \frac{A\omega T}{\omega^2 T^2+1}\mathrm{e}^{-\frac{t}{T}} + \frac{A}{\sqrt{\omega^2 T^2+1}}\sin(\omega t - \arctan\omega T) \tag{5-4}$$

式中，第一项为输出的瞬态分量；第二项为稳态分量。随着时间 t 趋于无穷，瞬态分量将趋于零，于是

$$\lim_{t\to\infty} u_\mathrm{c} = \frac{A}{\sqrt{\omega^2 T^2+1}}\sin(\omega t - \arctan\omega T) \tag{5-5}$$

由式（5-5）可见，网络的稳态输出仍然是与输入同频率的正弦信号，只是输出信号的幅值和相位不同。输出信号的幅值是输入信号幅值的 $1/\sqrt{\omega^2 T^2+1}$；输出信号与输入信号的相位角相差 $-\arctan\omega T$。幅值和相位的变化与频率 ω 及系统本身的特性有关。

如果取 $s=\mathrm{j}\omega$ 代入式（5-2）中，则

$$\frac{1}{\mathrm{j}\omega T+1} = \left|\frac{1}{\mathrm{j}\omega T+1}\right|\angle\frac{1}{\mathrm{j}\omega T+1} = \frac{1}{\sqrt{\omega^2 T^2+1}}\mathrm{e}^{-\mathrm{j}\arctan\omega T} \tag{5-6}$$

显然，式（5-6）能完全描述 RC 网络在正弦函数作用下稳态输出的幅值和相位随输入频率变化的情况，因此，将 $1/(\mathrm{j}\omega T+1)$ 称作该 RC 网络的频率特性。

在分析中常将同频率下输出信号与输入信号的幅值之比称为幅值比，将输出信号相位与输入信号相位之差称为相位差，它们都是频率 ω 的函数。幅值比随频率变化的特性称为幅频特性，相位差随频率变化的特性称为相频特性。

表 5-1 列出了 RC 网络幅频特性和相频特性的计算数据。图 5-2 是根据表 5-1 数据绘制的幅频特性曲线和相频特性曲线。

表 5-1 *RC* 网络幅频特性和相频特性的计算数据

ω	0	$\frac{1}{2T}$	$\frac{1}{T}$	$\frac{2}{T}$	$\frac{3}{T}$	$\frac{4}{T}$	$\frac{5}{T}$	$\frac{6}{T}$	∞
$\lvert 1/(1+\mathrm{j}\omega T)\rvert$	1	0.89	0.71	0.45	0.32	0.24	0.20	0.16	0
$\angle 1/(1+\mathrm{j}\omega T)$	0°	-26.6°	-45°	-63.5°	-71.5°	-76°	-78.7°	-80.5°	-90°

从表 5-1 或图 5-2 可见，随着输入信号的频率从零增至无穷大时，RC 网络输出信号的幅值相应地从等于输入信号的幅值减小到零，而相位则从零变化到 $-90°$。

上述从 RC 网络得到的这些重要结论，对于任何稳定的线性定常系统都是正确的。

5.2.2 频率特性的求取

对于线性定常系统来说，求取频率特性最简单的方法是将传递函数中的复变量 s 用 $\mathrm{j}\omega$ 代替，得到的便是频率特性函数。下面给出证明。

一般线性定常系统的输入与输出关系如图 5-3 所示。系统的传递函数为

$$\frac{C(s)}{R(s)} = G(s) \tag{5-7}$$

假定输入信号为

$$r(t) = A\sin\omega t$$

式中，A 和 ω 分别为正弦函数的振幅和角频率。$r(t)$ 的拉普拉斯变换为

$$R(s) = L[A\sin\omega t] = \frac{A\omega}{s^2 + \omega^2} = \frac{A\omega}{(s+j\omega)(s-j\omega)} \tag{5-8}$$

通常情况下传递函数 $G(s)$ 可写成下列形式，即

$$G(s) = \frac{K(s+z_1)(s+z_2)\cdots(s+z_m)}{(s+s_1)(s+s_2)\cdots(s+s_n)}, \quad n \geq m \tag{5-9}$$

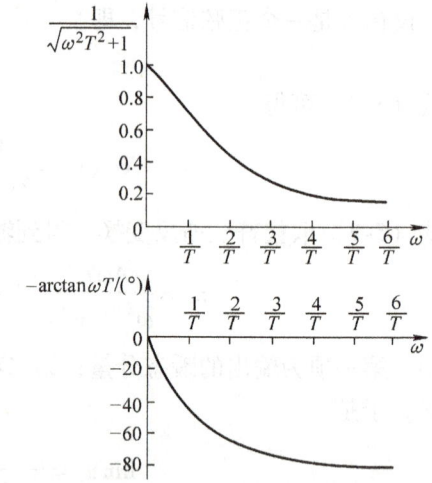

图 5-2　RC 网络幅频特性和相频特性曲线

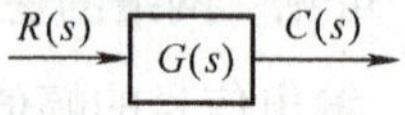

图 5-3　系统输入与输出关系图

式中，$-z_1, -z_2, \cdots, -z_m$ 是传递函数 $G(s)$ 的零点；$-s_1, -s_2, \cdots, -s_n$ 是传递函数 $G(s)$ 的极点。这些极点可能是实数，也可能是共轭复数，但对于稳定系统来说，它们都具有负实部。

由式 (5-7)~式 (5-9) 可求得系统输出 $c(t)$ 的拉普拉斯变换为

$$C(s) = G(s)R(s) = \frac{K(s+z_1)(s+z_2)\cdots(s+z_m)}{(s+s_1)(s+s_2)\cdots(s+s_n)} \cdot \frac{A\omega}{(s+j\omega)(s-j\omega)} \tag{5-10}$$

将式 (5-10) 展成部分分式为

$$C(s) = \frac{a}{s+j\omega} + \frac{\overline{a}}{s-j\omega} + \frac{b_1}{s+s_1} + \frac{b_2}{s+s_2} + \cdots + \frac{b_n}{s+s_n} \tag{5-11}$$

式 (5-11) 中的 a 和 $\overline{a}$ 为一对待定的共轭复数；$b_i(i=1, 2, \cdots, n)$ 为待定常数。

对式 (5-11) 进行拉普拉斯反变换，可得系统对正弦输入信号 $r(t)$ 的响应为

$$c(t) = a\mathrm{e}^{-j\omega t} + \overline{a}\mathrm{e}^{j\omega t} + \sum_{i=1}^{n} b_i \mathrm{e}^{-s_i t} \tag{5-12}$$

对于稳定系统来说，由于极点 $-s_1, -s_2, \cdots, -s_n$ 都具有负实部，因此当时间 t 趋于无穷大时，式 (5-12) 中的各指数项 $b_i \mathrm{e}^{-s_i t}(i=1, 2, \cdots, n)$ 都将衰减到零。也就是说，输出响应 $c(t)$ 的稳态分量 $c_{ss}(t)$ 仅由式 (5-12) 中的前两项决定，即

$$c_{ss}(t) = a\mathrm{e}^{-j\omega t} + \overline{a}\mathrm{e}^{j\omega t} \tag{5-13}$$

式 (5-13) 中的系数 a 和 $\overline{a}$ 求得如下：

$$a = G(s)\frac{A\omega}{(s+j\omega)(s-j\omega)}(s+j\omega)\bigg|_{s=-j\omega}$$

$$= -G(-j\omega)\frac{A}{2j} \tag{5-14}$$

$$\bar{a} = G(s)\frac{A\omega}{(s+\mathrm{j}\omega)(s-\mathrm{j}\omega)}(s-\mathrm{j}\omega)\bigg|_{s=\mathrm{j}\omega}$$

$$= G(\mathrm{j}\omega)\frac{A}{2\mathrm{j}} \tag{5-15}$$

式中，$G(\mathrm{j}\omega)$ 是一个复数，可以用模及相角来表示，即

$$G(\mathrm{j}\omega) = |G(\mathrm{j}\omega)| \angle G(\mathrm{j}\omega) = |G(\mathrm{j}\omega)| \mathrm{e}^{\mathrm{j}\varphi} \tag{5-16}$$

在式 (5-16) 中

$$\varphi = \angle G(\mathrm{j}\omega) = \arctan\left[\frac{\mathrm{Im}G(\mathrm{j}\omega)}{\mathrm{Re}G(\mathrm{j}\omega)}\right]$$

φ 为 $G(\mathrm{j}\omega)$ 的相角。φ 可正、可负，也可以为零。由于 $G(\mathrm{j}\omega)$ 与 $G(-\mathrm{j}\omega)$ 是共轭的，所以

$$G(-\mathrm{j}\omega) = |G(\mathrm{j}\omega)| \mathrm{e}^{-\mathrm{j}\varphi} \tag{5-17}$$

将式 (5-14) ~ 式 (5-17) 代入式 (5-13) 中，整理得

$$c_{\mathrm{ss}}(t) = \frac{A}{2\mathrm{j}}[G(\mathrm{j}\omega)\mathrm{e}^{\mathrm{j}\omega t} - G(-\mathrm{j}\omega)\mathrm{e}^{-\mathrm{j}\omega t}]$$

$$= A|G(\mathrm{j}\omega)|\frac{\mathrm{e}^{\mathrm{j}(\omega t+\varphi)} - \mathrm{e}^{-\mathrm{j}(\omega t+\varphi)}}{2\mathrm{j}}$$

$$= A|G(\mathrm{j}\omega)|\sin(\omega t+\varphi)$$

$$= B\sin(\omega t+\varphi)$$

以上分析表明，在正弦输入信号作用下，线性定常系统的稳态输出也是一个同频率的正弦信号，但是幅值和相位发生了变化。其输出信号振幅 B 与输入信号振幅 A 的比值 $B/A = |G(\mathrm{j}\omega)|$ 是角频率 ω 的函数，描述了系统对不同频率的正弦信号在稳态情况的衰减（或放大）特性；其输出相位与输入相位之差 $\varphi = \angle G(\mathrm{j}\omega)$ 也是角频率 ω 的函数，描述了系统的稳态输出对不同频率的正弦信号在相位上产生的相角滞后（对应 $\varphi < 0$）或相角超前（对应 $\varphi > 0$）的特性。

通过上述分析，得到频率特性的定义，即：系统的频率响应与正弦输入信号的复数比，就称为频率特性。一般记为

$$G(\mathrm{j}\omega) = |G(\mathrm{j}\omega)| \mathrm{e}^{\mathrm{j}\angle G(\mathrm{j}\omega)}$$

$$= |G(\mathrm{j}\omega)| \mathrm{e}^{\mathrm{j}\varphi} \tag{5-18}$$

式 (5-18) 包含了两部分内容：幅值比和相位差均为角频率 ω 的函数。$|G(\mathrm{j}\omega)|$ 称为系统的幅频特性；稳态输出信号对正弦输入信号的相移 φ 称为系统的相频特性。

系统的频率特性 $G(\mathrm{j}\omega)$ 可以通过系统的传递函数 $G(s)$ 来求取，即

$$G(\mathrm{j}\omega) = G(s)\bigg|_{s=\mathrm{j}\omega} \tag{5-19}$$

这里的结论同 RC 网络讨论的结果是一致的。

上述频率特性的定义既适用于稳定系统，也适用于不稳定系统。稳定系统的频率特性可以由实验的方法确定。方法是：在系统的输入端加入正弦信号，然后测量输出端相应稳态响应的幅值和相位角，并不断改变其频率大小，根据幅值比和相位差画出频率特性曲线，就可得到系统的频率特性。对于不稳定的系统，由于输出响应稳态分量中含有发散或振荡的部

分,所以无法用实验的方法确定不稳定系统的频率特性。

由式(5-19)可知,频率特性与传递函数一样,都可以用来表示线性系统或环节的动态特性,这就是频域分析法能够从频率特性出发研究控制系统的理论基础。

5.3 频率特性的图示方法

频域分析法是应用频率特性研究线性系统的一种图解方法,采用频域法分析闭环系统的特性时,通常需画出系统开环频率特性曲线。频率特性的图示方法主要有3种,即极坐标图、对数坐标图和对数幅相图,现分述如下。

5.3.1 极坐标图

频率特性 $G(j\omega)$ 是频率 ω 的复变函数,其模 $|G(j\omega)|$ 与相角 $\angle G(j\omega)$ 可以在复平面上用一个矢量来表示。当频率 ω 从 $0\to\infty$ 变化时,矢量端点的轨迹就表示频率特性的极坐标图。极坐标图又称幅相图或奈奎斯特(Nyquist)图。在极坐标图上,规定矢量与实轴正方向的夹角为频率特性的相位角,且按逆时针方向为正进行计算。

1. 典型环节频率特性的极坐标图

(1)比例环节 比例环节也称放大环节,其传递函数为 $G(s)=K$。当 $K>0$ 时,频率特性为 $G(j\omega)=K\angle 0°$;当 $K<0$ 时,频率特性为 $G(j\omega)=|K|\angle -180°$。可见,比例环节的幅频特性相频特性都是常量,不随频率 ω 的变化而改变。其极坐标曲线为实轴上的一个点,如图5-4所示。

(2)积分环节和微分环节 积分环节 $G(s)=1/(Ts)$ 和微分环节 $G(s)=Ts$ 的频率特性分别为

$$G(j\omega) = \frac{1}{j\omega T} = \frac{1}{\omega T}\angle -90° \text{ 及 } G(j\omega) = j\omega T = \omega T\angle 90°$$

当 ω 由 $0\to\infty$ 变化时,积分环节的幅频特性由 ∞ 逐渐减少到 0,而相位总是 $-90°$,所以其极坐标曲线与负虚轴重合;而微分环节的幅频特性由 0 逐渐增加到 ∞,相位总是 $90°$,因此极坐标曲线则与正虚轴重合,如图5-5所示。

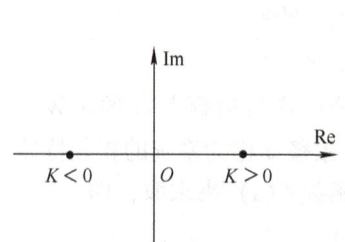

图5-4 比例环节的极坐标图

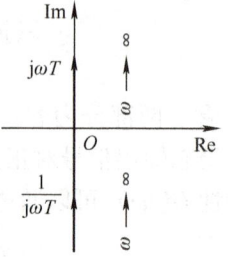

图5-5 积分和微分环节的极坐标图

(3)惯性环节 惯性环节的传递函数为

$$G(s) = \frac{1}{Ts+1}$$

其频率特性为

$$G(j\omega) = \frac{1}{j\omega T + 1} = \frac{1}{\sqrt{(\omega T)^2 + 1}} \angle -\arctan\omega T$$

取 ω 作为自变量，分别计算幅频特性和相频特性的数值，见表 5-2。极坐标曲线绘于图 5-6 中。

表 5-2 惯性环节在几个特定频率下的幅值与相角

ω	0	$1/(2T)$	$1/T$	$10/T$	∞
$\|G(j\omega)\|$	1	1/1.12	$1/\sqrt{2}$	1/10.0	0
$\angle G(j\omega)$	0°	-26.6°	-45°	-84°	-90°

从表 5-2 中可以看出，在低频段范围内，$|G(j\omega)|$ 等于或接近 1，使输入信号的幅值无衰减或衰减较少，容易通过；在高频段范围内，$|G(j\omega)|$ 逐渐减小直至为零，使输入信号的幅值衰减得多，不易通过。所以，通常把惯性环节叫作低通滤波器。这种环节输出信号的相位滞后于输入相位，故也称为一阶滞后环节，其最大滞后相角为 90°。

可以证明，图 5-6 中的频率特性曲线是一个半圆，圆心在实轴上的 0.5 处，半径 $R = 0.5$。设

$$G(j\omega) = U(\omega) + jV(\omega)$$

则

$$U(\omega) = \frac{1}{(\omega T)^2 + 1} \tag{5-20}$$

$$V(\omega) = \frac{-\omega T}{(\omega T)^2 + 1} \tag{5-21}$$

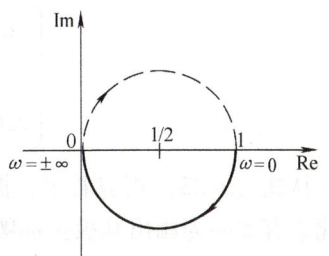

图 5-6 惯性环节的极坐标图

式 (5-21) 除以式 (5-20)，二次方后，得

$$\frac{V^2(\omega)}{U^2(\omega)} = \omega^2 T^2 \tag{5-22}$$

将式 (5-22) 代入式 (5-20) 中，整理得

$$U^2(\omega) + V^2(\omega) = U(\omega)$$

配方后可得

$$\left(U - \frac{1}{2}\right)^2 + V^2 = \left(\frac{1}{2}\right)^2$$

所以，在复平面上 $G(j\omega)$ 为一圆心在 (0.5, 0) 点、半径为 0.5 的半圆，如图 5-6 下半部分所示。当 $-\infty \leq \omega \leq 0$ 时，$G(-j\omega)$ 与 $G(j\omega)$ 互为共轭关系，关于实轴对称，即如上半圆所示。

(4) 一阶微分环节 一阶微分环节的传递函数为 $G(s) = Ts + 1$。其频率特性为

$$G(j\omega) = j\omega T + 1$$

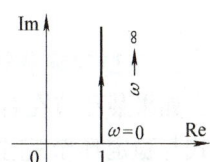

图 5-7 微分环节的极坐标图

当 ω 由 0 向 ∞ 变化时，频率特性的虚部由 0 增大到 ∞，实部则总是等于 1。因此，幅相特性曲线是从实轴上（1，j0）点开始，沿复平面垂直向上变化的直线，如图 5-7 所示。

（5）振荡环节　振荡环节的传递函数为

$$G(s) = \frac{1}{T^2 s^2 + 2\zeta T s + 1}$$

其频率特性为

$$G(j\omega) = \frac{1}{(1 - \omega^2 T^2) + j2\zeta \omega T}$$

幅频特性及相频特性分别为

$$\begin{cases} |G(j\omega)| = \dfrac{1}{\sqrt{(1 - \omega^2 T^2)^2 + (2\zeta \omega T)^2}} \\ \angle G(j\omega) = -\arctan \dfrac{2\zeta \omega T}{1 - \omega^2 T^2} \end{cases} \tag{5-23}$$

从式（5-23）可以看出，振荡环节的幅频特性及相频特性不仅与频率 ω 有关，还与阻尼比 ζ 有关。为画出其极坐标图，现选几个特殊 ω 值计算幅相特性如下：

$$\omega = 0,\ G(j0) = 1\angle 0°$$

$$\omega = \frac{1}{T},\ G\left(j\frac{1}{T}\right) = \frac{1}{2\zeta}\angle -90°$$

$$\omega = \infty,\ G(j\infty) = 0\angle -180°$$

振荡环节不同阻尼比时的极坐标曲线如图 5-8 所示。

（6）延滞环节　延滞环节的传递函数为 $G(s) = e^{-\tau s}$，其频率特性为

$$G(j\omega) = e^{-j\omega\tau} = 1\angle -\omega\tau$$

由于 $G(j\omega)$ 的幅值总是 1，而相角随着 ω 由 0 向 ∞ 不断减小，所以延滞环节的极坐标图为顺时针变化的单位圆，如图 5-9 所示。

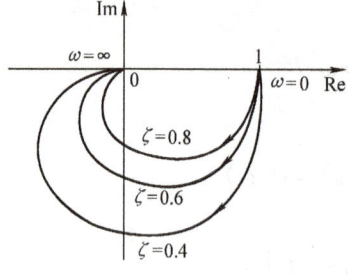

图 5-8　振荡环节的极坐标图

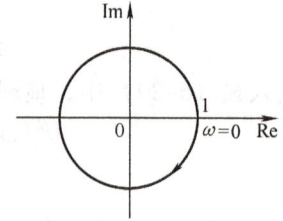

图 5-9　延滞环节的极坐标图

2. 不稳定环节频率特性的极坐标图

如果某环节在右半 s 平面有极点，则称该环节为不稳定环节。不稳定环节的幅频特性表达式与稳定环节完全相同，但相频特性却有较大差别。下面举例说明其极坐标图的绘制方法。

例 5-1　设有两个不稳定环节的传递函数分别为 $G_1(s) = \dfrac{K}{Ts - 1}$ 和 $G_2(s) = \dfrac{K}{1 - Ts}$。设式

中比例系数 $K>0$, 试分别绘制其极坐标图。

解 首先写出 $G_1(s)$ 与 $G_2(s)$ 的频率特性函数, 得

$$G_1(j\omega) = \frac{K}{j\omega T - 1} = \frac{K}{\sqrt{\omega^2 T^2 + 1}} \angle (-180° + \arctan\omega T)$$

$$G_2(j\omega) = \frac{K}{1 - j\omega T} = \frac{K}{\sqrt{\omega^2 T^2 + 1}} \angle \arctan\omega T$$

对于 $G_1(j\omega)$: 当 $\omega = 0$ 时, $G_1(j0) = K\angle -180°$; 当 $\omega = \infty$ 时, $G_1(j\infty) = 0\angle -90°$。

对于 $G_2(j\omega)$: 当 $\omega = 0$ 时, $G_2(j0) = K\angle 0°$; 当 $\omega = \infty$ 时, $G_2(j\infty) = 0\angle 90°$。

分析 $0 < \omega < \infty$ 中间过程的幅值和相角所在的象限, 画出频率特性的极坐标曲线如图 5-10 所示。

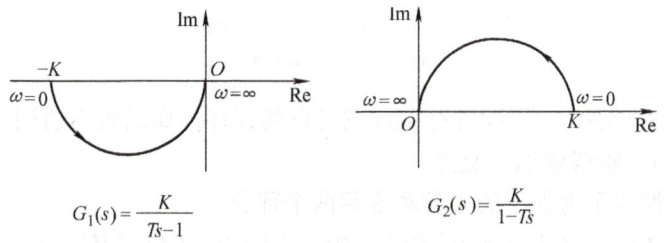

图 5-10 不稳定环节的极坐标曲线图

3. 系统开环频率特性的极坐标图

系统的开环传递函数是由一系列典型环节组成的, 因此, 系统的开环频率特性通常是若干典型环节频率特性的乘积, 即

$$G(j\omega) = G_1(j\omega)G_2(j\omega)\cdots G_k(j\omega) = \prod_{i=1}^{k} G_i(j\omega) \tag{5-24}$$

若写成极坐标形式, 则为

$$G(j\omega) = \prod_{i=1}^{k} |G_i(j\omega)| e^{j\sum_{i=1}^{k}\varphi_i} \tag{5-25}$$

由式 (5-25) 知, 系统开环频率特性可根据各串联环节频率特性的模及相角公式, 令 ω 从 $0 \to \infty$ 变化, 按照"幅值相乘、相角相加"的原则进行计算, 从而绘制极坐标图。然而, 实际绘图时可结合工程需要, 绘制概略开环极坐标图, 而不用逐点描绘精确曲线。

不失一般性, 考虑系统的开环传递函数为

$$G(s)H(s) = \frac{K\prod_{i=1}^{m}(\tau_i s + 1)}{s^v \prod_{j=1}^{n-v}(T_j s + 1)}, n \geq m \tag{5-26}$$

式中, v 为纯积分环节数目。根据式 (5-26), 绘制系统开环极坐标图可按如下步骤:

1) 确定曲线的起始点和终止点。

如果系统开环传递函数中不含有右半 s 平面的零点或极点, 那么可按照如下规律确定。

起始点 ($\omega = 0$): 当 $v = 0$ 时, 起始于 $K\angle 0°$; 当 $v \geq 1$ 时, 起始于 $\infty \angle -v \times 90°$。

终止点 ($\omega \to \infty$): 当 $n > m$ 时, 终止于 $0\angle -(n-m)\times 90°$; 当 $n = m$ 时, 终止于实轴

上某点，该点数值与各环节时间常数及放大系数 K 有关。

极坐标曲线的起始点和终止点示意图如图 5-11 所示。

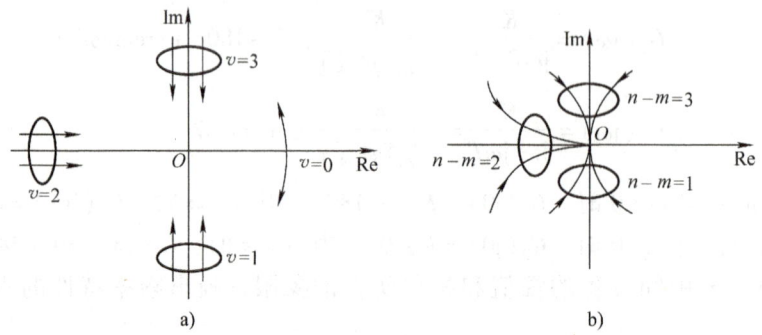

图 5-11　极坐标曲线的起始点和终止点示意图

a) $\omega = 0$　b) $\omega \to \infty$

注意：上述方法对右半 s 平面含有零点或极点的开环传递函数不适用。

2) 确定曲线与实轴或虚轴的交点。

将开环频率特性表示为如下的实频和虚频两个部分：

$$G(\mathrm{j}\omega)H(\mathrm{j}\omega) = \mathrm{Re}[G(\mathrm{j}\omega)H(\mathrm{j}\omega)] + \mathrm{Im}[G(\mathrm{j}\omega)H(\mathrm{j}\omega)] \tag{5-27}$$

令实部 $\mathrm{Re}[G(\mathrm{j}\omega)H(\mathrm{j}\omega)] = 0$，可解出 ω_y，代入虚部表达式中，得到与虚轴上的交点值；令虚部 $\mathrm{Im}[G(\mathrm{j}\omega)H(\mathrm{j}\omega)] = 0$，可解出 ω_x，代入实部表达式中，得到与实轴上的交点值。

3) 分析曲线的变化区域。

在 $0 < \omega < \infty$ 区间内，需要分析频率特性变化的范围，即所在的象限以及单调性，特别是当开环传递函数中含有右半 s 平面的零点或极点时，应注意其相频特性。

下面结合实例介绍开环频率特性极坐标图的绘制方法。

例 5-2　某系统开环传递函数为

$$G(s)H(s) = \frac{K}{(s+1)^3}$$

当 $K = 10$ 时，试绘制其极坐标图。

解　系统开环频率特性为

$$G(\mathrm{j}\omega)H(\mathrm{j}\omega) = \frac{10}{(\sqrt{\omega^2+1})^3} \angle -3\arctan\omega$$

这是由 3 个惯性环节组成的三阶系统。确定极坐标曲线的起始点和终止点：

当 $\omega = 0$ 时，$G(\mathrm{j}\omega)H(\mathrm{j}\omega) = 10 \angle 0°$。

当 $\omega = \infty$ 时，$G(\mathrm{j}\omega)H(\mathrm{j}\omega) = 0 \angle -270°$。

分析知，该极坐标曲线的变化范围在第Ⅳ～第Ⅱ象限之间，与负实轴和负虚轴有交点。交点坐标确定如下：

由 $\angle G(\mathrm{j}\omega)H(\mathrm{j}\omega) = -90°$，求得 $\omega_y = 0.577$，$|G(\mathrm{j}\omega)H(\mathrm{j}\omega)| = 6.5$。

由 $\angle G(\mathrm{j}\omega)H(\mathrm{j}\omega) = -180°$，求得 $\omega_x = 1.732$，$|G(\mathrm{j}\omega)H(\mathrm{j}\omega)| = 1.25$。

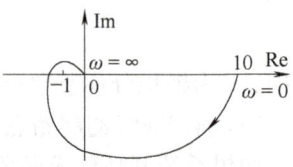

图 5-12　例 5-2 的极坐标图

绘制的极坐标曲线如图 5-12 所示。

例 5-3 设控制系统开环传递函数为

$$G(s)H(s) = \frac{K}{s(T_1s+1)(T_2s+1)}$$

试绘制其极坐标图。

解 系统开环传递函数是含有 1 个积分环节的三阶系统，极坐标曲线起始于 $\infty \angle -90°$，终止于 $0 \angle -270°$。下面确定曲线与实轴的交点坐标。

系统开环频率特性为

$$G(j\omega)H(j\omega) = \frac{K}{j\omega(j\omega T_1+1)(j\omega T_2+1)}$$

将上式写成实频和虚频两个部分，即

$$G(j\omega)H(j\omega) = \frac{-K(T_1+T_2)}{(\omega^2 T_1^2+1)(\omega^2 T_2^2+1)} + j\frac{K(\omega^2 T_1 T_2-1)}{\omega(\omega^2 T_1^2+1)(\omega^2 T_2^2+1)}$$

令虚部 $\mathrm{Im}[G(j\omega)H(j\omega)] = 0$，解出 $\omega_x = 1/\sqrt{T_1 T_2}$，代入实部表达式中，即

$$\mathrm{Re}[G(j\omega)H(j\omega)] = \frac{-K(T_1+T_2)}{(\omega^2 T_1^2+1)(\omega^2 T_2^2+1)}\bigg|_{\omega=\omega_x} = -\frac{KT_1T_2}{T_1+T_2}$$

这就是极坐标曲线与实轴的交点。

综上，曲线的变化范围在第Ⅲ～第Ⅱ象限之间。它的低频部分沿一条渐近线趋于无穷远处。$\omega \to 0$ 时的渐近线确定如下：

根据式（5-27），当 $\lim_{\omega \to 0}\mathrm{Im}[G(j\omega)H(j\omega)] = \pm\infty$ 时，由 $\lim_{\omega \to 0}\mathrm{Re}[G(j\omega)H(j\omega)]$ 可求出平行于虚轴的渐近线。本例中

$$\lim_{\omega \to 0}\mathrm{Im}[G(j\omega)H(j\omega)] = \lim_{\omega \to 0}\frac{K(\omega^2 T_1 T_2-1)}{\omega(\omega^2 T_1^2+1)(\omega^2 T_2^2+1)} = \infty$$

$$\lim_{\omega \to 0}\mathrm{Re}[G(j\omega)H(j\omega)] = \lim_{\omega \to 0}\frac{-K(T_1+T_2)}{(\omega^2 T_1^2+1)(\omega^2 T_2^2+1)} = -K(T_1+T_2)$$

这条渐近线是通过实轴上 $-K(T_1+T_2)$ 点，且平行于虚轴的直线。绘制的极坐标曲线如图 5-13 所示，图中虚线为开环极坐标曲线的低频渐近线。

需要说明的是，一般用于系统分析时能够画出极坐标曲线的概略图即可，也不用知道渐近线的位置，但是极坐标曲线与实轴的交点必须准确求出并绘制。后面章节将介绍该点位置与系统稳定性的关系。

例 5-4 负反馈系统开环传递函数为

$$G(s)H(s) = \frac{K(\tau s+1)}{s(Ts-1)}, K>0, \tau>0, T>0$$

试概略绘制其极坐标图。

解 系统开环频率特性为

$$G(j\omega)H(j\omega) = \frac{K(j\omega\tau+1)}{j\omega(j\omega T-1)}$$

幅频特性及相频特性分别为

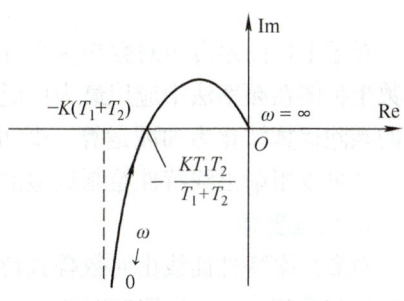

图 5-13 例 5-3 的极坐标图

$$|G(j\omega)H(j\omega)| = \frac{K}{\omega}\frac{\sqrt{\omega^2\tau^2+1}}{\sqrt{\omega^2T^2+1}}$$

$$\angle G(j\omega)H(j\omega) = \arctan\omega\tau - 90° - (180° - \arctan\omega T)$$

确定起始点和终止点：

当 $\omega = 0$ 时，$G(j\omega) = \infty \angle -270°$。

当 $\omega = \infty$ 时，$G(j\omega) = 0 \angle -90°$。

由分析知，该极坐标曲线在第 Ⅱ 和第 Ⅲ 象限之间变化，与负实轴有交点。交点坐标确定如下：

$$G(j\omega)H(j\omega) = \frac{-K\omega(T+\tau)}{\omega(\omega^2T^2+1)} + j\frac{K(1-\omega^2\tau T)}{\omega(\omega^2T^2+1)}$$

$$= U(\omega) + jV(\omega)$$

令虚部 $V(\omega) = 0$，解出 $\omega = \frac{1}{\sqrt{\tau T}}$。将 $\omega = \frac{1}{\sqrt{\tau T}}$ 代入 $U(\omega)$ 中，得到交点坐标为 $-K\tau$。极坐标曲线的大致图形如图 5-14 所示。

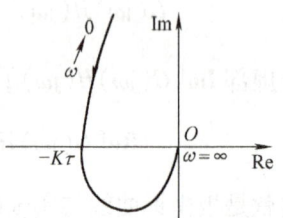

例 5-5 单位反馈系统的开环传递函数为

$$G(s) = \frac{Ke^{-s\tau}}{Ts+1}$$

图 5-14 例 5-4 的极坐标图

试概略绘制其极坐标图。

解 系统开环频率特性为

$$G(j\omega) = \frac{Ke^{-j\omega\tau}}{j\omega T+1} = \frac{K}{\sqrt{(\omega T)^2+1}} \angle(-\arctan\omega T - \omega\tau)$$

这是一个惯性环节与延滞环节的组合，其频率特性的幅值与惯性环节相同，只是相角滞后了 $\omega\tau$ 弧度。因此可以先绘制惯性环节（设为 $G_1(j\omega)$）的极坐标图，然后，只要在每一个频率 ω 上幅值保持不变，相角再增加 $-\omega\tau$，即得该系统的极坐标图，如图 5-15 所示。曲线是一条收敛于坐标原点的螺旋线。

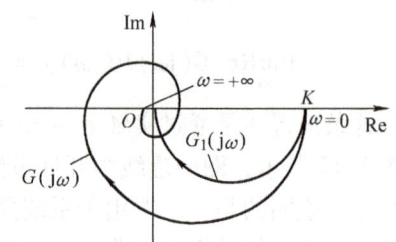

图 5-15 例 5-5 的极坐标图

5.3.2 对数坐标图

对数坐标图通过半对数坐标来分别表示幅频特性和相频特性，也称为伯德（Bode）图。对数坐标图在频率法中应用最为广泛。它的主要优点是：①利用对数运算可以将串联环节幅值的乘除运算转化为加减运算；②可以扩大所表示的频率范围，而又不降低低频段的准确度；③可以用渐近线特性绘制近似的对数频率特性，从而使频率特性的绘制过程大大简化。

1. 对数坐标

对数频率特性曲线由对数幅频特性和相频特性两部分组成。对数幅频特性和相频特性的横坐标都是频率 ω，采用对数分度，单位为弧度/秒（rad/s）。

对数幅频特性的纵坐标表示幅值比的对数值，定义为

$$L(\omega) = 20\lg|G(j\omega)|$$

采用线性分度，单位是分贝，用字母 dB 表示。

对数相频特性的纵坐标表示相位差 $\varphi = \angle G(j\omega)$，采用线性分度，单位是度（°）。

对数频率特性的坐标如图 5-16 所示。

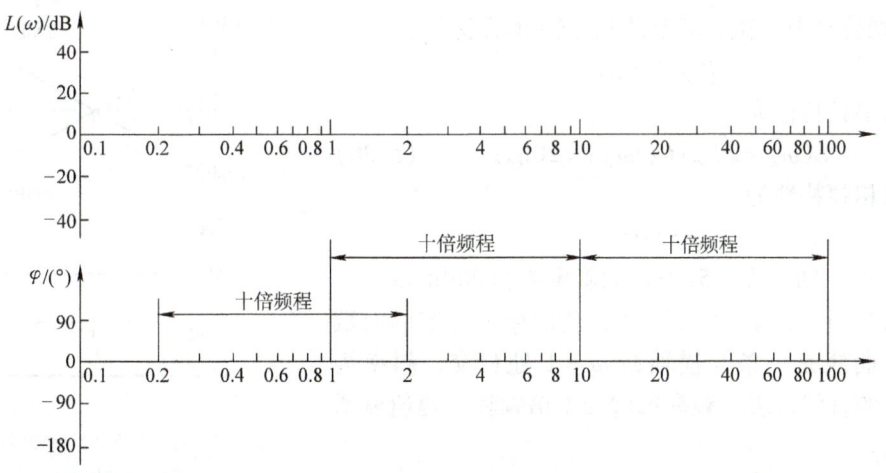

图 5-16　对数频率特性的坐标

由图 5-16 可知，在对数分度的横坐标中，当变量增大 10 倍或减小为 1/10，称为十倍频程（dec），坐标间距离变化一个单位长度。此外，零频率不能表示在对数坐标图中。

2. 典型环节的对数频率特性曲线

（1）比例环节　比例环节的频率特性函数为

$$G(j\omega) = K\angle 0°, K > 0$$

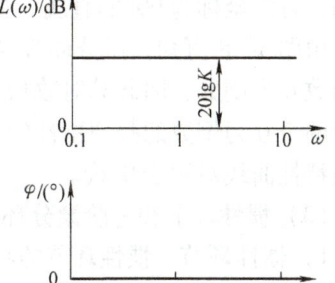

图 5-17　比例环节的
对数频率特性图

由于幅值和相角都不随频率 ω 变化，所以，对数幅频特性是一条平行于横轴且纵坐标值为 $20\lg|G(j\omega)| = 20\lg K$（dB）的直线。当 $K > 1$ 时，直线位于 0dB 之上；当 $K < 1$ 时，直线位于 0dB 之下。对数相频特性恒为 0°。比例环节的对数频率特性如图 5-17 所示。

（2）积分环节和微分环节

1）积分环节。积分环节的频率特性函数为

$$G(j\omega) = \frac{1}{j\omega}$$

对数幅频特性为

$$L(\omega) = 20\lg|G(j\omega)| = -20\lg\omega \tag{5-28}$$

对数相频特性为

$$\varphi = -90°$$

由式（5-28）求出幅频特性的斜率为

$$\frac{d[20\lg|G(j\omega)|]}{d[\lg\omega]} = -20 \tag{5-29}$$

斜率的单位为分贝/十倍频程（dB/dec）。因为当 $\omega = 1$ 时，$L(\omega) = 0$。所以，这是一条与横轴在 $\omega = 1$ 处相交、斜率为 -20dB/dec 的直线，表示频率每增加十倍频程，幅值就减小 20dB。

由于相角 $\varphi = -90°$，所以其相频特性是一条平行于横轴、且纵坐标为 $-90°$ 的直线。

2）微分环节。微分环节的频率特性函数为

$$G(j\omega) = j\omega$$

对数幅频特性为

$$L(\omega) = 20\lg|G(j\omega)| = 20\lg\omega \qquad (5\text{-}30)$$

对数相频特性为

$$\varphi = 90°$$

由式（5-29）知，式（5-30）的斜率应为 20dB/dec。

因为当 $\omega = 1$ 时，$L(\omega) = 0$，所以微分环节的对数幅频特性曲线是一条与横轴在 $\omega = 1$ 处相交、斜率为 20dB/dec 的直线，表示频率每增加十倍频程，幅值就增大 20dB。

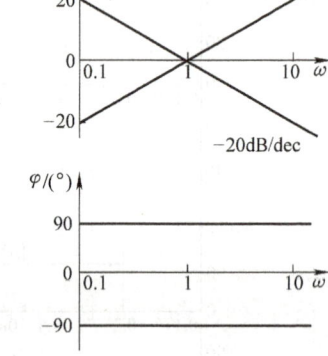

图 5-18 积分环节与微分环节对数频率特性图

由于相角 $\varphi = 90°$，因此其相频特性是一条平行于横轴、且纵坐标为 $90°$ 的直线。积分环节与微分环节的对数频率特性如图 5-18 所示。

由图 5-18 可知，微分环节与积分环节的对数频率特性对称于横轴。这是因为它们的传递函数互为倒数，因此其对数频率特性的幅值和相角总是大小相等、方向相反。可以证明，任何两个互为倒数的频率特性 $G(j\omega)$ 和 $1/G(j\omega)$，其对数幅频特性曲线对称于 0dB 线，对数相频特性曲线对称于 $0°$ 线。

（3）惯性环节和一阶微分环节

1）惯性环节。惯性环节的频率特性为

$$G(j\omega) = \frac{1}{j\omega T + 1}$$

对数幅频特性和相频特性分别为

$$L(\omega) = 20\lg|G(j\omega)| = -20\lg\sqrt{\omega^2 T^2 + 1} \qquad (5\text{-}31)$$

$$\varphi = -\arctan\omega T \qquad (5\text{-}32)$$

为了简化绘图，可以用渐近线来代替对数频率特性曲线。

当 $\omega T \ll 1$ 或 $\omega \ll 1/T$ 时，为对数幅频特性的低频段，式（5-31）可近似为

$$L(\omega) = 20\lg|G(j\omega)| \approx -20\lg 1 = 0\text{dB}$$

即低频段渐近线是一条与 0dB 线重合的直线。

当 $\omega T \gg 1$ 或 $\omega \geq 1/T$ 时，为对数幅频特性的高频段，式（5-31）可近似为

$$L(\omega) = 20\lg|G(j\omega)| \approx -20\lg\omega T$$

即高频段渐近线是一条斜率为 -20dB/dec 的直线。

当 $\omega T = 1$ 或 $\omega = 1/T$ 时，是低频段渐近线与高频段渐近线的交点，交点处的频率 $\omega = 1/T$ 称为转折角频率，简称转角频率。

用两条渐近线近似表示惯性环节的对数幅频特性与精确曲线相比将产生误差。此处误差定义为 $\delta =$ 真值 $-$ 近似值，其表达式为

$$\delta = \begin{cases} -20\lg\sqrt{\omega^2 T^2+1}, & \omega \leqslant 1/T \\ -20\lg\sqrt{\omega^2 T^2+1}+20\lg\omega T, & \omega \geqslant 1/T \end{cases} \quad (5\text{-}33)$$

按式 (5-33) 计算的几个特殊频率下的误差值列于表 5-3 中。由表可知，最大误差发生在转角频率 $\omega = 1/T$ 处，其值为 3.01dB，近似为 3dB。对应的误差修正曲线表示在图 5-19 中。

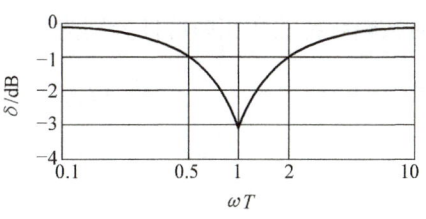

图 5-19　惯性环节对数幅频特性误差曲线

表 5-3　惯性环节近似对数幅频特性误差表

ωT	0.1	0.25	0.5	1.0	2.0	4.0	10
δ	-0.04	-0.32	-1.0	-3.01	-1.0	-0.32	-0.04

因为惯性环节的相频特性 $\varphi = -\arctan\omega T$，所以当 $\omega \to 0$ 时，$\varphi \to 0°$；当 $\omega T = 1$ 或 $\omega = 1/T$ 时，$\varphi = -45°$；当 $\omega \to \infty$ 时，$\varphi \to -90°$。惯性环节在几个特殊点的相频特性数据见表 5-4。

根据以上分析，分别画出惯性环节的幅频特性和相频特性，如图 5-20 坐标轴的下半部所示。

表 5-4　惯性环节相频特性数据表

ωT	0.1	0.25	0.5	1.0	2.0	4.0	10
φ	-5.7°	-14.1°	-26.6°	-45°	-63.4°	-75.9°	-84.3°

以上分析表明，用两条渐近线代替精确的对数幅频特性曲线在工程上是完全允许的。如果需要绘制精确对数幅频特性曲线，只需在两条渐近线的基础上用误差曲线修正即可。

应该指出，当改变时间常数 T 时，转角频率就向左或向右移动，但对数幅频特性曲线和相频特性曲线的形状保持不变。所以，可制成精确的幅频特性和相频特性模板。对于任意一个惯性环节，只要将其幅频特性的转角频率对齐，相频特性模板的 $-45°$ 角的点与转角频率重合，即可相当轻松地绘出对数频率特性曲线。

2）一阶微分环节。一阶微分环节的频率特性与惯性环节互为倒数，为

$$G(j\omega) = j\omega T + 1$$

因此，根据对称性可以方便地画出其对数频率特性曲线，如图 5-20 坐标轴的上半部。

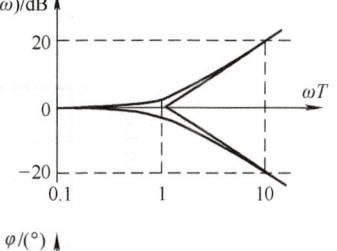

由图 5-20 可见，惯性环节具有明显的低通滤波特性。频率愈高，幅值衰减愈烈，相角滞后愈大。当频率趋于无穷大时，幅值衰减为零，相角滞后 $90°$。而一阶微分环节具有高通滤波作用。

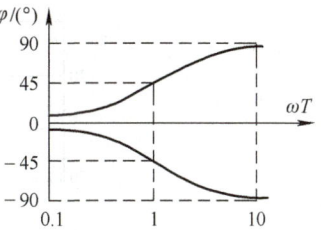

图 5-20　惯性环节和一阶微分环节的伯德图

（4）振荡环节　振荡环节的传递函数为

$$G(s) = \frac{1}{T^2 s^2 + 2\zeta T s + 1} = \frac{\omega_n^2}{s^2 + 2\zeta\omega_n s + \omega_n^2}, \quad 0 < \zeta < 1 \quad (5\text{-}34)$$

式中，T 为振荡环节的时间常数；ω_n 为无阻尼自然振荡频率，$\omega_n = 1/T$；ζ 为阻尼系数。

其频率特性为

$$G(j\omega) = \frac{1}{\left(1 - \dfrac{\omega^2}{\omega_n^2}\right) + j2\zeta\dfrac{\omega}{\omega_n}}$$

对数幅频特性和相频特性分别为

$$L(\omega) = -20\lg\sqrt{\left(1-\frac{\omega^2}{\omega_n^2}\right)^2 + \left(2\zeta\frac{\omega}{\omega_n}\right)^2} \tag{5-35}$$

$$\varphi(\omega) = -\arctan\frac{2\zeta\dfrac{\omega}{\omega_n}}{1-\dfrac{\omega^2}{\omega_n^2}} \tag{5-36}$$

当 $\omega/\omega_n \ll 1$ 或 $\omega \ll \omega_n$ 时，式 (5-35) 可近似为

$$L(\omega) \approx 0$$

即低频段渐近线是一条 0dB 的直线。

当 $\omega/\omega_n \gg 1$ 或 $\omega \gg \omega_n$ 时，式 (5-35) 可近似为

$$L(\omega) \approx -40\lg\frac{\omega}{\omega_n}$$

即高频段渐近线是一条通过转角频率 ω_n 点，且斜率为 -40dB/dec 的直线。对于确定的 ζ 值，可利用式 (5-35) 和式 (5-36)，在给定的一系列 ω/ω_n 值下，计算出振荡环节的对数频率特性，如图 5-21 所示。由图可以看出，不同的 ζ 值其对数幅频特性曲线有时差异较大，在 $\omega/\omega_n = 1$ 附近差异最大，但其渐近线却与阻尼系数 ζ 无关。

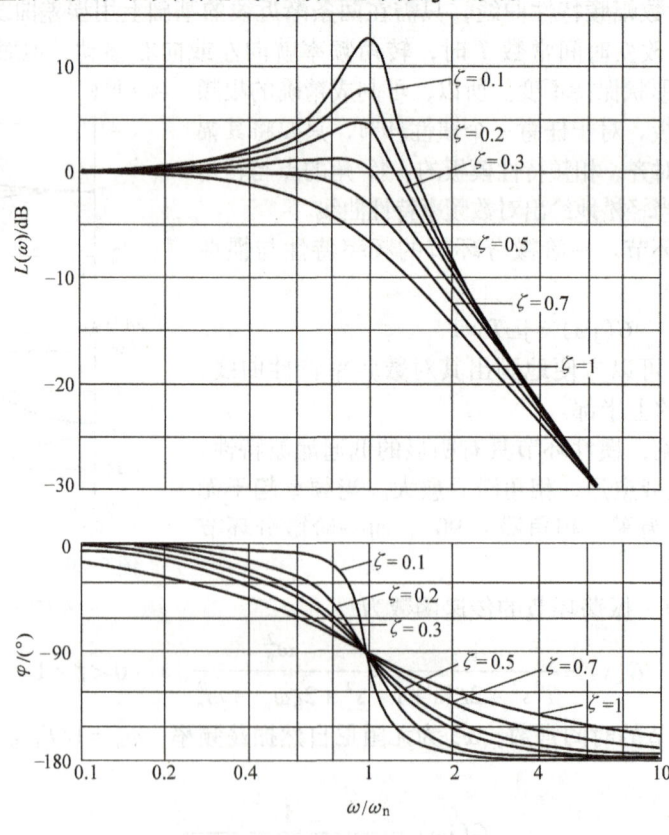

图 5-21 振荡环节的对数频率特性图

用两条渐近线近似表示振荡环节的对数幅频特性曲线也将产生误差，误差最大值发生在振荡环节的转角频率 $\omega = \omega_n$ 处，误差的表达式为

$$\delta = \begin{cases} -20\lg\sqrt{\left(1-\dfrac{\omega^2}{\omega_n^2}\right)^2 + \left(2\zeta\dfrac{\omega}{\omega_n}\right)^2}, & \omega \ll \omega_n \\ -20\lg\sqrt{\left(1-\dfrac{\omega^2}{\omega_n^2}\right)^2 + \left(2\zeta\dfrac{\omega}{\omega_n}\right)^2} + 40\lg\dfrac{\omega}{\omega_n}, & \omega \gg \omega_n \end{cases} \qquad (5\text{-}37)$$

对于不同的阻尼系数 ζ，按式（5-37）可以计算出不同频率下对数幅值的误差。不同 ζ 时的最大误差值见表 5-5。由表看出，当 $0.4 \le \zeta \le 0.8$ 时，用两条渐近线近似代替精确的对数幅频特性曲线在工程上一般是允许的。如果需要绘制精确的对数幅频特性曲线，则应在渐近线基础上，利用误差曲线进行修正。误差曲线如图 5-22 所示。

表 5-5　振荡环节近似对数幅频特性最大幅值误差

ζ	0.05	0.1	0.2	0.3	0.4	0.5	0.6	0.7	0.8	0.9	1
δ	20.0	14.0	8.0	4.4	1.9	0	-1.6	-2.9	-4.1	-5.1	-6.0

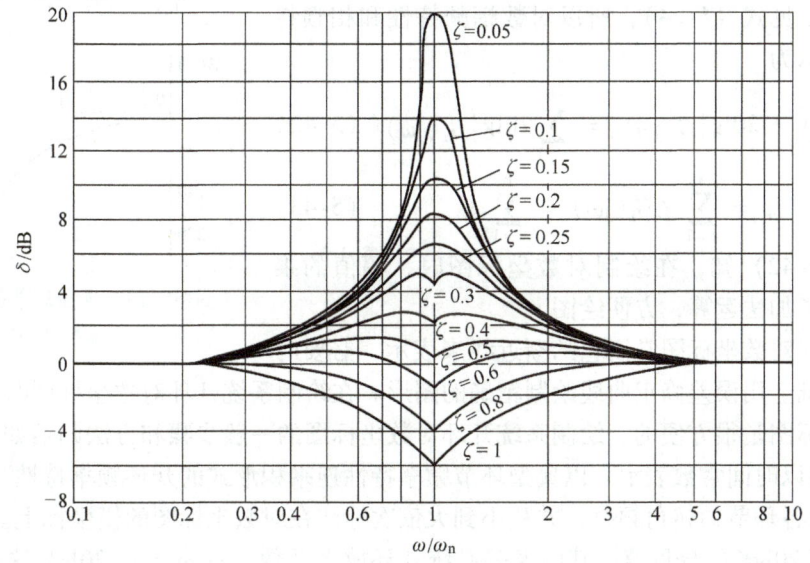

图 5-22　振荡环节近似对数幅频特性的误差曲线

应当指出，振荡环节的频率特性不仅与 ω_n 有关，而且与 ζ 有关。ω_n 的变化只引起频率特性的左右移动，不影响曲线的形状。当 ζ 减小到一定程度时，在对数幅频特性曲线上将出现一个峰值，称为谐振峰值，用 M_r 表示。这一峰值与该环节时间响应的超调量相关。对应谐振峰值的频率称为谐振频率，用 ω_r 表示。

下面讨论谐振频率 ω_r 及谐振峰值 M_r 的确定方法。令

$$\frac{\mathrm{d}|G(\mathrm{j}\omega)|}{\mathrm{d}\omega} = 0$$

即可求出谐振频率 ω_r 与阻尼比 ζ 的关系式为

$$\omega_r = \omega_n\sqrt{1-2\zeta^2} \qquad (5\text{-}38)$$

当 $\omega = \omega_r$ 时，$|G(j\omega)|$ 出现峰值。且仅当 $1 - 2\zeta^2 \geq 0$，即 $\zeta \leq 0.707$ 时，式（5-38）才有意义，$|G(j\omega)|$ 才有峰值。将式（5-38）代入幅值表达式中，求其谐振峰值为

$$M_r = \left| G(j\omega) \right|_{\omega=\omega_r} = \frac{1}{\sqrt{\left(1 - \frac{\omega_r^2}{\omega_n^2}\right)^2 + \left(2\zeta \frac{\omega_r}{\omega_n}\right)^2}} = \frac{1}{2\zeta\sqrt{1-\zeta^2}} \quad (5-39)$$

（5）延滞环节　延滞环节的传递函数和频率特性分别为

$$G(s) = e^{-\tau s}$$
$$G(j\omega) = e^{-j\omega\tau}$$

对数幅频特性和相频特性为

$$L(\omega) = 20\lg G|(j\omega)| = 0 \quad (5-40)$$
$$\varphi = -\omega\tau[\text{rad}] = -57.3\omega\tau[°] \quad (5-41)$$

因此，对数幅频特性是一条 0dB 的直线，而相频特性随 ω 增加迅速下降，如图 5-23 所示。

3. 系统的开环对数频率特性曲线

因为系统的开环频率特性通常是若干个典型环节频率特性的乘积，见式（5-24），所以对数幅频特性和相频特性可分别表示为

$$L(\omega) = 20\lg|G(j\omega)| = \sum_{i=1}^{k} 20\lg|G_i(j\omega)| \quad (5-42)$$

$$\varphi = \sum_{i=1}^{k} \angle G_i(j\omega) = \sum_{i=1}^{k} \varphi_i \quad (5-43)$$

由式（5-42）知，在绘制对数坐标图时，幅值的乘法运算变成了加法运算，方便绘图。

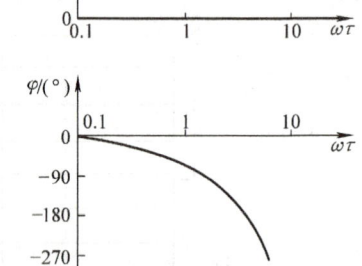

图 5-23　延滞环节的对数频率特性图

工程中，对数坐标图常用它的渐近线来表示，必要时可以在此基础上用误差修正曲线绘制精确的图形。在绘制系统开环对数坐标图时，利用典型环节对数坐标图是很方便的。绘制系统开环对数坐标图的一般步骤和方法归纳如下：

1) 写出以时间常数表示、以典型环节频率特性连乘积形式的开环频率特性。

2) 求出各环节的转角频率，并从小到大依次标注在对数坐标图的横坐标上。

3) 计算 $20\lg K$ 的分贝值，其中 K 是系统开环放大系数。过 $\omega = 1$、$20\lg K$ 这一点做斜率为 $-20v$dB/dec 的直线，此即为低频段的渐近线，其中 v 是开环传递函数中积分环节的个数。

4) 绘制对数幅频特性的其他渐近线，方法是：从低频段渐近线开始，从左到右，每遇到一个转角频率就按上述规律改变一次上一频段的斜率。若有必要再利用误差曲线修正，得到精确对数幅频特性的光滑曲线。

5) 给出不同 ω 值，计算对应的 φ_i，再利用式（5-43）进行代数相加，画出系统的开环相频特性曲线。

例 5-6　某系统开环传递函数如下，试绘制其对数坐标图。

$$G(s) = \frac{64(s+2)}{s(s+0.5)(s^2+3.2s+64)}$$

解　首先将传递函数改写为用时间常数表示的形式，其频率特性为

$$G(j\omega) = \frac{4(0.5j\omega + 1)}{j\omega(2j\omega + 1)\left[-\left(\frac{\omega}{8}\right)^2 + j0.4\left(\frac{\omega}{8}\right) + 1\right]}$$

可见，开环频率特性由比例环节、一阶微分环节、积分环节、惯性环节和二阶振荡环节组成。求出各环节的转角频率如下：

对于惯性环节，由 $\omega T = 1$，得到转角频率 $\omega = 1/T$。因此本题的惯性环节、一阶微分环节和振荡环节的转角频率分别为 0.5、2 和 8，并将它们依次标注在对数坐标图上，如图 5-24 所示。

画图步骤：①过 $\omega = 1$，$20\lg 4 = 12$dB 这一点，做 -20dB/dec 的直线，此即为该系统低频段渐近线；②沿低频渐近线开始，从左到右，在 $\omega_1 = 0.5$（惯性环节的转角频率）点，系统渐近线的斜率由 -20dB/dec 变为 -40dB/dec，同理在 $\omega_2 = 2$（一阶微分环节的转角频率）点，系统渐近线的斜率由 -40dB/dec 变为 -20dB/dec，再到 $\omega_3 = 8$（振荡环节的转角频率）点，系统渐近线斜率由 -20dB/dec 变为 -60dB/dec；③当 $\zeta = 0.2$ 时给定不同的 ω 值，按

$$\varphi = -90° + \arctan 0.5\omega - \arctan 2\omega - \arctan\frac{0.4(\omega/8)}{1 - (\omega/8)^2}$$

可计算系统开环相频特性。系统对数频率特性曲线如图 5-24 所示。如果利用误差曲线进行修正，即得精确的对数幅频特性曲线。

4. 最小相位系统

如果系统开环传递函数在复平面 s 的右半面既没有极点，也没有零点，则称该传递函数为最小相位传递函数，具有最小相位传递函数的系统称为最小相位系统。反之，则称为非最小相位系统。

具有相同幅频特性的系统，最小相位系统的相角变化范围最小，而任

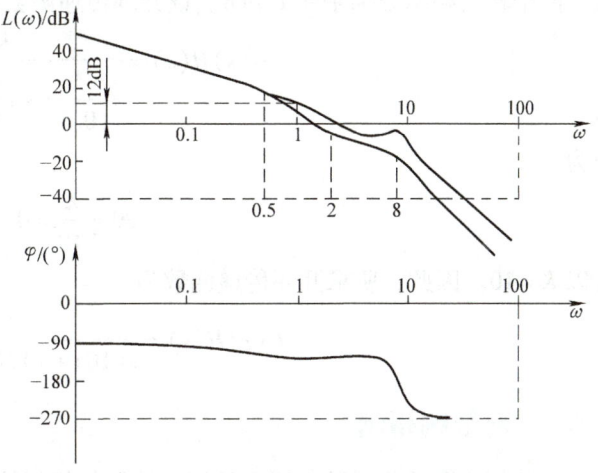

图 5-24 例 5-6 系统开环频率特性的对数坐标图

何非最小相位系统的相角变化范围都大于最小相位系统的相位变化范围。最小相位的名称由此得来。

例如，如果两个系统的传递函数分别为

$$G_1(s)H_1(s) = \frac{1 + \tau s}{1 + Ts} \text{ 和 } G_2(s)H_2(s) = \frac{1 - \tau s}{1 + Ts}, \quad 0 < \tau < T$$

则图 5-25 中分别表示了这两个系统的相频特性，而它们的幅频特性是相同的。

最小相位系统的幅频特性和相频特性之间有着确定的单值关系。也就是说，如果系统的幅频特性已定，那么这个系统的相频特性也就唯一地被确定了，反之亦然。然而，对于非最小相位系统而言，上述关系是不成立的。

判断已经画出的对数频率特性是否为最小相位系统，既要检查对数幅频特性曲线高频渐近线的斜率，也要检查当 $\omega \to \infty$ 时的相角。

若 $\omega\to\infty$ 时幅频特性的斜率为 $-20\times(n-m)$ dB/dec，其中 n、m 分别为传递函数中分母、分子多项式的阶数，而相角等于 $-90°\times(n-m)$，则是最小相位系统，否则就不是。

对于开环不稳定的系统，因为它的传递函数在 s 平面的右半面有极点而属于非最小相位系统。为了统一起见，以后凡是没有特殊说明，一般都是指最小相位系统而言。对于这类系统有时可以不必绘制它的对数相频特性曲线。

例5-7 某最小相位系统的开环对数幅频特性如图5-26所示，试确定其传递函数。

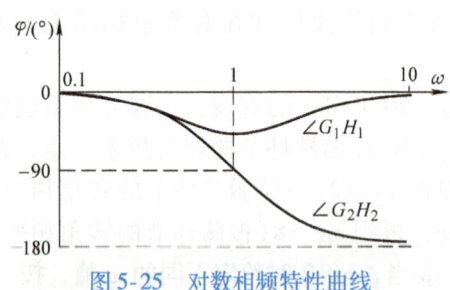

图5-25 对数相频特性曲线

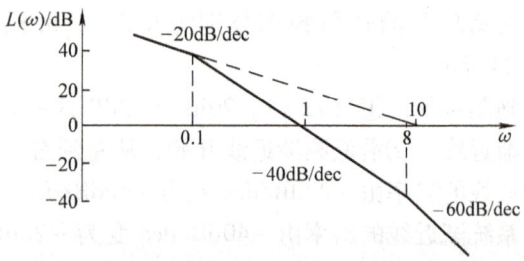

图5-26 最小相位系统开环对数幅频特性

解 从系统开环对数幅频特性曲线可知，系统由比例环节、积分环节和两个惯性环节组成，两个转角频率分别是0.1和8。设开环传递函数的形式为

$$G(s)H(s) = \frac{K}{s\left(\frac{1}{0.1}s+1\right)\left(\frac{1}{8}s+1\right)}$$

因为

$$20\lg\frac{K}{10} = 0$$

所以 $K=10$。因此，所求开环传递函数为

$$G(s)H(s) = \frac{10}{s(10s+1)(0.125s+1)}$$

5.3.3 对数幅相图

对数幅相图是将对数坐标图的幅频特性与相频特性绘制到一张图上来表示系统频率特性的图形，也称为尼柯尔斯（Nichols）图。

对数幅相图是直角坐标图，横坐标为相位差 φ，单位是度（°）；纵坐标是幅值比的对数值 $L(\omega)=20\lg|G(j\omega)|$，单位是分贝（dB）。曲线上的每个点都对应一个固定的频率。因此，对数幅相图可以通过对数坐标图容易地画出来。

例如，惯性环节对数幅频特性和相频特性分别为

$$L(\omega) = 20\lg|G(j\omega)| = -20\lg\sqrt{\omega^2 T^2+1}$$
$$\varphi = -\arctan\omega T$$

当 $\omega=0$ 时，$L(\omega)=0$dB，$\varphi=0°$，曲线起始于坐标原点；当 $\omega=1/T$ 时，$L(\omega)=-3$dB，$\varphi=-45°$；当 $\omega\to\infty$ 时，$L(\omega)\to-\infty$，$\varphi\to-90°$。图5-27给出了该环节的对数幅相图。

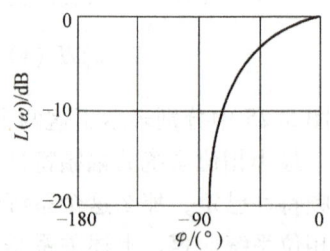

图5-27 惯性环节的对数幅相图

5.4 频域稳定性判据

在前面章节中，介绍了两种判别系统稳定性的方法。劳斯判据可以根据特征方程根和系数的关系判断系统的稳定性；根轨迹法是利用开环零、极点绘制闭环特征根随系统参数变化的轨迹来判断系统的稳定性。本节将介绍一种在频域中判别闭环系统稳定性的方法，即奈奎斯特稳定判据，简称奈氏判据。

应用奈奎斯特稳定判据也无须求取闭环特征根，可根据系统的开环频率特性来判断闭环系统是否稳定，并能指出系统不稳定特征根的个数，在实际中得到了广泛的应用。

奈奎斯特稳定判据的数学基础是复变函数理论中的映射定理，又称辐角定理。

5.4.1 映射定理

设 s 为一复数变量，$F(s)$ 是 s 的有理分式函数，设其形式为

$$F(s) = \frac{\prod_{i=1}^{m}(s+z_i)}{\prod_{j=1}^{n}(s+p_j)} \tag{5-44}$$

式中，$(-z_i)$ 和 $(-p_j)$ 分别为 $F(s)$ 的零点和极点。

假设复变函数 $F(s)$ 是 s 的单值解析函数，那么对于 s 平面上的任一点，在 $F(s)$ 平面上必定有一个对应的映射点。如果在 s 平面画一条封闭曲线，并使其不通过 $F(s)$ 的任一奇点，则在 $F(s)$ 平面上必有一条对应的映射曲线，如图 5-28 所示。

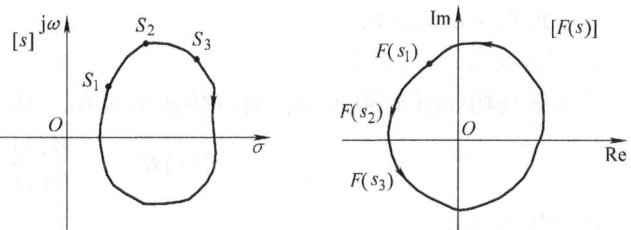

图 5-28 s 平面与 $F(s)$ 平面的映射关系

人们感兴趣的不是映射曲线的形状，而是它包围坐标原点的次数和运动方向，因为这两者与系统的稳定性密切相关。

根据式 (5-44)，复变函数 $F(s)$ 的辐角可表示为

$$\angle F(s) = \sum_{i=1}^{m} \angle(s+z_i) - \sum_{j=1}^{n} \angle(s+p_j)$$

假定在 s 平面上的封闭曲线 Γ_s 包围了 $F(s)$ 的一个零点 $-z_1$，而其他零、极点都位于封闭曲线之外，则当变点 s 沿着 s 平面上的封闭曲线 Γ_s 顺时针方向移动一周时，向量 $(s+z_1)$ 的辐角的增量 $\Delta\angle(s+z_1) = -2\pi\mathrm{rad}$（辐角是以逆时针为正方向），而其他各向量的辐角增量为零。这时，函数 $F(s)$ 辐角的增量为

$$\Delta\angle F(s) = \sum_{i=1}^{m} \Delta\angle(s+z_i) - \sum_{j=1}^{n} \Delta\angle(s+p_j) = -2\pi$$

这意味着在 $F(s)$ 平面上的映射曲线 Γ_F 沿顺时针方向围绕坐标原点变化一周，即 $F(s)$ 的辐角变化了 $-2\pi\mathrm{rad}$，如图 5-29 所示。

同理，若 s 平面上的封闭曲线 Γ_s 包围 $F(s)$ 的 Z 个零点，则在 $F(s)$ 平面上的映射曲线 Γ_F 将按顺时针方向围绕坐标原点变化 Z 周。

用类似分析方法可以推论，若 s 平面上的封闭曲线 Γ_s 包围 $F(s)$ 的 P 个极点，则当 s 沿着 s 平面上的封闭曲线 Γ_s 顺时针移动一周时，在 $F(s)$ 平面上的映射曲线 Γ_F 将按逆时针方向围绕坐标原点变化 P 周。

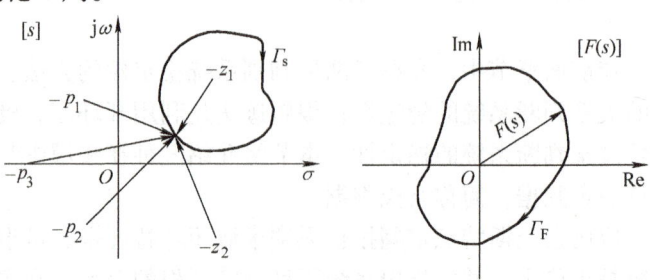

图 5-29 封闭曲线包围 $-z_1$ 时的映射情况

综上所述，可归纳如下：

如果 s 平面上的封闭曲线以顺时针方向包围函数 $F(s)$ 的 Z 个零点和 P 个极点，则 $F(s)$ 平面上的映射曲线 Γ_F 相应地包围坐标原点 N 次，且

$$N = Z - P$$

若 $Z > P$，N 为正值，包围方向为顺时针；若 $Z < P$，N 为负值，包围方向为逆时针。

5.4.2 奈奎斯特稳定判据

闭环系统稳定的充分必要条件是系统的特征根都具有负实部，或均不在右半 s 平面。奈奎斯特通过映射定理把 s 平面上的这一稳定条件转换到频率特性平面，从而形成了在频率域内判定系统稳定性的准则。

1. 复变函数 $F(s)$ 的选择

设系统结构如图 5-30 所示。开环传递函数 $G(s)H(s)$ 一般为两个多项式之比，为

$$G(s)H(s) = \frac{M(s)}{N(s)} \tag{5-45}$$

闭环传递函数为

$$W(s) = \frac{C(s)}{R(s)} = \frac{G(s)}{1 + G(s)H(s)} \tag{5-46}$$

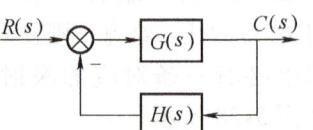

则闭环特征式为

图 5-30 闭环系统结构图

$$F(s) = 1 + G(s)H(s) = \frac{N(s) + M(s)}{N(s)} \tag{5-47}$$

考虑到物理系统中开环传递函数分子的最高次幂 m 均小于分母的最高次幂 n，故复变函数 $F(s)$ 的分子和分母两个多项式的阶次是相同的。因此，式（5-44）的 $F(s)$ 可改写为

$$F(s) = \frac{\prod_{i=1}^{n}(s + z_i)}{\prod_{i=1}^{n}(s + p_i)} \tag{5-48}$$

由式（5-47）和式（5-48）知，特征函数 $F(s)$ 具有如下特点：①$F(s)$ 的零点和极点分别是闭环极点和开环极点；②$F(s)$ 的零点和极点个数相同；③$F(s)$ 和 $G(s)H(s)$ 只差常数 1。

因此闭环系统稳定条件为使特征函数 $F(s)$ 的零点都具有负实部，或者说 $F(s)$ 的所有零

点都不在 s 平面的右半平面内即可。

2. 封闭曲线 Γ_s 的选择及奈奎斯特稳定判据

为了将辐角定理应用于频率域判定闭环系统的稳定性，选取 s 平面上的封闭曲线 Γ_s 使之包围整个 s 右半平面。该封闭曲线由整个虚轴（从 $s=-j\infty$ 到 $s=+j\infty$）和右半平面上半径为无穷大的半圆轨迹构成，这一封闭曲线通常称作奈奎斯特轨迹，其方向为顺时针，如图 5-31 所示。因此，在右半 s 平面内是否包围 $F(s)$ 的零点和极点的问题，也就归结为在奈奎斯特轨迹内是否包围 $F(s)$ 的零点和极点的问题。

奈奎斯特轨迹上的变点 s 是连续变化的，其在 $F(s)$ 平面上的映射也是一条封闭曲线，称为奈奎斯特曲线。因为 Γ_s 曲线不能通过 $F(s)$ 的奇点，所以分两种情况讨论。

（1）$F(s)$ 在虚轴上无极点　函数 $F(s)$ 在虚轴上无极点，也即开环传递函数 $G(s)H(s)$ 在虚轴上无极点。此时，Γ_s 曲线按图 5-31 选取。

下面分别讨论奈奎斯特轨迹的两个组成部分，沿无穷大半径的半圆路径和沿虚轴路径所对应的映射曲线图形。

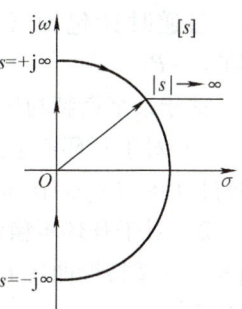

图 5-31　s 平面上的奈奎斯特轨迹

1）沿无穷大半径的半圆路径。在实际控制系统中，开环传递函数 $G(s)H(s)$ 的一般形式为

$$G(s)H(s) = \frac{b_0 s^m + b_1 s^{m-1} + \cdots + b_{m-1} s + b_m}{a_0 s^n + a_1 s^{n-1} + \cdots + a_{n-1} s + a_n}$$

由于系统总是满足 $n \geq m$，故当 s 趋于无穷时，必有

$$\lim_{s \to \infty} G(s)H(s) = \begin{cases} 0 & (n > m) \\ \dfrac{b_0}{a_0} & (n = m) \end{cases} \tag{5-49}$$

或

$$\lim_{s \to \infty} F(s) = \lim_{s \to \infty} [1 + G(s)H(s)] = \begin{cases} 1 & (n > m) \\ 1 + \dfrac{b_0}{a_0} & (n = m) \end{cases} \tag{5-50}$$

可见，当 $s \to \infty$ 时，$F(s)$ 是一个常量，奈奎斯特轨迹的这一部分映射到 $F(s)$ 平面上只是一个点。该点在 $F(s)$ 平面上的坐标可按式（5-50）确定。

2）沿虚轴路径。当变点 s 取虚轴上的数值时，即取 $s=j\omega(-\infty < \omega < \infty)$，映射曲线 $F(j\omega)$ 刚好是频率特性形式。这就是说，在 s 平面上奈奎斯特轨迹的虚轴部分映射到 $F(s)$ 平面上的曲线刚巧是频率特性函数 $F(j\omega)$，这一点是非常重要的。由特征函数 $F(s)$ 的第③个特点知

$$G(j\omega)H(j\omega) = F(j\omega) - 1 \tag{5-51}$$

式（5-51）表明，只要将 $F(j\omega)$ 曲线向负实轴方向平行移动单位向量长度的距离，即得到 $G(j\omega)H(j\omega)$ 曲线。因此，$F(j\omega)$ 曲线对坐标原点的包围情况与 $G(j\omega)H(j\omega)$ 曲线对于 $(-1,j0)$ 点的包围情况完全相同。于是可直接从开环频率特性 $G(j\omega)H(j\omega)$ 曲线对 $(-1,j0)$ 点的包围情况来分析闭环系统的稳定性。

因此,奈奎斯特轨迹在 $G(s)H(s)$ 平面(可简写为 GH 平面)上的映射关系可描述为:当奈奎斯特轨迹顺时针包围了特征函数 $F(s)$ 中的 Z 个零点和 P 个极点时,在 GH 平面上的映射围线(即开环频率特性曲线)必顺时针包围(-1,j0)点 N 次,且 $N=Z-P$。

因为闭环系统稳定的充要条件是 $F(s)$ 在右半 s 平面无零点,即 $Z=0$,所以利用开环频率特性曲线 $G(j\omega)H(j\omega)$ 对(-1,j0)点的包围情况分析闭环系统的稳定性,可概括为下述的奈奎斯特稳定判据:

闭环控制系统稳定的充分必要条件是开环频率特性曲线 $G(j\omega)H(j\omega)$ 不通过(-1,j0)点,且逆时针包围(-1,j0)点的周数 N 等于开环传递函数正实部极点的个数 P,即 $N=-P$。

关于奈奎斯特稳定判据有如下说明:

1)对于开环稳定的系统(即 $P=0$,$G(s)H(s)$ 在右半 s 平面无极点),当且仅当开环频率特性曲线 $G(j\omega)H(j\omega)$ 不通过也不包围(-1,j0)点,即 $N=0$ 时,闭环系统稳定。

2)对于开环不稳定的系统(即 $P\neq 0$,$G(s)H(s)$ 在右半 s 平面含有 P 个极点),当且仅当开环频率特性曲线 $G(j\omega)H(j\omega)$ 逆时针包围(-1,j0)点 P 周,即 $N=-P$ 时,闭环系统稳定。

3)如果 $N\neq -P$,则闭环系统不稳定,闭环正实部特征根的个数为

$$Z = N + P \tag{5-52}$$

4)当开环频率特性曲线 $G(j\omega)H(j\omega)$ 通过(-1,j0)点时,闭环系统处于临界稳定状态。

例 5-8   续例 5-2。当 $K=5$ 时,试用奈奎斯特稳定判据判断其闭环系统的稳定性。

解   系统开环稳定,所以 $P=0$;$K=5$ 时频率特性与实轴相交于 -0.625,画出其极坐标图,如图 5-32,并补画频率特性的负频段(图中虚线所示)。从图中看到,当 ω 从 $-\infty$ 向 $+\infty$ 变化时,$G(j\omega)H(j\omega)$ 曲线不包围(-1,j0)点,即 $N=0$。因此 $Z=N+P=0$,闭环系统是稳定的。

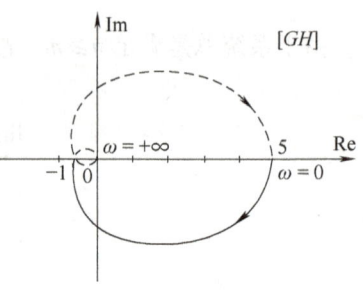

图 5-32   例 5-8 的极坐标图

例 5-9   单位反馈系统的开环传递函数 $G(s)=\dfrac{K}{Ts-1}$,试判断闭环系统的稳定性(设 $K>1$)。

解   系统开环频率特性函数为

$$G(j\omega) = \frac{K}{j\omega T - 1} = \frac{K}{\sqrt{\omega^2 T^2 + 1}} \angle(-180° + \arctan\omega T)$$

当 ω 由 $0\to +\infty$ 变化时,$G(j\omega)$ 曲线如图 5-33 中的实线所示(可参见例 5-1)。利用对称特性补画 ω 由 $-\infty \to 0$ 的负频段,如图 5-33 中的虚线所示。

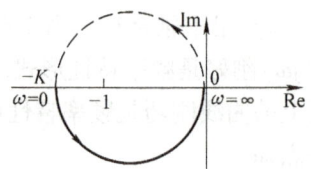

图 5-33   例 5-9 的极坐标图

系统有一个位于 s 右半平面的极点,$P=1$,开环不稳定;奈奎斯特曲线逆时针包围(-1,j0)点一周,即 $N=-1$,所以 $Z=N+P=0$,闭环系统稳定。

当 $K<1$ 时,奈奎斯特曲线不包围(-1,j0)点,即 $N=0$,所以 $Z=N+P=1$,闭环

系统不稳定，系统有 1 个特征根在右半 s 平面。

（2）$F(s)$ 在虚轴上有极点　在前面的分析中，假定奈奎斯特轨迹不穿过 $F(s)$ 的任何奇点，即不穿过 $F(s)$ 或 $G(s)H(s)$ 的任何极点，而实际的控制系统在虚轴上有极点，特别是在原点处有极点的情况是常见的。例如，在开环传递函数中包含积分环节的控制系统。此时，若仍用奈奎斯特轨迹，则在原点处由于 $F(s)$ 趋于无穷大而使曲线映射关系不定，映射定理便不能直接应用。一种改进的办法是对奈奎斯特轨迹进行修正，使其绕过虚轴上的开环极点，并将这些极点排除在奈奎斯特轨迹所包围的区域之外，但仍包围 $F(s)$ 在右半 s 平面内的所有零点和极点。

以在原点处有极点为例，修正的奈奎斯特轨迹由以下几部分组成：变点 s 从 $-j\infty$ 沿负虚轴运动到 $j0^-$ 后，从 $j0^-$ 到 $j0^+$，变点 s 沿半径为 ε（$\varepsilon \to 0$）的无限小的半圆运动，然后再从 $j0^+$ 沿正虚轴运动到 $j\infty$，从 $j\infty$ 开始的轨迹仍是半径为无穷大的半圆，变点再沿此轨迹返回到原起始点，如图 5-34 所示。由于改变封闭曲线而回避掉的面积是很小的，当半径 ε 趋于零时，小半圆面积也将趋于零。因此，位于右半 s 平面上的全部零点和极点仍可被包围在这一修正后的封闭曲线之内。

在半径为 ε 的无限小半圆轨迹上，变量 s 可表示为

$$s = \varepsilon e^{j\theta} \tag{5-53}$$

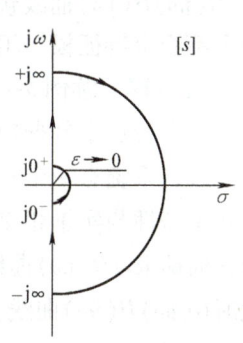

图 5-34　修正的奈奎斯特轨迹

式中，θ 从 $-90° \to +90°$。将式（5-53）代入式（5-26）的开环传递函数中，并令 $\varepsilon \to 0$，得

$$G(s)H(s) = \frac{K}{\varepsilon^v} e^{-jv\theta} = \infty \, e^{-jv\theta} \tag{5-54}$$

式（5-54）表明，s 平面上原点附近的无限小半圆映射到 $G(s)H(s)$ 平面上，是半径为无限大的圆弧。该圆弧旋转的角度从 $\omega = 0^-$ 开始，顺时针转过 $v\pi$ 弧度后终止于 $\omega = 0^+$。这段半径为无限大的圆弧称作奈奎斯特曲线的补线。

例 5-10　系统开环传递函数 $G(s)H(s) = \dfrac{K}{s^2(Ts+1)}$，试判断闭环系统的稳定性。

解　开环频率特性函数为

$$G(j\omega)H(j\omega) = \frac{K}{\omega^2 \sqrt{(\omega T)^2 + 1}} \angle (-180° - \arctan\omega T)$$

画出 $\omega = 0^+ \to +\infty$ 变化时的 $G(j\omega)H(j\omega)$ 曲线，根据对称特性得到 ω 由 $-\infty \to 0^-$ 变化时的 $G(j\omega)H(j\omega)$ 曲线，如图 5-35 中的实线所示。从 $\omega = 0^-$ 开始，以无穷大为半径顺时针转过 2π 后终止于 $\omega = 0^+$，如图 5-35 中的虚线所示。

系统开环传递函数在右半 s 平面没有极点，故 $P = 0$；从图 5-35 中可以看到，奈奎斯特曲线顺时针包围 $(-1, j0)$ 点两周，$N = 2$。因此 $Z = N + P = 2$，有两个特征根在右半 s 平面，系统闭环不稳定。

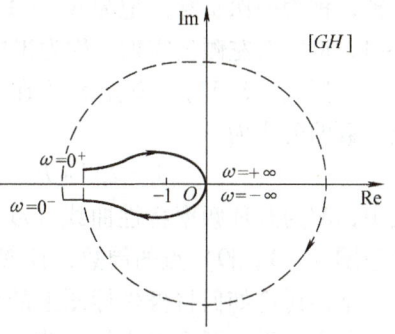

图 5-35　例 5-10 的极坐标图

例 5-11　续例 5-3。试用奈奎斯特稳定判据分析不同 K 值时闭环系统的稳定性。

解　在图 5-13 的基础上补画负频段及无穷大半圆补线，如图 5-36 所示。

由此可见，当 $KT_1T_2/(T_1+T_2)=1$，即 $K=(T_1+T_2)/(T_1T_2)$ 时，$G(j\omega)H(j\omega)$ 曲线正好通过 $(-1,j0)$ 点，此时系统处于临界稳定状态；当 $K<(T_1+T_2)/(T_1T_2)$ 时，$G(j\omega)H(j\omega)$ 曲线不包围 $(-1,j0)$，闭环系统稳定；当 $K>(T_1+T_2)/(T_1T_2)$ 时，$G(j\omega)H(j\omega)$ 曲线包围 $(-1,j0)$ 点两周，系统有两个不稳定特征根，闭环系统不稳定。

例 5-12　续例 5-4。当 $T=\tau=1$，$K=2$ 时，试用奈奎斯特稳定判据判断其闭环系统的稳定性。

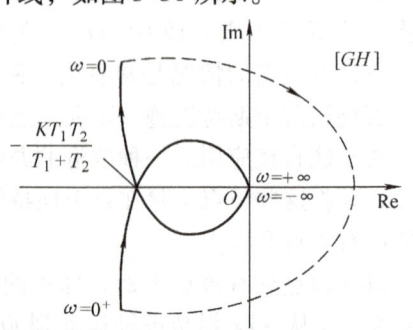

图 5-36　例 5-11 的 $G(j\omega)H(j\omega)$ 曲线及补线

解　系统有一个开环极点在右半平面，即 $P=1$；当 $K=2$ 时频率特性与实轴相交于 $(-2,j0)$ 点，画出 ω 由 $0^+\to+\infty$ 变化时 $G(j\omega)H(j\omega)$ 曲线，根据对称特性得到 ω 由 $-\infty\to 0^-$ 变化时 $G(j\omega)H(j\omega)$ 曲线，如图 5-37 中的实线所示。从 $\omega=0^-$ 开始，以无穷大为半径顺时针转过 $180°$ 后终止于 $\omega=0^+$，如图 5-37 中的虚线所示。

因为 $G(j\omega)H(j\omega)$ 曲线逆时针包围 $(-1,j0)$ 点 1 周，即 $N=-1$，所以 $Z=N+P=0$，闭环系统是稳定的。

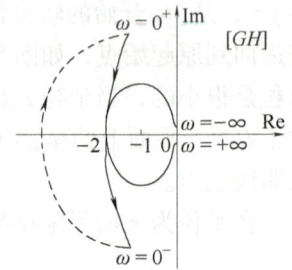

图 5-37　例 5-12 的 $G(j\omega)H(j\omega)$ 曲线

3. 奈奎斯特稳定判据在对数坐标图上的应用

应用奈奎斯特稳定判据判断闭环系统的稳定性，需要画出全频段的 $G(j\omega)H(j\omega)$ 曲线，以便得到封闭的围线。因为系统开环频率特性在 ω 为 $-\infty\to 0$ 与 ω 为 $0\to+\infty$ 段的曲线是镜像对称的，所以只需画出 ω 由 $0\to+\infty$ 变化时的 $G(j\omega)H(j\omega)$ 曲线即可。为了说明这种方法的应用，首先介绍极坐标图上频率特性曲线穿越的概念。

随着 ω 增加，系统开环频率特性曲线逆时针穿过 $(-1,j0)$ 点左侧负实轴，称为一次正穿，记为 $N_+=1$。随着 ω 增加，系统开环频率特性曲线顺时针穿过 $(-1,j0)$ 点左侧负实轴，称为一次负穿，记为 $N_-=1$，如图 5-38 所示。如果开环频率特性曲线起始或终止于 $(-1,j0)$ 点左侧负实轴，称为半次穿越，记为 $N_+=1/2$ 或 $N_-=1/2$。

根据式（5-52），确定系统在右半 s 平面闭环极点个数的公式为

$$Z=2N'+P \qquad (5-55)$$

式中，N' 为开环频率特性曲线（ω 为 $0\to+\infty$）顺时针包围 $(-1,j0)$ 点的周数，且 $N'=N_- -N_+$。

下面讨论如何将极坐标图上的穿越点转换到对数坐标图上。系统开环频率特性曲线 $G(j\omega)H(j\omega)$ 与其对数频率特性曲线（伯德图）之间存在着如下对应关系：极坐标图中 $|G(j\omega)H(j\omega)|=1$ 的幅值与对数幅频特性图中的 0dB 线相对应；极坐标图中的负实轴与对数相频特性图中的 $\varphi=\pm(2k+1)\pi$ 线相对应（其中 $k=0,1,2,\cdots$）。

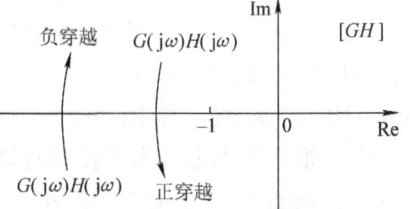

图 5-38　在极坐标图上的穿越示意图

因此，在极坐标图中对负实轴上（-1 ~ -∞）区段的穿越，映射到伯德图中为在对数幅频特性曲线 $L(\omega) > 0$dB 的频段内，对 $\pm(2k+1)\pi$ 线的穿越。沿频率 ω 增加方向，相频特性曲线自下而上穿过 $\pm(2k+1)\pi$ 线称为正穿越，反之称为负穿越，如图 5-39 所示。

综上，在对数坐标图上奈奎斯特稳定判据可表述为：闭环控制系统稳定的充分必要条件是在对数幅频特性 $L(\omega) > 0$dB 的频段内，相频特性曲线对 $\pm(2k+1)\pi$ 线的负穿越与正穿越次数之差满足

$$Z = 2(N_- - N_+) + P = 0 \qquad (5\text{-}56)$$

式中，P 为开环不稳定极点的个数；Z 为闭环不稳定特征根的个数。

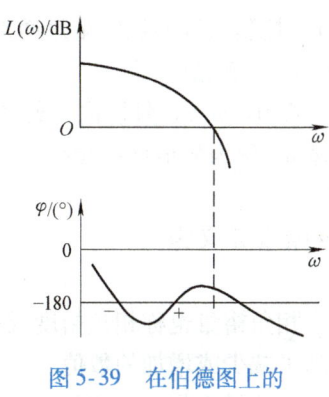

图 5-39　在伯德图上的穿越示意图

应该指出，若开环传递函数在虚轴上有极点，则在对数坐标图上需要补画相应的相频特性曲线。以系统中存在积分环节（$v > 0$）为例，此时需要补画 ω 由 $0 \to 0^+$ 段的相频特性曲线。方法是：在 $L(\omega) > 0$dB 的频段内，从对数相频特性 $\omega = 0^+$ 处向上补画 $v \times 90°$ 的虚直线即可。补画的虚直线所产生的穿越均为负穿越。

例 5-13　设控制系统的开环传递函数为

$$G(s)H(s) = \frac{K}{s^2(s+1)}$$

当 $K = 10$ 时，试用奈奎斯特稳定判据判断闭环系统的稳定性。

解　画出开环对数频率特性及其补画的虚直线如图 5-40 所示。系统开环稳定，$P = 0$；由图知 $N_+ = 0$，$N_- = 1$，所以 $Z = 2(N_- - N_+) + P = 2$。有两个特征根在右半 s 平面，闭环系统不稳定。

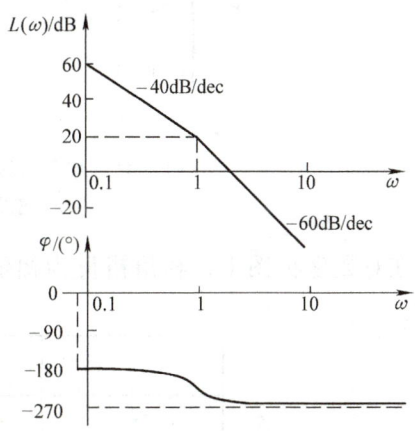

图 5-40　例 5-13 的开环对数频率特性图

5.5　控制系统的稳定裕量

5.5.1　稳定裕量的定义

根据奈奎斯特稳定判据可知，当系统开环传递函数没有右半 s 平面的极点时，开环频率特性曲线 $G(j\omega)H(j\omega)$ 通过（-1, j0）点，相应的闭环控制系统将处于临界稳定状态。在这种情况下，如果系统的某些参数发生波动，便有可能使系统的 $G(j\omega)H(j\omega)$ 曲线包围（-1, j0）点，从而使闭环系统变得不稳定。因此，开环频率特性 $G(j\omega)H(j\omega)$ 与（-1, j0）点的远近程度可用来表示闭环系统的稳定程度。在系统稳定的情况下，$G(j\omega)H(j\omega)$ 曲线离（-1, j0）点愈远，相应的闭环系统的稳定程度就愈高；相反，$G(j\omega)H(j\omega)$ 曲线愈靠近（-1, j0）点，相应的闭环系统的稳定程度就愈低。这种在控制系统稳定的基础上，进一步说明其稳定程度高低的概念，反映了控制系统的相对稳定性，即稳定裕量（也称稳定裕

度)。控制系统的稳定裕量通常用相角裕量和幅值裕量来衡量。

1. 相角裕量

在 $0 \leq \omega < \infty$ 频段内,若系统的开环频率特性 $G(j\omega)H(j\omega)$ 与单位圆相交,则交点处的频率 ω_c 称为幅值穿越频率(又称剪切频率或截止频率),它满足

$$|G(j\omega_c)H(j\omega_c)| = 1 \tag{5-57}$$

相角裕量定义为

$$\gamma = 180° + \angle G(j\omega_c)H(j\omega_c) \tag{5-58}$$

相角裕量也称相角裕度或相位裕度,表示使系统达到临界稳定状态时开环频率特性的相角尚可减少或增加的数值。

为使最小相位系统稳定,系统的相角裕量必须为正值。稳定系统和不稳定系统的相角裕量在极坐标图上的表示如图 5-41 所示。

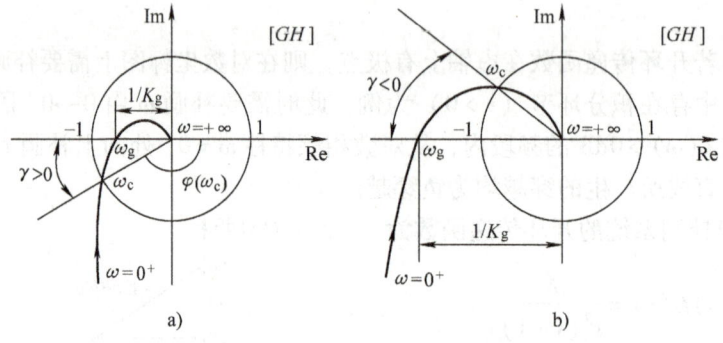

图 5-41 相角裕量与幅值裕量在极坐标图上的表示
a) 稳定系统 b) 不稳定系统

在对数坐标图上,相角裕量为幅值穿越频率 ω_c 处相角与 $-180°$ 的差值,如图 5-42 所示。

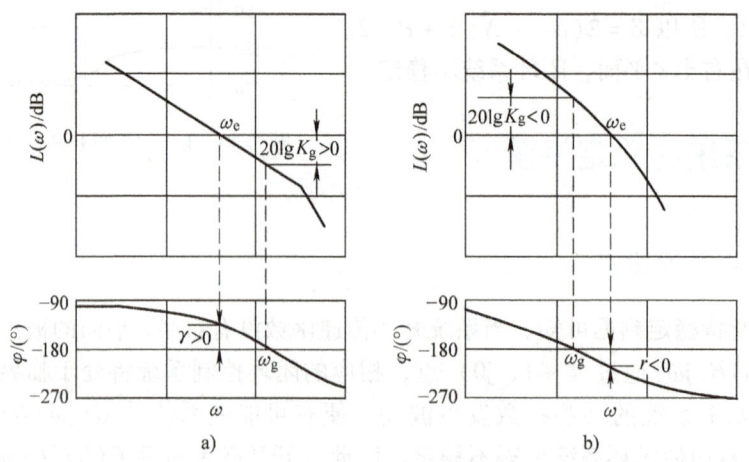

图 5-42 相角裕量与幅值裕量在对数坐标图上的表示
a) 稳定系统 b) 不稳定系统

2. 幅值裕量

在 $0 \leq \omega < \infty$ 的频段内,若系统的开环频率特性 $G(j\omega)H(j\omega)$ 与负实轴相交,则交点处

的频率 ω_g 称为相位穿越频率,它满足

$$\angle G(j\omega_g)H(j\omega_g) = -180° \tag{5-59}$$

幅值裕量定义为相位穿越频率 ω_g 所对应的开环频率特性幅值的倒数,用 K_g 表示,即

$$K_g = \frac{1}{|G(j\omega_g)H(j\omega_g)|} \tag{5-60}$$

幅值裕量也称幅值裕度或增益裕度,表示使系统达到临界稳定状态时开环频率特性的幅值尚可增大或缩小的倍数,如图 5-41 所示。

显然,对于稳定的最小相位系统,幅值裕量大于 1,一阶和二阶系统的幅值裕量为 ∞。

幅值裕量也可以表示在对数坐标图上,即

$$\begin{aligned} K_g(\mathrm{dB}) &= 20\lg K_g = 20\lg \frac{1}{|G(j\omega_g)H(j\omega_g)|} \\ &= -20\lg |G(j\omega_g)H(j\omega_g)| \end{aligned} \tag{5-61}$$

对于最小相位系统,当 $|G(j\omega_g)H(j\omega_g)| < 1$ 或 $K_g(\mathrm{dB}) > 0$ 时,闭环系统稳定;反之,当 $|G(j\omega_g)H(j\omega_g)| > 1$ 或 $K_g(\mathrm{dB}) < 0$ 时,闭环系统不稳定;当 $|G(j\omega_g)H(j\omega_g)| = 1$ 或 $K_g(\mathrm{dB}) = 0$ 时,闭环系统处于临界稳定状态。幅值裕量的极坐标图上的表示如图 5-41 所示;幅值裕量的对数坐标图上的表示如图 5-42 所示。

5.5.2 稳定裕量的计算

控制系统的稳定裕量可以用解析法或图解法计算。解析法是根据式(5-57)~式(5-61)分别求出相角裕量和幅值裕量;所谓图解法是在所绘制的极坐标图或对数坐标图上直接量取相角裕量 γ 和幅值裕量的倒数,从而得到 K_g 及 K_g 的分贝值。解析法能够得到较精确的结果,但对于阶数较高的系统来说计算比较困难。图解法的精度取决于绘图的准确性,是一种近似方法,其优点是直观、方便,避免了烦琐的计算。特别是在对数坐标图上,不仅可以直接量出相角裕量 γ 和幅值裕量 K_g,还可得到幅值穿越频率 ω_c 和相位穿越频率 ω_g。有时,也可以将两种方法相结合,以便快速、准确地计算稳定裕量。

例 5-14 某单位反馈控制系统的开环传递函数为

$$G(s) = \frac{K^*}{s(s+1)(s+5)}$$

试求当 $K^* = 10$ 和 $K^* = 100$ 时系统的相角裕量和幅值裕量。

解 系统开环频率特性为

$$G(j\omega) = \frac{K}{j\omega(j\omega+1)(0.2j\omega+1)}$$

其中,开环放大系数 $K = 0.2K^*$。两个转角频率分别是 $\omega_1 = 1$,$\omega_2 = 5$。

根据这些参数绘制 $K^* = 10$ 和 $K^* = 100$ 时的伯德图,如图 5-43 所示。它们具有相同的相频特性,但是幅频特性不同。

当 $K^* = 10$ 时,由式(5-57)有

$$\frac{2}{\omega_{c1}\sqrt{\omega_{c1}^2+1}\sqrt{(0.2\omega_{c1})^2+1}} = 1$$

解之得 $\omega_{c1} = 1.23$。按式(5-58)计算相角裕量

$$\gamma_1 = 180° - 90° - \arctan\omega_{c1} - \arctan 0.2\omega_{c1} = 25.3°$$

由式（5-59）有

$$-90° - \arctan\omega_g - \arctan 0.2\omega_g = -180°$$

解之得 $\omega_g = 2.24$。按式（5-61）计算幅值裕量

$$K_{g1} = 20\lg 3\text{dB} = 9.5\text{dB}$$

所以，$K^* = 10$ 时系统是稳定的。

当 $K^* = 100$ 时，计算幅值穿越频率 $\omega_{c2} = 3.9$，相角裕量 $\gamma_2 = -23.6°$；相位穿越频率 $\omega_g = 2.24$，幅值裕量 $K_{g2} = -10.5\text{dB}$。所以 $K^* = 100$ 时系统是不稳定的。

上述所求稳定裕量表示在图 5-43 中。当然也可以从该图中近似求出相角裕量和幅值裕量。

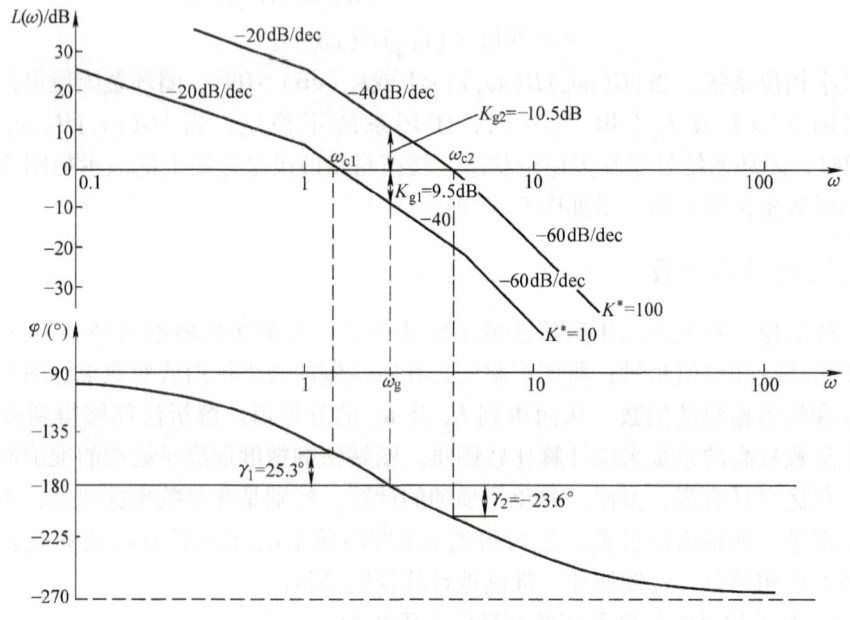

图 5-43 例 5-14 的伯德图

例 5-15 反馈控制系统的开环传递函数为

$$G(s)H(s) = \frac{100}{s(s^2 + 2s + 100)}$$

试绘制其伯德图，并求该系统的相角裕量和幅值裕量。

解 系统开环传递函数由积分环节和二阶振荡环节组成。其中，开环放大系数 $K = 1$，无阻尼自然振荡频率 $\omega_n = 10$，阻尼系数 $\zeta = 0.1$。其伯德图如图 5-44 所示。

从图中开环对数幅频特性与 0dB 线的交点得到幅值穿越频率 $\omega_c = 1$，代入式（5-58）中计算相角裕量

$$\gamma = 180° + \angle G(j\omega_c)H(j\omega_c)$$

$$= 180° - 90° - \arctan\frac{2\omega_c}{100 - \omega_c^2} = 88.8°$$

由开环对数相频特性与 −180°线的交点得到相位穿越频率 $\omega_g = 10$。考虑到振荡环节的阻尼系数 $\zeta = 0.1$,由表 5-5 知在此处会产生峰值约 14dB,因此幅值裕量 $K_g = 6dB$。

分析可知,该系统的相角裕量较大,但幅值裕量在 $K = 1$ 的情况下只有 6dB。如果取 $K = 2$,则对数幅频特性须上移 20lg2 = 6dB,此时幅值裕量 K_g 约等于 0dB,系统将处于临界稳定状态。

应当指出,在计算系统的稳定裕量时,仅用相角裕量或幅值裕量衡量系统的稳定程度都不够全面,应将这两个指标同时给出。因为,若相角裕量较大,而幅值裕量较小;或幅值裕量较大,相角裕量却很小,它们的瞬态响应都是很差的,因此系统的相对稳定性也很差。所以,通常相角裕量 γ 取 30° ~ 60°,幅值裕量 $20\lg K_g$ 应大于 6dB [即 $G(\omega_g)H(\omega_g) < 0.5$]。

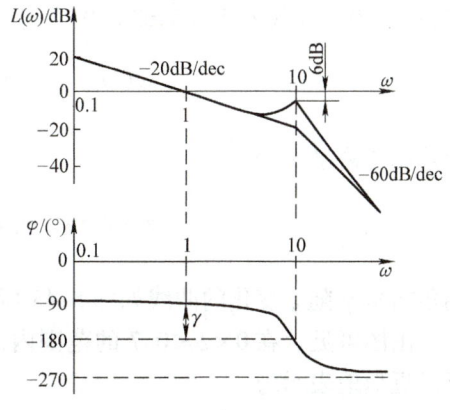

图 5-44 例 5-15 的伯德图

上述对相角裕量的要求意味着系统开环对数幅频特性在幅值穿越频率 ω_c(即剪切频率)处的斜率应大于 −40dB/dec。也就是说,对于最小相位系统,如果开环对数幅频特性在 0dB 处的斜率是 −20dB/dec,则系统肯定是稳定的,并且有较大的相角裕量;如果斜率为 −40dB/dec,则系统可能稳定也可能不稳定,即使稳定,相角裕量也不会太大;如果斜率是 −60dB/dec,则系统肯定是不稳定的。因此,在控制系统的设计中,常将开环对数幅频特性在剪切频率 ω_c 处的斜率设计为 −20dB/dec。

5.5.3 稳定裕量与瞬态性能指标之间的关系

在系统稳定的基础上,可以进一步考查其瞬态响应性能。因为时间响应性能指标最为直观,而系统性能的优劣最终也是用时间响应性能指标来衡量的。所以,研究频率特性的性能指标与瞬态响应性能指标之间的关系,对于用频域法分析、设计控制系统是非常重要的。

系统开环频域指标主要包括剪切频率 ω_c、相角裕量 γ 以及幅值裕量 K_g。下面以典型二阶系统为对象讨论相角裕量与时域性能指标中超调量和调节时间之间的关系。

1. 相角裕量 γ 与超调量 σ% 之间的关系

典型二阶系统的开环频率特性为

$$G(j\omega) = \frac{\omega_n^2}{j\omega(j\omega + 2\zeta\omega_n)}$$

其幅频特性和相频特性分别为

$$A(\omega) = \frac{\omega_n^2}{\omega\sqrt{\omega^2 + (2\zeta\omega_n)^2}} \tag{5-62}$$

$$\varphi(\omega) = -\frac{\pi}{2} - \arctan\frac{\omega}{2\zeta\omega_n} = -\pi + \arctan\frac{2\zeta\omega_n}{\omega} \tag{5-63}$$

令 $A(\omega) = 1$,可求得剪切频率 ω_c 为

$$\omega_c = \omega_n\sqrt{\sqrt{4\zeta^4 + 1} - 2\zeta^2} \tag{5-64}$$

将 ω_c 的表达式代入式 (5-63) 中,得

$$\varphi(\omega_c) = -\pi + \arctan \frac{2\zeta}{\sqrt{\sqrt{4\zeta^4 + 1} - 2\zeta^2}}$$

于是相角裕量 γ 为

$$\gamma = \pi + \varphi(\omega_c) = \arctan \frac{2\zeta}{\sqrt{\sqrt{4\zeta^4 + 1} - 2\zeta^2}} \tag{5-65}$$

相角裕量 γ 随 ζ 变化的曲线如图 5-45 所示。

由图可见,在 $0 < \zeta \leq 0.7$ 的范围内,它们的关系可以近似地表示为

$$\zeta \approx 0.01\gamma \tag{5-66}$$

式 (5-66) 表明,当相角裕量 γ 为 $30° \sim 60°$ 时,对应二阶系统的阻尼比 ζ 为 $0.3 \sim 0.6$。

由式 (5-65),典型二阶系统的相角裕量 γ 与阻尼比 ζ 存在一一对应关系,由相角裕量就可以求出阻尼比,进而求出百分比超调量。在第 3 章我们已求得时域性能指标超调量 $\sigma\%$ 与系统阻尼比 ζ 的关系为

$$\sigma\% = e^{-\frac{\pi\zeta}{\sqrt{1-\zeta^2}}} \times 100\%$$

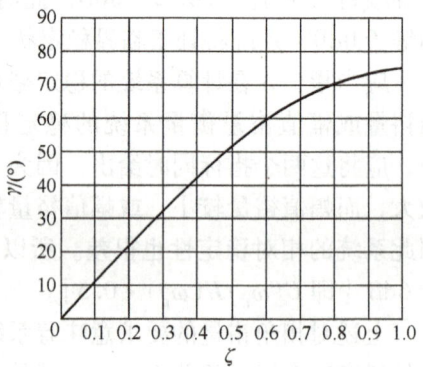

图 5-45 γ 与 ζ 的关系曲线

即相角裕量 γ 和超调量 $\sigma\%$ 均为系统阻尼比 ζ 的单值函数,于是可绘出二阶系统的超调量 $\sigma\%$ 与相角裕量 γ 的关系曲线,如图 5-46 所示。

2. 相角裕量 γ 与调节时间 t_s 之间的关系

仍以典型二阶系统为例。由第 3 章知,当误差带取 $\Delta = 0.05$ 时,

$$t_s \approx \frac{3}{\zeta\omega_n}$$

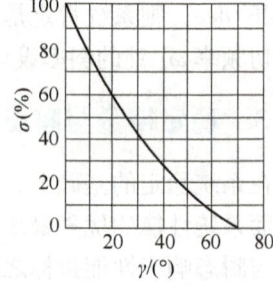

图 5-46 $\sigma\%$ 与 γ 的关系曲线

将式 (5-64) 中的 ω_n 代入上式,得

$$t_s\omega_c = \frac{3\sqrt{\sqrt{4\zeta^4 + 1} - 2\zeta^2}}{\zeta} \tag{5-67}$$

由式 (5-65) 得

$$\tan\gamma = \frac{2\zeta}{\sqrt{\sqrt{4\zeta^4 + 1} - 2\zeta^2}} \tag{5-68}$$

联立式 (5-67) 和式 (5-68),得

$$t_s\omega_c \approx \frac{6}{\tan\gamma} \tag{5-69}$$

这是二阶系统 $t_s\omega_c$ 与 γ 之间的关系表达式。

由二阶系统看出,调节时间 t_s 与相角裕量 γ 有关。如果两个系统的相角裕量 γ 相同,那么它们的超调量大致相同,但它们的调节时间与剪切频率 ω_c 成反比。剪切频率 ω_c 越大

的系统，调节时间 t_s 越短。所以，剪切频率 ω_c 在对数频率特性中是一个重要的参数，它不仅影响系统的相角裕量 γ，也影响系统的调节时间。

例 5-16 设单位反馈系统的开环传递函数为

$$G(s) = \frac{K}{s(Ts+1)}$$

若已知系统在单位斜坡信号作用下的稳态误差 $e_{ss}=0.125$，相角裕量 $\gamma=60°$。试确定系统时域响应性能指标 $\sigma\%$ 及 t_s。

解 因为该系统是具有单位反馈的 Ⅰ 型系统，单位斜坡输入下的稳态误差为 $1/K=0.125$，所以 $K=8$。由式（5-66），$\zeta \approx 0.01\gamma = 0.6$，因此百分比超调量

$$\sigma\% = e^{-\frac{\pi\zeta}{\sqrt{1-\zeta^2}}} \times 100\% = 9.5\%$$

由于 $K/T = \omega_n^2$，$1/T = 2\zeta\omega_n$，所以 $\omega_n = 2\zeta K = 9.6$，按照 5% 误差带计算调节时间，即

$$t_s = \frac{3}{\zeta\omega_n} = 0.52$$

5.6 控制系统的闭环频率特性

用开环对数频率特性来分析和设计系统是一种很方便的方法。但是，用开环对数频率特性的相角裕量和幅值裕量作为分析和设计系统的根据是一种近似的方法。在进一步的分析和设计系统时，常需要用闭环系统频率特性。本节将介绍利用已有的开环频率特性来绘制闭环频率特性的方法，并讨论常用的闭环系统频域性能指标，及与瞬态性能指标之间的关系。

5.6.1 闭环频率特性曲线的绘制

1. 单位反馈系统的闭环频率特性

对于如图 5-47 所示的单位反馈闭环系统，其闭环系统的频率特性为

$$W(j\omega) = \frac{C(j\omega)}{R(j\omega)} = \frac{G(j\omega)}{1+G(j\omega)} \quad (5-70)$$

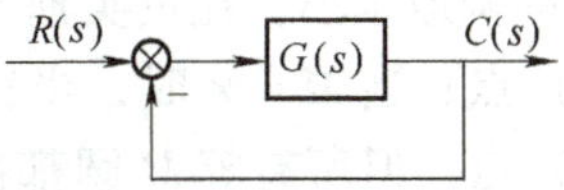

如果系统开环频率特性的极坐标图如图 5-48 所示，由图可知，当 $\omega = \omega_1$ 时，开环幅相频率特性为

$$G(j\omega_1) = \overrightarrow{OA} = |\overrightarrow{OA}|e^{j\varphi}$$

而 $1 + G(j\omega_1) = \overrightarrow{PA} = |\overrightarrow{PA}|e^{j\alpha}$

故闭环频率特性为

$$W(j\omega_1) = \frac{G(j\omega_1)}{1+G(j\omega_1)} = \frac{|\overrightarrow{OA}|}{|\overrightarrow{PA}|}e^{j(\varphi-\alpha)}$$

$$(5-71)$$

式（5-71）表示，$\omega = \omega_1$ 时闭环频率特性的幅值等于向量 $\overrightarrow{OA}$ 与 $\overrightarrow{PA}$ 幅值之比，而闭环频率特性的相角等于 $(\varphi - \alpha)$。这样，测量出不同频率处向量的模和相角，就可以求出闭环频率特性。

图 5-47 单位反馈系统

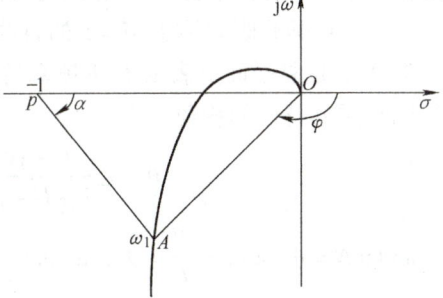

图 5-48 用系统开环极坐标图
确定闭环频率特性

上述图解法说明 $W(j\omega)$ 和 $G(j\omega)$ 的几何关系明确,容易理解,但在工程中使用并不方便。实际上比较常用的是等 M 圆和等 N 圆以及尼柯尔斯图线,直接根据开环频率特性曲线绘制单位反馈闭环系统的频率特性曲线。

(1) 等 M 圆图和等 N 圆图 等 M 圆是在复平面上表示闭环频率特性等幅值的一簇圆。如果将单位反馈系统开环频率特性表示为 $G(j\omega) = U(\omega) + jV(\omega)$,则闭环频率特性为

$$W(j\omega) = \frac{G(j\omega)}{1+G(j\omega)} = \frac{U(\omega)+jV(\omega)}{1+U(\omega)+jV(\omega)} = M(\omega)e^{j\theta(\omega)} \tag{5-72}$$

由式(5-72)可得幅值 M 为

$$M = \frac{|U+jV|}{|1+U+jV|} = \sqrt{\frac{U^2+V^2}{(1+U)^2+V^2}}$$

或

$$(1+U)^2 M^2 + V^2 M^2 = U^2 + V^2$$

将上述方程配方整理后得

$$\left(U - \frac{M^2}{1-M^2}\right)^2 + V^2 = \frac{M^2}{(1-M^2)^2} \tag{5-73}$$

这是一个圆的方程,圆心位于 $\left(\frac{M^2}{1-M^2}, j0\right)$,半径为 $R = \left|\frac{M}{1-M^2}\right|$。

当 M 为不同数值时,利用式(5-73)可以绘制一簇等 M 圆,如图 5-49 所示,并且容易得出关于 M 圆的如下结论:

1) 当 $M=1$ 时,M 圆的半径为无穷大,圆心在无穷远处。此时,它是一条平行于 V 轴的直线。所以,$M=1$ 时的 M 圆退化为一条过点 $(-0.5, j0)$ 且平行于虚轴的直线。

2) 当 $M>1$ 时,随着 M 值的增加,M 圆的半径单调地减小,在负实轴上的圆心逐渐移向 $(-1, j0)$ 点;当 $M=\infty$ 时,半径 $R=0$,圆心移到 $(-1, j0)$ 点,但所有等 M 圆都在 $M=1$ 直线的左边。

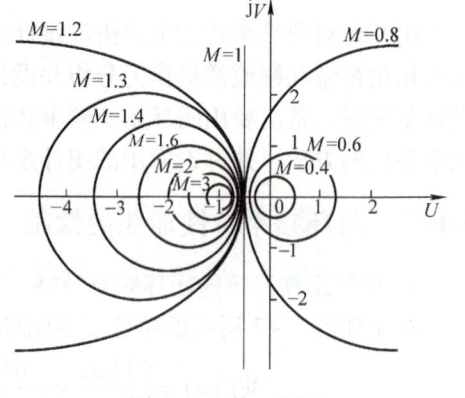

图 5-49 等 M 圆图

3) 当 $M<1$ 时,随着 M 值的减小 M 圆的半径单调地减小,在正实轴上的圆心逐渐移向原点。当 $M=0$ 时,半径 $R=0$,圆心移到原点,但所有等 M 圆都在 $M=1$ 直线的右边。

4) 等 M 圆簇既对称于 $M=1$ 的直线,又对称于实轴。

等 N 圆是复平面上表示闭环频率特性等相角的一簇圆,也称为等 θ 圆。由式(5-72)可得闭环频率特性的相角 θ 为

$$\theta = \angle\frac{U+jV}{1+U+jV} = \arctan\frac{V}{U} - \arctan\frac{V}{1+U} \tag{5-74}$$

令 $\arctan N = \theta$,$\arctan\frac{V}{U} = \theta_1$,$\arctan\frac{V}{1+U} = \theta_2$

则

$$N = \tan\theta = \tan(\theta_1 - \theta_2) = \frac{\tan\theta_1 - \tan\theta_2}{1+\tan\theta_1\tan\theta_2} = \frac{\dfrac{V}{U} - \dfrac{V}{1+U}}{1+\dfrac{V}{U}\dfrac{V}{1+U}}$$

整理后得

$$\tan\theta = N = \frac{V}{U^2 + U + V^2} \quad (5\text{-}75)$$

对于给定的 θ 值，N 也是常数。对式（5-75）配方整理得

$$\left(U + \frac{1}{2}\right)^2 + \left(V - \frac{1}{2N}\right)^2 = \frac{N^2 + 1}{4N^2} \quad (5\text{-}76)$$

这也是一个圆的方程，其圆心位于 $\left(-\dfrac{1}{2},\ j\dfrac{1}{2N}\right)$，半径为 $\dfrac{1}{2N}\sqrt{N^2 + 1}$。

当 N 取不同数值时，利用式（5-76）可以绘制一簇等 N 圆，如图 5-50 所示。由图可见，无论 N 的值如何，所有的等 N 圆都通过坐标原点和（-1，j0）点。

利用等 M 圆图和等 N 圆图，根据开环幅相频率特性（极坐标图）与各圆的交点，就可以求得各交点处频率所对应的 M 值或 N 值，从而绘出闭环频率特性。

（2）尼柯尔斯图　利用等 M 圆和等 N 圆求系统的闭环频率特性必须绘出系统的开环极坐标图，但绘制系统开环极坐标图不如绘制开环对数坐标图方便。将等 M 圆和等 N 圆转换到对数幅值和相角坐标图上就得到尼柯尔斯图。下面介绍绘制尼柯尔斯图的方法。

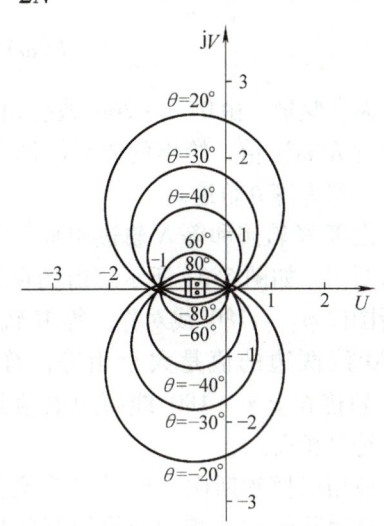

图 5-50　等 N 圆图

为了将直角坐标的等 M 圆和等 N 圆变换到幅相坐标，考虑到

$$U = A\cos\varphi \quad V = A\sin\varphi \quad (5\text{-}77)$$

代入式（5-73），则得开环频率特性幅值 A 和相角 φ 之间的关系为

$$\left(A\cos\varphi - \frac{M^2}{1 - M^2}\right)^2 + (A\sin\varphi)^2 = \frac{M^2}{(1 - M^2)^2} \quad (5\text{-}78)$$

整理得

$$A^2 - 2A\frac{M^2}{1 - M^2}\cos\varphi - \frac{M^2}{1 - M^2} = 0$$

对上式求解，得

$$A_{1,2} = \frac{M^2}{1 - M^2}\cos\varphi \pm \sqrt{\left(\frac{M^2}{1 - M^2}\right)^2\cos^2\varphi + \frac{M^2}{1 - M^2}} \quad (5\text{-}79)$$

这就是以 M 为参变量时，$A = f_1(\varphi)$ 的函数。

将幅值 A 以分贝表示，则写成

$$L(\omega) = 20\lg A_{1,2} = 20\lg\left[\frac{M^2}{1 - M^2}\cos\varphi \pm \sqrt{\left(\frac{M^2}{1 - M^2}\right)^2\cos^2\varphi + \frac{M^2}{1 - M^2}}\right] \quad (5\text{-}80)$$

以 M 为参变量，由 $0° \sim -360°$ 改变角 φ，计算相应的 $L(\omega)$ 值，绘出的曲线簇即为等 M 轨迹。

下面讨论等 N 圆轨迹与开环对数频率特性的关系。将式（5-77）代入式（5-76），得到开环对数频率特性幅值 A 和相角 φ 之间的关系

$$A^2\cos^2\varphi + A\cos\varphi + A^2\sin^2\varphi - \frac{A\sin\varphi}{\tan\theta} = 0$$

整理后，得 $A = \dfrac{\sin(\varphi-\theta)}{\sin\theta}$，这就是以 θ 为参变量时，$A = f_2(\varphi)$ 的函数。

将幅值 A 以分贝表示，则写成

$$L(\omega) = 20\lg A = 20\lg\frac{\sin(\varphi-\theta)}{\sin\theta} \tag{5-81}$$

以 θ 为参变量，由 $0° \sim -360°$ 改变角 φ，计算相应的 $L(\omega)$ 值，绘出的曲线簇即为等 N 轨迹，也称为等 θ 轨迹。

由等 M 轨迹和等 N 轨迹组成的图称为尼柯尔斯图，如图 5-51 所示。由图可知，尼柯尔斯图以 $\varphi = -180°$ 线对称。等 M 轨迹在 $\varphi = -180°$ 线两边的值是大小相等，符号相同。等 N 轨迹在 $\varphi = -180°$ 线两边的值是大小相等，符号相反。

应用尼柯尔斯图，可根据单位反馈系统的开环对数幅频与相频曲线绘制闭环对数幅频与相频曲线。

在确定闭环对数频率特性过程中，对于 $|G(s)| \gg 1$ 的情况，有

$$M(\omega)\mathrm{e}^{\mathrm{j}\theta(\omega)} = \frac{|G(\mathrm{j}\omega)|\mathrm{e}^{\mathrm{j}\angle G(\mathrm{j}\omega)}}{1+|G(\mathrm{j}\omega)|\mathrm{e}^{\mathrm{j}\angle G(\mathrm{j}\omega)}} \approx 1$$

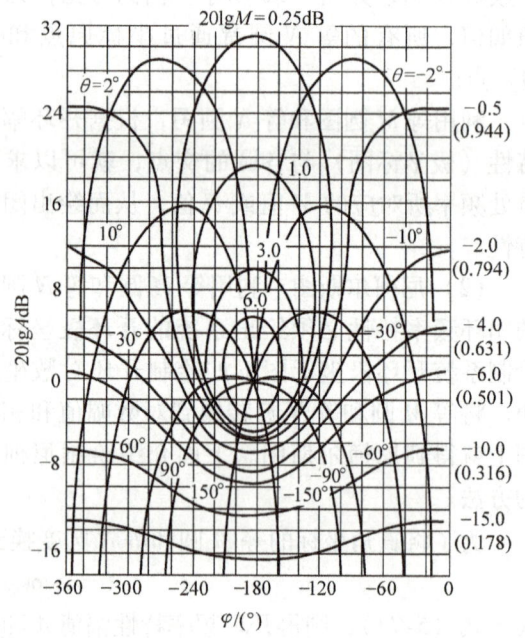

图 5-51 尼柯尔斯图

这说明，在对数坐标图的低频区闭环频率特性的幅频特性近似为 0dB，而相频特性近似为 0°。对于 $|G(s)| \ll 1$ 的情况，有

$$M(\omega)\mathrm{e}^{\mathrm{j}\theta(\omega)} = \frac{|G(\mathrm{j}\omega)|\mathrm{e}^{\mathrm{j}\angle G(\mathrm{j}\omega)}}{1+|G(\mathrm{j}\omega)|\mathrm{e}^{\mathrm{j}\angle G(\mathrm{j}\omega)}} \approx |G(\mathrm{j}\omega)|\mathrm{e}^{\mathrm{j}\angle G(\mathrm{j}\omega)}$$

这意味着在对数坐标图的高频区，闭环与开环频率特性近似。下面举例说明。

例 5-17 设单位反馈系统的开环频率特性为

$$G(\mathrm{j}\omega) = \frac{1}{\mathrm{j}\omega(\mathrm{j}\omega+1)(0.5\mathrm{j}\omega+1)}$$

试应用尼柯尔斯图绘制闭环系统对数坐标图。

解 在绘有等 M 线和等 θ 线的尼柯尔斯图上，画出上述开环对数幅相特性曲线。该曲线与等 M 线和等 θ 线的交点给出了相应频率下闭环系统的对数幅值和相角，如图 5-52 所示。从图中可以看出，开环对数幅相特性曲线与 $20\lg M = 5\mathrm{dB}$ 等 M 线相切，切点处的角频率为 0.8rad/s，即谐振频率 ω_r 为 0.8rad/s，谐振峰值 $M_\mathrm{r} = 1.78$（或 $20\lg M_\mathrm{r} = 5\mathrm{dB}$）。因此，可以画出闭环对数坐标图，如图 5-53 所示。

2. 非单位反馈系统的闭环频率特性

对于非单位反馈系统，其闭环系统的频率特性为

$$W(j\omega) = \frac{C(j\omega)}{R(j\omega)} = \frac{G(j\omega)}{1+G(j\omega)H(j\omega)}$$

式中，$G(j\omega)$ 和 $H(j\omega)$ 分别为前向通道和反馈通道的频率特性。这样，闭环频率特性可写成

$$W(j\omega) = \frac{C(j\omega)}{R(j\omega)} = \frac{1}{H(j\omega)} \frac{G(j\omega)H(j\omega)}{1+G(j\omega)H(j\omega)}$$

$$= \frac{1}{H(j\omega)} \frac{G_K(j\omega)}{1+G_K(j\omega)}$$

式中，$G_K(j\omega) = G(j\omega)H(j\omega)$。

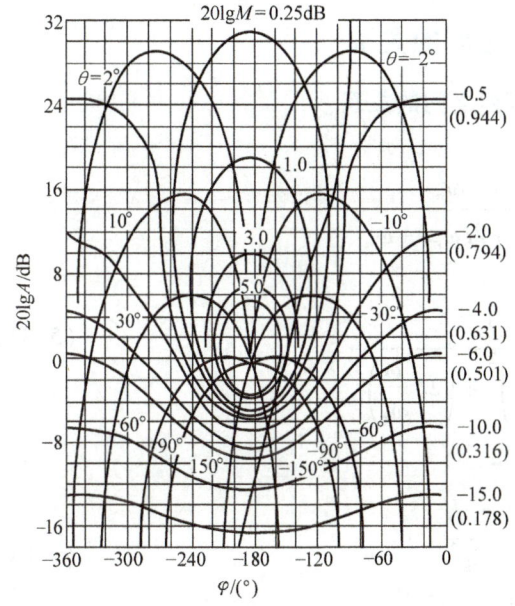

图 5-52　利用尼柯尔斯图求闭环对数坐标图

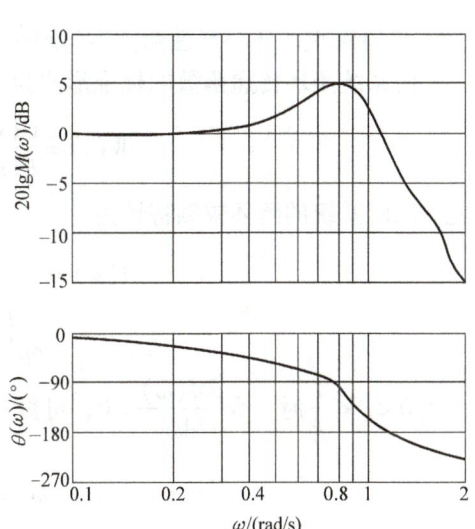

图 5-53　例 5-17 闭环系统对数坐标图

在尼柯尔斯图上画出 $G_K(j\omega)$ 特性曲线，并在不同频率点处读取 M 和 θ 值，可以求得 $\dfrac{G_K(j\omega)}{1+G_K(j\omega)}$ 的幅值和相角。将所得幅值和相角与 ω 的关系重绘于伯德图中，并与 $H(j\omega)$ 的对数幅频特性和相频特性相减，就可求得非单位反馈系统的闭环频率特性。

5.6.2　闭环频域性能指标

用闭环频率特性来评价系统的性能，通常用以下指标：

(1) 谐振峰值 M_r　谐振峰值 M_r 是闭环系统幅频特性的最大值。通常，M_r 越大，系统单位阶跃响应的超调量 $\sigma\%$ 也越大。

(2) 谐振频率 ω_r　谐振频率 ω_r 是闭环系统幅频特性出现谐振峰值时的频率。它在一定程度上反映了系统瞬态响应的速度。ω_r 值愈大，则瞬态响应愈快。对于弱阻尼系统，ω_r 与 ω_b 的值很接近。

(3) 带宽频率 ω_b 带宽频率 ω_b 是闭环系统频率特性幅值由其初始值 $M(0)$ 减小到 $0.707M(0)$ 时的频率（或由 $\omega=0$ 的增益降低 3dB 时的频率），也称频带宽度。带宽频率越大，上升时间越短，但对高频干扰的过滤能力越差。它反映了系统对噪声的滤波特性，同时也反映了系统的响应速度。带宽越大，瞬态响应速度越快。反之，带宽越小，只有较低频率的信号才易通过，则时域响应往往比较缓慢。

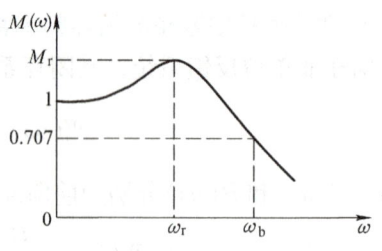

图 5-54 闭环系统频域性能指标图示

闭环系统的频域性能指标如图 5-54 所示。

5.6.3 闭环频域性能指标与瞬态性能指标之间的关系

1. 二阶系统闭环频域性能指标与瞬态性能指标之间的关系

二阶系统闭环传递函数的标准形式为

$$W(s) = \frac{C(s)}{R(s)} = \frac{\omega_n^2}{s^2 + 2\zeta\omega_n s + \omega_n^2}$$

因此，二阶系统的闭环幅频特性为

$$M(\omega) = \frac{1}{\sqrt{\left(1 - \frac{\omega^2}{\omega_n^2}\right)^2 + \left(2\zeta\frac{\omega}{\omega_n}\right)^2}} \tag{5-82}$$

当 $0 < \zeta < \frac{1}{\sqrt{2}}$ 时，令 $\frac{dM(\omega)}{d\omega} = 0$，可得

$$\omega_r = \omega_n\sqrt{1 - 2\zeta^2} \tag{5-83}$$

$$M_r = \frac{1}{2\zeta\sqrt{1 - \zeta^2}} \tag{5-84}$$

由式 (5-83) 可知，当 $\zeta > 0.707$ 时，谐振频率 ω_r 为虚数，系统不产生谐振，此时，幅频特性 $M(\omega)$ 随 ω 的增加单调衰减；当 $0 < \zeta < 1/\sqrt{2} = 0.707$ 时，谐振峰值 M_r 是阻尼比 ζ 的单值函数，并随 ζ 的减小而不断增大。当 $\zeta \to 0$ 时，有 $M_r \to \infty$；谐振频率 ω_r 总是低于无阻尼自然振荡角频率 ω_n 和阻尼振荡角频率 ω_d，当 $\zeta \to 0$ 时，有 $\omega_r \to \omega_n$。

为便于比较，把谐振频率 ω_r 和振荡频率 ω_d 随阻尼比 ζ 变化的曲线一同绘于图 5-55 中。从图中看出，两曲线形状相似，但 $\omega_r < \omega_d$，且 ζ 愈大，ω_r 与 ω_d 相差愈多。

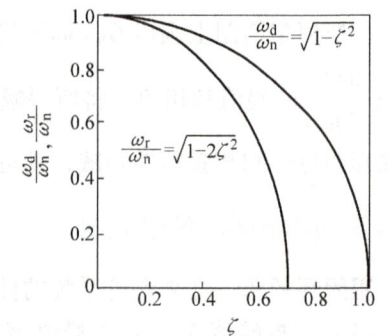

图 5-55 二阶系统的 ω_r、ω_d 与 ζ 之间的关系曲线

(1) 谐振峰值 M_r 和超调量 $\sigma\%$ 之间的关系 因谐振峰值 M_r 和超调量 $\sigma\%$ 都是阻尼比 ζ

的单值函数,将 $\sigma\% = e^{-\pi\zeta/\sqrt{1-\zeta^2}} \times 100\%$ 与式(5-84)同时绘于图5-56中,给定 M_r,由该图可直接查出超调量 $\sigma\%$。也可直接绘出 M_r 和 $\sigma\%$ 的关系曲线,如图5-57所示。由图可知,M_r 越小,系统的阻尼性能越好。而当 M_r 较高时,系统的超调量较大,收敛慢,平稳性较差。当 $M_r = 1.2 \sim 1.5$ 时,由图5-57可看到对应的 $\sigma\%$ 为 20%~30%。这时的瞬态响应有适度的振荡,平稳性较好。因此,在进行控制系统设计时,常以 $M_r = 1.3$ 作为设计依据。

(2) 谐振峰值 M_r 和调节时间 t_s 之间的关系 将系统特征参量和瞬态调节时间的近似表达式 $t_s \approx \dfrac{3}{\zeta\omega_n}$ 绘于同一张图中,如图5-56所示。给定 M_r,由曲线可直接查得 $\omega_n t_s$。

(3) 带宽频率 ω_b 和阻尼比 ζ 之间的关系 根据带宽频率 ω_b 的定义,由式(5-82)可得

$$M(\omega_b) = \frac{1}{\sqrt{\left(1 - \dfrac{\omega_b^2}{\omega_n^2}\right)^2 + \left(2\zeta\dfrac{\omega_b}{\omega_n}\right)^2}} = \frac{1}{\sqrt{2}} \tag{5-85}$$

求解上式,得

$$\omega_b = \omega_n \sqrt{1 - 2\zeta^2 + \sqrt{2 - 4\zeta^2 + 4\zeta^4}} \tag{5-86}$$

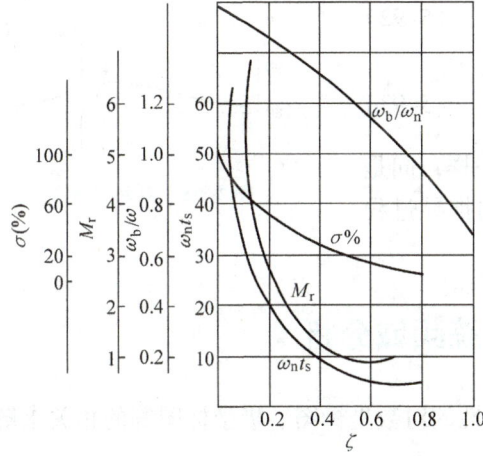

图 5-56 闭环频域指标和时域指标的关系

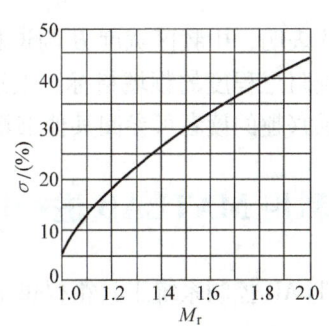

图 5-57 二阶系统的 M_r 与 $\sigma\%$ 之间的关系曲线

将 ω_b/ω_n 与 ζ 的关系曲线也绘于图5-56中。分析可知,ω_b 为 ζ 的减函数,即 ω_b 与阻尼比 ζ 成反比。所以系统单位阶跃响应速度与带宽成正比。

由于二阶系统的频率特性与瞬态响应之间存在着确定的关系,因而可以根据计算得到的(或测得的)闭环频率特性曲线分析它的瞬态响应。也就是说先由闭环频率特性曲线测取谐振峰值 M_r、谐振频率 ω_r 及带宽频率 ω_b,再按照相应的曲线找出阻尼比 ζ、有阻尼振荡频率 ω_d 和无阻尼振荡频率 ω_n,然后按照 ζ 值和 ω_n 值,计算时域性能指标来确定其瞬态响应性能。

2. 高阶系统闭环频域性能指标与瞬态性能指标之间的关系

（1）谐振峰值与瞬态性能指标的关系 对于高阶系统，频域指标与时域指标之间没有严格的解析关系式，工程上常用如下近似公式：

谐振峰值为

$$M_r = \frac{1}{\sin\gamma} \tag{5-87}$$

超调量为

$$\sigma = 0.16 + 0.4(M_r - 1), \quad 1 \leqslant M_r \leqslant 1.8 \tag{5-88}$$

调节时间为

$$t_s = \frac{K_0 \pi}{\omega_c} \tag{5-89}$$

其中 $K_0 = 2 + 1.5(M_r - 1) + 2.5(M_r - 1)^2, \quad 1 \leqslant M_r \leqslant 1.8$

上述经验公式一般偏于保守，实际性能要好于估算结果。

（2）谐振峰值与开环幅频特性中频区宽度的关系 对于图 5-58 所示的开环幅频特性 $20\lg|G(j\omega)H(j\omega)|$，在 $\omega_m \approx \omega_c$ 情况下，转角频率 ω_2、ω_3、剪切频率 ω_c 以及中频区宽度 H 有如下关系式：

$$M_r = \frac{H+1}{H-1} \tag{5-90}$$

或者

$$H = \frac{M_r + 1}{M_r - 1} \tag{5-91}$$

$$\omega_2 \leqslant \omega_c \frac{M_r - 1}{M_r} \tag{5-92}$$

$$\omega_3 \geqslant \omega_c \frac{M_r + 1}{M_r} \tag{5-93}$$

公式表明，中频区宽度 H 与谐振峰值一样，同是描述系统阻尼程度的频域指标。上述公式的推导过程从略，感兴趣的读者可参阅其他书籍。

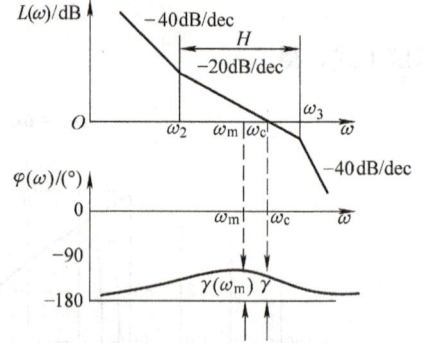

图 5-58 开环频率特性

5.7 利用 MATLAB 进行控制系统频域分析

MATLAB 控制系统工具箱提供了频率特性的对数坐标图、极坐标图等的相关求解函数。

5.7.1 频域分析法相关函数

1. 对数坐标图与控制系统的稳定裕量

对数坐标图是通过半对数坐标分别表示幅频和相频特性的图形，也称 Bode（伯德）图。如果系统传递函数 $G(s) = num(s)/den(s)$，sys 是由 MATLAB 函数 tf() 得到的代表 $G(s)$ 的变量，MATLAB 中绘制伯德图的函数 bode() 的调用格式为

[mag,phase,w] = bode(num,den,w)   或   [mag,phase,w] = bode(sys,w)

向量 w 设定计算 bode() 函数的频率范围和点数。向量 w 可由 logspace() 函数生成，即

w = logspace(a,b,n)

表示产生 10^a 到 10^b 之间的 n 个点。

如果允许程序自动生成绘图的频率范围，bode() 函数可以简化为

bode(num,den) 或 bode(sys)

在左侧带有返回参数时执行 bode() 函数,计算得到的输出输入的幅值比和输出与输入的相位差存入变量 mag 和 phase 之中,用 plot() 或 semilogx() 函数可以绘制伯德图。注意:相位差 phase 的单位为角度,绘制伯德图时,要先将幅值比向量转换为分贝形式。

若在没有返回变量时执行 bode() 函数,则 MATLAB 直接绘出伯德图。

另外,MATLAB 控制系统工具箱还提供了计算控制系统幅值与相位裕量的函数 margin(),调用格式为

[Gm,Pm,Wcg,Wcp] = margin(num,den)　或　[Gm,Pm,Wcg,Wcp] = margin(sys)

返回参数 Gm、Pm 分别为幅值、相位裕量,Wcg、Wcp 分别为对应的频率。

若无返回参数时执行函数 margin(),则 MATLAB 为用户绘出伯德图,并在图上标示出幅值、相位裕量及对应频率。

已知系统在向量 w 范围内频率响应的幅值比向量 mag 和相位差向量 phase,margin() 函数还可以用如下格式调用:

[Gm,Pm,Wcg,Wcp] = margin(mag,phase,w)

如果 sys 是传递函数的零、极点模型,则 bode()、margin() 函数同样适用;本节的 nyquist()、nichols() 函数相同。

2. 极坐标图

利用 MATLAB 的 nyquist() 函数绘制极坐标(又称 Nyquist 或奈奎斯特)图则非常简便,格式为

[re,im,w] = nyquist(num,den,w)　或 [re,im,w] = nyquist(sys,w)

其中,变量 num、den、sys、w 定义同前,re、im 分别为极坐标的实部与虚部。

除了用 logspace() 函数生成频率向量 w,还可以用以下形式定义频率范围:

W = {wmin,wmax}

同样,当不带左侧返回参数时调用 nyquist() 函数,将自动生成极坐标图。反之,生成存入工作空间中的频率特性的实部与虚部向量 re、im。

如果由程序自动生成计算或绘图的频率范围,则参数 w 可以缺省。

3. 对数幅相图

对数坐标图的幅频特性与相频特性绘制在同一张图上就是对数幅相图,也称 Nichols 图。MATLAB 中用 nichols() 函数绘制对数幅相图,其调用格式为

[mag,phase,w] = nichols(num,den,w) 或 [mag,phase,w] = nichols(sys,w)

其中,变量 num、den、sys、w 定义同前,mag、phase 分别为求出的幅值比与相位差向量。下列格式同样正确,即

[mag,phase,w] = nichols(num,den,{w min,w max})

无左侧参数调用 nichols() 函数,MATLAB 将自动绘出对数幅相图;带返回参数调用时,函数将计算的各个频点的幅值与相位存入工作空间的 mag、phase 向量,绘制对数幅相图须调用 plot() 函数。

当参数 w 缺省时,程序自动生成计算或绘图的频率范围。

5.7.2　应用举例

例 5-18　已知单位反馈系统的开环传递函数为

$$G(s) = \frac{10}{(s+1)(3s+1)(7s+1)}$$

（1）绘制伯德图，并求增益与相位裕量，若要求幅值裕量为 20dB，求开环增益 K 值；

（2）绘制开环极坐标图，并由极坐标图判别其稳定性；

（3）绘制对数幅相图，并标示出幅值与相位裕量。

解 以上问题由以下 MATLAB 程序求解

例 5-18 视频

```
% MATLAB 程序 5-1
num = 10;
den1 = conv([1 1],[3,1]); den = conv(den1,[7,1]);
figure(1)
margin(num,den);% 绘制伯德图
[Gm,Pm,Wcg,Wcp] = margin(num,den);
md1 = 20 * log10(Gm);
K = 10^(md1/20);% 求出幅值裕量为 20dB 时开环增益 K 值
sys = tf(num,den);
Gm = 20 * log10(Gm);
figure(2)
nyquist(sys);% 绘制极坐标图
title(['Gm = ',num2str(Gm),' dB ',' Pm = ',num2str(Pm)])
figure(3)
nichols(sys);% 绘制对数幅相图
ngrid;% 绘制 Nichols 栅格图
title(['Gm = ',num2str(Gm),' dB ',' Pm = ',num2str(Pm)])
```

运行程序，得到图 5-59 所示的伯德图，当开环增益 K 为 1.5238 时，幅值裕量为 20dB。
开环极坐标图如图 5-60 所示，可见，极坐标图不包围（-1，j0）点，系统稳定。

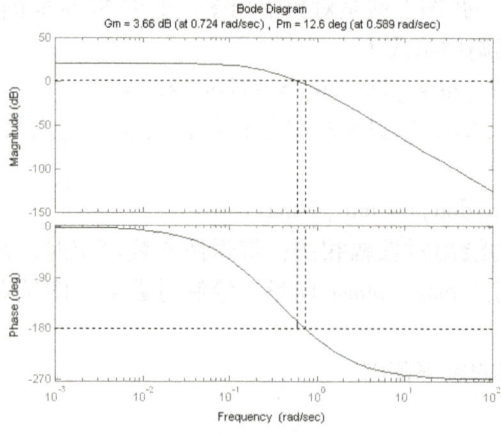

图 5-59　例 5-18 标示稳定裕量的对数坐标图

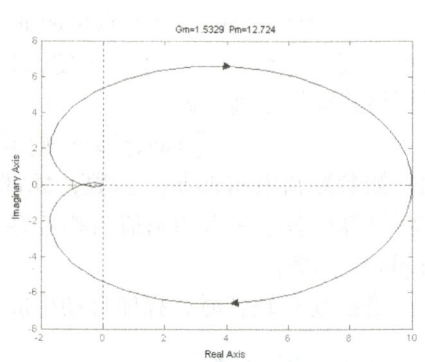

图 5-60　例 5-18 极坐标图

注：如果需要观察曲线局部的细节，可以利用放大镜局部放大。判断稳定性需要观察极坐标图在（-1，j0）点的情况，如果不清晰，则在绘出图后，可以利用轴函数 axis( ) 观察局部细节。如果在绘制极坐标图时，运行中包含被零除，可通过 axis( ) 函数修正错误的奈奎斯特图。

对数幅相图如图 5-61 所示。

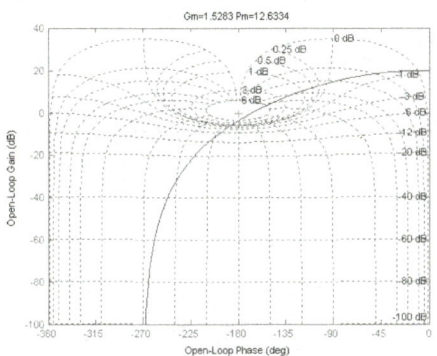

图 5-61　例 5-18 对数幅相图

例 5-19　如图 5-62 所示控制系统，应用 MATLAB 求解以下问题：未加 $G_c(s)$ 前系统的相位裕量；若 $G_c(s) = \dfrac{0.2as + 1}{0.2s + 1}$，为使相位裕量大于 50°，$a$ 的最小值。

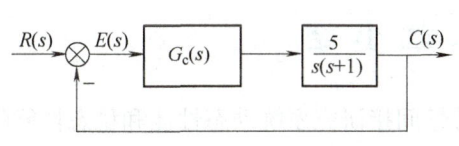

图 5-62　例 5-19 控制系统框图　　　　例 5-19　视频

解　未加 $G_c(s)$ 时，相位裕量为 Pm，穿越频率为 Wcp，例 5-19 问题用以下程序求解：
% MATLAB 程序 5-3
num1 = 5;den1 = [1 1 0];
bode(num1,den1,'.');hold on;
[Gm,Pm,Wcg,Wcp] = margin(num1,den1);
a = 1;
den2 = [0.2 1];
while(Pm < 50)
　a = a + 0.01;
　num2 = [0.2*a 1];
　[num,den] = series(num2,den2,num1,den1);
　[Gm,Pm,Wcg,Wcp] = margin(num,den);
end

margin(num,den);

得出未加超校正前 Pm = 25.18°，Wcp = 2.127；

当 $a \geqslant 3.14$ 时，相位裕量大于 50°，穿越频率为 2.92rad/s，如图 5-63 所示，其中虚线是 $a=1$ 时的伯德图。

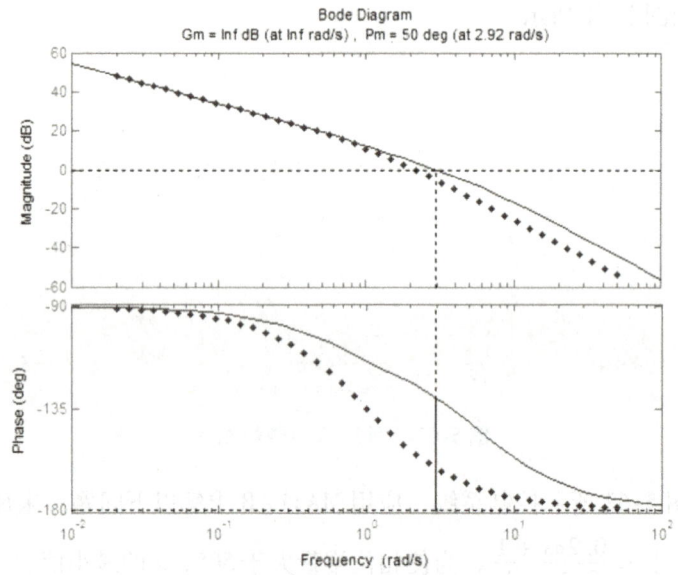

图 5-63 $a=1$ 与 $a=3.14$ 时的伯德图

本 章 小 结

频域分析法是应用线性系统的频率特性间接研究系统动态性能和稳态性能的一种图解方法。频率特性是系统数学模型的又一种表达形式，可以由实验的方法获得，这对于一些难以建立系统模型或对系统结构和参数未知的系统，更具有工程上的实际应用意义。

学习本章，应理解频率特性的基本概念，熟练掌握频率特性的各种图示方法，学会利用开环频率特性分析系统的稳定性和稳定裕量，掌握频域性能指标和时域性能指标间的相互转换，了解闭环频率特性及其频域指标与时域指标之间的关系等。应用 MATLAB 的相关函数可以方便、准确地画出各种频率特性图形，同时可在图上读取各关键点的参数值，以便对系统性能进行分析。

习　题

5-1　某系统的单位阶跃响应为 $c(t) = 1 - e^{-t} + e^{-2t} - e^{-4t}$，试求系统的频率特性。

5-2　设系统传递函数为

$$\frac{C(s)}{R(s)} = \frac{K(T_2 s + 1)}{T_1 s + 1}$$

当输入信号 $r(t) = A\sin\omega t$ 时，试求系统的稳态输出。

5-3　设单位负反馈系统的开环传递函数 $G(s) = \dfrac{\omega_n^2}{s(s + 2\zeta\omega_n)}$。当输入 $r(t) = 2\sin t$ 时，测得系统的稳

态输出 $c_{ss}(t) = 4\sin(t - 45°)$，试确定系统参数 ω_n 和 ζ。

5-4 画出下列传递函数的极坐标图和伯德图。

(1) $G(s) = \dfrac{T_1 s + 1}{T_2 s + 1}, (T_1 > T_2 > 0)$ (2) $G(s) = \dfrac{T_1 s - 1}{T_2 s + 1}, (T_1 > T_2 > 0)$

(3) $G(s) = \dfrac{-T_1 s + 1}{T_2 s + 1}, (T_1 > T_2 > 0)$ (4) $G(s) = \dfrac{T_1 s + 1}{T_2 s - 1}, (T_1 > T_2 > 0)$

5-5 画出下列传递函数对数幅频特性的渐近线和相频特性曲线。

(1) $G(s) = \dfrac{10(s + 0.2)}{s^2(s + 0.1)}$ (2) $G(s) = \dfrac{8(s + 0.1)}{s(s^2 + s + 1)(s^2 + 4s + 25)}$

5-6 系统开环传递函数如下。试绘制极坐标图，并用奈奎斯特稳定判据判别其闭环系统的稳定性。

(1) $G(s)H(s) = \dfrac{1000(s + 1)}{s^2(s + 5)(s + 15)}$ (2) $G(s)H(s) = \dfrac{250}{s^2(s + 50)}$

(3) $G(s)H(s) = \dfrac{10}{s(s + 1)(s + 2)}$ (4) $G(s)H(s) = \dfrac{K(s - 1)}{s(s + 1)}, K > 0$

5-7 已知系统结构如图 5-64a 所示，其中 $G_2(s)$ 的频率特性如图 5-64b 所示，$T > \tau > 0$。试用奈奎斯特稳定判据分析该系统的稳定性。

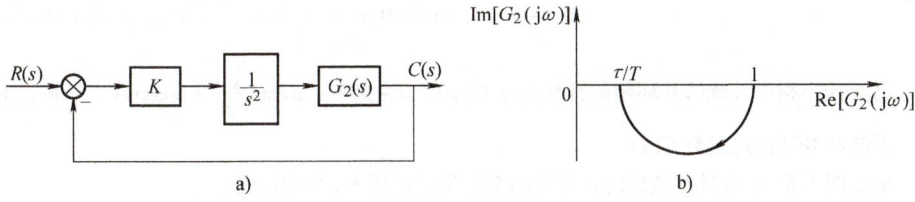

图 5-64　习题 5-7 图

5-8 某无源 RLC 网络如图 5-65 所示，当 $\omega = 10$ 时，其幅值 $A = 1$，相角 $\varphi = 90°$，试求其传递函数。

5-9 某单位反馈系统的开环传递函数为

$$G(s)H(s) = \dfrac{K}{s(T_1 s + 1)(T_2 s + 1)}$$

其中 $T_1 = 0.1\text{s}$，$T_2 = 10\text{s}$，开环对数幅频特性如图 5-66 所示。设对数幅频特性斜率为 -20dB/dec 的线段的延长线与零分贝线交点的角频率为 10rad/s。试问：

(1) 系统的开环放大系数 K 及剪切频率 ω_c 为多少？

(2) 系统是否稳定？

(3) 分析系统参数 K、T_1、T_2 变化时对系统稳定性的影响。

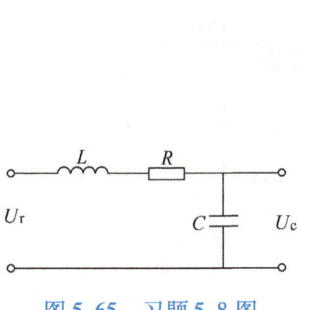

图 5-65　习题 5-8 图

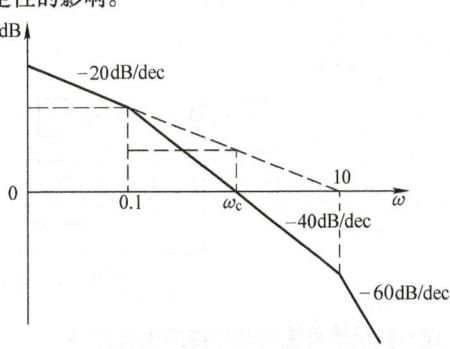

图 5-66　习题 5-9 图

5-10 最小相位系统开环幅频特性如图 5-67 所示。试求其传递函数，并作出相应的相频特性。

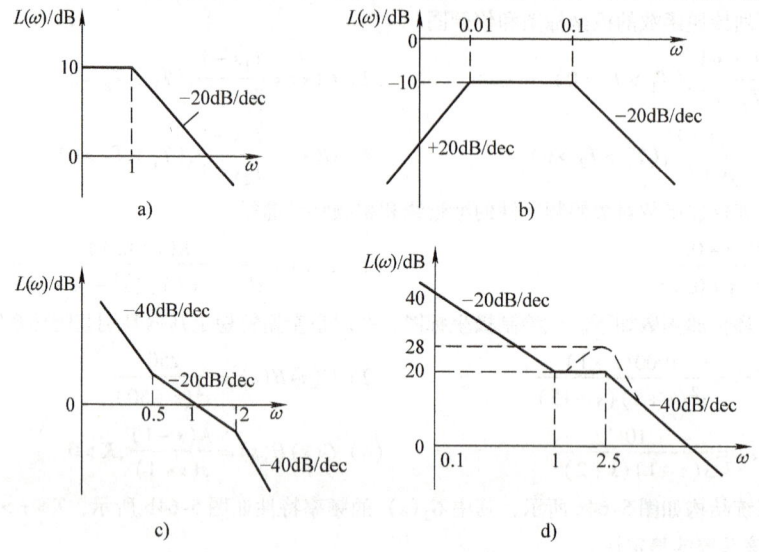

图 5-67　习题 5-10 图

5-11 已知最小相位系统的开环相频特性为 $\angle G(j\omega) = -90° - \arctan\dfrac{\omega}{2} - \arctan\omega$，试确定相角裕量 $\gamma = 30°$ 时，系统的开环传递函数 $G(s)$。

5-12 试求图 5-68 所示具有纯延时环节控制系统稳定时的 $K > 0$ 的范围。

5-13 设单位反馈控制系统的开环传递函数为

(1) $G(s) = \dfrac{as+1}{s^2}$，试确定使相角裕量等于 $45°$ 的 a 值。

(2) $G(s) = \dfrac{K}{(0.01s+1)^3}$，试确定使相角裕量等于 $45°$ 的 K 值。

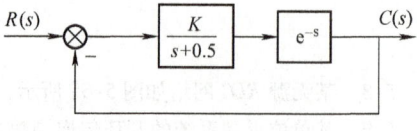

图 5-68　习题 5-12 图

5-14 设单位负反馈系统的开环传递函数为

$$G(s) = \dfrac{K}{(s+1)(3s+1)(7s+1)}$$

求幅值裕量为 20dB 时的 K 值。

5-15 设系统结构如图 5-69 所示。试用奈奎斯特稳定判据判别系统的稳定性，并求出其稳定裕量。其中 $K_1 = 0.5$，$G(s) = \dfrac{2}{s+1}$。

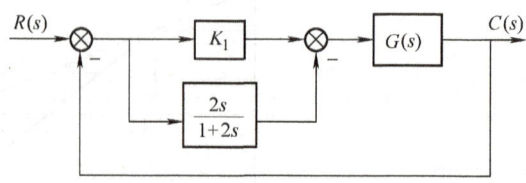

图 5-69　习题 5-15 图

5-16 设一负反馈系统的开环传递函数为

$$G(s) = \dfrac{100K}{s(s^2+s+100)}$$

若使系统的幅值裕量为 20dB，开环放大倍数 K 应为何值？此时相角裕量为多少？

5-17 单位负反馈系统开环传递函数 $G(s) = \dfrac{K}{s(0.05s+1)(0.5s+1)}$，当输入 $r(t) = t$ 时，要求系统的稳态误差小于 0.2，且幅值裕量不小于 6dB。试确定增益 K 的取值范围。

5-18 一控制系统的结构如图 5-70 所示。其中

$$G_1(s) = \dfrac{10(s+1)}{8s+1},\ G_2(s) = \dfrac{4.8}{s(s/20+1)}$$

试按其闭环幅频特性曲线估算系统的阶跃响应性能指标 $\sigma\%$ 及 t_s。

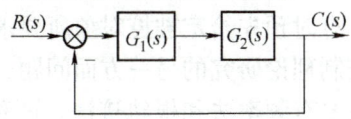

图 5-70 习题 5-18 图

第 6 章　线性控制系统的校正

前面几章讨论了控制系统的各种分析方法。利用这些方法，能够在已知系统结构、参数和工作条件下计算出系统的性能，得知系统的静态、动态特性。一般把这样的过程称为控制系统的分析。但在工程实践中，有时预先给定被控对象所要求的性能，然后设法构造能够实现给定性能的控制系统，这是控制理论研究的另一方面问题，称为控制系统的校正。经典控制理论中系统校正的研究方法主要有频率法和根轨迹法，两种方法可以自成体系独立进行，也可以互为补充，且以频域法较为普遍。本章主要介绍线性控制系统的频率特性校正法。

6.1　概述

由于控制系统的校正是从系统所要求满足的性能指标入手的，对一个设计者来说，不仅要充分了解被控对象的结构、参数和特性，更应该深入分析系统所要求的各项性能指标。

性能指标的提法主要有两种，一种是时域指标，另一种是频域指标。根据性能指标的不同提法，可考虑采用不同的校正方法：针对时域性能指标，通常用根轨迹法校正比较方便；针对频域指标，采用频域法校正更适合。两种性能指标之间可以相互换算。

常用的频域指标包括开环频率特性指标和闭环频率特性指标。针对开环频率特性所提出的指标有：剪切频率 ω_c、相角裕量 γ 以及幅值裕量 K_g；对闭环幅频特性有：闭环谐振峰值 M_r、谐振角频率 ω_r 以及带宽频率 ω_b。

各项性能指标对系统参数与结构的要求往往存在着矛盾，这就造成设计与调试工作的困难。例如，系统稳态误差与稳定性、振荡性对系统开环增益和积分环节数目的要求；系统快速性与振荡性对放大系数的要求；系统的快速性与抑制噪声的能力对频带宽度的要求等。这就要求设计者根据具体控制系统的不同应用领域有所侧重，选择合适的校正方式。

在进行控制系统校正之前，首先应确信已对被控对象进行了尽可能的改善，通过调整控制器的各项参数仍然无法满足系统性能指标的要求。这时必须在系统中引入一些附加装置来改善系统的稳态和瞬态性能，使其全面满足性能指标要求。这些为改善系统性能而有目的地引入的装置称为校正装置，一般用 $G_c(s)$ 来表示。

校正装置是控制器的一部分，它与基本组成部分一起构成完整的控制器。在进行系统设计时为了方便，将系统中除了校正装置以外的部分，包括被控对象及控制器的基本组成部分一起，称为系统的原有部分或不可变部分，用 $G(s)$ 和 $H(s)$ 表示。其中，$G(s)$ 为前向通路的传递函数，$H(s)$ 为反馈通路的传递函数。因此，控制系统的校正，就是按给定系统原有部分的结构、参数以及性能指标要求，设计校正装置 $G_c(s)$。按照校正装置在系统中的安置位置，以及它和系统不可变部分的连接方式不同，校正的基本形式一般分为串联校正、反馈校正（也称并联校正）、前馈校正和复合校正。

校正装置如图 6-1 所示那样与系统不可变部分串联连接起来，称为串联校正。图 6-1 中的 $G(s)$ 为系统不可变部分传递函数，$G_c(s)$ 为校正装置的传递函数。串联校正从设计到实现均比较简单,是设计中最常用的。为了减少校正装置的输出功率,以降低成本和功耗,串联校正装置通常被安置在输入信号和反馈信号比较点后,即前向通道的前端。

如果从系统中某点引出反馈信号构成反馈回路,并在反馈通道中安置传递函数为$G_c(s)$的校正装置,则称这种形式的校正方式为反馈校正,如图 6-2 所示,其中,$G(s)$为系统不可变部分传递函数。反馈校正的信号是从高功率点传向低功率点,一般无须附加放大器。适当地选择反馈校正回路的增益,可以使校正后的系统性能主要取决于校正装置,而与被反馈校正装置所包围的系统固有部分特性无关。因此,反馈校正可以消除不可变部分的参数波动及非线性因素对系统性能的影响。反馈校正的设计相对较为复杂。

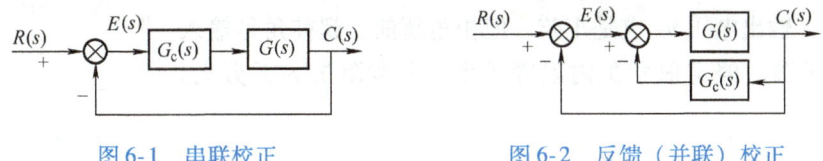

图 6-1　串联校正　　　　　　图 6-2　反馈(并联)校正

前馈校正也称顺馈校正,是在系统主反馈回路之外采用的校正方式。前馈信号取自闭环外的系统输入信号,由输入直接连接到校正装置,故称为前馈校正。按其所取的输入信号性质不同,分为按给定的前馈校正和按扰动的前馈校正,图 6-3 所示为按给定的前馈校正结构。

前馈校正是基于开环补偿的办法来提高系统的精度,一般不单独使用,通常作为反馈控制系统的附加校正而组成复合校正控制系统,以满足某些性能要求较高的系统的需要。复合校正是在反馈回路中加入前馈通路,组成一个有机整体,按结构可分为按输入补偿的复合校正和按扰动补偿的复合校正。

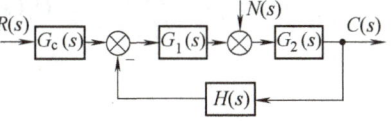

图 6-3　前馈校正

在控制系统的频域校正法设计中,常用的方法有综合法和分析法两种。

综合法又称期望特性法。它根据性能指标要求确定出期望开环频率特性的形状,然后将期望特性与系统原有部分特性进行比较,从而确定校正方式和校正装置参数。这种方法可能会使校正装置的传递函数具有相当复杂的形式,因而不便于物理实现。

分析法又叫试探法。设计者采用这种方法时,首先根据经验确定校正的方式,选择一种校正装置,然后根据性能指标要求和系统原有部分的特性选择校正装置的参数,最后验算性能指标是否满足要求。如果不能满足,则应改变校正装置参数或校正方式,直到校正后的系统全部满足给定的性能指标为止。分析法比较直观,物理上易于实现,在工程实践中被广泛采用。分析法要求设计者具有一定的实践经验。

应该指出,无论是综合法还是分析法,都带有经验的成分。所以经过校正设计,能够满足性能指标的控制系统,通常结果不是唯一的。因此,就需要在控制性能、经济成本、制造维护等方面加以综合考虑,以便从多种可能的方案中选出最佳方案。

6.2　校正装置及其特性

校正装置可由不同物理属性的元件组成,主要形式有电气式、机械式、气动式、液压式或其他类型的装置等。一般情况下,常采用电气校正装置。而电气校正装置中最常见的则为无源校正装置和有源校正装置。本节介绍它们的电路形式,传递函数,对数频率特性以及零、极点分布图。由于工程实践中普遍采用 PID 调节技术,因此本节还对 PID 调节器的原理进行简要介绍。

6.2.1 无源校正装置

常用的无源校正装置有无源超前网络、无源滞后网络以及无源滞后-超前网络。

1. 无源超前网络

无源超前网络的电路原理如图 6-4 所示。在其输入端加一正弦电压 u_i 时,输出电压 u_o 也是正弦,但相角超前,超前角是输入信号频率的函数。假定信号源内阻等于零,负载阻抗为无穷大。复数阻抗为

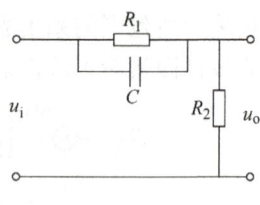

图 6-4 无源超前网络原理图

$$Z_1 = \frac{R_1}{1 + R_1 C s} \quad Z_2 = R_2$$

所以超前网络的传递函数为

$$G_c(s) = \frac{U_o(s)}{U_i(s)} = \frac{Z_2}{Z_1 + Z_2} = \frac{R_2}{R_1 + R_2} \cdot \frac{1 + R_1 C s}{1 + \frac{R_1 R_2}{R_1 + R_2} C s}$$

令

$$T = \frac{R_1 R_2}{R_1 + R_2} C$$

$$a = \frac{R_1 + R_2}{R_2} > 1$$

则

$$G_c(s) = \frac{1}{a} \cdot \frac{1 + aTs}{1 + Ts} \tag{6-1}$$

式中,T 称为时间常数;a 称为分度系数。

超前网络的零、极点分布如图 6-5 所示。实际位置随 a 和 T 的数值而改变。但由于 $a>1$,零点总是位于极点的右边,它们间的距离取决于 a 的值。显然,a 越大,间距越大,超前作用越显著。但是 a 值过大,元件在物理实现上较困难,同时噪声的影响也被微分作用放大。所以为了避免上述问题,实际选用的 a 值一般不超过 20。对于超前相角要求较大的场合,可用两个超前网络串接。

由于式(6-1)中 $1/a$ 小于 1,采用无源超前网络进行串联校正时,整个系统的开环增益要降低 a 倍,为了补偿超前网络造成的衰减,需要提高放大器增益,或另外串接一个放大器。在补偿了 $1/a$ 的衰减作用后,超前网络的传递函数是

$$G'_c(s) = aG_c(s) = \frac{1 + aTs}{1 + Ts} \tag{6-2}$$

根据式(6-2)画出的对数频率特性如图 6-6 所示。显然,超前网络对频率在 $1/(aT)$ 至 $1/T$ 之间的输入信号有明显的微分作用,在该频率范围内,输出信号相角比输入信号相角超前,超前网络的名称由此而得。

第 6 章　线性控制系统的校正

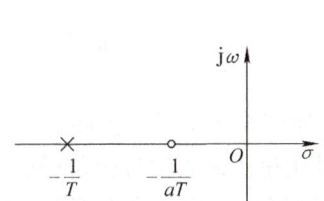

图 6-5　无源超前网络的零、极点分布

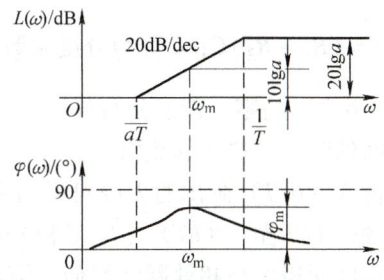

图 6-6　超前网络 $\dfrac{1+aTs}{1+Ts}$ 的伯德图

图 6-6 表明，当频率 ω 等于最大超前角频率 ω_m 时，相角超前量最大，以 φ_m 表示。为了得到最大超前角，根据超前网络，式（6-2）的相角计算式为

$$\varphi_c(\omega) = \arctan aT\omega - \arctan T\omega$$

由两角和的三角函数公式，可得

$$\varphi_c(\omega) = \arctan \frac{(a-1)T\omega}{1+aT^2\omega^2} \tag{6-3}$$

将式（6-3）对 ω 求导，并令其为零，得最大超前角频率为

$$\omega_m = \frac{1}{T\sqrt{a}} \tag{6-4}$$

由于

$$\lg\omega_m = \frac{1}{2}\left(\lg\frac{1}{T} + \lg\frac{1}{aT}\right)$$

故最大超前角频率 ω_m 是两个转折频率 $1/(aT)$ 和 $1/T$ 的几何中点。

将 ω_m 的表达式代入式（6-3），得最大超前角为

$$\varphi_m = \arctan \frac{a-1}{2\sqrt{a}}$$

或

$$\varphi_m = \arcsin \frac{a-1}{a+1} \tag{6-5}$$

此外，由式（6-2）可以求出 ω_m 处的对数幅值，即

$$L_c(\omega_m) = 20\lg|aG_c(j\omega)| = 10\lg a \tag{6-6}$$

2. 无源滞后网络

无源滞后网络的电路原理图如图 6-7 所示。当输入正弦电压 u_i 时，输出电压 u_o 也是正弦的，但其相角滞后于 u_i，滞后角是输入信号频率的函数。

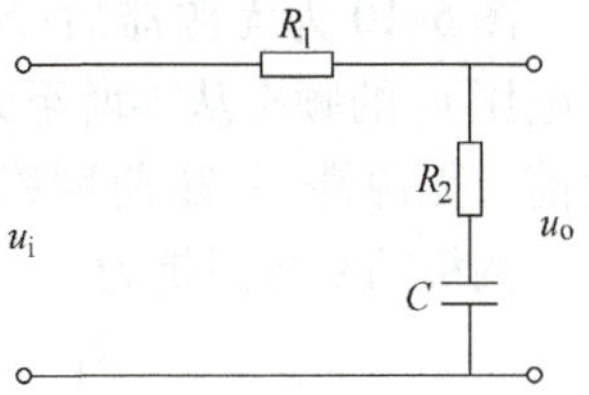

假定信号源内阻等于零，负载阻抗为无穷大。复数阻抗 Z_1 和 Z_2 为

图 6-7　无源滞后网络原理图

$$Z_1 = R_1;\ Z_2 = R_2 + \frac{1}{Cs}$$

所以，无源滞后网络的传递函数为

$$G_c(s) = \frac{U_o(s)}{U_i(s)} = \frac{Z_2}{Z_1+Z_2} = \frac{1+R_2Cs}{1+(R_1+R_2)Cs}$$

$$= \frac{1+bTs}{1+Ts} \tag{6-7}$$

式中,$T=(R_1+R_2)C$;b 称为分度系数,$b=\dfrac{R_2}{R_1+R_2}<1$。

式(6-7)的零、极点分布如图 6-8 所示。由于 $b<1$,因而极点总是位于零点的右边。它们之间的距离取决 b 的数值。

根据式(6-7)画出的无源滞后网络对数频率特性如图 6-9 所示。由图 6-9 可见,滞后网络在频率 $1/T$ 至 $1/(bT)$ 之间呈积分作用,输出信号相角比输入信号相角滞后,滞后网络的名称由此而得。与超前网络类似,滞后网络的最大滞后角 φ_m 发生在 $1/T$ 与 $1/(bT)$ 的几何中心 ω_m 处,计算 ω_m 和 φ_m 的公式分别为

$$\omega_m=\dfrac{1}{T\sqrt{b}} \tag{6-8}$$

$$\varphi_m=\arcsin\dfrac{1-b}{1+b} \tag{6-9}$$

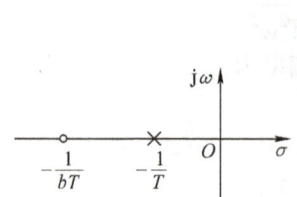

图 6-8 滞后网络的零、极点分布

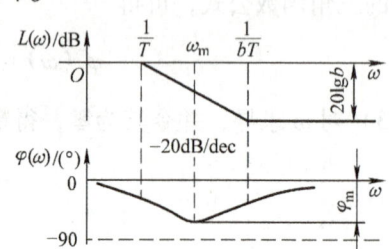

图 6-9 滞后网络 $\dfrac{1+bTs}{1+Ts}$ 的伯德图

采用滞后网络进行校正时,主要是利用其高频幅值衰减的特性,力求避免最大滞后角发生在校正后系统开环剪切频率 ω_c 附近,以免恶化系统动态性能。因此选择滞后网络参数时,总是使滞后网络的第二个转折频率 $1/(bT)$ 远小于 ω_c,一般取

$$\dfrac{1}{bT}=\left(\dfrac{1}{5}\sim\dfrac{1}{10}\right)\omega_c \tag{6-10}$$

3. 无源滞后-超前网络

图 6-10 为无源滞后-超前网络的电路原理图。当把正弦电压 u_i 的频率从零增至无限大时,u_o 的相角从滞后变为超前。无源滞后-超前网络兼有滞后网络和超前网络的特性。网络的复数阻抗为

$$Z_1=\dfrac{R_1}{1+R_1C_1s};\quad Z_2=R_2+\dfrac{1}{C_2s}$$

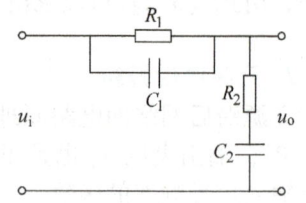

图 6-10 无源滞后-超前网络原理图

由此求得无源滞后-超前网络的传递函数为

$$G_c(s)=\dfrac{Z_2}{Z_1+Z_2}=\dfrac{(1+R_1C_1s)(1+R_2C_2s)}{(1+R_1C_1s)(1+R_2C_2s)+R_1C_2s} \tag{6-11}$$

若使

$$aT_1=R_1C_1, bT_2=R_2C_2, ab=1$$
$$R_1C_1+R_2C_2+R_1C_2=T_1+T_2$$

则

$$T_1 T_2 = R_1 C_1 R_2 C_2$$

无源滞后-超前网络的传递函数变为

$$G_c(s) = \left(\frac{1+bT_2 s}{1+T_2 s}\right)\left(\frac{1+aT_1 s}{1+T_1 s}\right) \quad (6\text{-}12)$$

|←滞后→|←超前→|

当 $a>1$、$b<1$ 时，式（6-12）右端第一项起滞后网络作用，第二项起超前网络作用。

设 $T_1 < T_2$，按式（6-12）绘制的无源滞后-超前网络的伯德图如图 6-11 所示。在低频范围内，输出电压相位滞后于输入电压相位；在高频范围内，输出电压相位超前于输入电压相位。无源滞后-超前网络的传递函数又可写为

$$G_c(s) = \frac{\left(s+\dfrac{1}{aT_1}\right)\left(s+\dfrac{1}{bT_2}\right)}{\left(s+\dfrac{1}{T_1}\right)\left(s+\dfrac{1}{T_2}\right)} \quad (6\text{-}13)$$

无源滞后-超前网络的零、极点分布如图 6-12 所示。由图可见，滞后部分的零、极点比超前部分的零、极点更接近坐标原点。

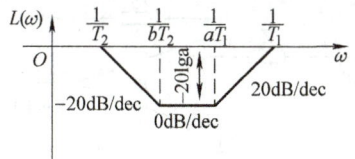

图 6-11 无源滞后-超前网络的伯德图　　　图 6-12 无源滞后-超前网络的零、极点分布

常用无源校正网络见表 6-1。

表 6-1 常用无源校正网络

名称	原理图	传递函数
超前	（C 与 R 串联电路图）	$G(s) = \dfrac{Ts}{1+Ts}$　　$T = RC$
超前	（C、R_1 并联再与 R_2 串联电路图）	$G(s) = \dfrac{1}{a}\dfrac{1+aTs}{1+Ts}$　　$a = \dfrac{R_1+R_2}{R_2}$　　$T = \dfrac{R_1 R_2}{R_1+R_2}C$
滞后	（R 与 C 电路图）	$G(s) = \dfrac{1}{1+Ts}$　　$T = RC$

名称	原理图	传递函数
滞后		$G(s) = \dfrac{1+aTs}{1+Ts}$ $a = \dfrac{R_2}{R_1+R_2}$ $aT = R_2 C$
滞后-超前		$G(s) = \left(\dfrac{1+aT_1 s}{1+T_1 s}\right)\left(\dfrac{1+bT_2 s}{1+T_2 s}\right)$ $aT_1 = R_1 C_1$ $bT_2 = R_2 C_2$ $ab = 1$ $R_1 C_1 + R_2 C_2 + R_1 C_2 = T_1 + T_2$ $R_1 R_2 C_1 C_2 = T_1 T_2$

6.2.2 有源校正装置

无源网络由于本身没有增益只有衰减，且输入阻抗较低，输出阻抗又较高，实际应用时，常常需有放大器或隔离放大器。无源校正装置多用于简单控制系统的串联校正中。

当对控制系统性能要求较高，希望校正装置的参数可以随意调整时，一般采用有源校正。最常用的有源校正装置是由一个高增益运算放大器加上四端网络反馈组成的，其工作形式如图6-13所示。图中放大器的放大系数大，输入阻抗高，它有同相（+）和反相（-）两个输入端。一般组成负反馈电路时，常用反相输入。分析它的工作特性时，假设放大系数$K \to \infty$，相加点A漏电流为零，则运算放大器的传递函数为

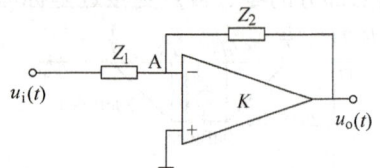

图6-13 运算放大器原理图

$$G(s) = -\dfrac{Z_2(s)}{Z_1(s)} \tag{6-14}$$

式中，负号表示u_o与u_i的极性相反。改变式中$Z_1(s)$和$Z_2(s)$就可得到不同的传递函数，因而校正装置的功能也就不同。

几种常用的由运算放大器组成的有源校正装置电路图和传递函数列于表6-2中。有源校正装置除采用运算放大器形式外，还有采用测速发电机以及PID调节器等形式。

表6-2 常用有源校正网络

类型	工作线路	传递函数
比例（P）		$G(s) = -K_p$ $K_p = R_2/R_1$
积分（I）		$G(s) = -\dfrac{1}{T_i s}$ $T_i = R_1 C$

(续)

类　　型	工　作　线　路	传　递　函　数
微分(D)		$G(s) = -T_d s$ $T_d = R_2 C$
比例-积分(PI)		$G(s) = -\dfrac{1 + T_d s}{T_i s}$ $T_d = R_2 C \quad T_i = R_1 C$
比例-积分(PI)		$G(s) = -K_p(1+a)\dfrac{1 + T_d s}{T_d s}$ $K_p = \dfrac{R_2}{R_1} \quad a = \dfrac{R_4}{R_3}$ $T_d = R_2 C \quad$ 条件: $R_2 \gg (R_3 + R_4)$
比例-微分(PD)		$G(s) = -K_p(1 + T_d s)$ $K_p = \dfrac{R_2 + R_3}{R_1} \quad T_d = \dfrac{R_2 R_3}{R_2 + R_3} C$
比例-微分(PD)		$G(s) = -K_p(1 + T_d s)$ $K_p = \dfrac{R_2}{R_1} \quad T_d = R_1 C$
比例-积分-微分(PID)		$G(s) = -K_p \dfrac{(1 + T_{d1} s)(1 + T_{d2} s)}{T_{d1} s}$ $K_p = \dfrac{R_2}{R_1} \quad T_{d1} = R_2 C_1 \quad T_{d2} = R_3 C_2$ 条件 $R_2 \gg R_3 \quad C_2 \gg C_1$

6.2.3　PID 调节器

PID 调节器又称为 PID 控制器，是控制系统中常采用的有源校正装置。由于 PID 调节器能在各种不同的工作条件下保持较好的控制性能，且其功能简单，使用方便，因而 PID 调节器在工业过程控制中得到了广泛的应用。

采用比例调节器适当调整其参数，既可以提高系统的稳态性能，又可以加快瞬态响应速度。但仅用比例调节器校正系统是不够的，过大的开环增益不仅使系统的超调量增大，而且会使系统的稳定裕量变小，对高阶系统来说，甚至会使系统变得不稳定。采用积分调节器可以提高系统的型别，消除或减少系统的稳态误差，使系统的稳态性能得到改善。但积分调节器的引入会影响系统的稳定性。此外，由于积分器是靠对误差的积累来消除稳态误差的，势必会使系统的反应速度降低。因此，积分调节器一般也不单独使用。通常，由比例（P）单

元 K_p、微分（D）单元 $K_d s$ 以及积分（I）单元 $1/T_i s$ 可分别组合成 PD、PI 及 PID 调节器。

1. PD 调节器

PD 调节器又称比例-微分调节器，其传递函数为

$$G_c(s) = K_p + K_d s$$

或

$$G_c(s) = K_p\left(1 + \frac{K_d}{K_p}s\right) = K_p(1 + Ts) \tag{6-15}$$

其作用相应于式（6-2）的超前网络。

2. PI 调节器

PI 调节器又称比例-积分调节器，其传递函数为

$$G_c(s) = K_p + \frac{1}{T_i s} = \frac{T_i K_p s + 1}{T_i s} \tag{6-16}$$

其作用相应于式（6-7）的滞后网络。

3. PID 调节器

PID 调节器又称比例-积分-微分调节器，其传递函数为

$$G_c(s) = K_p + K_d s + \frac{1}{T_i s} = \frac{T_i K_d s^2 + T_i K_p s + 1}{T_i s} \tag{6-17}$$

其作用相应于式（6-11）的滞后-超前网络。

PI 调节器、PD 调节器以及 PID 调节器从实质上看与滞后网络校正、超前网络校正以及滞后-超前网络校正是相同的。但是也可以从另一个角度来看 PID 的校正作用。如果把式（6-17）所描述的 PID 调节器的输入 $E(s)$ 和输出 $U(s)$ 之间的关系用时域关系表示，则为

$$u(t) = K_p e(t) + \frac{1}{T_i}\int_0^t e(\tau)\mathrm{d}\tau + K_d \frac{\mathrm{d}e(t)}{\mathrm{d}t} \tag{6-18}$$

它的比例项产生一个和当前误差直接有关的信号；积分项产生的信号取决于以往所有的误差，这使输出带有惯性；微分项由误差的变化率确定，它可以看成是对系统未来状态的预测，利用它可使系统响应速度加快，当然如果误差信号含有较大的噪声，那么预测效果就很差。总之，PID 调节器产生的控制作用可以看成是过去、现在和未来（预测的）状态的函数。

6.3 串联校正

本节在系统开环对数频率特性基础上，从满足系统稳态和瞬态性能的角度出发，介绍确定串联校正装置参数的方法和步骤。

在频域内进行系统设计和校正，是一种间接方法，因为设计结果满足的是一些频域指标而不是时域指标。然而，在频域内进行设计又是一种简便的方法，在伯德图上虽然不能严格定量地给出系统的动态性能，但却能方便地根据频域指标确定校正装置的参数，特别是对已校正系统的高频特性有要求时，采用频率响应法校正较其他方法更为方便。频域设计的这种简便性，是由于系统开环频率特性与闭环系统的时间响应有关。

一般说来，系统开环频率特性的低频段表征了闭环系统的稳态性能；系统开环频率特性的中频段表征了闭环系统的动态性能；系统开环频率特性的高频段表征了闭环系统的复杂性

和滤波性能。因此，用频率响应法设计控制系统的实质，就是在系统中加入频率特性形状合适的校正装置，使开环系统频率特性形状变成所期望的形状，即低频段的增益充分大，以保证稳态误差要求；中频段对数幅频特性斜率一般应等于 -20dB/dec，并占据充分宽的频带，以保证系统具备适当的相角裕量；高频段增益应尽快减小，以便使噪声影响减小到最低程度，如果系统原有部分高频段已符合该种要求，则校正时可保持高频段形状不变。

6.3.1 串联超前校正

利用超前网络或 PD 调节器进行串联校正的基本原理是利用超前网络在 PD 调节器的相角超前特性。

只要正确地将超前网络的转折频率 $1/(aT)$ 和 $1/T$ 选在未校正系统剪切频率的两边，并适当地选择参数 a 和 T，就可以使已校正系统的剪切频率和相角裕量满足性能指标的要求，从而改善闭环系统的动态性能。闭环系统稳态性能的要求，可通过选择已校正系统的开环增益来保证。用频率响应法设计无源超前网络可归纳为以下几个步骤：

1) 根据系统稳态误差要求，确定开环增益 K。
2) 利用已确定的开环增益 K，计算未校正系统的相角裕量。
3) 根据已校正系统希望的剪切频率 ω_c，计算超前网络参数 a 和 T。

在本步骤中，关键是选择超前网络的最大超前角频率 ω_m 等于要求的系统剪切频率 ω_c，目的是保证系统的响应速度，并充分利用超前网络的相角超前特性。显然，$\omega_m = \omega_c$ 成立的条件是未校正系统在 ω_c 处的对数幅频值 $L_0(\omega_c)$（负值）与超前网络在 ω_m 处的对数幅频值 $L_c(\omega_m)$（正值）之和为零，即

$$-L_0(\omega_c) = L_c(\omega_m) = 10\lg a \tag{6-19}$$

根据式（6-19）可确定超前网络的参数 a。有了 ω_m 和 a 以后，即可由下式求出超前网络的另一参数：

$$T = \frac{1}{\omega_m \sqrt{a}} \tag{6-20}$$

4) 验算已校正系统的相角裕量。

由于超前网络的参数是根据满足系统剪切频率要求选择的，因此相角裕量是否满足要求，必须验算。验算时，由已知的 a 值，根据式（6-5），即

$$\varphi_m = \arcsin \frac{a-1}{a+1}$$

求得 φ_m 值。再根据已校正系统希望的剪切频率 ω_c 计算出未校正系统（最小相位系统）在 ω_c 时的相角裕量 $\gamma_0(\omega_c)$。如果未校正系统为非最小相位系统，则 $\gamma_0(\omega_c)$ 由绘图法确定。最后按下式算出已校正系统的相角裕量，即

$$\gamma = \varphi_m + \gamma_0(\omega_c) \tag{6-21}$$

当验算结果 γ 不满足指标要求时，需重选 ω_m 值，一般是使 $\omega_m = \omega_c$ 值增大，然后重复以上计算步骤。

5) 确定超前网络的元件值，并注意计算结果的标称化。一旦完成校正装置设计后，需要进行系统实际调校工作，或者在计算机上进行仿真以检查系统的时间响应特性。如果由于系统各种固有非线性因素影响，或者由于噪声、负载效应等因素的影响而使已校正系统不能

满足全部性能指标要求时，则需要适当调整校正装置的参数，直到已校正系统满足全部性能指标为止。

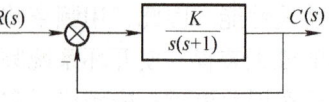

图 6-14　控制系统框图

例 6-1　设控制系统如图 6-14 所示。其开环传递函数为

$$G_0(s) = \frac{K}{s(s+1)}$$

若要求系统在单位斜坡输入信号作用时，稳态误差 $e_{ss} \leqslant 0.1\text{rad}$，系统剪切频率 $\omega_c \geqslant 4.4\text{rad/s}$，相角裕量 $\gamma \geqslant 45°$，幅值裕量 $K_g(\text{dB}) \geqslant 10\text{dB}$。试选择串联无源超前网络的参数。

解　按前述设计步骤，首先调整开环增益 K。本例未校正系统为 I 型系统，所以有

$$e_{ss} = \frac{1}{K} \leqslant 0.1$$

故 K 值取为 10 时，可以满足稳态误差要求，则未校系统的传递函数为

$$G_0(s) = \frac{10}{s(s+1)} \tag{6-22}$$

式（6-22）代表的系统为最小相位系统，因此只须画出其对数幅频渐近特性，如图 6-15 中 $L_0(\omega)$ 所示。由图中得出未校正系统剪切频率 $\omega_{c0} = 3.1\text{rad/s}$，算出未校正系统相角裕量为

$$\gamma_0 = 180° - 90° - \arctan\omega_{c0} = 17.9°$$

而二阶系统的幅值裕量 $K_g(\text{dB})$ 必为 $+\infty \text{dB}$。相角裕量小的原因，是因为未校正系统的对数幅频特性中频区的斜率为 -40dB/dec。由于剪切频率和相角裕量均低于指标要求，因此采用串联超前校正是合适的。

下面计算超前网络参数。试选 $\omega_m = \omega_c = 4.4\text{rad/s}$，由图 6-15 查得 $L_0(\omega_c) = -6$，由式（6-19）得 $6 = 10\lg a$，即 $a = 4$，而

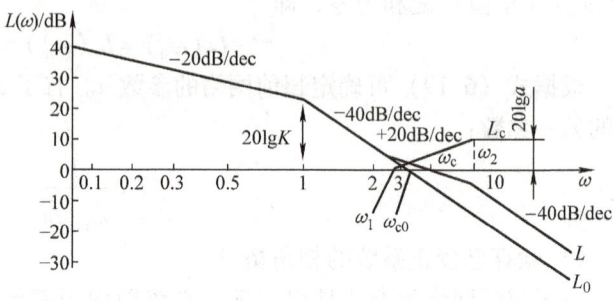

图 6-15　例 6-1 系统的对数幅频特性

$$T = \frac{1}{\omega_m \sqrt{a}} = 0.114\text{s}$$

因此超前网络传递函数可确定为

$$4G_c(s) = \frac{1 + 0.456s}{1 + 0.114s}$$

为了补偿无源超前网络产生的增益衰减，放大器的增益需要提高 4 倍，否则不能保证稳态误差要求。

超前网络参数确定后，已校正系统的开环传递函数可写为

$$G_c(s)G_0(s) = \frac{10(1 + 0.456s)}{s(1 + 0.114s)(1 + s)}$$

其对数幅频特性如图 6-15 中 $L(\omega)$ 所示。显然，已校正系统的剪切频率必为 4.4rad/s，由此算得未校正系统在 $\omega_c = 4.4$rad/s 时的相角裕量 $\gamma_0(\omega_c) = 12.8°$，而由式（6-5）算出 $a = 4$ 时 $\varphi_m = 37°$，故已校正系统的相角裕量为

$$\gamma = \varphi_m + \gamma_0(\omega_c) = 49.8°$$

相角裕量满足大于 45° 的指标要求。已校正系统的幅值裕量仍等于 $+\infty$ dB，因为其对数相频特性不可能以有限值与 $-180°$ 线相交。此时，全部性能指标均已满足要求。

最后，选择无源超前网络的元件值。由于对校正网络输入阻抗和输出阻抗有各种不同的要求，这种解答更具有多样性。例如，可选 $C = 4.7\mu F$，则由式（6-1）中 a 和 T 的定义可算出 $R_1 = aT/C$ 和 $R_2 = R_1/(a-1)$，将 C、a 和 T 值代入即可算出 R_1 和 R_2 的值，均标注在图 6-16 中。

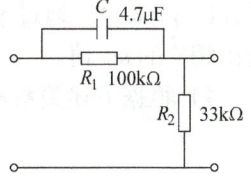

图 6-16 例 6-1 的无源超前校正网络

本例表明，系统经串联超前校正后，中频区斜率变为 -20dB/dec，并占据 6.6rad/s 的频带范围，从而系统相角裕量增大，超调量下降。使得开环系统的剪切频率从校正前的 3.1rad/s，增加到校正后的 4.4rad/s，因而闭环系统带宽增大，响应速度加快。

应当指出，在有些情况下采用串联超前校正是无效的。串联超前校正受以下两个因素的限制：

1) 对闭环带宽要求。若未校正系统不稳定，为了得到规定的相角裕量，需要超前网络具有很大的相角超前量。这样一来，超前网络的 a 值必须选得很大，从而造成已校正系统带宽过大，使得通过系统的高频噪声电平很高，很可能使系统失控。

2) 在剪切频率附近相角迅速减小的未校正系统，一般不宜采用串联超前校正。因为随着剪切频率向 ω 轴右方移动，未校正系统相角迅速下降，使已校正系统相角裕量改善不大，很难产生足够的超前相角。一般情况，产生这种相角迅速减小的原因是：在未校正系统剪切频率附近的地方，或有两个转折频率彼此靠近的惯性环节；或有两个转折频率彼此相等的惯性环节；或有一个振荡环节。

在上述应用串联超前校正受限制的情况下，系统可采用其他方法进行校正。例如，可采用两级（或两级以上）的串联超前网络（若选用无源网络，则中间需要串接隔离放大器）进行串联超前校正，或采用一个滞后网络进行串联滞后校正，或者用测速反馈校正。

6.3.2 串联滞后校正

串联滞后校正的基本原理是利用滞后网络或 PI 调节器的高频幅值衰减特性，使已校正系统的剪切频率下降，从而使系统获得足够的相角裕量。

因此，滞后网络的最大滞后角应力求避免发生在系统剪切频率附近。在系统响应速度要求不高而滤除噪声性能要求较高的情况下，可考虑采用串联滞后校正。此外，如果未校正系统具有满意的动态性能，而其稳态性能不满足指标要求，那么也可采用串联滞后校正以提高其稳态精度，同时保持其动态性能仍然满足性能指标要求。

应用频率特性法设计串联无源滞后校正装置的步骤如下：

1) 根据稳态误差要求，确定开环增益 K。

2) 利用已确定的开环增益，画出未校正系统的对数频率特性，确定未校正系统的剪切

频率 ω_{c0}，相角裕量 γ_0 和幅值裕量 K_g。

3）根据相角裕量 γ 要求，确定校正后系统剪切频率 ω_c。考虑到滞后网络在新的剪切频率 ω_c 处会产生一定的相角滞后 $\varphi_c(\omega_c)$，因此下式成立：

$$\gamma = \gamma_0(\omega_c) + \varphi_c(\omega_c) \qquad (6\text{-}23)$$

式中，γ 是校正后系统的指标要求值；$\gamma_0(\omega_c)$ 为未校正系统在 ω_c 处对应的相角裕量；$\varphi_c(\omega_c)$ 是滞后网络在 ω_c 处的相角，在确定 ω_c 前可取为 $-6°$ 左右。于是根据式（6-23）可计算出 $\gamma_0(\omega_c)$，通过 $\gamma_0(\omega_c)$ 可计算出 $\varphi_0(\omega_c)$ 并在未校正系统的相频特性曲线 $\varphi_0(\omega)$ 上查出相应的 ω_c 值。

4）根据下述关系式确定滞后网络参数 b 和 T：

$$20\lg b + L_0(\omega_c) = 0 \qquad (6\text{-}24)$$

$$\frac{1}{bT} = \left(\frac{1}{5} \sim \frac{1}{10}\right)\omega_c \qquad (6\text{-}25)$$

式（6-24）成立的原因是明显的，因为要保证校正后系统的剪切频率为上一步所选的 ω_c 值，必须使滞后网络的衰减量 $20\lg b$ 在数值上等于未校正系统在新剪切频率 ω_c 上的对数幅频数值 $L_0(\omega_c)$，$L_0(\omega_c)$ 在未校正系统的对数幅频曲线上可以查出，于是由式（6-24）可计算出 b 值。

式（6-25）成立的理由是为了不使串联滞后校正的滞后相角对系统的相角裕量有较大影响（一般控制在 $-6° \sim -14°$ 的范围内）。根据式（6-25）和已确定的 b 值，即可算出滞后网络的 T 值。

5）验算已校正系统相角裕量和幅值裕量。

例 6-2 设一控制系统如图 6-17 所示。要求校正后系统的静态速度误差系数等于 30s^{-1}，相角裕量不低于 $40°$，幅值裕量不小于 10dB，剪切频率 ω_c 不小于 2.3rad/s，试设计串联校正装置。

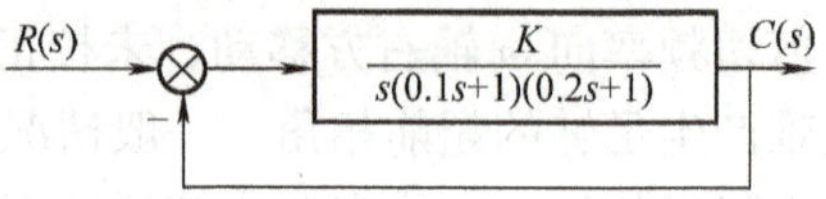

解 设计的第一步是确定开环增益 K。根据静态速度误差系数要求有

$$K_v = \lim_{s\to 0} sG(s) = K = 30\text{s}^{-1}$$

图 6-17 例 6-2 控制系统

则未校正系统的开环传递函数应取

$$G(s) = \frac{30}{s(0.1s+1)(0.2s+1)}$$

下面画出未校正系统的对数频率特性，如图 6-18 所示。由图得 $\omega_{c0} = 12\text{rad/s}$，计算出未校正前系统的相角裕量

$$\gamma_0 = 90° - \arctan(0.1\omega_{c0}) - \arctan(0.2\omega_{c0}) = -27.6°$$

相角裕量为负值，说明未校正系统不稳定，且剪切频率远大于性能要求值。在这种情况下，采用超前校正是无效的。可以证明，当超前网络的 a 值取到 100 时，系统的相角裕量仍不足 $30°$，而剪切频率却增至 26rad/s。考虑到本例对系统剪切频率要求不高，故选用串联滞后校正。

现在根据 $\gamma \geq 40°$ 的要求和 $\varphi_c(\omega_c) = -6°$ 估值，按式（6-23）求得 $\gamma_0(\omega_c) \geq 46°$。于是可得

$$\varphi_0(\omega_c) = -180° + \gamma_0(\omega_c) \geq -134°$$

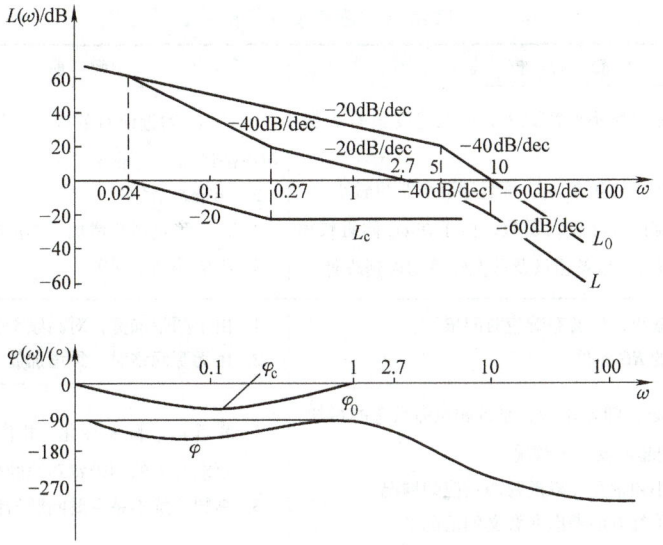

图 6-18　例 6-2 系统的伯德图

由 $\varphi_0(\omega)$ 曲线上查出对应 $\varphi_0(\omega_c) \geqslant -134°$ 的频率值，得 ω_c 值可在 $2.3 \sim 2.7\text{rad/s}$ 范围内任取，考虑到 ω_c 取值较大时，校正后的系统响应速度较快，且滞后网络时间常数 T 较小，便于实现，故选取 $\omega_c = 2.7\text{rad/s}$。然后，在图 6-18 上查出当 $\omega_c = 2.7\text{rad/s}$ 时的 $L_0(\omega_c) = 21\text{dB}$，故由式（6-24）求出 $b = 0.09$，再由式（6-25）算出 $T = 41\text{s}$ ［按 $1/(bT) = 0.1\omega_c$ 计算］，则滞后校正网络的传递函数为

$$G_c(s) = \frac{1+bTs}{1+Ts} = \frac{1+3.7s}{1+41s}$$

校正前后系统的对数频率特性和校正网络的对数频率特性如图 6-18 所示。

最后校验相角裕量和幅值裕量。计算校正网络在 $\omega_c = 2.7\text{rad/s}$ 处的相角，即

$$\varphi_c(\omega_c) = \arctan(bT\omega_c) - \arctan(T\omega_c) = -5.2°$$

再计算未校正系统在 ω_c 处的相角裕量，即

$$\gamma_0(\omega_c) = 90° - \arctan(0.1\omega_c) - \arctan(0.2\omega_c) = 46.5°$$

于是，由式（6-23）得 $\gamma = 41.3°$，满足指标要求。然后从校正后系统的对数相频特性曲线上，可得已校正系统对数相频特性为 $-180°$ 时的频率等于 6.8rad/s，于是可求出已校正系统的幅值裕量为 10.5dB，这完全符合要求。

采用串联滞后校正，既能够提高系统稳态精度而又基本上不改变系统动态性能，这个道理是明显的，以图 6-18 为例，如果将已校正系统对数幅频特性向上平移 21dB，则校正前后的相角裕量和剪切频率基本相同，而开环增益却增大 11 倍。

到此为止，已经介绍了串联超前校正和串联滞后校正两种方法，为了比较，现将二者的优缺点和适用范围列于表 6-3。

需要指出，在有些应用方面，采用滞后校正可能会得出时间常数大到不能实现的结果。这是由于需要在足够小的频率值上安置滞后网络的第一个转折频率 $1/T$，以保证在需要的频率范围内产生有效的高频幅值衰减特性所致。这时最好采用串联滞后-超前校正。

表 6-3　串联滞后校正和串联超前校正的比较

项目	滞后校正	超前校正
效果	1. 在相对稳定性不变情况下，增大速度误差系数，提高稳态精度 2. 降低开环剪切频率 ω_c，而且闭环频带也较小 3. 对于给定的开环放大系数，由于在 ω_c 附近幅值衰减使相角裕量、增益裕量及谐振峰值均得到改善	1. 在 ω_c 附近使对数幅频特性斜率减小，增大系统相角裕量和增益裕量 2. 频带宽增加 3. 由于稳定裕量增加，单位阶跃响应的超调量减少 4. 不影响稳态误差
缺点	1. 频带宽减小，使暂态响应时间增长 2. 需要大的 RC 元件	1. 由于频带加宽，对高频干扰较敏感 2. 用无源网络时，须增加放大系数
适用范围	1. 在 ω_c 附近，随 ω 增大，系统相位滞后急剧增加，以致难以采用超前校正的情况 2. 易于减小频带宽和减慢暂态响应的情况 3. 从高频干扰方面考虑有意义的情况	1. 靠近 ω_c，随 ω 变化，相位滞后缓慢增加的情况 2. 要求有大的频带宽和快的暂态响应 3. 高频干扰不是主要问题的情况
不适用情况	1. 在低频区找不到所要求的相角裕量区段 2. 当暂态响应、频带宽或低频误差等指标过于严格的情况	1. 在 ω_c 附近，相位滞后随 ω 迅速增大的情况 2. 相位超前要求过大 3. 因高频干扰指标所限，不能增大高频增益的情况

6.3.3　串联滞后-超前校正

单纯采用超前校正或滞后校正均只能改善系统暂态或稳态一个方面的性能。若未校正系统不稳定，并且对校正后系统的稳态和暂态都有较高要求时，宜采用串联滞后-超前校正装置。利用校正网络中的超前部分改善系统的暂态性能，而校正网络的滞后部分则可提高系统的稳态精度。

用频率特性法设计串联校正装置除可按本节前述分析方法和步骤之外，还可以按期望特性法去设计。下面举例说明。

例 6-3　设未校正系统原有部分的开环传递函数为

$$G_0(s) = \frac{K}{s(0.5s+1)(0.167s+1)}$$

试设计串联校正装置，使系统满足下列性能指标：$K \geq 180 \mathrm{s}^{-1}$，$\gamma > 40°$，$3\mathrm{rad/s} < \omega_c < 5\mathrm{rad/s}$。

解　首先绘制未校正系统在 $K = 180\mathrm{s}^{-1}$ 时的伯德图 L_0 如图 6-19 所示。由图可以查出未校正系统的剪切频率 ω_{c0}，也可以通过计算求出剪切频率 ω_{c0}，由剪切频率定义可得

$$20\lg 180 - 20\lg\omega_{c0} - 20\lg\sqrt{(0.5\omega_{c0})^2 + 1} - 20\lg\sqrt{(0.167\omega_{c0})^2 + 1} = 0$$

则

$$\omega_{c0} = 12.5\mathrm{rad/s}$$

未校正系统的相角裕量为

$$\gamma_0 = 180° - 90° - \arctan 0.167\omega_{c0} - \arctan 0.5\omega_{c0} = -55.3°$$

表明未校正系统不稳定。

为设计串联校正装置，先确定系统的期望开环对数幅频特性。首先按给定的要求选择期望特性的剪切频率为 $\omega_c = 3.5\mathrm{rad/s}$，然后过 ω_c 处做一斜率为 $-20\mathrm{dB/dec}$ 的直线作为期望特

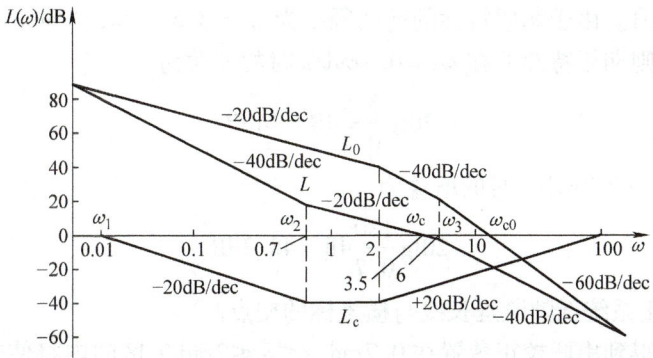

图 6-19　例 6-3 系统的伯德图

性的中频段。

为使校正后系统的开环增益不低于 $180\mathrm{s}^{-1}$，期望特性的低频段应与未校正系统特性一致。而未校正系统的低频段斜率与期望特性的中频段斜率同为 $-20\mathrm{dB/dec}$，即两线段平行，为此，需在期望特性的中频段与低频段之间用一斜率为 $-40\mathrm{dB/dec}$ 的直线做连接线。连接线与中频段特性相交的转折频率 ω_2 距 ω_c 不宜太近，否则难以保证系统相角裕量的要求。现按 $\omega_2 = \dfrac{\omega_c}{5} \sim \dfrac{\omega_c}{10}$ 的原则选取

$$\omega_2 = \frac{\omega_c}{5} = 0.7\mathrm{rad/s}$$

连接线与未校正系统低频段特性相交的转折频率 ω_1 可通过计算求得，也可绘图得到近似值。

为使校正装置不过于复杂，期望特性的高频段与未校正系统特性一致。由于未校正系统高频段特性的斜率是 $-60\mathrm{dB/dec}$，故期望特性中频段与高频段之间也应有斜率为 $-40\mathrm{dB/dec}$ 的直线作为连接线。此连接线与期望特性中频段相交之转折频率 ω_3 距 ω_c 也不宜过近，否则也影响到系统的相角裕量。考虑到未校正系统有一个转折频率为 $6\mathrm{rad/s}$ 的惯性环节，为使校正装置尽可能易于实现，将 ω_3 选为 $6\mathrm{rad/s}$。于是，绘制出系统的期望特性 L 如图 6-19 所示。

用期望特性 L 减去未校正系统的特性 L_0，就得到串联校正装置的对数幅频特性 L_c，如图 6-19 所示。它表明，应在系统中串联滞后-超前校正装置。根据式（6-12）并对照图 6-11 知，其传递函数为

$$G_c(s) = \frac{(1 + bT_2 s)(1 + aT_1 s)}{(1 + T_2 s)(1 + T_1 s)}$$

式中

$$bT_2 = \frac{1}{\omega_2} = \frac{1}{0.7}\mathrm{s} = 1.43\mathrm{s}$$

$$aT_1 = \frac{1}{2}\mathrm{s} = 0.5\mathrm{s}$$

$$a = \frac{1}{b} > 1$$

现需要确定 a 值。由于期望特性的剪切频率为 $\omega_c = 3.5\text{rad/s}$，根据对数幅频特性的定义和对数坐标定义，则期望特性 L 在 $\omega_2 = 0.7\text{rad/s}$ 时的增益为

$$20\lg\frac{3.5}{0.7}\text{dB} = 14\text{dB}$$

而未校正系统在 $\omega_2 = 0.7\text{rad/s}$ 时的增益为

$$20\lg\frac{180}{0.7}\text{dB} = 48.2\text{dB}$$

其中，180 为未校正系统低频段延长线与横坐标的交点。

两者相减，就得到串联校正装置在 $0.7\text{rad/s} \leq \omega \leq 2\text{rad/s}$ 区间内将使未校正系统的增益衰减 34.2dB。因为

$$-20\lg a = -34.2\text{dB}$$

所以

$$a = 51.3$$

求出 a 后，由前面公式可分别求出

$$T_1 = \frac{0.5\text{s}}{a} = \frac{0.5\text{s}}{51.3} = 0.0097\text{s}, b = \frac{1}{a} = \frac{1}{51.3} = 0.0195, T_2 = \frac{1.43\text{s}}{b} = \frac{1.43\text{s}}{0.0195} = 73.3\text{s}$$

因此，串联滞后-超前校正装置的传递函数为

$$G_c(s) = \frac{(1.43s+1)(0.5s+1)}{(73.3s+1)(0.0097s+1)}$$

校正后系统的开环传递函数为

$$G(s) = G_c(s)G_0(s) = \frac{180(1.43s+1)}{s(73.3s+1)(0.167s+1)(0.0097s+1)}$$

校验系统相角裕量为

$$\gamma = 180° - 90° - \arctan 73.3\omega_c + \arctan 1.43\omega_c -$$
$$\arctan 0.167\omega_c - \arctan 0.0097\omega_c = 46.7°$$

至此，可以认为，采用串联滞后-超前校正装置能使校正后系统满足全部性能指标的要求。

本例如果单纯采用串联超前校正装置，要将未校正系统的相角裕量由 $-55.3°$ 提至 $40°$，至少选用两级串联超前网络，而且需附加放大器，使系统结构复杂化。校正后系统的剪切频率过大，远远超过 5rad/s。由于系统带宽过大，因此将造成输出噪声电平过高。

如单纯选用串联滞后校正装置，为保证系统剪切频率在 3～5rad/s 的范围内和满足系统的开环增益 $K = 180\text{s}^{-1}$，容易看出校正后系统的开环对数幅频特性的中频段的斜率将是 -40dB/dec，相应的相角裕量为负值，校正后的系统将不稳定。

因此，在例 6-3 中，单纯使用串联超前或滞后校正装置都将难以满足全部性能指标。

6.4 反馈校正

反馈校正也是广泛采用的校正形式之一。控制系统采用反馈校正后，除了能收到与串联校正同样的效果外，还能消除系统不可变部分中被反馈所包围部分的参数波动对系统控制性

能的影响。在系统中采用反馈校正的前提是在该系统中能取出适当的反馈信号。

6.4.1 反馈校正的原理及特点

反馈校正是采用局部反馈包围系统前向通道中的一部分环节以实现校正,其系统框图如图 6-20 所示。

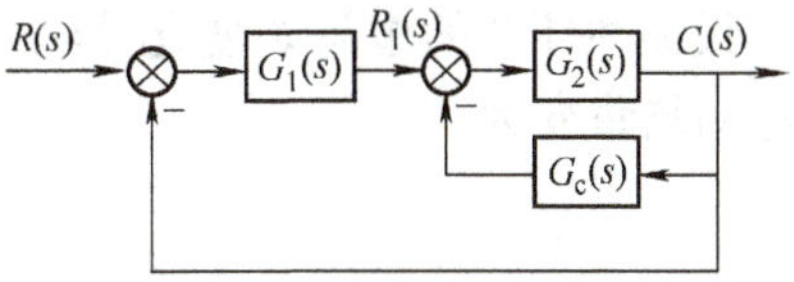

校正后系统的开环传递函数是

$$G(s) = G_1(s) \frac{G_2(s)}{1 + G_2(s)G_c(s)} \quad (6-26)$$

如果这个局部反馈稳定,并且下列关系式成立:

$$|G_2(j\omega)G_c(j\omega)| \gg 1 \quad \text{或} \quad 20\lg|G_2(j\omega)G_c(j\omega)| \gg 0 \quad (6-27)$$

则式(6-26)变成

$$G(s) \approx \frac{G_1(s)}{G_c(s)} \quad (6-28)$$

图 6-20 反馈校正系统的框图

在这种情况下,反馈校正后系统的特性几乎与被校正装置包围的环节 $G_2(s)$ 无关。

如果下列关系式成立:

$$|G_2(j\omega)G_c(j\omega)| \ll 1 \quad \text{或} \quad 20\lg|G_2(j\omega)G_c(j\omega)| \ll 0 \quad (6-29)$$

则式(6-26)为

$$G(s) \approx G_1(s)G_2(s) \quad (6-30)$$

在这种情况下,反馈校正后系统的特性几乎与未校正系统特性一致。

由上面分析可知,反馈校正的工作原理为:用反馈校正装置包围未校正系统中某些环节,形成局部反馈,在局部反馈内环稳定的条件下,通过调整反馈校正装置 $G_c(s)$ 的参数,使局部反馈回路的开环幅值远远大于 1,就可以消除被反馈校正装置包围环节 $G_2(s)$ 对系统性能的不良影响,使已校正系统的性能指标满足要求。

反馈校正具有如下特点:

(1) 负反馈可消除系统不可变部分中不期望有的特性 在图 6-20 所示系统中,不可变部分中 $G_2(s)$ 的特性是不期望有的,假设式(6-27)以及式(6-28)成立,则可通过适当地选择反馈通道的传递函数 $G_c(s)$,用其倒数 $1/G_c(s)$ 代替原来的 $G_2(s)$,使之满足性能指标要求。

(2) 负反馈可减弱参数变化对系统性能的影响 在控制系统中,为减弱系统对参数变化的敏感性,最有效的办法之一就是采用负反馈。以比例负反馈包围惯性环节为例,已知惯性环节

$$G(s) = \frac{K}{Ts+1} \quad (6-31)$$

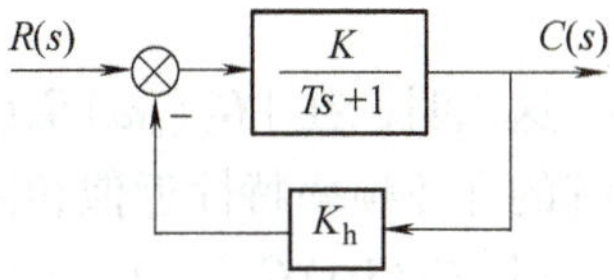

加比例负反馈后如图 6-21 所示。

引入负反馈后图 6-21 系统的传递函数为

$$\frac{C(s)}{R(s)} = \frac{K}{Ts+1+KK_h} = \frac{K'}{T_h s+1} \quad (6-32)$$

图 6-21 反馈系统方框图

其中

$$K' = \frac{K}{1+KK_h} \tag{6-33}$$

$$T_h = \frac{T}{1+KK_h} \tag{6-34}$$

设惯性环节的增益 K 变化 ΔK,无反馈时其相对增量为 $\Delta K/K$。不难证明,采用反馈后其相对增量变为

$$\frac{\Delta K'}{K'} = \frac{1}{1+KK_h} \frac{\Delta K}{K}$$

上式表明,反馈校正后增益值相对增量是校正前相对增量的 $1/(1+KK_h)$,明显减弱。对于反馈校正包围其他较复杂环节的情况,也有类似效果。

(3) 负反馈削弱非线性影响　因为系统由线性转入非线性工作状态时,系统参数发生变化,如由线性特性进入饱和特性或由死区特性转入线性特性相当于增益的变化,因为负反馈可以减弱系统对参数变化的敏感性,所以负反馈在一般情况下也可以削弱非线性特性对系统的影响。

(4) 负反馈可减小系统的时间常数　一阶惯性环节加比例负反馈后组成如图 6-21 所示的一阶系统后,其时间常数变为式 (6-34)。即反馈校正后时间常数是校正前时间常数的 $1/(1+KK_h)$。采用比例负反馈减小系统时间常数的概念与比例负反馈扩展系统带宽的概念是一致的。在控制系统设计中,常常采用比例负反馈减弱系统中较大的惯性,从而使系统的动态性能得到改善。

反馈还具有其他功能特点,如减弱干扰对系统的影响、正反馈增益提升等,在此就不一一赘述了。

6.4.2　反馈校正及其参数确定

反馈校正设计可以用分析法进行,但通常采用综合法(期望特性法)进行。设反馈校正控制系统如图 6-22 所示。

未校正系统的开环传递函数为

$$G_0(s) = G_1(s)G_2(s)G_3(s) \tag{6-35}$$

已校正系统的开环传递函数为

$$G(s) = \frac{G_0(s)}{1+G_2(s)G_c(s)} \tag{6-36}$$

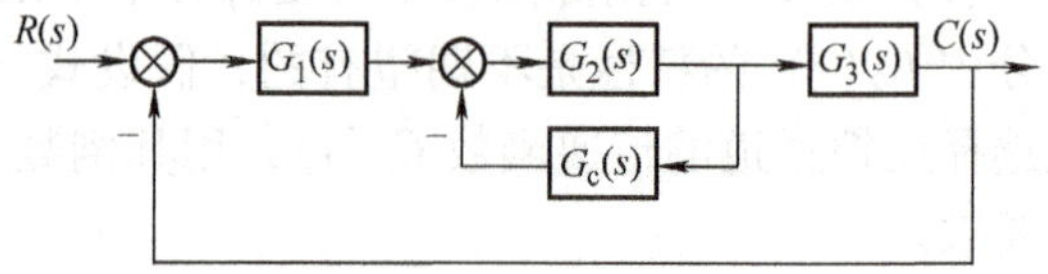

图 6-22　反馈校正控制系统框图

当 $|G_2(\mathrm{j}\omega)G_c(\mathrm{j}\omega)| < 1$ 或 $20\lg|G_2(\mathrm{j}\omega)G_c(\mathrm{j}\omega)| < 0$ 时,由上式可得

$$G(s) \approx G_0(s) \tag{6-37}$$

这说明,在 $|G_2(\mathrm{j}\omega)G_c(\mathrm{j}\omega)| < 1$ 的频率范围内,已校正系统的开环频率特性与未校正系统的开环频率特性近似相同。

当 $|G_2(\mathrm{j}\omega)G_c(\mathrm{j}\omega)| > 1$ 或 $20\lg|G_2(\mathrm{j}\omega)G_c(\mathrm{j}\omega)| > 0$ 时,由式 (6-36) 可得

$$G(s) \approx \frac{G_0(s)}{G_2(s)G_c(s)} \tag{6-38}$$

即

$$G_2(s)G_c(s) \approx \frac{G_0(s)}{G(s)} \tag{6-39}$$

分析式 (6-39) 的对数幅频特性，可知：在 $|G_2(j\omega)G_c(j\omega)|>1$ 的频率范围内，未校正系统的开环对数幅频特性 $20\lg|G_0(j\omega)|$ 减去已校正系统（期望特性）开环对数幅频特性 $20\lg|G(j\omega)|$ 近似等于 $20\lg|G_2(j\omega)G_c(j\omega)|$，由于 $G_2(s)$ 是已知的，故校正装置 $G_c(s)$ 可求得。

反馈校正步骤以及期望频率特性的画法与前面介绍的串联综合法相同，只是确定校正装置参数的方法不同，下面通过例题来说明。

例 6-4 已知控制系统如图 6-22 所示，其中

$$G_1(s)=\frac{238}{0.05s+1} \quad G_2(s)=\frac{228}{0.36s+1} \quad G_3(s)=\frac{0.0208}{s}$$

采用局部反馈校正改善系统性能，试设计反馈校正装置 $G_c(s)$，使系统满足 $\sigma\%\leqslant 25\%$，$t_s\leqslant 0.8s$ 的性能指标。

解 （1）绘制满足稳态性能要求的未校正系统的开环对数幅频特性为

$$L_0(\omega)=20\lg|G_0(j\omega)|$$

由图 6-22 可知

$$G_0(s)=G_1(s)G_2(s)G_3(s)=\frac{1130}{s(0.05s+1)(0.36s+1)}$$

画出未校正系统的开环对数幅频特性 L_0，如图 6-23 所示。

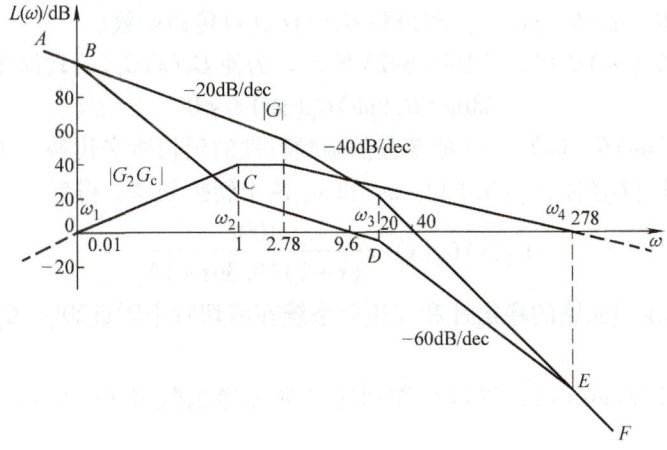

图 6-23 例 6-4 系统的对数幅频特性

（2）根据给定性能指标要求，绘制系统期望开环对数幅频特性 $L(\omega)=20\lg|G(j\omega)|$。

1）低频段。期望特性低频段 $L(\omega)$ 与未校正系统低频段 $L_0(\omega)$ 重合。

2）中频段。因要求 $\sigma\%\leqslant 25\%$，$t_s\leqslant 0.8s$，由式 (5-88)、式 (5-89) 以及式 (5-91)～式 (5-93) 求得

$$M_r=1.22, \quad \omega_c=9.6\text{rad/s}$$

$$\omega_2\leqslant\omega_c\frac{M_r-1}{M_r}=1.73\text{rad/s}$$

$$\omega_3 \geqslant \omega_c \frac{M_r + 1}{M_r} = 17.47 \text{rad/s}$$

$$H = \frac{M_r + 1}{M_r - 1} = 10$$

为使校正网络简单，考虑到未校正特性的形状，选取 $\omega_2 = 1\text{rad/s}$ 和 $\omega_3 = 20\text{rad/s}$，则中频区宽度 $H = 20$。

过剪切频率 $\omega_c = 9.6\text{rad/s}$ 处做斜率为 -20dB/dec 的直线，交 $\omega_2 = 1\text{rad/s}$ 和 $\omega_3 = 20\text{rad/s}$ 的垂线于 C 和 D。线段 CD 即为中频段。

3) 中、低频段连接线和中、高频段连接线。过 C 点做斜率为 -40dB/dec 的直线交 $L_0(\omega)$ 的低频段于 B 点，B 点对应的频率为 $\omega_1 = 0.01\text{rad/s}$，过 D 点做斜率为 -40dB/dec 的直线交 $L_0(\omega)$ 的高频段于 E，E 点对应的频率为 $\omega_4 = 278\text{rad/s}$。

4) 高频段。在 $\omega > 278\text{rad/s}$ 的频段内，期望特性 $L(\omega)$ 与未校正系统高频段 $L_0(\omega)$ 重合。

做出期望特性 $ABCDEF$ 如图 6-23 所示，对应的转折频率分别为

$$\omega_1 = 0.01\text{rad/s}, \quad \omega_2 = 1\text{rad/s}, \quad \omega_3 = 20\text{rad/s}, \quad \omega_4 = 278\text{rad/s}$$

期望特性对应的开环传递函数为

$$G(s) = \frac{1130(s+1)}{s(100s+1)(0.05s+1)(0.0036s+1)}$$

(3) 由式（6-39），在图 6-23 中求出 $L_0(\omega) - L(\omega)$ 的特性曲线，取其中大于 0dB 的幅频特性作为 $20\lg|G_2(j\omega)G_c(j\omega)|$，即得到 $G_2(s)G_c(s)$ 传递函数。

求得的 $20\lg|G_2(j\omega)G_c(j\omega)|$ 如图 6-23 所示。为使 $G_2(s)G_c(s)$ 较简单，将

$$20\lg|G_2(j\omega)G_c(j\omega)| < 0$$

的部分用 $20\lg|G_2(j\omega)G_c(j\omega)| > 0$ 的部分的幅频特性的延长线来代替（如图中虚线延长线所示），以减少 $20\lg|G_2(j\omega)G_c(j\omega)|$ 中 ω_1 和 ω_4 两个转折频率，得到

$$G_2(s)G_c(s) = \frac{100s}{(s+1)(0.36s+1)}$$

(4) 检验局部反馈回路的稳定性和校正后系统在剪切频率附近 $20\lg|G_2(j\omega)G_c(j\omega)| > 0$ 的程度。

计算 $\omega = \omega_4 = 278\text{rad/s}$ 时，局部反馈回路开环传递函数 $G_2(s)G_c(s)$ 所对应的相角裕量为

$$\gamma(\omega_4) = 180° + 90° - \arctan\omega_4 - \arctan 0.36\omega_4 \approx 90°$$

所以，局部反馈回路是稳定的。

计算 $\omega_c = 9.6\text{rad/s}$ 处局部反馈回路的对数幅值为

$$20\lg|G_2(j\omega)G_c(j\omega)| = \left(20\lg\frac{100 \times 9.6}{9.6 \times 0.36 \times 9.6}\right)\text{dB} = 29.2\text{dB}$$

满足式（6-27）的条件，设计具有较高的近似精度。

(5) 根据 $G_2(s)G_c(s)$ 传递函数，由已知的 $G_2(s)$ 确定 $G_c(s)$。

$$G_c(s) = \frac{100s}{(s+1)(0.36s+1)} \frac{(0.36s+1)}{228} = \frac{0.44s}{s+1}$$

（6）验算校正后系统的各项性能指标。

由于近似条件能较好地满足，故可直接用期望特性来验算性能指标。

$$\omega_c = 9.6 \text{rad/s}$$

$$\gamma(\omega_c) = 180° - 90° + \arctan\omega_c - \arctan(100\omega_c) - \arctan(0.05\omega_c) - \arctan(0.0036\omega_c) = 56°$$

由式（5-87）~式(5-89)，得

$$M_r = 1.21, \quad \sigma\% \leq 24\%, \quad t_s \leq 0.76\text{s}$$

完全满足性能指标要求。

6.5 复合校正

采用串联校正或反馈校正在一定程度上能够使系统的性能指标满足要求。但是，如果对系统动态和静态性能的要求都很高时，或者系统存在强干扰时，工程中往往在串联校正或局部反馈校正的同时，再附加顺馈校正和干扰补偿来组成控制系统的复合校正。

6.5.1 复合校正的原理及特点

为了减小或消除系统在某种输入作用下的稳态误差，可采用提高系统的开环增益或者采用高型别系统。但是这两种方法对系统的稳定性都会产生影响，使得系统的动态性能降低。尤其是当增益过大或者型别过高时，会使系统不稳定。若在系统的反馈控制回路中加入前馈通路，组成一个前馈控制和反馈控制相结合的系统，只要参数选择适当，既可以保持系统稳定，极大地减小甚至消除误差，又能抑制几乎所有的可量测扰动。这种控制方式即为复合控制。把这种思想应用于系统校正设计，就是复合校正。

复合校正中的前馈校正装置是按照不变性原理进行设计的，按其所取的输入信号性质不同，可以分为按输入补偿的复合校正和按扰动补偿的复合校正，分别如图 6-24 和图 6-25 所示。图中 $G_1(s)$、$G_2(s)$ 为系统不可变部分传递函数。

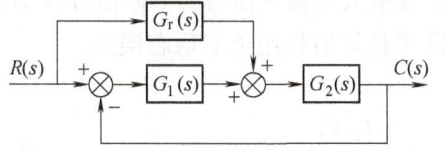

图 6-24 按输入补偿的复合校正

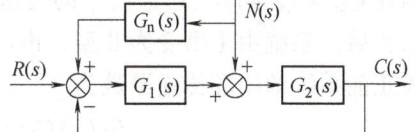

图 6-25 按扰动补偿的复合校正

6.5.2 复合校正及其参数确定

1. 按输入补偿的复合校正

按输入补偿的复合校正结构如图 6-24 所示，此时系统的输出 $C(s)$ 为

$$C(s) = \frac{G_1(s)G_2(s) + G_r(s)G_2(s)}{1 + G_1(s)G_2(s)} R(s) \tag{6-40}$$

其中 $G_r(s)$ 为前馈补偿器的传递函数，若选择 $G_r(s) = 1/G_2(s)$，则有 $C(s) = R(s)$，表明所选择的前馈复合校正完全消除了由输入信号所引起的误差，实现完全补偿。此时

$$E(s) = R(s) - C(s) = \frac{1 - G_r(s)G_2(s)}{1 + G_1(s)G_2(s)}R(s) \tag{6-41}$$

即在输入信号 $r(t)$ 作用下的稳态误差为

$$e_{ssr} = \lim_{s \to 0} sE(s) = \lim_{s \to 0} s\frac{1 - G_r(s)G_2(s)}{1 + G_1(s)G_2(s)}R(s) \tag{6-42}$$

由于实际系统中 $G_2(s)$ 的一般形式较复杂，实现完全补偿在实际中是比较困难的，但满足跟踪精度的部分补偿还是完全能做到的。因此，实际的前馈复合校正装置在结构上既可以具有较简单的形式，便于实现，又能够满足系统对稳态精度的要求。

例 6-5 系统如图 6-24 所示，其中 $G_1(s) = \dfrac{K_1}{T_1 s + 1}$，$G_2(s) = \dfrac{K_2}{s(T_2 s + 1)}$，当输入信号为单位斜坡信号时，试求 $G_r(s)$ 以消除系统的稳态误差。

解 未校正系统的开环传递函数为

$$G_0(s) = \frac{K_1 K_2}{s(T_1 s + 1)(T_2 s + 1)}$$

显然系统为 I 型系统，对于单位斜坡信号恒有常值误差 $1/(K_1 K_2)$。若消除稳态误差，可采用全补偿实现，即

$$G_r(s) = \frac{1}{G_2(s)} = \frac{s(T_2 s + 1)}{K_2} \tag{6-43}$$

或者可以提高系统的型别使其成为 II 型及以上系统。引入前馈校正后，由式（6-42）知其稳态误差为

$$e_{ssr} = \lim_{s \to 0} sE(s) = \lim_{s \to 0} s\frac{s(T_1 s + 1)(T_2 s + 1) - K_2(T_1 s + 1)G_r(s)}{s(T_1 s + 1)(T_2 s + 1) + K_1 K_2} \cdot \frac{1}{s^2}$$

$$= \lim_{s \to 0} \frac{1 - \dfrac{K_2 G_r(s)}{s}}{K_1 K_2}$$

若使 $e_{ssr} = 0$，则 $G_r(s)$ 最简单的表达式为 s/K_2。故引入对输入信号的一阶微分作为前馈复合校正后，系统由 I 型变为 II 型，也可以完全消除单位斜坡作用下的稳态误差。

校正前系统的闭环传递函数为

$$\Phi_1(s) = \frac{G_1(s)G_2(s)}{1 + G_1(s)G_2(s)} = \frac{K_1 K_2}{s(T_1 s + 1)(T_2 s + 1) + K_1 K_2} \tag{6-44}$$

校正后系统的传递函数为

$$\Phi_2(s) = \frac{G_1(s)G_2(s) + G_r(s)G_2(s)}{1 + G_1(s)G_2(s)} = \frac{T_1 s^2 + s + K_1 K_2}{s(T_1 s + 1)(T_2 s + 1) + K_1 K_2} \tag{6-45}$$

由于式（6-44）、式（6-45）两式的分母相同，即系统的特征方程相同，所以前馈复合校正不影响闭环系统的稳定性，并且将系统稳定性和稳态精度这两个一直相互矛盾的问题可以分开考虑。校正后相对于原系统增加了一个闭环零点，也可以改善系统的动态特性。

2. 按扰动补偿的复合校正

图 6-25 为扰动补偿校正和反馈校正相结合的复合校正，由图可知此时系统的输出 $C(s)$ 为

$$C(s) = \frac{G_1(s)G_2(s)}{1+G_1(s)G_2(s)}R(s) + \frac{G_n(s)G_1(s)G_2(s)+G_2(s)}{1+G_1(s)G_2(s)}N(s) \tag{6-46}$$

误差为

$$E(s) = -C_N(s) = -\frac{G_n(s)G_1(s)G_2(s)+G_2(s)}{1+G_1(s)G_2(s)}N(s) \tag{6-47}$$

式（6-47）中的 $C_N(s)$ 为扰动信号作用下系统的输出。若选择前馈控制

$$G_n(s) = -\frac{1}{G_1(s)} \tag{6-48}$$

则有 $E(s) = -C_N(s) = 0$，可使扰动信号对系统输出的影响得到完全补偿。扰动补偿的实质是利用双通道原理，用扰动实现扰动补偿，进而消除扰动对系统输出的影响。但现实中，由于 $G_1(s)$ 的分母阶次一般是高于分子的，其倒数恰恰反过来，扰动信号全补偿的条件在物理上往往无法准确实现，因此实际中多采用对系统性能起主要影响的频率近似全补偿，或者采用稳态全补偿，这样补偿装置更易于物理实现。

需要注意的是，在采取按扰动补偿的复合校正时，首先要保证扰动信号的可测量性；其次就是校正装置的物理可实现性。同时由于按扰动补偿校正实际上是一种开环控制，所以对于校正装置来说，要求其具有比较高的参数稳定性。

例6-6 按扰动补偿的复合校正系统如图6-25所示。当扰动为单位阶跃信号时，试设计复合校正装置 $G_n(s)$，使系统不受扰动信号的影响。图中 $G_1(s) = \dfrac{1}{T_1 s+1}$，$G_2(s) = \dfrac{K}{s(T_2 s+1)}$。

解 依题意知

$$C_N(s) = \frac{K(T_1 s+1)+G_n(s)K}{s(T_1 s+1)(T_2 s+1)+K} \cdot \frac{1}{s}$$

若采用全补偿的方式，由式（6-48）有

$$G_n(s) = -\frac{1}{G_1(s)} = -(T_1 s+1)$$

可使 $E(s) = -C_N(s) = 0$，此时分子阶次高于分母不易于物理实现。由于扰动信号可测量，为单位阶跃信号，所以

$$\begin{aligned}e_{ssn} &= \lim_{s\to 0} sE(s) = -\lim_{s\to 0} sC_N(s) = -\lim_{s\to 0} s\frac{K(T_1 s+1)+G_n(s)K}{s(T_1 s+1)(T_2 s+1)+K}\cdot\frac{1}{s}\\ &= -\lim_{s\to 0}\frac{K+G_n(s)K}{K}\end{aligned}$$

此时，只需 $G_n(s) = -1$，则有 $e_{ssn} = 0$。显然根据具体的扰动信号，还可选择更易于实现的扰动全补偿，实现在稳态时扰动信号对输出完全没有影响。

6.6 应用 MATLAB 进行系统校正

通过以上介绍我们知道，为了有效改善系统的性能，常常需要在控制系统中附加一些校正装置，改变系统结构来调整系统参数，用以获得更理想的系统性能。

6.6.1 应用 MATLAB 程序进行系统校正

例 6-7 已知单位负反馈系统的开环传递函数为 $G(s) = \dfrac{100}{s(0.1s+1)}$，试对系统进行超前串联校正设计，使系统校正后满足：相角裕量 $\gamma \geqslant 45°$，剪切频率 $\omega_c \geqslant 50\text{rad/s}$。

解 （1）求校正前系统的相位裕量与剪切频率，检查是否满足题目要求。

```
% 求解例 6-7 的 MATLAB 程序
clear
K = 100;
d1 = conv([1 0],[0.1 1]);
sys1 = tf(K,d1);figure(1);bode(K,d1);grid;% 校正前的伯德图
sys2 = feedback(sys1,1);% 校正前闭环传递函数
[Gm1,Pm1,Wcg1,Wcp1] = margin(sys1);% 求校正前的稳定裕量
figure(2);step(sys2);grid on;% 校正前的阶跃响应曲线
```

例 6-7 视频

程序运行后，得到伯德图和阶跃响应曲线，如图 6-26 及图 6-27 所示。

校正前相关性能指标：幅值裕量：$L_h = \infty$，穿越频率：$\omega_g = \infty$；相角裕量：$\gamma = 18°$，剪切频率：$\omega_c = 30.8\text{rad/s}$。由于相角裕量 $\gamma = 18°$ 小于 $45°$，剪切频率 $\omega_c = 30.8\text{rad/s}$ 小于 50rad/s 均不满足要求，故原系统需要校正。

（2）由于原系统剪切频率 $\omega_c < 50\text{rad/s}$，现进行超前校正。设超前校正的传递函数为

$$G_c(s) = \frac{aTs+1}{Ts+1}$$

计算超前网络参数：试选择 $\omega_m = \omega_c = 51\text{rad/s}$，在图 6-26 中查出对应的 $L(\omega_c) = -8.5\text{dB}$，可计算得 $a = 7.0795$，$T = 0.0074$。具体程序如下：

```
% 续例 6-7 程序
Wm = 51;% 此数据根据系统校正后要求 Wc 设定
Lwm = -8.5;% 此数据来源于系统校正前伯德图对应 Wm 处的取值
a = 10^(-Lwm/10);T = 1/Wm/sqrt(a);
n2 = [a*T,1];d2 = [T,1];
n = conv(K,n2);d = conv(d1,d2);sys3 = tf(n,d);% 校正后的开环传递函数
figure(1);hold on;margin(n,d);grid;% 校正后的伯德图和稳定裕量
figure(2);hold on;% 绘制校正后阶跃响应曲线
sys4 = feedback(sys3,1);% 校正后闭环传递函数
step(sys4);grid;
```

（3）校正后相关性能指标

由程序求出幅值裕量 $L_h = \infty$，穿越频率 $\omega_g = \infty$；相角裕量 $\gamma = 59.86°$，剪切频率 $\omega_c = 51.16\text{rad/s}$。校正后伯德图如图 6-26 所示，相角裕量 $\gamma = 59.9°$ 大于 $45°$，剪切频率 $\omega_c = 51.2\text{rad/s}$ 大于 50rad/s；阶跃响应曲线如图 6-27 所示，超调量在 12% 左右，调整时间小于 0.15s，满足要求。

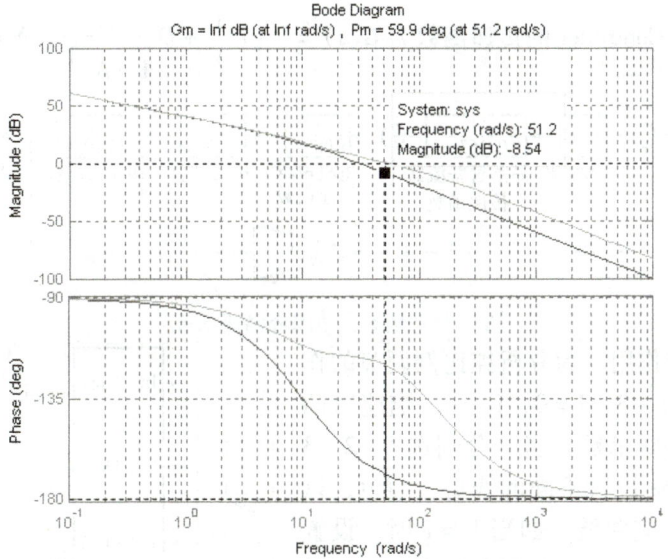

图 6-26　例 6-7 校正前后系统的伯德图

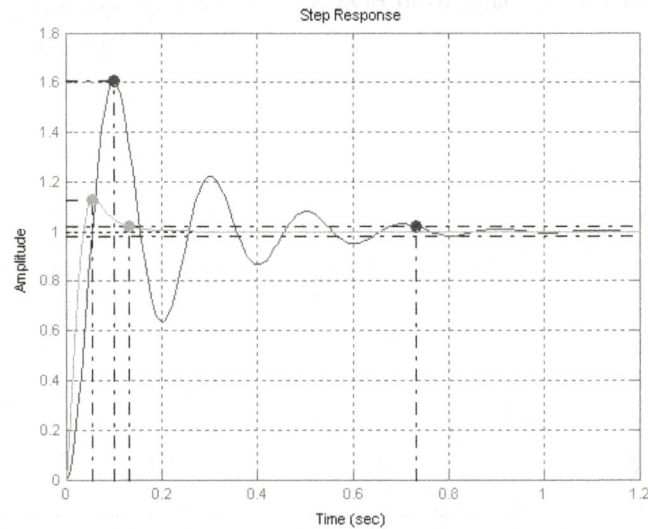

图 6-27　例 6-7 校正前后系统的单位阶跃响应

6.6.2　Simulink 环境下的系统设计和校正

在 Simulink 环境下进行仿真设计和校正，更为形象、直观，参数的修改也比较方便。还可根据需要设置合适的时间响应。

例 6-8　图 6-28 所示是晶闸管-直流电机转速负反馈单闭环调速系统的 Simulink 动态结构图，其中速度调节器为 PID 调节装置，试对调速系统的 P、I、D 控制作用进行分析。

解　打开 MATLAB 中的 Simulink 环境，首先构建一个单闭环调速系统，然后进行重构。本例构建 3 个，然后封装成如图 6-29 所示式样，子系统中每个 In 与 Out 之间的系统框图如图 6-28 所示，只是 PID Controller 的参数设置不同。PID 参数的设置可通过双击 PID Controller

来设置。其中 PID Controller 的传递函数为 $G(s) = P + I\dfrac{1}{s} + D\dfrac{N}{1+N\dfrac{1}{s}}$，$N = 100$。

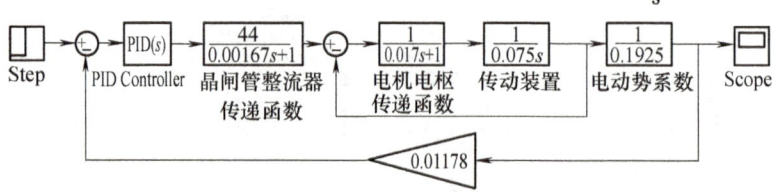

图 6-28　例 6-8 单闭环调速系统

（1）比例调节作用　为分析纯比例调节的作用，设置参数 $P = 1 \sim 3$，$I = 0$，$D = 0$，响应时间为 0.5s，输入为阶跃函数。当 P 分别选 1、2、3 时，通过双击 Scope 设置不同的线型、颜色，以便区分所对应的响应曲线。如当 $P = 1$ 时，设置为蓝色的点画线；$P = 2$ 时，为黑色的虚线；红色的实线是 $P = 3$ 时的响应曲线，如图 6-30 所示。

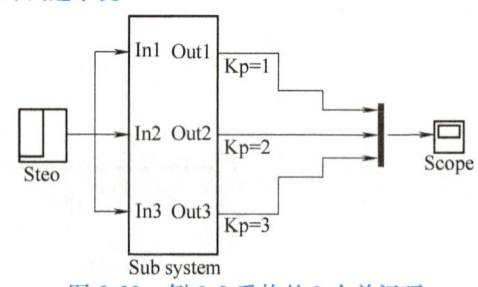

图 6-29　例 6-8 重构的 3 个单闭环调速系统封装图

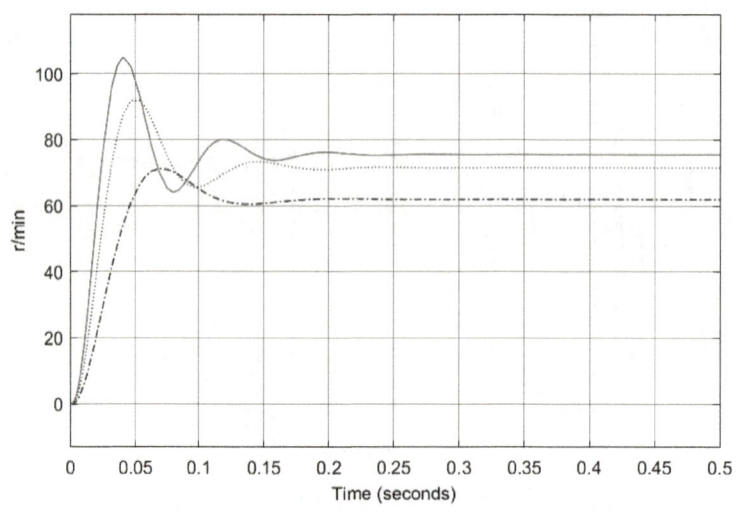

图 6-30　例 6-8 当参数 P = 1、2、3 时的阶跃响应曲线

从图中可以看出，随着 P 取值的增大，闭环系统的超调量加大，响应速度加快。还可以继续增大 P 值，通过仿真找到系统的临界稳定值。

（2）积分调节作用　为分析方便，设置参数 $P = 2$，$I = 10$、25、40，$D = 0$，输入为阶跃函数，PI 控制的阶跃响应曲线如图 6-31 所示。从图中可以看出，保持 P 值不变，随着 I 取值的增大，闭环系统的超调量也加大，响应速度略加快。

（3）微分调节作用　为分析方便，设置参数 $P = 0.01$，$I = 1$，$D = 0.01$、0.02、0.03，输入为阶跃函数，响应曲线如图 6-32 所示。从图中可以看出，这 3 组曲线在开始上升阶段呈现尖锐的波峰，之后曲线又上升，趋于稳定。

需要指出的是，如果保持 P、I 值不变，随着 D 取值逐渐增大，闭环系统的超调量也将

第 6 章 线性控制系统的校正

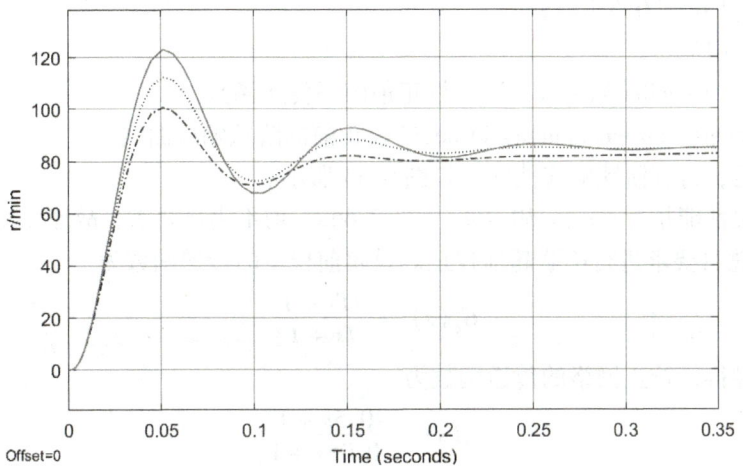

图 6-31 例 6-8 当参数 I = 10、25、40 时的阶跃响应曲线

加大。请读者进行仿真验证。

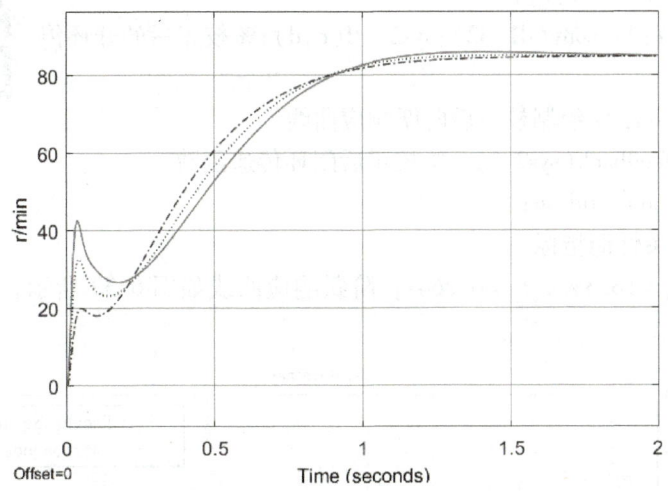

图 6-32 例 6-8 当参数 D = 0.01、0.02、0.03 时的阶跃响应曲线

6.6.3 Simulink 环境下的物理模型校正设计

校正环节最终可通过设计电路来实现，Simulink 环境下也可以通过设计模拟电路，选择元件，进行参数设置、仿真，对照数学模型仿真结果，为下一步扩展实验，提供更为形象，直观的结果，参数的选择和修改也比较方便。

例 6-9 已知单位负反馈系统的开环传递函数为 $G(s) = \dfrac{K}{s(0.5s+1)}$，试对系统进行超前串联校正设计，使系统校正后满足：$\sigma_\mathrm{p} \leqslant 25\%$，$t_\mathrm{s} \leqslant 1\mathrm{s}$，$K_\mathrm{V} \geqslant 20$。

解（1）求校正前系统的最大超调量、调节时间。
% 求解例 6-9 的 MATLAB 程序
K = 20;

例 6-9 视频 1

```
d1 = conv([1 0],[0.5 1]);
sys1 = tf(K,d1);
jiaozhengqian = feedback(sys1,1);%校正前闭环传递函数
figure(1);step(jiaozhengqian);grid on;%校正前的阶跃响应曲线
```
程序运行后,得到阶跃响应曲线,如图 6-33 所示。

校正前相关性能指标:$\sigma_p = 60.4\%$,$t_s = 2.66s$,均不满足要求,故原系统需要校正。

(2) 按照题目要求进行串联超前校正。设超前校正的传递函数为

$$G_c(s) = \frac{aTs + 1}{Ts + 1}$$

由理论推导得,校正网络的传递函数为

$$G_c(s) = \frac{0.5s + 1}{0.05s + 1}$$

```
% 续例 6-9 程序
T = 0.05;a = 10;
n2 = [a*T,1];d2 = [T,1];
n = conv(K,n2);d = conv(d1,d2);sys2 = tf(n,d);%校正后的开环传递函数
figure(1);hold on;%绘制校正后阶跃响应曲线
jiaozhenghou = feedback(sys2,1);%校正后闭环传递函数
step(jiaozhenghou);grid on;
```

例 6-9 视频 2

(3) 校正后相关性能指标。

由程序求出 $\sigma_p = 16.3\%$,$t_s = 0.264s$;阶跃响应曲线如图 6-33 所示,超调量和调整时间均满足要求。

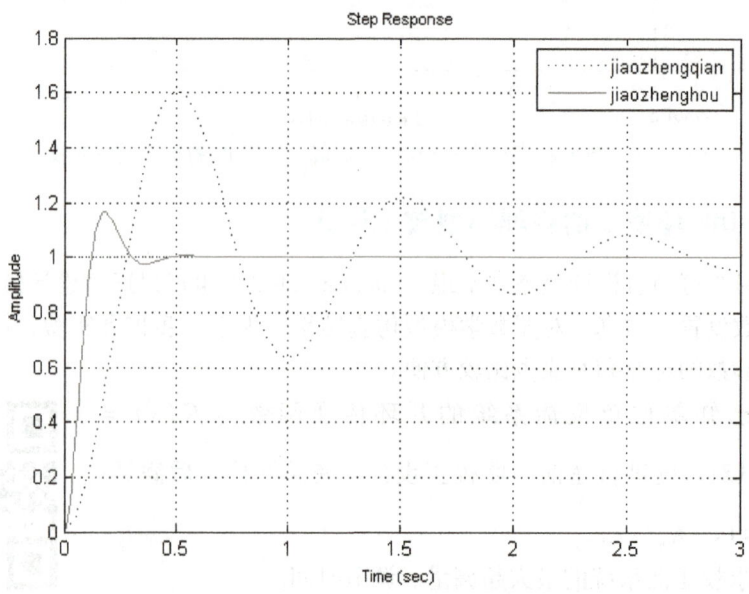

图 6-33 例 6-9 当参数 K = 20 校正前后的单位阶跃响应曲线

(4) Simulink 下进行物理模型仿真。

1) 打开 MATLAB 进入 Simulink 库。

2) 在 simscape 下的 Foundation Library 中的 Electrical→Electrical Elements 中找到 Op - Amp 运放器件，电阻、电容等相关元件也在这里可以找到。按系统的传递函数搭接校正后的模拟电路模型，求出仿真结果，与图 6-33 对比，可见完全一致。

需要注意的是，电路中电阻、电容各参数选择不唯一，可以根据实际情况进行合理设置，但要符合总体传递函数。其他情况读者进行仿真验证对比。

本 章 小 结

本章介绍了系统校正的基本概念和基本方法，校正方法主要介绍了串联校正、反馈校正和复合校正，其中串联校正是最基本的校正方法，是本章的重点内容。复合校正是工程中常用的校正手段。

本章是根据频率特性，将串联校正装置分为超前校正、滞后校正和滞后 - 超前校正 3 种。设计时可根据系统固有部分的特点和综合的要求，以及实际可供选择的元件，选择其中一种校正装置校正。对系统进行校正时，首先明确校正的目的，即性能指标，然后建立期望的开环传递函数，最后要进行验证。在学习过程中，应熟练掌握按系统性能指标建立期望开环传递函数的方法。

总之，控制系统的校正是具有一定创造性的工作，对校正方法和校正装置的选择，不应局限于课本中的知识，要在工程实践中不断积累和创新。

习 题

6-1 已知单位反馈控制系统的开环传递函数为

$$G(s) = \frac{200}{s(0.1s+1)}$$

试设计一个串联校正网络，使系统的相角裕量 $\gamma \geqslant 45°$，剪切频率 $\omega_c \geqslant 50 \text{rad/s}$。

6-2 已知单位反馈控制系统的开环传递函数为

$$G(s) = \frac{100K}{s(0.04s+1)}$$

要求系统对单位斜坡输入信号的稳态误差 $e_{ss} \leqslant 1\%$，相角裕量为 $\gamma \geqslant 45°$，试确定系统串联校正网络。

6-3 设单位反馈系统开环传递函数为

$$G(s) = \frac{10}{s(0.25s+1)(0.05s+1)}$$

要求校正后系统的谐振峰值 $M_r = 1.4$，谐振频率 $\omega_r > 10 \text{rad/s}$，试确定串联校正装置的参数。

6-4 设单位反馈系统的开环传递函数为

$$G(s) = \frac{K}{s(s+1)(0.125s+1)}$$

要求系统的开环增益 $K = 10$，相角裕量 $\gamma > 30°$，试设计串联滞后校正网络。

6-5 设单位反馈控制系统的开环传递函数为

$$G(s) = \frac{7}{s\left(\frac{1}{2}s+1\right)\left(\frac{1}{6}s+1\right)}$$

试设计一串联滞后校正网络,使已校正系统的相角裕量 $\gamma \geqslant 40°$,幅值裕量 $K_g \geqslant 10\text{dB}$,开环增益保持不变,剪切频率 $\omega_c \geqslant 1\text{rad/s}$。

6-6 设单位反馈控制系统的开环传递函数为

$$G(s) = \frac{K}{s(0.1s+1)(0.05s+1)}$$

试设计一个滞后-超前串联校正网络,使系统满足下列要求:

(1) 速度误差系数 $K_v \geqslant 50\text{s}^{-1}$。

(2) 相角裕量为 $\gamma = 40° \pm 2°$。

(3) 剪切频率 $\omega_c = (10 \pm 0.5)\text{rad/s}$。

6-7 图 6-34 为三种校正装置的对数幅频渐近线特性,它们均由最小相位环节组成。若控制系统为单位负反馈系统,且开环传递函数为

$$G(s) = \frac{400}{s^2(0.01s+1)}$$

试问哪一种校正装置可使系统的稳定裕量最大,若要将 12Hz 的正弦噪声降低 10 倍左右,应选择哪种校正?

6-8 已知系统如图 6-35 所示,要求闭环回路的阶跃响应超调量 $\sigma\% = 0$,对单位斜坡信号实现无稳态误差跟踪,试确定 K 值及复合校正装置 $G_r(s)$。其中

$$G_1(s) = \frac{K}{s}, G_2(s) = \frac{80}{(s+2)(s+5)}$$

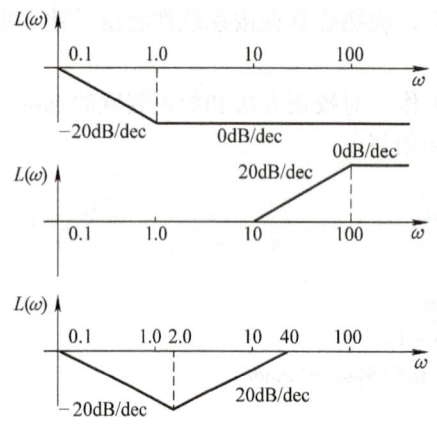

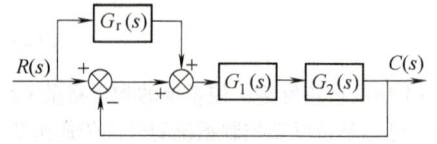

图 6-34　3 种校正装置的幅频特性　　图 6-35　习题 6-8 系统结构图

6-9 设单位反馈系统的开环传递函数为

$$G(s) = \frac{K}{(s+1)(0.2s+1)}$$

要求运用 PID 校正,使得系统满足速度误差系数 $K_v \geqslant 20\text{s}^{-1}$,最大百分比超调量 $\sigma\% \leqslant 10\%$,调节时间 $t_s \leqslant 0.25\text{s}$。试运用 MATLAB 实现。

6-10 系统的结构图如图 6-36 所示,其中

$$G_1(s) = \frac{K}{s}, G_2(s) = \frac{20}{(0.05s+1)(0.005s+1)}$$

若要求系统满足速度误差系数 $K_v \geqslant 200\text{s}^{-1}$,相角裕量为 $\gamma \geqslant 50°$,剪切频率 $\omega_c \geqslant 30\text{rad/s}$,

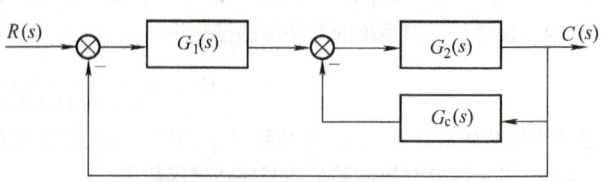

图 6-36　习题 6-10 系统结构图

试设计反馈校正网络 $G_c(s)$。并用 Simulink 仿真,对比校正前后系统的单位阶跃响应。

第7章 离散控制系统

近年来，脉冲技术、数字计算机，特别是微处理器迅速发展。以数字方式传递和处理信息的微处理器等数字控制器在许多场合逐渐取代了模拟控制器。由数字控制器控制的系统信号仅定义在离散时间上，这样的系统我们称为离散时间控制系统，简称离散系统。基于工程实践的需要，作为分析与设计数字控制系统的基础理论，离散系统控制理论的发展也非常迅速。

离散系统与连续系统相比，既有本质上的不同，又有分析和研究方法的相似性。利用 Z 变换法研究离散系统，可以将线性连续系统中的许多概念和方法推广至线性离散系统中。本章主要讨论线性离散系统的分析方法。首先建立信号采样和保持的数学描述，然后介绍 Z 变换理论与性质以及系统的脉冲传递函数，最后研究线性离散系统稳定性分析和最少拍系统设计方法。

7.1 概述

近年来，数字式测量装置、元件，特别是数字计算机得到了迅速的发展。计算机具有运算速度快、精度高、容量大、功能丰富、体积小、使用灵活等优点，由于计算机具有数值计算和逻辑判断功能，不断完善的软件和计算机网络的强大支持，使之在控制领域得到了广泛的应用。其在控制系统中不仅仅取代了模拟控制器，而且已经实现了许多模拟控制器难以实现甚至无法实现的复杂控制方法，同时促使一些先进的控制理论得以应用到自动控制系统中。因此，离散控制系统极大地提高了系统性能，也促使自动控制理论与方法得到不断发展。

前面各章所讨论的控制系统中，各个变量都是连续时间 t 的函数，如输入 $r(t)$、输出 $c(t)$、误差 $e(t)$ 等，这样的信号称为连续时间信号。如果系统中的信号都是这样的连续时间信号，即这些信号在全部时间上都已知，则称该系统为连续时间系统，简称连续系统。但在许多实际系统中，连续控制是十分困难的，甚至是难以实现的。例如，在生产过程中，考虑到生产效率和成本问题，只要间隔一段时间从传感器取得瞬时信号就足以满足控制的要求，这就涉及本章所讨论的离散控制系统。

离散控制系统（又称为采样控制系统），它与连续控制系统的根本区别在于：离散系统中，有一处或几处信号是时间的离散函数。换句话说，即这些信号仅定义离散时间上。通常，把系统中的离散信号是脉冲序列形式的离散系统，称为采样控制系统或脉冲控制系统，而把数字序列形式的离散系统，称为数字控制系统或计算机控制系统。

在一般情况下，如果控制信号是离散型的时间函数 $r^*(t)$，则取系统输出端的负反馈信号和上述离散控制信号进行比较时，也需要采取离散型的时间函数 $b^*(t)$，于是比较后得到的偏差信号 $e^*(t)$ 也将是离散型的时间函数，即

$$e^*(t) = r^*(t) - b^*(t) \tag{7-1}$$

图 7-1 是离散系统的框图。图中两个采样开关的动作一般是同步的，因此，图中的离散

系统可等效地简化为图 7-2 的形式。其中离散反馈信号 $b^*(t)$ 是由连续型的时间函数 $b(t)$ 通过采样开关的采样而获得的。采样开关经一定时间 T 后闭合，每次闭合时间为 $\tau(\tau \ll T)$，如图 7-3 所示。

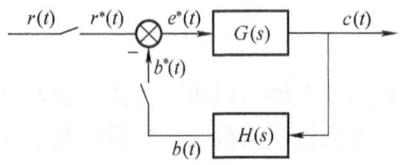
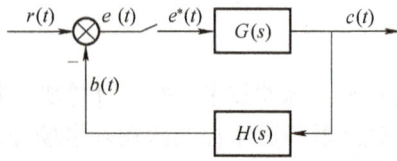

图 7-1　离散系统框图　　　　　　　　图 7-2　离散系统简化框图

目前，离散控制系统的应用范围甚为广泛，可以在工农业生产中和军事上找到许多实际应用的例子。其中，离散控制系统的最常见形式是数字控制系统。

数字控制系统是指系统中具有数字控制器或数字计算机的自动控制系统。图 7-4 是数字控制系统的结构图。图中用于控制的计算机 D 工作在离散状态，它构成控制系统的数字部分，通过这部分的信号均以离散形式出现。而被控对象 $G(s)$ 工作在模拟状态，其中通过的信号均是连续的。由于具有连续信号（模拟量）的被控对象受控于具有离散信号（数字量）的控制器，因此这中间需要有连续信号与

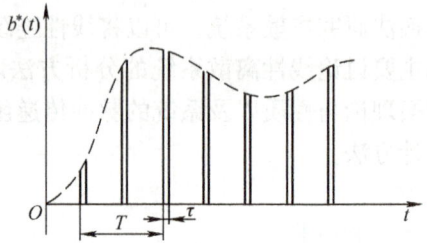

图 7-3　离散型时间函数

数字信号之间的转换环节。通常将连续信号经过采样并变换成离散的数字信号的转换环节称为模-数（A-D）转换器；将数字信号变换成连续信号的转换环节称为数-模（D-A）转换器。数字计算机是通过这两种转换器与外部发生联系的，故称 A-D 与 D-A 为数字计算机的接口。

图中连续的控制信号 $r(t)$ 和反馈信号 $b(t)$ 经 A-D 转换器被转换成离散的数字信号 $r^*(t)$ 和 $b^*(t)$，在计算机中相比较后得到离散的偏差信号 $e^*(t) = r^*(t) - b^*(t)$。计算机根据预定的控制规律和参数对这些数字信息进行运算，产生离散的控制序列 $u^*(t)$。$u^*(t)$ 再经 D-A 转换器转换成模拟信号 $u(t)$ 去控制具有连续工作状态的被控对象，使系统输出满足性能指标的要求。由于 A-D 和 D-A 转换器的转换精度一般都比较高，转换所造成的误差通常可忽略不计，因此，A-D 和 D-A 转换器可以用采样开关来表示。图 7-5 是图 7-4 所示的数字控制系统简化后的等效框图，其中采样开关的动作是同步的。

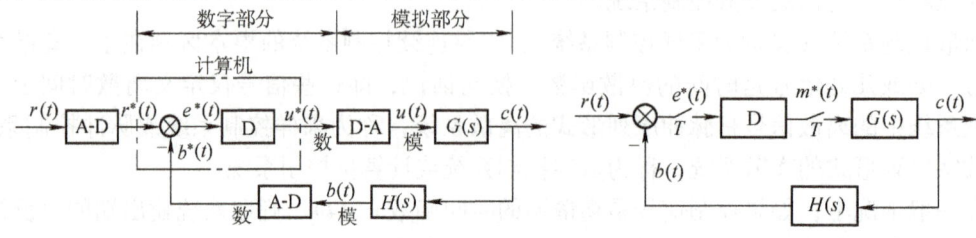

图 7-4　数字控制系统的结构图　　　　　　图 7-5　数字控制系统的简化框图

数字控制系统在自动控制领域得到了广泛的应用，主要是由于数字控制系统较之一般的连续控制系统具有以下优点：

1) 数字计算机能够保证足够的计算精度。

2) 在数字控制系统中可以采用高精度检测元件和执行元件，从而提高整个系统的精度。

3) 数字信号或脉冲信号的抗干扰性能好，可以提高系统的抗干扰能力。

4) 可以采用分时控制方式，用一台计算机可以同时控制多个控制系统，提高设备的利用率，并且可以采用不同的控制规律进行控制。

5) 由于计算机可以进行复杂的数学运算，所以可以实现一些模拟控制器难以实现的控制规律，特别对复杂的控制过程，如自适应控制、最优控制、智能控制等，只有数字计算机才能完成。

因此，离散控制系统，特别是数字控制系统已广泛应用于自动控制各领域中。由于离散控制系统与连续控制系统之间存在着一些本质上的差别，所以连续控制系统的分析和设计方法不能直接应用于离散系统。在学习的过程中应注意离散控制系统与连续控制系统的相同和不同之处。本章将主要讨论离散控制系统的分析方法，首先建立离散信号的数学描述和给出相应的基本原理，然后引入 Z 变换方法和脉冲传递函数的概念，最后分析系统稳定性条件和设计最少拍系统。

7.2 采样过程与采样定理

离散系统的特点是，系统中一处或多处的信号是脉冲序列或数字序列。为了将连续信号变换为离散信号，需要使用 A-D 转换器（采样器）；另一方面，为了控制连续的被控对象，又需使用 D-A 转换器（保持器）将离散信号转换为连续信号。因此，为了定量地研究离散系统，有必要对信号的采样和恢复过程进行描述。

7.2.1 采样过程及其数学描述

将连续信号通过采样开关（或采样器）变换成离散信号的过程称为采样过程。实现这个采样过程的装置称为采样装置。采样装置可以简单地看作是一个采样开关，隔一段时间开关闭合一次再断开，如图 7-6b 所示。相邻两次采样的时间间隔称为采样周期 T，f_s ($f_s = 1/T$) 及 ω_s ($\omega_s = 2\pi/T$) 分别称为采样频率及采样角频率。如果采样开关以相同的采样周期 T 动作，则称为等速采样，又称为周期采样。若系统中有 n 个采样开关分别按不同周期动作，则称为多速采样。若采样开关动作是随机的，则称为随机采样。本章仅限于讨论等速同步采样过程，即采样过程是等速的，若系统中有多个采样开关时，以相同的采样周期动作。

采样过程如图 7-6 所示。图 7-6a 所示的连续信号 $x(t)$ 经过采样开关（见图 7-6b），转换成离散信号 $x^*(t)$（见图 7-6c）。在 $t = 0$ 时，采样开关闭合 τ 秒，此时 $x^*(t) = x(t)$。$t = \tau$ 以后，采样开关打开，输出 $x^*(t) = 0$，如此每隔 T 秒重复一次这样的过程，就形成了离散的时间序列信号。如果 $x^*(t)$ 的幅值经整量化用数字（或数码）来表示，则 $x^*(t)$ 在幅值上也是离散的。考虑到采样开关的闭合时间非常小，通常为毫秒到微秒级，远小于采样周期 T 和系统连续部分的最大时间常数，可认为 $\tau = 0$，$x(t)$ 在 τ 时间内变化很小，因此 $x^*(t)$ 可用幅值为 $x(kT)$、宽度为 τ 的脉冲序列近似。

由图 7-6c，可写出脉冲序列 $x^*(t)$ 的表达式为

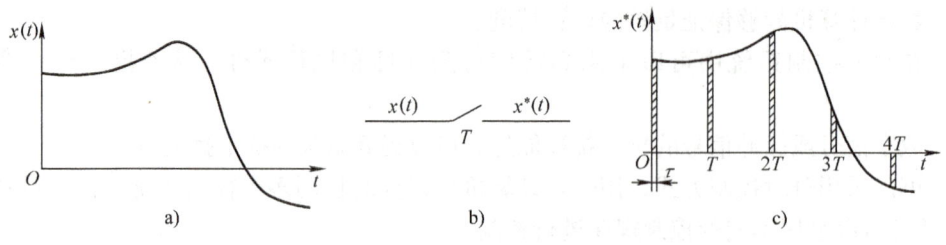

图 7-6 采样过程

$$x^*(t) = x(0)[1(t) - 1(t-\tau)] + x(T)[1(t-T) - 1(t-T-\tau)] + \cdots +$$
$$x(kT)[1(t-kT) - 1(t-kT-\tau)] + \cdots$$
$$= \sum_{k=0}^{\infty} x(kT)[1(t-kT) - 1(t-kT-\tau)] \tag{7-2}$$

式中，$1(t-kT) - 1(t-kT-\tau)$ 表示一个发生在 kT 时刻，高度为 1，宽度为 τ，即面积为 τ 的矩形脉冲。由于 $\tau \ll T$，故该矩形脉冲可近似用理想单位脉冲来描述，即

$$1(t-kT) - 1(t-kT-\tau) \approx \tau\delta(t-kT) \tag{7-3}$$

式中，$\delta(t-kT)$ 为 $t=kT$（$k=0,1,2,\cdots$）时刻具有单位强度的理想脉冲。

需要指出，具有无穷大幅值和持续时间无穷小的理想单位脉冲只是数学上的假设，在实际物理系统中是不存在的。因此，在实际应用中，对理想单位脉冲（面积为 1）来说，只有讨论其面积或强度才有意义。式 (7-3) 就是基于这种观点，从矩形脉冲及理想脉冲的面积来考虑的。

因此，采样开关对连续信号 $x(t)$ 进行采样后，其输出的离散时间信号 $x^*(t)$ 可表示为

$$x^*(t) = \sum_{k=0}^{\infty} x(kT)\delta(t-kT) \tag{7-4}$$

式中，$\delta(kT)$ 表示发生在 kT 时刻脉冲的强度，其值与被采样的连续信号 $x(t)$ 在采样时刻 kT 时的值相等。该式表明，离散信号是由一系列脉冲组成，在采样时刻 $t=kT$，脉冲的面积就等于该时刻连续信号 $x(t)$ 的值 $x(kT)$。式 (7-4) 也可写作

$$x^*(t) = x(t) \sum_{k=0}^{\infty} \delta(t-kT) \tag{7-5}$$

因此，采样过程从物理意义上可以理解为脉冲调制过程。在这里，采样开关起着理想单位脉冲发生器的作用，通过它将连续信号 $x(t)$ 调制成脉冲序列 $x^*(t)$。

7.2.2 采样定理

在设计离散控制系统时，采样周期的选择是一个关键问题。连续的时间信号 $x(t)$ 经过 A-D 转换后变成了离散的时间序列 $x^*(t)$。一般希望离散的时间序列 $x^*(t)$ 中应能包含连续时间信号 $x(t)$ 的全部信息。显然，如果采样周期 T 越短，即采样角频率越高，则 $x^*(t)$ 中包含的 $x(t)$ 信息越多。但是，采样周期不可能无限短。那么，采样周期取何值时才能确保采样后的信号 $x^*(t)$ 可以包含原信号 $x(t)$ 的全部信息？下面从信号的频谱来分析采样周期的选择，并介绍采样定理。

从频率特性的角度看，任一时间信号都可以看成是由一系列的正弦信号叠加而成。假设

连续信号 $x(t)$ 的频率特性为

$$x(\mathrm{j}\omega) = \int_{-\infty}^{+\infty} x(t)\mathrm{e}^{-\mathrm{j}\omega t}\mathrm{d}t \tag{7-6}$$

该信号的频谱 $|X(\mathrm{j}\omega)|$ 是一个单一的连续频谱,其最高频率为 $\omega_{\max}$,如图 7-7a 所示。从图中可见,$x(t)$ 不包含任何大于 $\omega_{\max}$ 的频率分量。

根据式(7-5),离散信号 $x^*(t)$ 的拉普拉斯变换为

$$X^*(s) = \frac{1}{T}\sum_{k=-\infty}^{\infty} X(s + \mathrm{j}k\omega_\mathrm{s}) \tag{7-7}$$

式中,ω_s 为采样频率,$\omega_\mathrm{s} = 2\pi/T$;$X(s)$ 为 $x(t)$ 的拉普拉斯变换。

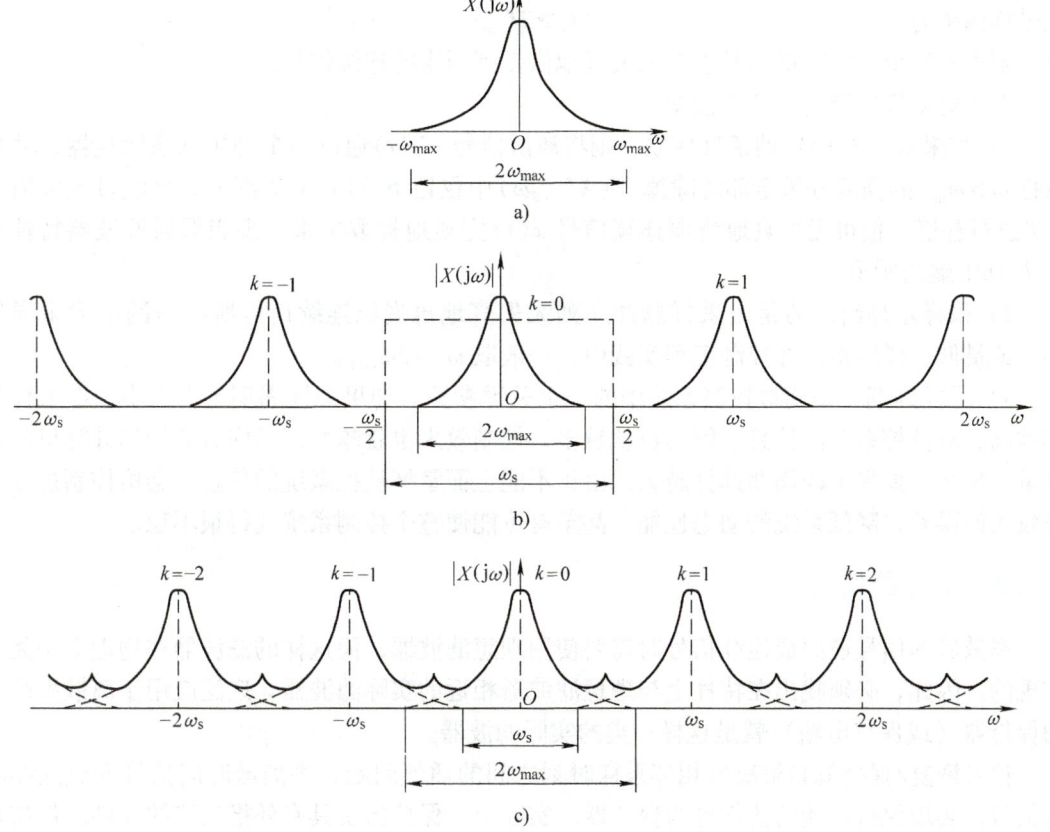

图 7-7 连续信号及离散信号的频谱

若 $X^*(s)$ 的全部极点都位于 s 平面左半部,可令 $s = \mathrm{j}\omega$,求得 $x^*(t)$ 的傅里叶变换为

$$X^*(\mathrm{j}\omega) = \frac{1}{T}\sum_{k=-\infty}^{\infty} X[\mathrm{j}(\omega + k\omega_\mathrm{s})] \tag{7-8}$$

式中,$X(\mathrm{j}\omega)$ 为连续信号 $x(t)$ 的傅里叶变换,$|X(\mathrm{j}\omega)|$ 即为 $x(t)$ 的频谱,即

$$\left| X^*(\mathrm{j}\omega) \right| = \frac{1}{T}\left| \sum_{k=-\infty}^{\infty} X[\mathrm{j}(\omega + k\omega_\mathrm{s})] \right| \tag{7-9}$$

式中,离散信号 $x^*(t)$ 的频谱 $|X^*(\mathrm{j}\omega)|$ 是以采样频率 ω_s 为周期,由无限多个 $x(t)$ 的频谱 $|X(\mathrm{j}\omega)|$ 叠加而成。当采样频率 ω_s 大于或等于连续频谱所含最高频率 $\omega_{\max}$ 的两倍(即

$\omega_s \geq 2\omega_{max}$）时，离散信号的频谱$|X^*(j\omega)|$为无限多个孤立频谱组成的离散频谱，其中与$k=0$对应的是采样前原连续信号的频谱，幅值为原来的$1/T$，如图 7-7b 所示。如果$\omega_s < 2\omega_{max}$，则离散信号$x^*(t)$的频谱$|X^*(j\omega)|$不再由孤立频谱构成，而是一种与原连续信号$x(t)$的频谱$|X(j\omega)|$毫不相似的连续频谱，如图 7-7c 所示。

综上所述，可以得到一个结论：要从离散信号$x^*(t)$中完全复现出采样前的连续信号$x(t)$，必须使采样频率ω_s足够高，以使相邻两频谱不相互重叠，可以得出如下的采样定理。

定理 7.1 （Shannon 定理）如果对一个具有有限频谱（$-\omega_{max} < \omega < \omega_{max}$）的连续信号进行采样，当采样角频率为

$$\omega_s \geq 2\omega_{max} \tag{7-10}$$

或采样频率为

$$f_s \geq 2f_{max}$$

时，则由采样得到的离散信号能够无失真地恢复到原来的连续信号。

下面对采样定理给出几点说明：

1) 如果式（7-10）的条件成立，则将离散信号$x^*(t)$通过一个理想低通滤波器，就可以把$\omega > \omega_{max}$的高频分量全部滤除掉，使$X^*(j\omega)$中仅留下$X(j\omega)/T$部分，再经过放大器对$1/T$进行补偿，便可无失真地将原连续信号$x(t)$完整地提取出来。理想低通滤波器特性如图 7-7b 中虚线所示。

2) 采样定理给出的是由采样脉冲序列无失真地再现原连续信号所必需的最大采样周期，或最低采样频率。在控制工程实践中，一般取$\omega_s > 2\omega_{max}$。

3) 采样周期T是离散控制系统中的一个关键参数。如果采样周期选得越小，即采样频率越高，对被控系统的信息了解得也就越多，控制效果也就越好。但同时会增加计算机的运算量。反之，如果采样周期选择越大，由于不能全面掌握被控系统的信息，会给控制过程带来较大的误差，降低系统的动态性能，甚至有可能使整个控制系统变得很不稳定。

7.2.3 信号的保持

离散后的信号还原成连续信号时需要使用理想滤波器，而这样的滤波器在物理上是无法实现的。因此，必须找出在特性上与理想滤波器相近的实际滤波器。广泛应用于离散系统中的保持器（或保持电路）就是这样一类的实际滤波器。

信号恢复/保持就是解决各相邻采样时刻之间的插值问题，将离散时间信号变成连续时间信号。实现保持功能的器件称为保持器。实际上，保持器是具有外推功能的元件。保持器的外推作用表现为当前时刻的输出信号是过去时刻离散信号的外推。具有常值、线性、二次函数（如抛物线）型外推规律的保持器，分别称为零阶、一阶、二阶保持器。能够物理实现的保持器都必须按现在时刻或过去时刻的采样值实行外推，而不能按将来时刻的采样值外推。保持器在离散控制系统中的位置应处在采样开关之后（见图 7-8）。

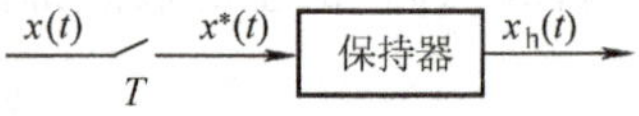

图 7-8 保持器框图

在工程实践中，普遍采用零阶保持器。零阶保持器是一种按常值规律外推的保持器。它把前一个采样时刻kT的采样值$x(kT)$不增不减地保持到下一个采样时刻$(k+1)T$。当下一个采样时刻$(k+1)T$到来时应换成新的采样值$x[(k+1)T]$继续外推。也就是说，kT时刻的采样值只能保存一个采样周期T，到下一个采样时刻到来时应立即停止作用，下降为零。因此，零阶保持器的时域特性$g_h(t)$如图 7-9a 所

示。它是高度为 1，宽度为 T 的方波。高度等于 1，说明采样值经过保持器既不放大，也不衰减；宽度等于 T，说明零阶保持器对采样值保存一个采样周期。如图 7-9a 所示的 $g_h(t)$ 可以分解为两个阶跃函数之和，如图 7-9b 所示。

因此，零阶保持器的单位脉冲响应 $g_h(t)$ 是一个幅值为 1、持续时间为 T 的矩形脉冲，可表示为两个阶跃函数之和，即

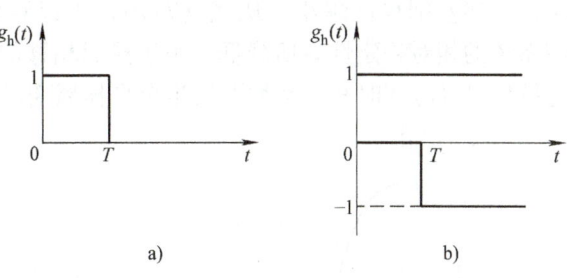

图 7-9 零阶保持器的时域特性

$$g_h(t) = 1(t) - 1(t - T) \tag{7-11}$$

则零阶保持器的传递函数为

$$G_h(s) = \frac{1 - e^{-sT}}{s} \tag{7-12}$$

令 $s = j\omega$，将其代入式（7-12）中，可得零阶保持器的频率特性为

$$G_h(j\omega) = \frac{1 - e^{-j\omega T}}{j\omega} \tag{7-13}$$

或写成

$$G_h(j\omega) = |G_h(j\omega)| \angle G_h(j\omega) \tag{7-14}$$

式中，$|G_h(j\omega)|$ 为零阶保持器的幅频特性或频谱；$\angle G_h(j\omega)$ 为零阶保持器的相频特性。它们与频率 ω 的关系分别为

$$|G_h(j\omega)| = \frac{|1 - e^{-j\omega T}|}{|j\omega|} = \left| \frac{\sin\omega T}{\omega} - j\frac{1 - \cos\omega T}{\omega} \right|$$

$$= \frac{1}{\omega}\sqrt{2 - 2\cos\omega T} = T\frac{\sin\frac{\omega T}{2}}{\frac{\omega T}{2}} \tag{7-15}$$

$$\angle G_h(j\omega) = -\arctan\frac{\frac{1 - \cos\omega T}{\omega}}{\frac{\sin\omega T}{\omega}} = -\frac{\omega T}{2} \tag{7-16}$$

从式（7-15）可见零阶保持器的频谱随频率 ω 的增大而衰减，而且频率越高衰减越剧烈（见图 7-10），具有明显的低通滤波特性。从幅频特性来看，零阶保持器是具有高频衰减特性的低通滤波器，$\omega \to 0$ 时的幅值为 T。从相频特性来看，零阶保持器具有负的相角，会对闭环系统的稳定性产生不利的影响。

与理想滤波器只有一个截止频率不同，零阶保持器具有无穷多个截止频率，所以零阶保持器并不是理想的低通滤波器，除允许主要频谱分量通过外，还允许部分高频频谱分量通过。因此，由零阶保持器恢复的连续信号 $x_h(t)$ 与原连续信号 $x(t)$ 是有差别的（见图 7-11），主要表现为在 $x_h(t)$ 中含有高频分量。由图 7-11 可以看出，由零阶保持器恢复的信号 $x_h(t)$ 具有阶梯形状，从而形成 $x_h(t)$ 与 $x(t)$ 之间的差异。可以看出，采样周期 T 取得

越小，上述差别也就越小。从式（7-16）可以看出，零阶保持器引入了附加的滞后相移，这使系统的相对稳定性有所降低。由于滞后相移的存在，经零阶保持器恢复的信号$x_h(t)$比原连续信号$x(t)$在时间上平均滞后半个采样周期，即$T/2$，如图7-11中虚线所示。

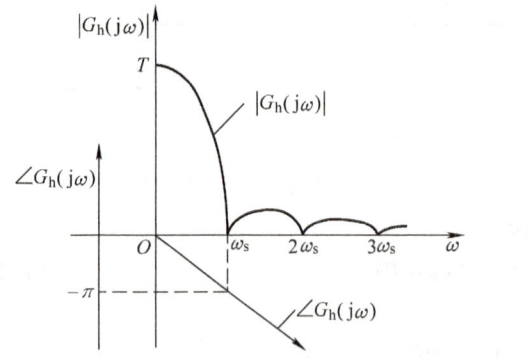

图7-10　零阶保持器的幅频与相频特性　　　　图7-11　零阶保持器的输出信号

需要指出，在相位上存在滞后现象，是各阶保持器具有的共性。零阶保持器相对于其他类型的保持器具有最小的相位滞后，以及容易实现的特点，因此在离散控制系统中应用最为广泛。对于通过零阶保持器的高频分量，它对系统的被控制信号的影响不大，这是由于一般系统中的连续部分均具有较好的低通滤波特性，可以使绝大部分的高频分量被抑制掉。因此，在离散控制系统中采用零阶保持器来恢复离散信号已足够，没有必要采用更复杂的高阶保持器。

7.3　Z变换理论

Z变换的思想来源于连续系统。在分析连续时间线性系统的动态和稳态特性时，采用拉普拉斯变换，将系统时域的微分方程转换成s域的代数方程，并得到系统的传递函数，从而便于分析系统的性能。与此相似，在分析离散时间系统的性能时，可使用Z变换建立离散时间线性系统的脉冲传递函数，进而分析系统的性能。Z变换又称为离散拉普拉斯变换，是分析离散系统的重要数学工具。

7.3.1　Z变换定义和性质

1. Z变换的定义

设连续时间函数$x(t)$可进行拉普拉斯变换，其拉普拉斯变换为$X(s)$。连续时间函数$x(t)$经采样周期为T的采样开关后，得到离散信号$x^*(t)$，见式（7-4），即

$$x^*(t) = \sum_{k=0}^{\infty} x(kT)\delta(t-kT)$$

对上式表示的离散信号进行拉普拉斯变换，及$L[\delta(t-kT)] = e^{-kTs}$可得

$$L[x^*(t)] = X^*(s) = \sum_{k=0}^{+\infty} x(kT)e^{-kTs} \tag{7-17}$$

式中，$X^*(s)$是离散时间函数$x^*(t)$的拉普拉斯变换。因复变量s包含在指数函数e^{-kTs}中不

便计算，故引进一个新变量 z，即
$$z = e^{Ts} \tag{7-18}$$
式中，T 为采样周期。将式（7-18）代入式（7-17），便得到以 z 为变量的函数 $X(z)$，即
$$X(z) = \sum_{k=0}^{+\infty} x(kT) z^{-k} \tag{7-19}$$
式中，$X(z)$ 称为离散时间函数 $X^*(s)$ 的 Z 变换，记为
$$X(z) = Z[x^*(t)]$$

在 Z 变换中，由于考虑的是连续时间信号经采样后的离散时间信号，或者说考虑的是连续时间函数在采样时刻的采样值，而不考虑采样时刻之间的值，所以 Z 变换式(7-19)只适用于离散时间函数，或只能表征连续时间信号在采样时刻上的信息，而不能反映采样时刻之间的信息。从这个意义上说，连续时间函数 $x(t)$ 与相应的离散时间函数 $x^*(t)$ 具有相同的 Z 变换，即
$$X(z) = Z[x(t)] = Z[x^*(t)] \tag{7-20}$$

从 Z 变换的推导过程可以看出，$X(z)$ 是一个以 z 为变量的无穷级数。Z 变换中一般项 $x(kT)z^{-k}$ 与离散函数的拉普拉斯变换中一般项 $x(kT)e^{-kTs}$ 相比，具有相同的物理意义。其中，z^{-k} 的幂次表征采样脉冲出现的时刻，$x(kT)$ 表征该时刻采样脉冲的幅值，故变量 z 可以看成时序变量。从另一意义上看，Z 变换实际上是拉普拉斯变换的一种演化，目的是使 $X(z)$ 是 z 的有理函数，以便于对离散系统进行分析和设计，而原来 $X^*(s)$ 则是 s 的超越函数。

z 是一个复变量，它具有实部和虚部，所以 z 是一个以实部为横坐标，虚部为纵坐标的复平面上的变量，这个平面称为 z 平面。从离散函数的拉普拉斯变换到离散函数的 Z 变换，就是由复变量 s 平面到复变量 z 平面的映射变换，这个映射关系就是式（7-18）。

2. Z 变换的性质

Z 变换有一些基本定理，可以使 Z 变换的应用变得简单和方便，在许多方面与拉普拉斯变换的基本定理有相似之处。

（1）线性定理 设函数 $x(t)$、$x_1(t)$、$x_2(t)$ 的 Z 变换分别为 $X(z)$、$X_1(z)$ 及 $X_2(z)$，a 为常数，则有
$$Z[ax(t)] = aX(z) \tag{7-21}$$
$$Z[x_1(t) \pm x_2(t)] = X_1(z) \pm X_2(z) \tag{7-22}$$
此定理可由 Z 变换定义直接证得。

（2）时移定理 如果函数 $x(t)$ 的 Z 变换为 $X(z)$，则
$$Z[x(t-kT)] = z^{-k} X(z) \tag{7-23}$$
$$Z[x(t+kT)] = z^k \left[X(z) - \sum_{r=0}^{k-1} x(rT) z^{-r} \right] \tag{7-24}$$

式（7-23）亦称为延迟定理，式（7-24）亦称为超前定理。

证明 首先证明式（7-23）。由 $Z[x(t-kT)] = \sum_{i=0}^{\infty} x(iT-kT) z^{-i}$，令 $i-k=r$，则求得

$$Z[x(t-kT)] = \sum_{r=-k}^{\infty} x(rT)z^{-(r+k)} = z^{-k}\sum_{r=-k}^{\infty} x(rT)z^{-r}$$

$$= z^{-k}\left[\sum_{r=0}^{\infty} x(rT)z^{-r} + \sum_{r=-k}^{-1} x(rT)z^{-r}\right]$$

$$= z^{-k}\left[X(z) + \sum_{r=-k}^{-1} x(rT)z^{-r}\right] \tag{7-25}$$

因为当 $t<0$ 时 $x(t)=0$,则 $x(-kT) = \cdots = x(-2T) = x(-T) = 0$,式(7-25)可写成式(7-23),命题得证。

延迟定理说明,原函数在时域中延迟 k 个采样周期,相当于象函数乘以 z^{-k}。

再证明式 (7-24)。由 $Z[x(t+kT)] = \sum_{i=0}^{\infty} x(iT+kT)z^{-i}$,令 $i+k=r$,则求得

$$\sum_{i=0}^{\infty}[x(i+k)T]z^{-i} = \sum_{r=-k}^{\infty} x(rT)z^{-(r-k)} = z^k \sum_{r=-k}^{\infty} x(rT)z^{-r}$$

$$= z^k\left[\sum_{r=0}^{\infty} x(rT)z^{-r} - \sum_{r=0}^{k-1} x(rT)z^{-r}\right]$$

$$= z^k\left[X(z) - \sum_{r=0}^{k-1} x(rT)z^{-r}\right]$$

若满足 $x(0) = x(T) = \cdots = x[(k-1)T] = 0$,则上式可简写为

$$Z[x(t+kT)] = z^k X(z) \tag{7-26}$$

显然算子 z^k 的意义,相当于把时间信号超前 k 个采样周期。

(3) 初值定理 如果函数 $x(t)$ 的 Z 变换为 $X(z)$,并且 $t<0$ 时有 $x(t)=0$,则

$$\lim_{t\to 0} x(t) = \lim_{z\to\infty} X(z) \tag{7-27}$$

证明 由 Z 变换定义可得

$$X(z) = \sum_{k=0}^{\infty} x(kT)z^{-k} = x(0) + x(T)z^{-1} + x(2T)z^{-2} + \cdots + x(kT)z^{-k} + \cdots$$

在上式中,当 $z\to\infty$ 时,除第一项外,其余各项均为零,即

$$\lim_{t\to 0} x(t) = \lim_{z\to\infty} X(z) = x(0)$$

(4) 终值定理 如果函数 $x(t)$ 的 Z 变换为 $X(z)$,并且 $X(z)$ 不含有 $z=1$ 的二重以上的极点,以及 $X(z)$ 的极点均位于 z 平面的单位圆内,则 $x(t)$ 的终值为

$$\lim_{t\to\infty} x(t) = \lim_{z\to 1}(z-1)X(z) \tag{7-28}$$

证明 由

$$Z[x(t+T)] = zX(z) - zx(0) = \sum_{k=0}^{\infty} x[(k+1)T]z^{-k}$$

因此

$$[zX(z) - zx(0)] - X(z) = \sum_{k=0}^{\infty} x[(k+1)T]z^{-k} - \sum_{k=0}^{\infty} x(kT)z^{-k}$$

并可得到

$$(z-1)X(z) = zx(0) + \sum_{k=0}^{\infty} \{x[(k+1)T] - x(kT)\}z^{-k}$$

当 $z \to 1$ 时，两边取极限得

$$\lim_{z \to 1}[(z-1)X(z)] = x(0) + \sum_{k=0}^{\infty}\{x[(k+1)T] - x(kT)\}$$
$$= x(0) + x(\infty) - x(0) = \lim_{t \to \infty} x(t)$$

7.3.2 Z 变换方法

求取离散函数的 Z 变换有多种方法，下面只介绍其中的 3 种方法。

1. 级数求和法

式 (7-19) 是离散函数 $x^*(t)$ 的 Z 变换的级数展开形式，将其改写成

$$X(z) = x(0) + x(T)z^{-1} + x(2T)z^{-2} + \cdots + x(kT)z^{-k} + \cdots \quad (7\text{-}29)$$

该式是 Z 变换的一种级数表达式。显然，只要知道连续时间函数 $x(t)$ 在各采样时刻 kT ($k=0,1,2,\cdots$) 上的采样值 $x(kT)$，便可求出 Z 变换的级数展开式。这种级数展开式具有无穷多项，是开放的，如果不能写成闭式，是很难应用的。一些常用函数的 Z 变换的技术展开式可以写成闭式的形式。

下面举例说明用级数求和法求取 $X(z)$。

例 7-1 试求单位阶跃函数 $1(t)$ 的 Z 变换。

解 单位阶跃函数 $1(t)$ 在所有采样时刻上的采样值均为 1，即
$$1(kT) = 1, k = 0, 1, 2, \cdots$$

将上式代入式 (7-29)，得
$$1(z) = 1 + 1 \cdot z^{-1} + 1 \cdot z^{-2} + \cdots + 1 \cdot z^{-k} + \cdots$$

或
$$1(z) = 1 \cdot z^{-0} + 1 \cdot z^{-1} + 1 \cdot z^{-2} + \cdots + 1 \cdot z^{-k} + \cdots \quad (7\text{-}30)$$

式 (7-30) 中，若 $|z| > 1$，可写成如下的封闭形式，即

$$Z[1(t)] = 1(z) = \frac{1}{1 - z^{-1}} = \frac{z}{z-1} \quad (7\text{-}31)$$

例 7-2 试求衰减的指数函数 e^{-at} ($a > 0$) 的 Z 变换。

解 将 e^{-at} 在各采样时刻上的采样值 1, e^{-aT}, e^{-2aT}, $\cdots$, e^{-kaT}, $\cdots$, 代入式 (7-29) 中，得

$$Z[e^{-at}] = 1 + e^{-aT}z^{-1} + e^{-2aT}z^{-2} + \cdots + e^{-kaT}z^{-k} + \cdots \quad (7\text{-}32)$$

若 $|e^{aT}z| > 1$，则式 (7-32) 可写成闭式的形式，即

$$Z[e^{-at}] = \frac{1}{1 - e^{-aT}z^{-1}} = \frac{z}{z - e^{-aT}} \quad (7\text{-}33)$$

例 7-3 试求函数 a^k 的 Z 变换。

解 将 a^k 在各采样时刻上的采样值 1, a^1, a^2, $\cdots$, a^k, $\cdots$ 代入式 (7-29) 中，得

$$Z[a^k] = 1 + az^{-1} + a^2z^{-2} + \cdots + a^kz^{-k} + \cdots \quad (7\text{-}34)$$

将该级数写成闭合形式，得 a^k 的 Z 变换，即

$$Z[a^k] = \frac{1}{1 - az^{-1}} = \frac{z}{z-a} \quad (7\text{-}35)$$

例 7-4　试求函数 $x(t) = \sin\omega t$ 的 Z 变换。

解　因为

$$\sin\omega t = \frac{e^{j\omega t} - e^{-j\omega t}}{2j}$$

所以

$$Z[\sin\omega t] = Z\left[\frac{e^{j\omega t} - e^{-j\omega t}}{2j}\right] = \frac{1}{2j}(Z[e^{j\omega t}] - Z[e^{-j\omega t}])$$

$$= \frac{1}{2j}\left(\frac{z}{z - e^{j\omega T}} - \frac{z}{z - e^{-j\omega T}}\right) = \frac{1}{2j} \frac{z(e^{j\omega T} - e^{-j\omega T})}{z^2 - (e^{j\omega T} + e^{-j\omega T})z + 1}$$

$$= \frac{z\sin\omega T}{z^2 - 2z\cos\omega T + 1} \tag{7-36}$$

综上可知，通过级数求和法求取已知函数 Z 变换的缺点在于：需要将无穷级数写成闭合形式。这在某些情况下需要很高的技巧。但函数 Z 变换的无穷级数形式［见式（7-29）］具有鲜明的物理含义，这又是 Z 变换的无穷级数表达形式的优点。

2. 部分分式法

设连续时间函数 $x(t)$ 的拉普拉斯变换 $X(s)$ 为有理函数，并具有如下形式：

$$X(s) = \frac{M(s)}{N(s)} = \frac{b_0 s^m + b_1 s^{m-1} + \cdots + b_m}{a_0 s^n + a_1 s^{n-1} + \cdots + a_n} \tag{7-37}$$

将 $X(s)$ 展开成部分分式和的形式，即

$$X(s) = \sum_{i=1}^{n} \frac{A_i}{s + s_i} \tag{7-38}$$

由拉普拉斯变换知，与 $A_i/(s+s_i)$ 项相对应的时间函数为 $A_i e^{-s_i T}$，根据式（7-33）便可求得与 $A_i/(s+s_i)$ 项对应的 Z 变换为 $A_i z/(z - e^{-s_i T})$。因此，函数 $x(t)$ 的 Z 变换便可由 $X(s)$ 求得为

$$X(z) = \sum_{i=1}^{n} \frac{A_i z}{z - e^{-s_i T}} \tag{7-39}$$

下面举例说明 Z 变换的部分分式法。

例 7-5　利用部分分式法求取正弦函数 $\sin\omega t$ 的 Z 变换。

解　已知 $L[\sin\omega t] = \dfrac{\omega}{s^2 + \omega^2}$，将 $\dfrac{\omega}{s^2 + \omega^2}$ 分解成部分分式和的形式，即

$$L[\sin\omega t] = -\frac{1}{2j}\frac{1}{s + j\omega} + \frac{1}{2j}\frac{1}{s - j\omega}$$

由于拉普拉斯变换 $\dfrac{1}{s \pm j\omega}$ 的原函数为 $e^{-(\pm j\omega)t}$，再根据式（7-33）可求得上式的 Z 变换为

$$Z[\sin\omega t] = -\frac{1}{2j}\frac{z}{z - e^{-j\omega t}} + \frac{1}{2j}\frac{z}{z - e^{j\omega t}} = \frac{z\sin\omega T}{z^2 - (2\cos\omega T)z + 1} \tag{7-40}$$

例 7-6　已知连续时间函数 $x(t)$ 的拉普拉斯变换为 $X(s) = \dfrac{a}{s(s+a)}$，求其 Z 变换。

解　将 $X(s)$ 展成如下部分分式：

$$X(s) = \frac{a}{s(s+a)} = \frac{1}{s} - \frac{1}{s+a}$$

对上式逐项取拉普拉斯反变换，得

$$x(t) = 1 - e^{-at}$$

据求得的时间函数，逐项写出相应的 Z 变换，得

$$X(z) = \frac{z}{z-1} - \frac{z}{z-e^{-aT}} = \frac{z(1-e^{-aT})}{z^2 - (1+e^{-aT})z + e^{-aT}} \tag{7-41}$$

3. 留数计算法

假如已知连续时间函数 $x(t)$ 的拉普拉斯变换 $X(s)$ 及全部极点 s_i ($i = 1, 2, 3, \cdots, n$)，则 $x(t)$ 的 Z 变换 $X(z)$ 可通过留数计算求得。

现在先分析 $X(z)$ 和 $X(s)$ 的关系。由拉普拉斯反变换式有

$$x(t) = \frac{1}{2\pi j} \int_{c-j\infty}^{c+j\infty} X(s) e^{st} ds$$

当对 $x(t)$ 以采样周期 T 进行采样后，其采样值为

$$x(kT) = \frac{1}{2\pi j} \int_{c-j\infty}^{c+j\infty} X(s) e^{kTs} ds, \quad k = 0, 1, 2, \cdots \tag{7-42}$$

而 $x(kT)$ 的 Z 变换为

$$X(z) = \sum_{k=0}^{\infty} x(kT) z^{-k} \tag{7-43}$$

将式（7-42）代入式（7-43）得

$$X(z) = \frac{1}{2\pi j} \int_{c-j\infty}^{c+j\infty} X(s) \sum_{k=0}^{\infty} (e^{Ts} z^{-1})^k ds$$

符合收敛条件 $|z| > |e^{Ts}|$ 时，$\sum\limits_{k=0}^{\infty} (e^{Ts} z^{-1})^k$ 可写成闭式，即

$$\sum_{k=0}^{\infty} (e^{Ts} z^{-1})^k = \frac{z}{z - e^{Ts}}$$

将其代入式（7-43），得

$$X(z) = \frac{1}{2\pi j} \int_{c-j\infty}^{c+j\infty} \frac{X(s) z}{z - e^{Ts}} ds \tag{7-44}$$

这就是由拉普拉斯变换函数直接求相应的 Z 变换函数的关系式。这个积分可以应用留数定理来计算，即

$$X(z) = \sum_{i=1}^{n} \text{res} \left[\frac{zX(s)}{z - e^{Ts}} \right]_{s = -s_i} \tag{7-45}$$

式中，$-s_i$ 为 $X(s)$ 的极点；n 为 $X(s)$ 的极点个数；$\text{res}[F(s)]_{s=-s_i}$ 表示求 $F(s)$ 在 $s = -s_i$ 处的留数。

若 $-s_i$ 为 $X(s)$ 的单极点，则

$$\text{res} \left[\frac{zX(s)}{z - e^{Ts}} \right]_{s=-s_i} = \left[(s + s_i) \frac{zX(s)}{z - e^{Ts}} \right]_{s=-s_i} \tag{7-46}$$

若 $-s_i$ 为 $X(s)$ 的 r_i 重极点，则

$$\text{res}\left[\frac{zX(s)}{z-e^{Ts}}\right]_{s=-s_i} = \frac{1}{(r_i-1)!} \cdot \frac{d^{r_i-1}}{ds^{r_i-1}}\left[(s+s_i)^{r_i}\frac{zX(s)}{z-e^{Ts}}\right]_{s=-s_i} \quad (7\text{-}47)$$

下面举例说明应用留数计算法求 Z 变换。

例 7-7 已知 $X(s) = \dfrac{1}{s^2(s+1)}$，求 $X(z)$。

解 由 $X(s)$ 可知 $s_1 = 0$ 为二重极点，$s_2 = -1$ 为单极点，则可根据式（7-46）和式（7-47）计算留数，即

$$X(z) = \text{res}\left[\frac{zX(s)}{z-e^{Ts}}\right]_{s=0} + \text{res}\left[\frac{zX(s)}{z-e^{Ts}}\right]_{s=-1}$$

$$= \frac{1}{(2-1)!}\frac{d}{ds}\left[s^2\frac{z}{z-e^{Ts}}\frac{1}{s^2(s+1)}\right]_{s=0} + \left[(s+1)\frac{z}{z-e^{Ts}}\frac{1}{s^2(s+1)}\right]_{s=-1}$$

$$= \left[\frac{-z[z-e^{Ts}-Te^{Ts}(s+1)]}{(z-e^{Ts})^2(s+1)^2}\right]_{s=0} + \left[\frac{z}{s^2(z-e^{Ts})}\right]_{s=-1}$$

$$= \frac{-z^2+Tz+z}{(z-1)^2} + \frac{z}{z-e^{-T}} = \frac{z[(e^{-T}+T-1)z+(1-e^{-T}-Te^{-T})]}{(z-1)^2(z-e^{-T})}$$

常用函数的 Z 变换及相应的拉普拉斯变换见表 7-1。由表 7-1 可见，这些函数的 Z 变换都是 z 的有理分式，且分母多项式的次数大于或等于分子多项式的次数。应当指出，表中各 Z 变换的有理分式中，分母 z 多项式的最高次数与相应的传递函数分母 s 多项式的最高次数相等。

表 7-1　Z 变换表

$X(s)$	$x(t)$ 或 $x(k)$	$X(z)$	$X(s)$	$x(t)$ 或 $x(k)$	$X(z)$
1	$\delta(t)$	1	$\dfrac{1}{s-(1/T)\ln a}$	$a^{t/T}$	$\dfrac{z}{z-a}$
e^{-kTs}	$\delta(t-kT)$	z^{-k}	$\dfrac{\omega}{s^2+\omega^2}$	$\sin\omega t$	$\dfrac{z\sin\omega T}{z^2-2z\cos\omega T+1}$
$\dfrac{1}{s}$	$1(t)$	$\dfrac{z}{z-1}$	$\dfrac{s}{s^2+\omega^2}$	$\cos\omega t$	$\dfrac{z(z-\cos\omega T)}{z^2-2z\cos\omega T+1}$
$\dfrac{1}{s^2}$	t	$\dfrac{Tz}{(z-1)^2}$	$\dfrac{1}{(s+a)^2}$	te^{-at}	$\dfrac{Tze^{-aT}}{(z-e^{-aT})^2}$
$\dfrac{2}{s^3}$	t^2	$\dfrac{T^2z(z+1)}{(z-1)^3}$	$\dfrac{\omega}{(s+a)^2+\omega^2}$	$e^{-at}\sin\omega t$	$\dfrac{ze^{-aT}\sin\omega T}{z^2-2ze^{-aT}\cos\omega T+e^{-2aT}}$
$\dfrac{1}{s+a}$	e^{-at}	$\dfrac{z}{z-e^{-aT}}$	$\dfrac{s+a}{(s+a)^2+\omega^2}$	$e^{-at}\cos\omega t$	$\dfrac{z^2-ze^{-aT}\cos\omega T}{z^2-2ze^{-aT}\cos\omega T+e^{-2aT}}$

7.3.3　Z 反变换方法

根据 $X(z)$ 求离散时间信号 $x^*(t)$ 或采样时刻值的一般表达式 $x(kT)$ 的过程称为 Z 反变

换,并记为 $Z^{-1}[X(z)]$。下面介绍 3 种常用求 Z 反变换的方法。

1. 长除法

由函数的 Z 变换表达式,直接利用长除法求出按 z^{-1} 升幂排列的级数形式,再经过拉普拉斯反变换,求出原函数的脉冲序列。

$X(z)$ 的一般形式为

$$X(z) = \frac{b_0 z^m + b_1 z^{m-1} + \cdots + b_m}{a_0 z^n + a_1 z^{n-1} + \cdots + a_n}, \quad m \leqslant n$$

用长除法求出 z^{-1} 的升幂形式,即

$$X(z) = c_0 + c_1 z^{-1} + c_2 z^{-2} + \cdots + c_k z^{-k} + \cdots \tag{7-48}$$

例 7-8 求 $X(z) = \dfrac{1}{1-\mathrm{e}^{-aT}z^{-1}}$ 的 Z 反变换,其中 $\mathrm{e}^{-aT} = 0.5$。

解 用长除法将 $X(z)$ 展开为无穷级数形式,即

$$\begin{array}{r}
1 + 0.5z^{-1} + 0.25z^{-2} + 0.125z^{-3} + \cdots \\
1 - 0.5z^{-1} \overline{\smash{\big)}\,1 } \\
\underline{1 - 0.5z^{-1}} \\
0.5z^{-1} \\
\underline{0.5z^{-1} - 0.25z^{-2}} \\
0.25z^{-2} \\
\underline{0.25z^{-2} - 0.125z^{-3}} \\
0.125z^{-3} \\
\vdots
\end{array}$$

$$X(z) = x(0) + x(T)z^{-1} + x(2T)z^{-2} + x(3T)z^{-3} + \cdots$$
$$= 1 + 0.5z^{-1} + 0.25z^{-2} + 0.125z^{-3} + \cdots$$

相应的脉冲序列为

$$x^*(t) = 1\delta(t) + 0.5\delta(t-T) + 0.25\delta(t-2T) + 0.125\delta(t-3T) + \cdots$$

2. 部分分式法

通过部分分式法求取 Z 反变换的过程,与应用部分分式法求取拉普拉斯反变换很相似。首先需将 $X(z)/z$ 用部分分式法展开成 $A_i/(z+p_i)$ 形式的诸项之和,即

$$\frac{X(z)}{z} = \frac{A_1}{z+p_1} + \frac{A_2}{z+p_2} + \cdots \tag{7-49}$$

再将等号两边同时乘以复变量 z,并对 $A_i/(z+p_i)$ 通过 Z 反变换求取相应的时间函数,最后将上述各时间函数求和即可。

例 7-9 求 $X(z) = \dfrac{10z}{(z-1)(z-2)}$ 的 Z 反变换。

解 首先将 $X(z)/z$ 展开成下列部分分式:

$$\frac{X(z)}{z} = \frac{10}{(z-1)(z-2)} = \frac{-10}{z-1} + \frac{10}{z-2}$$

由此可得

$$X(z) = \frac{-10z}{z-1} + \frac{10z}{z-2}$$

由表 7-1 查得

$$Z^{-1}\left[\frac{z}{z-1}\right] = 1, \quad Z^{-1}\left[\frac{z}{z-2}\right] = 2^k$$

因此

$$x(kT) = 10(-1 + 2^k), \quad k = 0, 1, 2, \cdots$$

或

$$x^*(t) = 10\sum_{k=0}^{\infty}(-1 + 2^k)\delta(t - kT)$$

根据 $t = kT$，并且只考虑采样时刻的函数值，则 $x^*(t)$ 还可用 $x(t)$ 来表示，即

$$x^*(t) = x(t) = 10(-1 + 2^{t/T}), \quad t = 0, T, 2T, \cdots$$

3. 留数计算法

留数法又称反演积分法。采用这种方法求取 Z 反变换的原因是：在实际问题中遇到的 Z 变换函数 $X(z)$，除了有理分式外，也可能是超越函数，此时无法应用部分分式法或幂级数法来求取 Z 反变换，而只能采用留数计算法。若 $x(kT)$ 的 Z 变换为 $X(z)$，则有

$$x(kT) = \frac{1}{2\pi j}\oint_c X(z)z^{k-1}dz \tag{7-50}$$

式中，积分曲线 c 为逆时针方向包围 $X(z)z^{k-1}$ 全部极点的圆。式 (7-50) 可等效为

$$x(kT) = \sum \text{res}[X(z)z^{k-1}] \tag{7-51}$$

式 (7-51) 表明，$x(kT)$ 为函数 $X(z)z^{k-1}$ 在其全部极点上的留数之和。

例 7-10 求 $X(z) = \dfrac{10z}{(z-1)(z-2)}$ 的 Z 反变换。

$$x(kT) = \sum\text{res}\left[\frac{10z}{(z-1)(z-2)}z^{k-1}\right] = \sum\text{res}\left[\frac{10z^k}{(z-1)(z-2)}\right]$$

$$= \frac{10z^k}{(z-1)(z-2)}(z-1)\bigg|_{z=1} + \frac{10z^k}{(z-1)(z-2)}(z-2)\bigg|_{z=2}$$

$$= -10 + 10 \times 2^k, \quad k = 0, 1, 2, \cdots$$

或

$$x^*(t) = 10\sum_{k=0}^{\infty}(-1 + 2^k)\delta(t - kT)$$

例 7-11 求 $X(z) = \dfrac{z}{(z-a)(z-1)^2}, \ (a \neq 1)$ 的 Z 反变换。

解 $X(z)$ 中互不相同的极点为 $z_1 = a$ 及 $z_2 = 1$，其中 z_1 为单极点，即 $r_1 = 1$；z_2 为二重极点，即 $r_2 = 2$，不相同的极点数为 $l = 2$。则

$$x(kT) = (z-a)\frac{z}{(z-a)(z-1)^2}z^{k-1}\bigg|_{z=a} + \frac{1}{(2-1)!}\frac{d}{dz}\left[(z-1)^2\frac{z}{(z-a)(z-1)^2}z^{k-1}\right]\bigg|_{z=1}$$

$$= \frac{a^k}{(a-1)^2} + \frac{k}{1-a} - \frac{1}{(1-a)^2}, \quad k = 0, 1, 2, \cdots$$

由此可求得 $X(z)$ 的 Z 反变换为

$$x^*(t) = \sum_{k=0}^{\infty} \left[\frac{a^k}{(a-1)^2} + \frac{k}{1-a} - \frac{1}{(1-a)^2} \right] \delta(t-kT)$$

以上列举了求取 Z 反变换的 3 种常用方法。其中长除法最简单,但是由长除法得到的 Z 反变换是开式而非闭式,因此应用时较为困难。而部分分式法和留数计算法得到的 Z 反变换均为闭式。

7.4 离散控制系统的数学描述

系统的数学模型是描述系统中各变量之间相互关系的数学表达式。分析连续时间控制系统时,采用微分方程来描述系统输入变量与输出变量之间的关系。而在分析研究离散时间控制系统时,需建立系统的数学表达式,可以采用差分方程描述在离散的时间点上(即采样时刻),输入离散时间信号与输出离散时间信号之间的相互关系。

7.4.1 线性常系数差分方程

对于一般的连续时间线性定常系统,输入和输出信号都是连续时间的函数,描述它们内在规律的是连续时间控制系统的微分方程或积分方程。而离散时间控制系统的输入和输出信号都是离散时间函数,即以序列形式表示,如 $x(kT)$ ($k=0, 1, 2, \cdots$)。因此,离散控制系统的动力学行为就不能用微分方程或积分方程来描述,kT 时刻的输出 $y(k)$ 不但与 kT 时刻的输入 $x(k)$ 有关,还与 kT 时刻以前若干个采样时刻的输入 $x(k-1)$, $x(k-2)$, $\cdots$ 和输出 $y(k-1)$, $y(k-2)$, $\cdots$ 有关,必须用差分方程来描述。所谓差分方程,就是反映离散系统输入-输出序列之间的运算关系。微分方程中的各项包含有连续自变量的函数及其导数,如 $x(t)$、$dx(t)/dt$ 等。在差分方程中,自变量是离散的,方程的各项包含有这种离散变量的函数,如 $x(k)$ ($k=0, \pm1, \pm2, \cdots$),还包含此函数序数增加或减少的函数 $x(k-1)$, $x(k-2)$, $\cdots$。

为了引出描述系统的差分方程,下面对照一阶微分方程推演相应的差分方程。

设系统为一阶惯性环节,如图 7-12a 所示。系统的传递函数为

$$G(s) = \frac{1}{T_1 s + 1}$$

其微分方程为

$$T_1 \frac{d}{dt} y(t) + y(t) = x(t) \tag{7-52}$$

该连续系统对应的离散系统如图 7-12b 所示。采样开关 S_a 对输入信号每隔 T 秒采样一次,得序列 $\sum_{k=0}^{\infty} x(kT) \delta(t-kT)$。经过采样开关 S_b(与 S_a 同步)后输出的序列为 $\sum_{k=0}^{\infty} y(kT) \delta(t-kT)$。下面来研究 $y(kT)$ 与 $x(kT)$ 之间的关系。

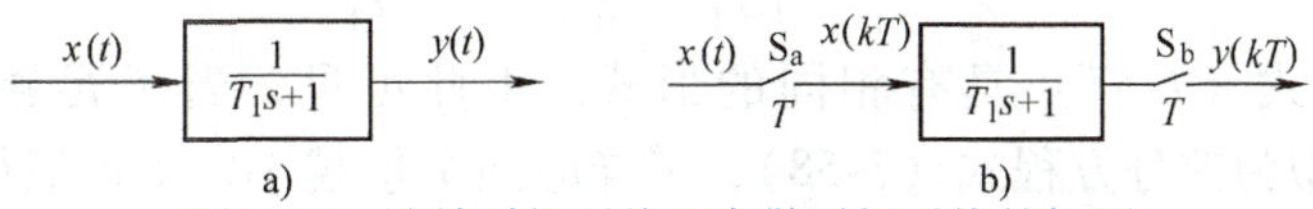

图 7-12 连续时间系统和离散时间系统的框图

与连续时间系统中求解微分方程的方法一样，对于离散时间系统，求解差分方程时也可以分别求出其零输入分量和零状态分量，然后叠加得到方程的全解。下面考察在 $t > kT$ 时的情况。

① 当 $t \rightarrow kT$ 而该时刻的脉冲尚未施加时，由于一阶惯性环节微分方程为 $T_1 \dot{y} + y = x$，故其齐次解为 $y_1(t) = A e^{-\frac{(t-kT)}{T_1}}$，（其中 A 为待定系数），又系统该时刻的初始条件为 $y(0_-) = A e^0 = y(kT)$，即 $A = y(kT)$，此时系统只有零输入分量为

$$y_1(t) = y(kT) e^{-(t-kT)/T_1} \tag{7-53}$$

② 当 $t = kT$，第 k 个脉冲 $r(kT)\delta(t-kT)$ 加于系统后，由于系统为一阶惯性环节，故其单位脉冲响应是 $g(t) = \frac{1}{T_1} e^{-t/T_1}$。所以当 $t = kT$，第 k 个脉冲 $x(kT)\delta(t-kT)$ 加于系统后，系统输出的零状态分量为

$$y_2(t) = \frac{x(kT)}{T_1} e^{-(t-kT)/T_1} \tag{7-54}$$

③ 综上所述，当 $t > kT$ 后的系统总输出由其零输入响应和零状态响应叠加后的全解表示，为

$$y(t) = y_1(t) + y_2(t) = \left[y(kT) + \frac{x(kT)}{T_1} \right] e^{-(t-kT)/T_1} \tag{7-55}$$

当 $t = (k+1)T$ 时，式 (7-55) 为

$$y[(k+1)T] = \left[y(kT) + \frac{x(kT)}{T_1} \right] e^{-T/T_1} \tag{7-56}$$

或

$$y[(k+1)T] - e^{-T/T_1} y(kT) = \frac{x(kT) e^{-T/T_1}}{T_1} \tag{7-57}$$

式 (7-56) 或式 (7-57) 是描述输出 $y(kT)$ 与输入 $x(kT)$ 关系的差分方程，它描述了系统在第 k 个采样周期时输入与输出信号的关系。从式中可以看出，差分方程的系数与采样周期 T 有关。

差分方程和微分方程在形式上有一定的相似之处。比较式 (7-52) 和式 (7-57) 可以看出，如果 $y(t)$ 与 $y(kT)$ 相当，则 $y(kT)$ 中离散变量序号加 1 与 $y(t)$ 对连续变量 t 取一阶导数相当，于是上面两式中各项都可一一对应。差分方程和微分方程不仅形式相似，而且在一定条件下还可以互相转化。假设时间间隔 T 足够小，当 $t = kT$ 时，有

$$\frac{d}{dt} y(t) \approx \frac{y[(k+1)T] - y(kT)}{T}$$

因此，式 (7-52) 可改写为

$$T_1 \frac{y[(k+1)T] - y(kT)}{T} + y(kT) = x(kT)$$

经整理后，可得

$$y[(k+1)T] + \left[\frac{T}{T_1} - 1 \right] y(kT) = \frac{T}{T_1} x(kT) \tag{7-58}$$

式 (7-58) 与式 (7-57) 具有相同的形式。由此可见，当 T 足够小时，微分方程式 (7-52) 可以近似为差分方程式 (7-58)，采样时间 T 值越小，则近似得越好。利用数字

计算机解微分方程时，可以先把微分方程近似为差分方程后再进行计算。只要时间间隔 T 取得足够小，计算数值的位数足够多，就可得到所需要的精确度。

上面讨论了一阶系统。对于一个物理系统，用常系数线性 n 阶差分方程来描述时，一般形式为

$$y(k) = \sum_{i=0}^{n} b_i x(k-i) - \sum_{i=0}^{n} a_i y(k-i) \tag{7-59}$$

式中，a_i 和 b_i ($i=0,1,2,\cdots,n$) 均为常数。式 (7-59) 再次说明，输出 $y(k)$ 不仅取决于当前的输入 $x(k)$，而且与前 n 个输入 $x(k-i)$ 以及前 n 个输出 $y(k-i)$ 有关，且其关系是线性的。

7.4.2 脉冲传递函数

如果把 Z 变换的作用仅仅理解为求解线性常系数差分方程，显然是不够的。引入 Z 变换的一个重要作用是用于导出离散时间线性定常系统的脉冲传递函数，这为离散时间系统的分析和控制带来极大的方便。

1. 脉冲传递函数的定义

在线性连续系统中，当初始条件为零的情况下分别取输入 $r(t)$ 和输出 $c(t)$ 的拉普拉斯变换，则它们的比值 $C(s)/R(s) = G(s)$ 称为系统的传递函数。在离散系统中也有同样的表达方法，在初始条件为零的情况下取输出 Z 变换与输入 Z 变换之比，即

$$\frac{C(z)}{R(z)} = G(z) \tag{7-60}$$

式 (7-60) 称为系统脉冲传递函数，也称 Z 传递函数。

为了说明脉冲传递函数的物理意义，下面从系统的单位脉冲响应的角度推导脉冲传递函数。设输入信号 $r(t)$ 经采样开关后为一脉冲序列 $r^*(t)$，如图 7-13a 所示。

$$r^*(t) = \sum_{k=0}^{\infty} r(kT)\delta(t-kT)$$

这一脉冲序列作用于系统的 $G(s)$ 时，系统输出为一系列脉冲响应之和，如图 7-13c 所示。

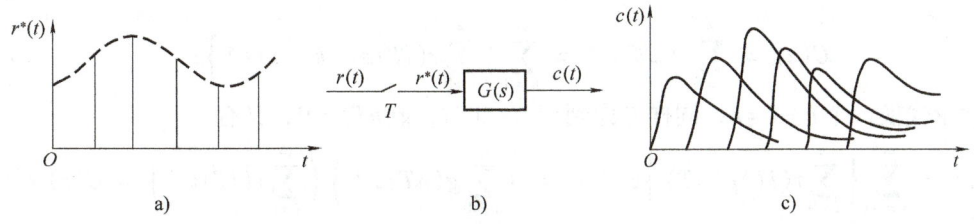

图 7-13 脉冲响应

当 $0 \leq t < T$ 时，作用于 $G(s)$ 的输入脉冲为 $r(0)$ 时，则系统的输出响应为

$$c(t) = r(0)g(t)$$

式中，$g(t)$ 为系统 $G(s)$ 的单位脉冲响应。$g(t)$ 满足如下关系：

$$g(t) = \begin{cases} g(t), & t \geq 0 \\ 0, & t < 0 \end{cases}$$

当 $T \leq t < 2T$ 时，系统处于两个输入脉冲的作用下：一个是 $t=0$ 时的 $r(0)$ 脉冲作用，它产生的响应依然存在；另一个是 $t=T$ 时的 $r(T)$ 脉冲作用。因此在此区间内的系统输出响应为

$$c(t) = r(0)g(t) + r(T)g(t-T)$$

在 $kT \leq t < 1(k+1)T$ 时，系统输出响应为

$$c(t) = r(0)g(t) + r(T)g(t-T) + \cdots + r(kT)g(t-kT)$$
$$= \sum_{k=0}^{\infty} r(kT)g(t-kT) \tag{7-61}$$

由式（7-61）可见，当系统的输入为一系列脉冲时，输出为各脉冲响应之和。

在 $t = kT$ 时刻系统输出的采样信号值为

$$c(kT) = r(0)g(kT) + r(T)g[(k-1)T] + \cdots + r(kT)g(0) + \cdots$$
$$= \sum_{i=0}^{k} r(iT)g[(k-i)T] \tag{7-62}$$

因为系统的单位脉冲响应是从 $t=0$ 才开始出现信号，当 $t<0$ 时，$g(t)=0$，所以当 $i>k$ 时，式（7-62）中

$$g[(k-i)T] = 0$$

因此，kT 时刻以后的输入脉冲，如 $r[(k+1)T]$，$r[(k+2)T]$，…，不会对 kT 时刻的输出信号产生影响，因此式（7-62）中求和上限可扩展为 $i \to \infty$，可得

$$c(kT) = \sum_{i=0}^{\infty} r(iT)g[(k-i)T] \tag{7-63}$$

$$c^*(t) = \sum_{k=0}^{\infty} c(kT)\delta(t-kT) = \sum_{k=0}^{\infty} \left\{ \sum_{i=0}^{\infty} r(iT)g[(k-i)T] \right\} \delta(t-kT)$$

由 Z 变换的定义，得

$$C(z) = \sum_{k=0}^{\infty} c(kT)\delta(t-kT) = \sum_{k=0}^{\infty} \left\{ \sum_{i=0}^{\infty} r(iT)g[(k-i)T] \right\} \delta(t-kT) \tag{7-64}$$

于是有

$$C(z) = \sum_{k=0}^{\infty} c(kT)z^{-k} = \sum_{k=0}^{\infty} \left\{ \sum_{i=0}^{\infty} r(iT)g[(k-i)T] \right\} z^{-k} \tag{7-65}$$

进行变量代换，令 $k-i = n$，同样考虑到当 $n<0$ 时，$g(nT)=0$，又有

$$C(z) = \sum_{n=-i}^{\infty} \left\{ \sum_{i=0}^{\infty} r(iT)g(nT) \right\} z^{-(n+i)} = \left(\sum_{n=0}^{\infty} g(nT)z^{-n} \right) \left(\sum_{i=0}^{\infty} r(iT)z^{-i} \right) = G(z)R(z) \tag{7-66}$$

故

$$G(z) = \sum_{n=0}^{\infty} g(nT)z^{-n} = \frac{C(z)}{R(z)} \tag{7-67}$$

$G(z)$ 就是图 7-13b 所示系统的脉冲传递函数。由于式（7-67）是脉冲响应函数的采样序列的 Z 变换，所以又称为系统的 Z 传递函数。

下面有两点需要说明：

1) 物理系统在输入为脉冲序列的作用下，其输出量是时间的连续函数，如图 7-14 的 $c(t)$。但如前所述，Z 变换只能表征连续时间函数在采样时刻的采样值。因此，这里所求得的脉冲传递函数，是取系统输出的脉冲序列作为输出量。因此，在框图上可在输出端虚设一个同步采样开关，如图 7-14 所示。实际系统中这个开关并不存在。

2) $G(s)$ 表示的是线性环节本身的传递函数，而 $G(z)$ 表示的则是图 7-14 中的线性环节与采样开关的组合形成的传递函数。尽管计算 $G(z)$ 时只需知道该环节的传递函数 $G(s)$ 就可以了，但计算出来的 $G(z)$ 却包括了采样开关在内。如果没有采样开关，且输入信号是连续时间函数，那么就无法求出 Z 传递函数，即在这种情况下不能将输入信号和线性环节分开进行 Z 变换，而只能求出输出信号的 Z 变换。

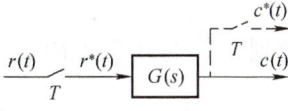

图 7-14　Z 传递函数

如果 $G(s)$ 的形式比较复杂，需先展开成部分分式形式，以便与拉普拉斯变换和 Z 变换中的基本形式相对应，下面举例说明。

例 7-12　系统如图 7-14 所示，已知

$$G(s) = \frac{1}{s(0.1s+1)}$$

试求 Z 传递函数 $G(z)$。

解　将 $G(s)$ 分解成部分分式

$$G(s) = \frac{1}{s} - \frac{1}{s+10}$$

查表 7-1 可得

$$G(z) = \frac{z}{z-1} - \frac{z}{z-e^{-10T}} = \frac{z(1-e^{-10T})}{(z-1)(z-e^{-10T})}$$

例 7-13　离散系统的差分方程为

$$c(k) + a_1 c(k-1) + \cdots + a_n c(k-n) = b_0 r(k) + b_1 r(k-1) + \cdots + b_m r(k-m)$$

假设系统的初始条件为零，试求系统的 Z 传递函数。

解　对上式两侧进行 Z 变换，由时移定理中的延迟定理，并提出公因子可得

$$(1 + a_1 z^{-1} + \cdots + a_n z^{-n}) C(z) = (b_0 + b_1 z^{-1} + \cdots + b_m z^{-m}) R(z)$$

整理后得

$$\frac{C(z)}{R(z)} = G(z) = \frac{b_0 + b_1 z^{-1} + \cdots + b_m z^{-m}}{1 + a_1 z^{-1} + \cdots + a_n z^{-n}}$$

例 7-14　设离散系统的差分方程为

$$c(k) + 3c(k-1) + 2c(k-2) = r(k-2)$$

式中

$$c(-1) = c(0) = 0$$

$$r(k) = \begin{cases} 1, & k=0 \\ 0, & k \neq 0 \end{cases}$$

试求系统的响应 $c(k)$。

解 对差分方程两侧取 Z 变换得

$$(1 + 3z^{-1} + 2z^{-2})C(z) = R(z)z^{-2}$$

整理,得

$$C(z) = \frac{1}{z^2 + 3z + 2}R(z)$$

注意到 $r(k)$ 的 Z 变换 $R(z) = 1$,则

$$C(z) = \frac{1}{z^2 + 3z + 2} = z^{-1}\left(\frac{z}{z+1} - \frac{z}{z+2}\right)$$

查表 7-1,并应用延迟定理,可以得到

$$c(k) = (-1)^{k-1} - (-2)^{k-1}, \quad k = 1, 2, 3, \cdots$$

2. 串联环节的开环脉冲传递函数

当开环离散系统由几个环节串联组成时,其脉冲传递函数的求法与连续系统情况不完全相同。即使两个开环离散系统的组成环节完全相同,但是由于采样开关的数目和位置不同,因此所求的开环脉冲传递函数也是截然不同的。离散系统中,总的脉冲传递函数可归纳为两种典型形式,串联环节之间无采样开关(见图 7-15)和串联环节之间有采样开关(见图 7-16)。下面分别进行讨论。

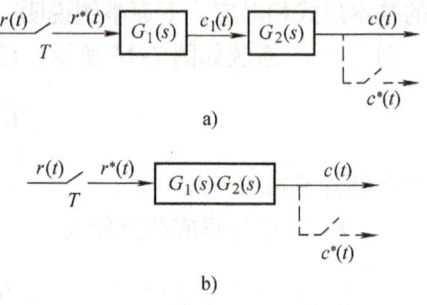

图 7-15 环节之间无采样器分隔

1)串联环节之间无采样开关。图 7-15a 所示为系统串联的两个环节 $G_1(s)$ 和 $G_2(s)$ 之间无采样开关的情形。根据框图简化原则,图 7-15a 可简化为图 7-15b。这样,开环系统的脉冲传递函数可由连续工作状态的传递函数 $G_1(s)$ 和 $G_2(s)$ 的乘积求得

$$G(z) = \frac{C(z)}{R(z)} = Z[G_1(s)G_2(s)] = G_1G_2(z) \tag{7-68}$$

即等于各环节传递函数之积的 Z 变换。

上述结论也可以推广到无采样开关间隔的 n 个环节串联的情况。

2)串联环节之间有采样开关。图 7-16 所示为两串联环节之间有采样开关的情形。图中采样器 T_1 和 T_2 是同步的。对于第一个环节,前后都存在采样开关,其输入为采样输入 $r(kT)$,输出经采样器后为 $c_1(kT)$,有

$$\frac{C_1(z)}{R(z)} = G_1(z)$$

对于第二个环节,其输入为 $c_1(kT)$,输出为 $c(t)$,其 Z 变换为

$$\frac{C(z)}{C_1(z)} = G_2(z)$$

两环节串联后,其总的脉冲传递函数为

$$\frac{C(z)}{R(z)} = G_1(z)G_2(z) \tag{7-69}$$

当串联环节之间有采样开关时，系统脉冲传递函数等于这两个环节脉冲传递函数的乘积。上述结论可以推广到多个环节串联而且环节间都存在同步采样开关的情形，总的脉冲传递函数等于各个环节脉冲传递函数的乘积。

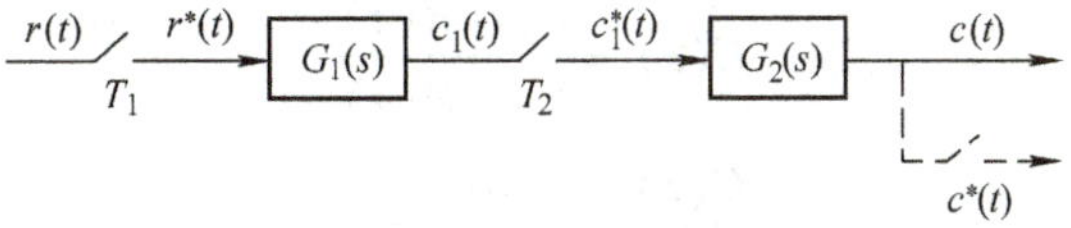

图 7-16 环节之间有采样器分隔

例 7-15 两串联环节 $G_1(s)$ 和 $G_2(s)$ 如下所示，请分别针对两个串联环节之间有、无采样开关的两种情况，试求串联环节等效的脉冲传递函数 $G(z)$。

$$G_1(s) = \frac{a}{s+a} \qquad G_2(z) = \frac{1}{s}$$

解 （1）两串联环节间无采样开关，串联系统的脉冲传递函数为

$$G(z) = G_1G_2(z) = Z[G_1(s)G_2(s)] = Z\left[\frac{a}{s+a}\frac{1}{s}\right]$$

$$= Z\left[\frac{1}{s} - \frac{1}{s+a}\right] = \frac{z}{z-1} - \frac{z}{z-e^{-aT}}$$

$$= \frac{z(1-e^{-aT})}{(z-1)(z-e^{-aT})}$$

（2）两串联环节间有采样开关，串联系统的脉冲传递函数为

$$G(z) = G_1(z)G_2(z) = Z[G_1(s)]Z[G_2(s)] = Z\left[\frac{a}{s+a}\right]Z\left[\frac{1}{s}\right]$$

$$= \frac{z}{z-1}\frac{az}{z-e^{-aT}} = \frac{az^2}{(z-1)(z-e^{-aT})}$$

说明：

由以上分析可知，在串联环节间有无采样开关其脉冲传递函数是完全不同的。需注意，勿将 $G_1G_2(z)$ 与 $G_1(z)G_2(z)$ 相混淆。$G_1G_2(z)$ 表示两个串联环节的传递函数相乘后取 Z 变换，而 $G_1(z)G_2(z)$ 表示 $G_1(s)$ 和 $G_2(s)$ 先各自取 Z 变换后再相乘。通常，$G_1G_2(z) \neq G_1(z)G_2(z)$。

3. 闭环系统脉冲传递函数

由于采样开关在闭环系统中可能存在于多个位置，因此闭环离散系统没有唯一的结构形式。下面介绍几种常用的闭环系统的脉冲传递函数。

1）设闭环系统如图 7-17 所示。图中虚线所示的理想采样开关是为了便于分析而虚设的。所有采样开关都是同步工作的。在系统中，误差信号是采样的。由框图可得

$$E(z) = R(z) - B(z)$$

$$B(z) = GH(z)E(z)$$

式中，$E(z)$、$R(z)$ 和 $B(z)$ 分别是 $e(t)$、$r(t)$ 和 $b(t)$ 经采样后脉冲序列的 Z 变换；$GH(z)$ 为环节串联，且环节之间无采样器时的脉冲传递函数，它是 $G(s)H(s)$ 的 Z 变换，由以上两式可求得

$$E(z) = \frac{R(z)}{1+GH(z)} \tag{7-70}$$

系统输出的 Z 变换为 $C(z) = G(z)E(z)$，即

$$C(z) = \frac{G(z)R(z)}{1+GH(z)} \tag{7-71}$$

或

$$\frac{C(z)}{R(z)} = \frac{G(z)}{1+GH(z)} \tag{7-72}$$

式（7-72）为图 7-17 所示闭环系统的脉冲传递函数。由式（7-70）和式（7-71）可分别求出采样时刻的误差值和输出值。

2) 设闭环系统如图 7-18 所示。讨论系统的连续部分有扰动输入 $n(t)$ 时的脉冲传递函数。此时假设给定输入信号为零，即 $r(t)=0$。由框图得到

$$C(z) = NG_2(z) + G_1G_2(z)E(z)$$

$$E(z) = -C(z)$$

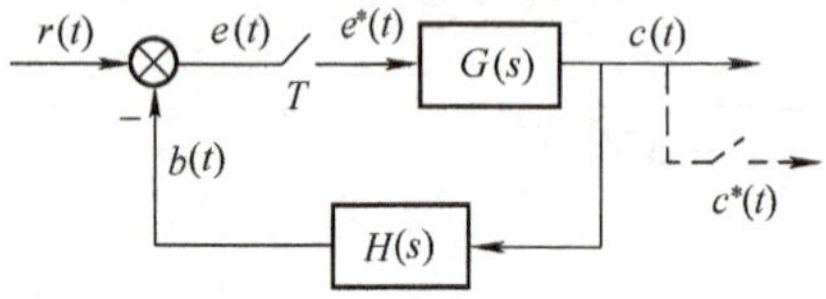

图 7-17 闭环离散系统

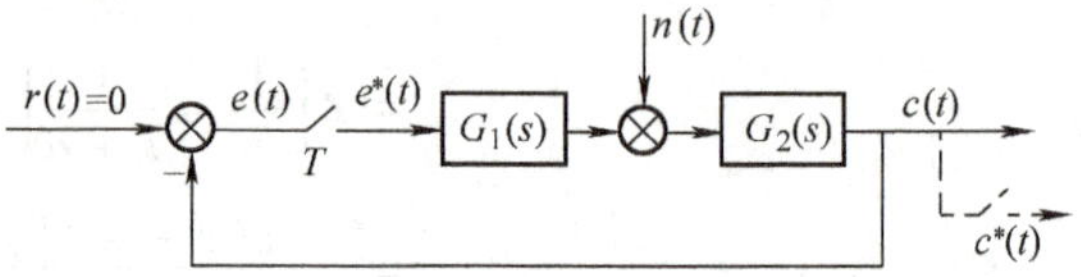

图 7-18 扰动输入时的离散闭环系统

由以上两式可求得

$$C(z) = \frac{NG_2(z)}{1+G_1G_2(z)} \tag{7-73}$$

式中，由于作用在连续环节 $G_2(s)$ 输入端的扰动未经采样，所以只能得到输出量的 Z 变换式，而不能得出对扰动的脉冲传递函数，这与连续系统有所区别。

例 7-16 设闭环系统结构如图 7-19 所示，试求系统输出的 Z 变换。

解 由于

$$C(z) = RG(z) - GH(z)C(z)$$

整理，得

$$C(z) = \frac{RG(z)}{1+GH(z)}$$

由上式无法解出 $C(z)/R(z)$，因此也不能求出闭环系统的脉冲传递函数。

例 7-17 系统结构如图 7-20 所示，已知 $K=1$，试求闭环系统的单位阶跃响应。

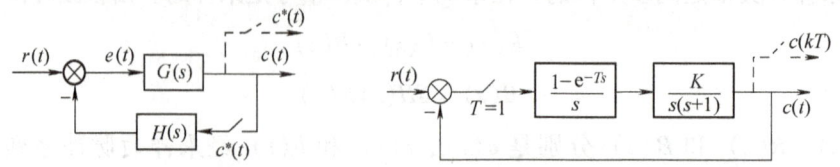

图 7-19 例 7-16 的闭环离散系统　　图 7-20 例 7-17 闭环离散系统

解 系统的开环脉冲传递函数为

$$G(z) = Z\left[\frac{1-e^{-Ts}}{s} \frac{1}{s(s+1)}\right] = (1-z^{-1})Z\left[\frac{1}{s^2} - \frac{1}{s} + \frac{1}{s+1}\right]$$

$$= \frac{(T-1+e^{-T})z + (1-Te^{-T}-e^{-T})}{z^2 - (1+e^{-T})z + e^{-T}} = \frac{0.368z + 0.264}{z^2 - 1.368z + 0.368}$$

其闭环系统的脉冲传递函数为

$$\frac{C(z)}{R(z)} = \frac{G(z)}{1+G(z)} = \frac{0.368z + 0.264}{z^2 - z + 0.632}$$

对于单位阶跃输入,$R(z) = z/(z-1)$,因此,可求得输出量 $C(z)$ 为

$$C(z) = \frac{(0.368z + 0.264)z}{(z^2 - z + 0.632)(z-1)} = \frac{0.368z^{-1} + 0.264z^{-2}}{1 - 2z^{-1} + 1.632z^{-2} - 0.632z^{-3}}$$

$$= 0.368z^{-1} + z^{-2} + 1.4z^{-3} + 1.4z^{-4} + 1.147z^{-5} +$$

$$0.895z^{-6} + 0.802z^{-7} + 0.928z^{-8} + \cdots$$

系统输出 $c(kT)$ 如图 7-21 所示。

例 7-18 设闭环离散系统结构如图 7-22 所示,试求其闭环脉冲传递函数。

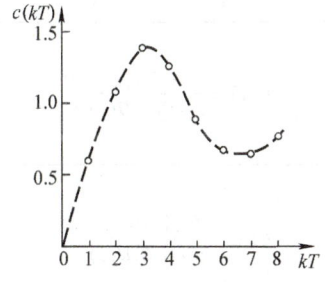

图 7-21 $c(kT)$ 与 kT 的关系曲线

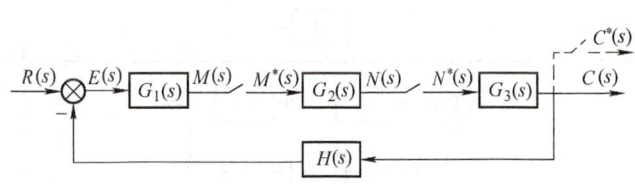

图 7-22 例 7-18 闭环离散系统

解 从系统结构图 7-22 可以得到

$$C(s) = G_3(s)N^*(s)$$
$$N(s) = G_2(s)M^*(s)$$
$$M(s) = G_1(s)E(s) = G_1(s)[R(s) - H(s)Y(s)]$$
$$= G_1(s)R(s) - G_1(s)H(s)G_3(s)N^*(s)$$

以上 3 个方程是对输出变量和实际采样开关两端的变量列出的方程,其中均有离散信号的拉普拉斯变换。求以上 3 个方程对应的 Z 变换可以得到

$$C(z) = G_3(z)N(z)$$
$$N(z) = G_2(z)M(z)$$
$$M(z) = G_1R(z) - G_1G_3H(z)N(z)$$

进一步整理,可得

$$C(z) = G_2(z)G_3(z)M(z) = G_2(z)G_3(z)[G_1R(z) - G_1G_3H(z)Y(z)/G_3(z)]$$

$$= G_2(z)G_3(z)G_1R(z) - G_2(z)G_1G_3H(z)Y(z)$$

即
$$[1 + G_2(z)G_1G_3H(z)]C(z) = G_2(z)G_3(z)G_1R(z)$$

由此可得系统的 Z 变换为

$$Y(z) = \frac{G_2(z)G_3(z)G_1R(z)}{1 + G_2(z)G_1G_3H(z)}$$

由图 7-22 可见,该系统由于 $R(s)$ 未经采样就输入到 $G_1(s)$,所以系统的闭环脉冲传递函数无法求出。

根据采样开关在闭环离散系统中的不同位置,表 7-2 列出了闭环采样系统典型结构图及其输出信号的 Z 变换 $C(z)$。

表 7-2 闭环采样系统典型结构图及其输出信号的 Z 变换 $C(z)$

结 构 图	$C(z)$
	$C(z) = \dfrac{R(z)G(z)}{1 + GH(z)}$
	$C(z) = \dfrac{RG(z)}{1 + GH(z)}$
	$C(z) = \dfrac{G(z)R(z)}{1 + G(z)H(z)}$
	$C(z) = \dfrac{RG_1(z)G_2(z)}{1 + G_1G_2H(z)}$
	$C(z) = \dfrac{R(z)G_1(z)G_2(z)}{1 + G_1(z)G_2H(z)}$
	$C(z) = \dfrac{R(z)G(z)}{1 + G(z)H(z)}$
	$C(z) = \dfrac{RG_1(z)G_2(z)G_3(z)}{1 + G_1G_3H(z)G_2(z)}$
	$C(z) = \dfrac{RG_1(z)G_2(z)}{1 + G_1H(z)G_2(z)}$

4. Z 变换法的局限性

由前面的论述可以看出，Z 变换是研究离散时间线性系统的有效工具，然而它也有其自身的局限性。

1) Z 变换的推导过程是建立在采样开关是理想开关的基础之上的。也就是说，假设采样是瞬时完成的，则采样开关的输出是一系列理想脉冲，在采样瞬时每个理想脉冲的面积等于采样开关输入信号的幅值。前面曾经提到，如果采样开关的持续时间远远小于采样周期，也远远小于系统连续部分的最大时间常数时，那么上述假设是成立的。

2) 无论是开环或闭环离散系统，其输出大多是连续信号 $c(t)$ 而不是采样信号 $c(kT)$。而用一般的 Z 变换只能求出采样输出 $c(kT)$，这样就不能反映采样间隔内的 $c(t)$ 值。如果要研究采样间隔内的 $c(t)$ 值，可以采用修正 Z 变换法或等分采样周期法。

由于上述原因，研究用 $c(kT)$ 来代替 $c(t)$ 时，就会提出精确程度的疑问，以及由此产生的错误的结果如何处理，是否存在限制条件等问题。下面对此进行讨论。

用 Z 变换法研究（开环）离散系统时，首先必须满足：系统连续部分传递函数 $G(s)$ 的极点至少比零点多两个，或者满足

$$\lim_{s \to \infty} sG(s) = 0$$

否则，用 Z 反变换所得到的 $c(kT)$，将其用光滑曲线连接起来，与 $c(t)$ 相比有较大误差，有时甚至是错误的。下面举例说明这个问题。

例 7-19 设开环离散系统如图 7-23 所示，系统连续部分传递函数 $G(s)$ 不满足上述条件。设 $r(t) = 1(t)$，采样周期 $T = 1\text{s}$，试比较 $c^*(t)$ 与 $c(t)$。

解 先用 Z 变换法求出 $c^*(t)$。因为

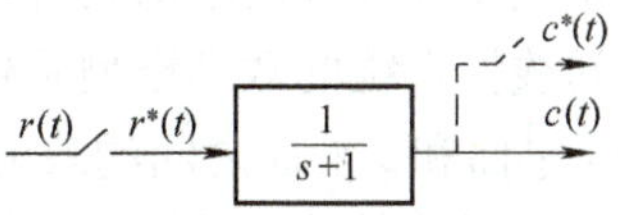

$$R(z) = \frac{z}{z-1}$$

$$G(z) = Z[G(s)] = Z\left[\frac{1}{s+1}\right] = \frac{z}{z-e^{-T}}$$

图 7-23 例 7-19 的开环离散系统

所以

$$C(z) = G(z)R(z) = \frac{z^2}{(z-1)(z-e^{-T})} = \frac{z^2}{(z-1)(z-0.368)}$$

用幂级数法将 $C(z)$ 展成

$$C(z) = 1 + 1.368z^{-1} + 1.5z^{-2} + 1.55z^{-3} + 1.56z^{-4} + \cdots$$

于是得

$$c^*(t) = \delta(t) + 1.368\delta(t-T) + 1.5\delta(t-2T) + 1.55\delta(t-3T) + 1.56\delta(t-4T) + \cdots$$

画出 $c^*(t)$ 如图 7-24 所示。事实上，可以采用拉普拉斯变换法来求出当系统连续部分的输入为 $r^*(t) = \sum_{k=0}^{\infty}\delta(t-kT)$ 时，系统的连续输出 $c(t)$，如图 7-25 所示。由此例可知，当假设采样开关为理想开关时，系统连续部分的输入为一系列理想脉冲，当连续部分的传递函数不满足极点数比零点数多两个的条件时，系统的连续输出信号在采样点会发生跳跃，从而导致了 $c^*(t)$ 与 $c(t)$ 的显著差别。因此，不可能用 $c^*(t)$ 来完整地描述 $c(t)$。

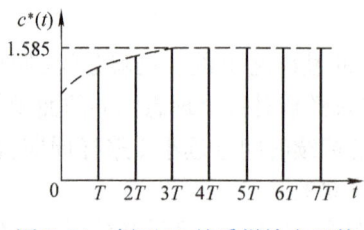

图 7-24 例 7-19 的采样输出函数

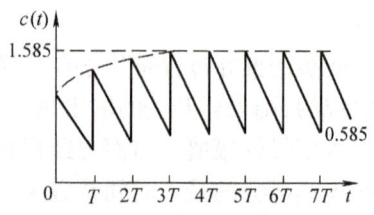

图 7-25 例 7-19 的连续输出函数

7.5 离散控制系统的稳定性分析及瞬态响应

和连续控制系统一样，离散控制系统的分析也包括系统稳定性和瞬态响应分析。

7.5.1 稳定性分析

为了将连续系统在 s 平面上的稳定性理论移植到 z 平面上分析离散系统的稳定性，首先研究 s 平面与 z 平面的映射关系，随后讨论如何在 z 域中分析离散系统的稳定性。

1. s 域到 z 域的映射

在连续时间线性系统中，系统的稳定性可以根据特征方程的根在 s 平面的位置来确定。若系统特征方程的根都具有负实部，即都分布在 s 平面左半部，则系统是稳定的。由于离散时间线性系统的数学模型是建立在 Z 变换的基础上，所以为了分析系统的稳定性，首先介绍 s 平面和 z 平面之间的映射关系。

在 Z 变换定义中，$z = \mathrm{e}^{Ts}$ 给出了 s 域到 z 域的关系。s 域中的任意点可表示为 $s = \sigma + \mathrm{j}\omega$，映射到 z 域为

$$z = \mathrm{e}^{(\sigma+\mathrm{j}\omega)T} = \mathrm{e}^{\sigma T}\mathrm{e}^{\mathrm{j}\omega T} \tag{7-74}$$

于是，s 域到 z 域的基本映射关系式为

$$|z| = \mathrm{e}^{\sigma T} \qquad \angle z = \omega T \tag{7-75}$$

令 $\sigma = 0$，相当于取 s 平面的虚轴，当 ω 从 $-\infty$ 变到 ∞ 时，由式(7-74)可知，映射到 z 平面的轨迹是以原点为圆心的单位圆。只是当 s 平面上的点沿虚轴从 $-\infty$ 变到 ∞ 时，z 平面上相应的点已经沿着单位圆转了无穷多圈。这是由于当 s 平面上的点沿虚轴从 $-\omega_s/2$ 移动到 $\omega_s/2$ 时，z 平面上的相应点沿单位圆从 $-\pi$ 逆时针变化到 π，转了一圈，其中 ω_s 为采样角频率。当 s 平面上的点在虚轴上从 $\omega_s/2$ 变化到 $3\omega_s/2$ 时，z 平面上的相应点逆时针沿单位圆转过一圈。

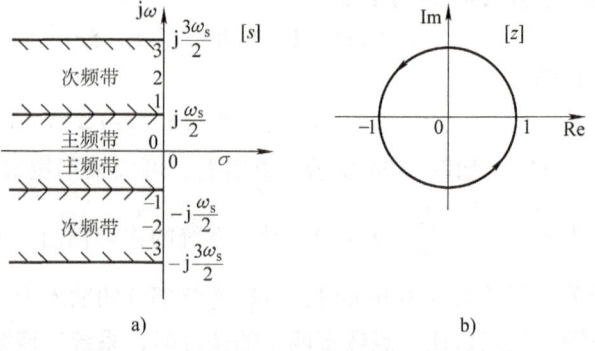

图 7-26 s 平面内频带映射到 z 平面

依此类推，如图 7-26 所示。由图可见，可以把 s 平面划分为无穷多条平行于实轴的周期带，

其中从 $-\omega_s/2$ 到 $\omega_s/2$ 的周期带为主频带，其余的周期带为次频带。离散函数 Z 变换的这种周期特性，也说明了连续函数经离散化后，其频谱会产生周期性的延拓。

2. z 平面内的稳定条件

根据第 3 章所述，连续系统稳定的充分必要条件是系统的闭环极点均在 s 平面左半部，s 平面的虚轴是稳定区域的边界。如果系统中有极点在 s 平面右半部，则系统就不稳定了，如图 7-27a 所示。对于离散系统，其稳定的条件是系统的闭环极点均在 z 平面上以原点为圆心的单位圆内，z 平面上的单位圆为稳定域的边界。如果系统中有闭环极点在 z 平面上的单位圆外，则系统是不稳定的。这个结论很容易得到证实。根据 s 域到 z 域的映射关系，即

$$z = e^{(\sigma+j\omega)T} = e^{\sigma T}e^{j\omega T}$$

可知 σ_i 与 $|z_i|$ 存在如下关系：

在 s 平面内	在 z 平面内
$\sigma_i > 0$　右半平面（不稳定域）	$\|z_i\| > 1$　单位圆的外部
$\sigma_i = 0$　虚轴上（临界稳定）	$\|z_i\| = 1$　单位圆的圆周
$\sigma_i < 0$　左半平面（稳定域）	$\|z_i\| < 1$　单位圆的内部

由此可见，s 平面上的虚轴在 z 平面上映射成一个以原点为中心的单位圆。s 左半平面与 z 平面上单位圆内部相对应，s 右半平面与 z 平面上单位圆的外部相对应。s 平面和 z 平面的这种对应关系如图 7-27 所示。

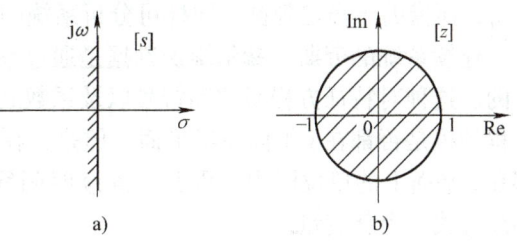

图 7-27　s 平面与 z 平面的对应关系

定理 7.2　离散时间线性系统稳定的充分必要条件为：离散时间线性系统的全部特征根 z_i（$i = 1, 2, \cdots, n$）都分布在 z 平面的单位圆内，或者说全部特征根的模都小于 1，即 $|z_i| < 1$（$i = 1, 2, \cdots, n$）。如果在上述特征根中，有位于 z 平面单位圆之外的特征根，则闭环系统将是不稳定的。

例 7-20　二阶离散系统的框图如图 7-28 所示。试判断系统的稳定性，设采样周期 $T = 1$s，$K = 1$。

解　先求出系统的闭环脉冲传递函数为

$$\frac{C(z)}{R(z)} = \frac{G(z)}{1 + G(z)}$$

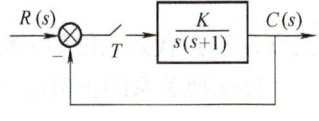

图 7-28　二阶离散系统

式中

$$G(z) = Z\left[\frac{K}{s(s+1)}\right] = \frac{Kz(1 - e^{-T})}{(z-1)(z - e^{-T})}$$

闭环系统的特征方程为

$$1 + G(z) = (z-1)(z - e^{-T}) + Kz(1 - e^{-T}) = 0$$

将 $K = 1$，$T = 1$ 代入，可得

$$z^2 - 0.736z + 0.368 = 0$$

解之，得到

$$z_1 = 0.368 + j0.482, \quad z_2 = 0.368 - j0.482$$

特征方程的两个根都在单位圆内，所以系统是稳定的。如果保持采样周期 $T=1\text{s}$ 不变，将系统开环放大系数增大到 $K=5$，则上述离散系统将变成不稳定，其 z 特征方程为

$$z^2 + 1.792z + 0.368 = 0$$

解之，得到 $\quad z_1 = -0.237, \quad z_2 = -1.555$

特征方程有一个根在单位圆外，所以系统是不稳定的。

如果上述二阶离散系统是二阶连续系统，只要 K 值是正的，则连续系统一定是稳定的。但是，当系统成为二阶离散系统时，即使 K 值是正的，也不一定能保证系统是稳定的。这就说明了采样过程的存在影响了系统的稳定性。

3. 稳定性代数判据

根据上述 z 平面上的稳定条件，假如系统的 z 特征方程式为

$$1 + GH(z) = 0 \tag{7-76}$$

求出该方程的根 z_i $(i=1,2,\cdots,n)$ 就可知道系统稳定与否。与连续系统相似，不求特征根 z_i，而借助于稳定判据，同样可分析系统的稳定性。

连续系统的劳斯-赫尔维茨判据是通过系统特征方程的系数及其符号来判别系统的稳定性的。这种对特征方程系数和符号以及系数之间满足某些关系的判据，实质是判断系统特征方程的根是否都在 s 平面左半平面。但是，在离散时间线性系统中需要判断系统特征根是否都在 z 平面上的单位圆内。因此，连续时间线性系统的劳斯-赫尔维茨判据不能直接使用，必须寻找一个新变量。

引入 z 域到 w 域的线性变换，使新的变量 w 与变量 z 之间有如下关系：z 平面上的单位圆正好对应于 w 平面上的虚轴，z 平面上单位圆内的区域对应于 w 平面左半平面，z 平面上单位圆外的区域对应于 w 平面右半平面。这种新的坐标变换称为双线性变换，或称为 W 变换。

满足上述要求的变换关系是

$$z = \frac{w+1}{w-1} \text{ 或 } w = \frac{z+1}{z-1} \tag{7-77}$$

将式（7-77）代入系统的 z 特征方程，就可以使用代数稳定性判据了。

上述变换关系的正确性证明如下：

1) 在 w 平面的虚轴上，$\text{Re}[w]=0$，则有 $|w+1|=|w-1|$，即 $|z| = \left|\dfrac{w+1}{w-1}\right| = 1$。

2) w 平面的左半平面，$\text{Re}[w]<0$，则有 $|w+1|<|w-1|$，即 $|z| = \left|\dfrac{w+1}{w-1}\right| < 1$。

3) w 平面的右半平面，$\text{Re}[w]>0$，则有 $|w+1|>|w-1|$，即 $|z| = \left|\dfrac{w+1}{w-1}\right| > 1$。

例 7-21 设具有零阶保持器的离散系统（见图 7-29），采样周期 $T=0.2\text{s}$，试判断系统稳定性。

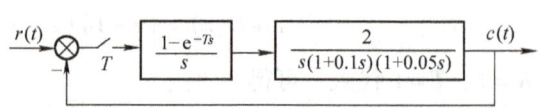

图 7-29 例 7-21 的闭环离散系统

解 已知

$$G(s) = \frac{2(1-e^{-0.2s})}{s^2(1+0.1s)(1+0.05s)}$$

相应的 Z 变换为

$$G(z) = \frac{0.4}{z-1} + \frac{0.4(z-1)}{z-0.135} - \frac{0.1(z-1)}{z-0.0185} - 0.3$$

特征方程为 $1 + G(z) = 0$，经化简后得

$$z^3 - 1.001z^2 + 0.3356z + 0.00535 = 0$$

对上式进行 W 变换，令 $z = \frac{w+1}{w-1}$，简化后可得

$$2.33w^3 + 3.68w^2 + 1.65w + 0.34 = 0$$

列出劳斯表如下：

w^3	2.33	1.65
w^2	3.68	0.34
w^1	1.43	
w^0	0.34	

由于表中第一列系数均为正，所以系统是稳定的。

4. z 平面上的根轨迹

通常，离散时间系统的闭环特征方程为

$$1 + G(z) = 0 \tag{7-78}$$

式中，$G(z)$ 为开环脉冲传递函数。

离散系统的闭环特征方程式（7-78）在形式上与连续系统的完全相同，因此，z 平面上的根轨迹绘图方法与 s 平面的绘图方法相同。需注意：在连续时间系统中，稳定边界是虚轴，而在离散系统中，稳定边界是单位圆。

例 7-22 图 7-20 所示系统，用根轨迹法确定使系统稳定的 K 值范围。采样周期 $T = 0.5\mathrm{s}$。

解 系统的开环传递函数为

$$G(s) = \frac{1-e^{-Ts}}{s} \cdot \frac{K}{s(s+1)}$$

$$= K(1-e^{-Ts})\left(\frac{1}{s^2} - \frac{1}{s} + \frac{1}{s+1}\right)$$

得到脉冲传递函数，即

$$G(z) = Z\left[K(1-e^{-Ts})\left(\frac{1}{s^2} - \frac{1}{s} + \frac{1}{s+1}\right)\right]$$

$$= K(1-z^{-1})\left[\frac{Tz}{(z-1)^2} - \frac{z}{z-1} + \frac{z}{z-e^{-T}}\right]$$

$$= K \cdot \frac{0.1065z + 0.0902}{(z-1)(z-0.6065)}$$

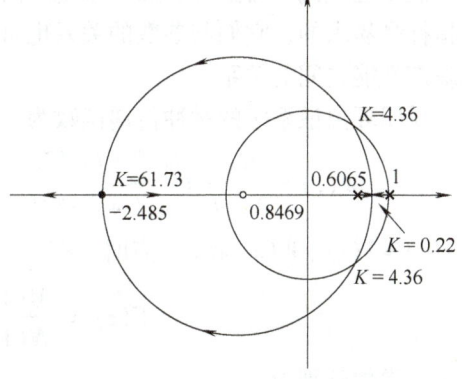

图 7-30　例 7-22 的根轨迹图

显然根轨迹有两个开环极点 $p_1 = 1$，$p_2 = 0.6065$，一个开环零点 $z_1 = -0.8469$。

特征方程 $1 + G(z) = 0$ 化简得

$$z^2 - (1.6065 - 0.1065K)z + (0.6065 + 0.0902K) = 0$$

当 $K = 0.22$ 时,有重根 $z_{1,2} = 0.7915$(分离点);当 $K = 61.73$ 时,有重根 $z_{3,4} = -2.485$(会合点)。

用劳斯判据法求与单位圆的交点。

对特征方程进行 W 变换,令 $z = \dfrac{w+1}{w-1}$,简化后得

$$0.1967Kw^2 + (0.7870 - 0.1804K)w + (3.2130 - 0.0163K) = 0$$

列出劳斯表如下:

w^2	$0.1967K$	$3.2130 - 0.0163K$
w^1	$0.7870 - 0.1804K$	
w^0	$3.2130 - 0.0163K$	

第一列大于零,解得 $0 < K < 4.36$。

在 z 平面上做出单位圆,如图 7-30 所示。可以看出,当 $0 < K < 0.22$ 时,系统非振荡稳定;当 $0.22 < K < 4.36$ 时,系统振荡稳定,当 $K > 4.36$ 时,系统不稳定。

7.5.2 瞬态响应

离散系统的动态特性,是通过在外部输入信号作用下的输出曲线来反映的。通常给定输入为单位阶跃信号。瞬态响应分析的焦点是闭环零、极点对瞬态响应的定性影响,而非从定量的角度来分析,这是因为离散系统的定量分析比起连续系统来更为复杂。

在连续时间线性系统中,闭环极点在 s 平面上的位置与系统的瞬态响应有着密切的关系。闭环极点决定了瞬态响应中各分量的类型。在离散时间线性系统中,求得数学模型后,通过 Z 变换法可求出系统在典型信号作用下的瞬态响应,从而确定系统的瞬态性能。在这一点上,离散系统比连续系统更方便。同样,离散系统的瞬态响应决定于系统的零、极点分布。假如能找到一对主导极点,系统的瞬态响应也可由二阶系统来近似估计。二阶系统的性能指标是易求的,它们与参数的关系也可以查到。下面讨论 z 平面上零、极点分布与离散系统瞬态性能之间的关系。

设闭环离散系统的脉冲传递函数为

$$W(z) = \frac{M(z)}{N(z)} = \frac{b_0 z^m + b_1 z^{m-1} + \cdots + b_m}{a_0 z^n + a_1 z^{n-1} + \cdots + a_n} = \frac{b_0}{a_0} \cdot \frac{(z-z_1)(z-z_2)\cdots(z-z_m)}{(z-p_1)(z-p_2)\cdots(z-p_n)}$$

当 $r(t) = 1(t)$、$W(z)$ 无重极点时,有

$$C(z) = \frac{M(1)}{N(1)} \frac{z}{z-1} + \sum_{j=1}^{n} \frac{c_j z}{z - p_j} \tag{7-79}$$

式中,常数分别为

$$c_j = \frac{M(p_j)}{(p_j - 1)N'(p_j)}, \quad N'(p_j) = \left. \frac{\mathrm{d}N(z)}{\mathrm{d}z} \right|_{z=p_j}$$

式(7-79)中,等号右边第一项的 Z 反变换为 $M(1)/N(1)$,它是 $c^*(t)$ 的稳态分量;而第二项的 Z 反变换为 $c^*(t)$ 的瞬态分量。

根据 p_j 在单位圆内的位置不同，所对应的瞬态分量的形式也不同，如图 7-31 所示。从图中可以看出，只要闭环极点在单位圆内，则对应的瞬态分量总是衰减的；极点越靠近原点，衰减越快。不过，当极点在单位圆内的正实轴上时为指数衰减；若是共轭复数极点，或负实轴上的极点，对应为振荡衰减。

7.5.3 离散控制系统的稳态误差

在连续系统中，采用在典型输入信号作用下，系统响应的稳态误差作为对系统控制精度的评价。同样的，对线性离散系统，也可以采用采样时刻的稳态误差来评价系统控制精度。已知系统的稳态误差取决于系统的外部作用形式和系统本身的结构，这里仅讨论单位反馈系统在输入信号作用时，系统在采样瞬时的稳态误差，以及相应的静态误差系数法。

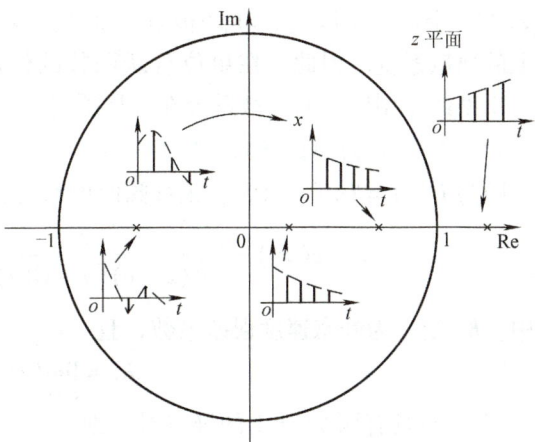

图 7-31　不同闭环极点的瞬态分量

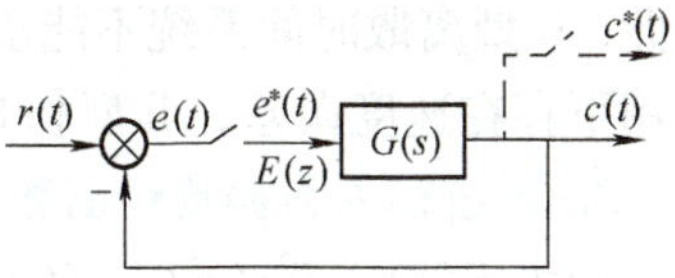

图 7-32　单位反馈离散系统

设系统结构如图 7-32 所示，其误差信号的 Z 变换为

$$E(z) = R(z) - C(z) = G_e(z)R(z) = \frac{1}{1 + G(z)}R(z)$$

式中，$G_e(z)$ 为系统误差脉冲传递函数，即

$$G_e(z) = \frac{E(z)}{R(z)} = \frac{1}{1 + G(z)} \tag{7-80}$$

假定 $G_e(z)$ 的极点全在 z 平面单位圆的内部，且用终值定理可求出采样瞬时的稳态误差，即

$$e(\infty) = \lim_{t \to \infty} e(t) = \lim_{z \to 1} \frac{(z-1)R(z)}{[1 + G(z)]} \tag{7-81}$$

下面分别讨论系统在 3 种典型输入信号作用下的稳态误差。

1. 系统输入为单位阶跃函数 $r(t) = 1(t)$

因为 $R(z) = z/(z-1)$，将其代入式（7-81），采样瞬时的稳态误差为

$$e(\infty) = \lim_{z \to 1} \frac{1}{1 + G(z)} = \frac{1}{1 + G(1)} = \frac{1}{K_p} \tag{7-82}$$

式中，常数 K_p 定义为静态位置误差系数，与单位阶跃输入下的系统稳态误差互为倒数。K_p 可以从开环脉冲传递函数 $G(z)$ 直接求出，即

$$K_p = \lim_{z \to 1}[1 + G(z)] \tag{7-83}$$

当 $G(z)$ 具有一个 $z = 1$ 的极点时，则

$$\lim_{z \to 1} G(z) = \infty, \quad K_p = \infty$$

系统的稳态误差为零。

若 $G(z)$ 没有 $z = 1$ 的极点，则 $K_p \neq \infty$，从而 $e(\infty) \neq 0$，这类系统称为 0 型离散系统；若

$G(z)$ 有一个或一个以上 $z=1$ 的极点，则 $K_p = \infty$，从而 $e(\infty) = 0$，这类系统称为Ⅰ型或Ⅰ型以上的离散系统。因此，在单位阶跃函数的作用下，0 型离散系统在采样瞬时存在位置误差；Ⅰ型或Ⅰ型以上的离散系统在采样瞬时不存在位置误差。

2. 系统输入为单位斜坡函数 $r(t) = t$

因为 $R(z) = Tz/(z-1)^2$，采样瞬时的稳态误差为

$$e(\infty) = \lim_{z \to 1} \frac{T}{(z-1)[1+G(z)]} = \frac{T}{\lim_{z \to 1}(z-1)G(z)} = \frac{T}{K_v} \tag{7-84}$$

式中，K_v 定义为静态速度误差系数，且

$$K_v = \lim_{z \to 1}(z-1)G(z) \tag{7-85}$$

当 $G(z)$ 具有两个 $z=1$ 的极点时，则

$$\lim_{z \to 1}(z-1)G(z) = \infty, \quad K_v = \infty$$

系统的速度误差为零。

0 型离散系统的静态速度误差为 $K_v = 0$，Ⅰ型系统的 K_v 为有限值，Ⅱ型系统的 $K_v = \infty$。因此，0 型离散时间系统不能承受单位斜坡函数的作用，Ⅰ型离散时间系统在单位斜坡函数作用下存在速度误差，Ⅱ型和Ⅱ型以上的离散系统在单位斜坡函数作用下不存在速度误差。

3. 系统输入为抛物线函数 $r(t) = t^2/2$

因为 $R(z) = T^2 z(z+1)/(z-1)^3$，采样瞬时的稳态误差为

$$e(\infty) = \lim_{z \to 1} \frac{T^2(z+1)}{2(z-1)^2[1+G(z)]} = \frac{T^2}{\lim_{z \to 1}(z-1)^2 G(z)} = \frac{T^2}{K_a} \tag{7-86}$$

式中，常数 K_a 定义为静态加速度误差系数，且

$$K_a = \lim_{z \to 1}(z-1)^2 G(z) \tag{7-87}$$

当 $G(z)$ 具有 3 个 $z=1$ 的极点时，则

$$\lim_{z \to 1}(z-1)^2 G(z) = \infty, \quad K_v = \infty$$

系统的加速度误差为零。

0 型和Ⅰ型系统的 $K_a = 0$，Ⅱ型系统的 K_a 为常值，Ⅲ型和Ⅲ型以上系统的 $K_a = \infty$。因此，0 型和Ⅰ型离散时间系统不能承受单位加速度函数的作用，Ⅱ型离散时间系统在单位加速度函数作用下存在加速度误差，只有Ⅲ型和Ⅲ型以上的离散系统在单位加速度函数作用下不存在稳态位置误差。

综上所述，系统的稳态误差与开环脉冲传递函数 $G(z)$ 中 $z=1$ 的极点数密切有关。由 z 平面与 s 平面的一一对应关系 $(z = e^{Ts})$ 可知，$G(z)$ 有 v 个 $z=1$ 的极点，对应于 $G(s)$ 就有 v 个 $s=0$ 的极点，即 v 个积分环节。在连续系统中，把开环传递函数 $G(s)$ 的积分环节数用 v 来表示，并相应地把 $v = 0, 1, 2, 3, \cdots$ 系统分别称为 0 型、Ⅰ型、Ⅱ型和Ⅲ型、…系统等。因此对于离散系统来说，也可类似地把开环脉冲传递函数 $G(z)$ 中 $z=1$ 的极点数用 v 来表示，并把 $v = 0, 1, 2, 3, \cdots$ 的离散系统分别称为 0 型、Ⅰ型、Ⅱ型和Ⅲ型、…系统等。

例 7-23 设离散系统如图 7-32 所示，其中 $G(s) = 1/s(0.1s+1)$，$T = 0.1\text{s}$，输入连续信号 $r(t)$ 分别为 $1(t)$ 和 t，试求离散系统相应的稳态误差。

解 $G(s)$ 相应的 Z 变换为

$$G(z) = \frac{z(1-e^{-1})}{(z-1)(z-e^{-1})}$$

因此，系统的误差脉冲传递函数为

$$G_e(z) = \frac{1}{1+G(z)} = \frac{(z-1)(z-0.368)}{z^2 - 0.736z + 0.368}$$

由于闭环极点 $z_1 = 0.368 + j0.482$，$z_2 = 0.368 - j0.482$，全部位于 z 平面上的单位圆内，因此可以应用终值定理求稳态误差。

当 $r(t) = 1(t)$、相应 $r(kT) = 1(kT)$ 时，$R(z) = z/(z-1)$，于是由式（7-82）可求得

$$e(\infty) = \lim_{z \to 1} \frac{(z-1)(z-0.368)}{z^2 - 0.736z + 0.368} = 0$$

当 $r(t) = t$、相应 $r(kT) = kT$ 时，$R(z) = Tz/(z-1)^2$，于是由式（7-84）可求得

$$e(\infty) = \lim_{z \to 1} \frac{T(z-0.368)}{z^2 - 0.736z + 0.368} = T = 0.1$$

根据式（7-82）、式（7-84）和式（7-86）可求出不同类型的单位反馈系统，3 种典型输入信号作用下的稳态误差见表 7-3。表中 K_p、K_v、K_a 分别为位置、速度、加速度静态误差系数，T 为采样周期。

表 7-3 以静态误差系数表示的稳态误差

	位置误差 $r(t)=1(t)$	速度误差 $r(t)=t$	加速度误差 $r(t)=t^2/2$
0 型系统	$\frac{1}{K_p}$	∞	∞
Ⅰ 型系统	0	$\frac{T}{K_v}$	∞
Ⅱ 型系统	0	0	$\frac{T^2}{K_a}$
Ⅲ 型系统	0	0	0

7.6 离散系统的数字控制器设计

当被控对象是离散的或是用离散化模型表示的连续对象，可以直接在 z 域内求出系统的脉冲传递函数，然后按照离散系统理论设计控制器，这种设计方法称为离散化设计，也称直接数字设计法。采用这种设计方法时，首先要根据系统性能指标的要求和其他的约束条件，确定期望的开环脉冲传递函数 $G(z)$、闭环脉冲传递函数 $W(z)$ 或闭环误差脉冲传递函数 $W_e(z)$，由此解出数字控制器的脉冲传递函数 $D(z)$。

1. 数字控制器的脉冲传递函数

设离散系统如图 7-33 所示。图中，$D(z)$ 为数字控制器的脉冲传递函数，$G(s)$ 为保持器与被控对象的传递函数。

设 $G(s)$ 的 Z 变换为 $G(z)$，由图可求出系统的闭环脉冲传递函数和误差脉冲传递函数分别为

$$W(z) = \frac{C(z)}{R(z)} = \frac{D(z)G(z)}{1+D(z)G(z)} \quad (7\text{-}88)$$

$$W_e(z) = \frac{E(z)}{R(z)} = \frac{1}{1+D(z)G(z)} \quad (7\text{-}89)$$

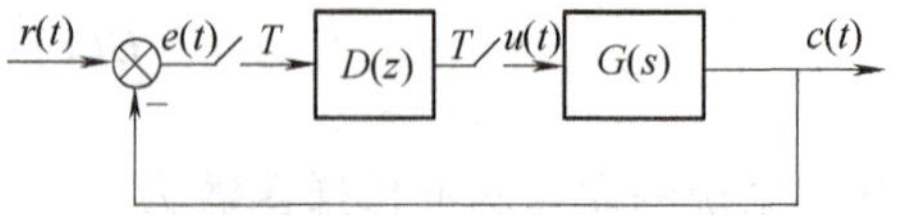

图 7-33 离散系统数字控制器设计

因为系统为单位反馈系统,所以有

$$W(z) = 1 - W_e(z) \quad W_e(z) = 1 - W(z)$$

由式 (7-88) 和式 (7-89) 可以求得数字控制器的脉冲传递函数为

$$D(z) = \frac{W(z)}{G(z)[1-W(z)]} \quad (7\text{-}90)$$

或

$$D(z) = \frac{1-W_e(z)}{G(z)W_e(z)} \quad (7\text{-}91)$$

离散系统数字控制器的设计问题就是根据对离散系统性能指标的要求,确定闭环脉冲传递函数 $W(z)$ 或误差脉冲传递函数 $W_e(z)$,然后利用式 (7-90) 和式 (7-91) 确定数字控制器的脉冲传递函数 $D(z)$,并加以实现。

2. 最少拍设计

离散化设计中另外一种常见的设计是最少拍设计。在离散系统中,一个采样周期也称为一拍。所谓最少拍系统,是指对于典型输入信号具有最快的响应速度,能在有限的几拍(几个采样周期)之内结束过渡过程,且在过渡过程结束后,在采样时刻上稳态误差为零,也称为小调节时间系统或最快响应系统。最少拍系统的设计原则是:若系统被控对象 $G(z)$ 无延迟,且在 z 平面单位圆上及单位圆外无零、极点,需选择闭环脉冲传递函数 $W(z)$,使系统在典型输入作用下,经最少采样周期后,能使输出序列在各采样时刻的稳态误差为零,达到完全跟踪的目的,从而确定所需的数字控制器的脉冲传递函数 $D(z)$。

常见的典型输入有单位阶跃函数、单位速度函数和单位加速度函数,其 Z 变换可表示为如下一般形式,即

$$R(z) = \frac{A(z)}{(1-z^{-1})^v}$$

式中,$A(z)$ 是不包含因子 $(1-z^{-1})$ 的 z^{-1} 的多项式。如果希望在典型输入信号的作用下系统稳态误差的终值等于零,即

$$e_{ss}^*(\infty) = \lim_{z\to 1}(1-z^{-1})E(z) = \lim_{z\to 1}(1-z^{-1})W_e(z)R(z) = \lim_{z\to 1}(1-z^{-1})W_e(z)\frac{A(z)}{(1-z^{-1})^v} = 0$$

从上式可以看出,只有 $W_e(z)$ 中含有 $(1-z^{-1})^v$ 的因子与典型输入信号 Z 变换表达式分母中的因子相消,才可能使系统稳态误差等于零。因此要求闭环误差脉冲传递函数的形式为

$$W_e(z) = (1-z^{-1})^v F(z)$$

其中,$F(z)$ 是不含 $(1-z^{-1})$ 因子的多项式。为了使求出的控制器简单,阶数最低,可取 $F(z)=1$,可以理解为使 $W(z)$ 的全部极点均位于 z 平面的原点。

下面以单位阶跃输入为例,讨论最少拍系统在该输入作用下 $D(z)$ 的确定方法。输入信号为单位阶跃信号 $r(t)=1(t)$,其 Z 变换为

$$R(z) = \frac{1}{1-z^{-1}} = 1 + z^{-1} + z^{-2} + \cdots + z^{-k} + \cdots$$

其中，$v=1$，$A(z)=1$。若取 $F(z)=1$，由于
$$W_e(z) = 1 - z^{-1}, \quad W(z) = 1 - W_e(z) = z^{-1}$$
于是，数字控制器的脉冲传递函数为
$$D(z) = \frac{1 - W_e(z)}{G(z)W_e(z)} = \frac{W(z)}{G(z)W_e(z)} = \frac{z^{-1}}{G(z)(1 - z^{-1})}$$
且系统输出和误差分别为
$$C(z) = W(z)R(z) = z^{-1}\frac{1}{1-z^{-1}} = z^{-1} + z^{-2} + z^{-3} + \cdots + z^{-k} + \cdots$$
$$E(z) = W_e(z)R(z) = (1 - z^{-1})\frac{1}{1-z^{-1}} = 1$$

这表明：$c(0)=0$，$c(T)=c(2T)=\cdots=1$；$e(0)=0$，$e(T)=e(2T)=\cdots=0$。系统的输出信号 $c^*(t)$ 如图 7-34a 所示。系统经过一拍之后便可完全跟踪阶跃输入，过渡过程时间 $t_s=T$。类似地，可求出最少拍系统在单位斜坡输入和单位加速度输入作用时的 $D(z)$，系统响应如图 7-34b 和 7-34c 所示。三种典型输入信号作用下的数字控制器的脉冲传递函数见表 7-4，其一般形式为
$$D(z) = \frac{1 - (1 - z^{-1})^v}{(1 - z^{-1})^v G(z)}$$

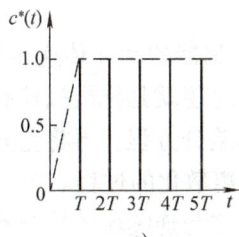
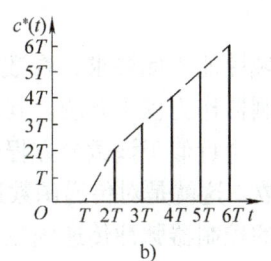
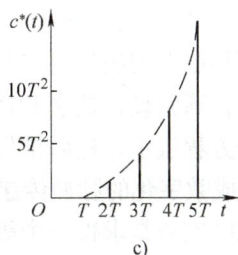

图 7-34 典型输入信号的最少拍系统的响应
a) 单位阶跃输入 b) 单位斜坡输入 c) 单位加速度输入

表 7-4 典型输入信号的最少拍设计结果

典型输入		闭环脉冲传递函数		数字控制器的脉冲传递函数 $D(z)$	调节时间 t_s
$r(t)$	$R(z)$	$W(z)$	$W_e(z)$		
$1(t)$	$\dfrac{1}{1-z^{-1}}$	z^{-1}	$1-z^{-1}$	$\dfrac{z^{-1}}{(1-z^{-1})G(z)}$	T
t	$\dfrac{Tz^{-1}}{(1-z^{-1})^2}$	$2z^{-1}-z^{-2}$	$(1-z^{-1})^2$	$\dfrac{z^{-1}(2-z^{-1})}{(1-z^{-1})^2 G(z)}$	$2T$
$\dfrac{1}{2}t^2$	$\dfrac{T^2 z^{-1}(1+z^{-1})}{2(1-z^{-1})^3}$	$3z^{-1}-3z^{-2}+z^{-3}$	$(1-z^{-1})^3$	$\dfrac{z^{-1}(3-3z^{-1}+z^{-2})}{(1-z^{-1})^3 G(z)}$	$3T$

例 7-24 设单位反馈线性定常离散系统的连续部分和零阶保持器的传递函数分别为
$$G_0(s) = \frac{10}{s(s+1)}, \quad G_h(s) = \frac{1 - e^{-Ts}}{s}$$
其中采样周期 $T=1\text{s}$。若要求系统在单位斜坡输入时实现最少拍控制，试求数字控制器脉冲

传递函数 $D(z)$。

解 系统开环传递函数为

$$G(s) = G_0(s)G_h(s) = \frac{10(1-e^{-Ts})}{s^2(s+1)}$$

由于

$$Z\left[\frac{1}{s^2(s+1)}\right] = \frac{Tz}{(z-1)^2} - \frac{(1-e^{-T})z}{(z-1)(z-e^{-T})}$$

故有

$$G(z) = 10(1-z^{-1})\left[\frac{Tz}{(z-1)^2} - \frac{(1-e^{-T})z}{(z-1)(z-e^{-T})}\right] = \frac{3.68z^{-1}(1+0.717z^{-1})}{(1-z^{-1})(1-0.368z^{-1})}$$

根据 $r(t)=t$，由表 7-4 知最少拍系统应具有的闭环脉冲传递函数和误差脉冲传递函数为

$$W(z) = 2z^{-1}(1-0.5z^{-1}),\ W_e(z) = (1-z^{-1})^2$$

$W_e(z)$ 的零点 $z=1$ 正好可以补偿 $G(z)$ 在单位圆中的极点 $z=1$；$W(z)$ 已包含 $G(z)$ 的传递函数延迟 z^{-1}。因此，上述 $G(z)$ 和 $W_e(z)$ 满足对消 $G(z)$ 中传递延迟 z^{-1} 及补偿 $G(z)$ 在单位圆上极点 $z=1$ 的限制要求，故按式（7-91）可求出最少拍控制的数字控制器脉冲传递函数为

$$D(z) = \frac{1-W_e(z)}{G(z)W_e(z)} = \frac{0.543(1-0.368z^{-1})(1-0.5z^{-1})}{(1-z^{-1})(1+0.717z^{-1})}$$

3. 数字 PID 控制器设计

为保证控制系统满足一定的时域性能指标要求，在数字控制器的脉冲传递函数 $D(z)$ 实现的方法中，通常设计数字 PID 控制器作为校正系统。其基本思想就是把模拟控制器的传递函数用微分方程表示，然后推导出一个近似该微分方程解的差分方程，再将差分方程经过 Z 变换，变成数字化的脉冲传递函数。这就是对传递函数进行离散化的过程。

离散化的实质是求得一个等效的控制器脉冲传递函数，使之与连续域的控制器传递函数在很多方面是相似的。将 $D(s)$ 离散成 $D(z)$ 的方法有多种，如一阶差分变换法（后向差分和前向差分法）、双线性变换法（图斯汀变换法）等。这里主要介绍双线性变换法的计算过程。

（1）双线性变换法（Tustin 变换法）　双线性变换法实质上是一种利用数值积分法的离散化方法。采用微积分方法对曲边梯形面积进行计算时应有定积分，即

$$u(t) = \int_0^t e(t)\,\mathrm{d}t$$

对上式两边同时取拉普拉斯变换有

$$U(s) = \frac{1}{s}E(s)$$

从而获得积分传递函数为

$$D(s) = \frac{U(s)}{E(s)} = \frac{1}{s} \tag{7-92}$$

如图 7-35 所示，若使用离散化方法计算梯形面积则有

$$u(k) = u(k-1) + \int_{k-1}^{k} e(t)\,\mathrm{d}t \tag{7-93}$$

采用梯形近似法计算上式，等号右边第二项的面积增量，可以假设其平均高度为

$[e(k)+e(k-1)]/2$,则可得近似积分为(T为采样时间)

$$u(k) = u(k-1) + T \times \frac{[e(k)+e(k-1)]}{2} \quad (7\text{-}94)$$

对上式求取 Z 变换可得

$$U(z) = z^{-1}U(z) + \frac{T}{2}[E(z) + z^{-1}E(z)] \quad (7\text{-}95)$$

则积分传递函数的 Z 变换为

$$D(z) = \frac{U(z)}{E(z)} = \frac{T}{2}\frac{1+z^{-1}}{1-z^{-1}} = \frac{1}{\frac{2}{T}\frac{1-z^{-1}}{1+z^{-1}}} \quad (7\text{-}96)$$

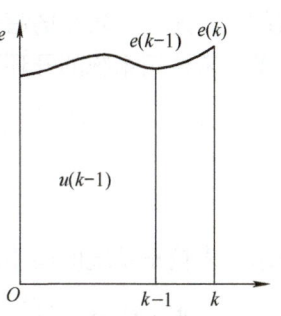

图 7-35　离散化梯形面积计算示意图

对比式 (7-92) 和式 (7-96) 可知,将 $D(s)$ 变换成 $D(z)$ 的离散化方法就是令

$$s = \frac{2}{T} \times \frac{1-z^{-1}}{1+z^{-1}} = \frac{2}{T} \times \frac{z-1}{z+1} \quad (7\text{-}97)$$

(2) 数字 PID 控制器算式　模拟量的 PID 控制器算式为

$$u(t) = K_p e(t) + \frac{1}{T_i}\int_0^t e(t)\,\mathrm{d}t + T_d \frac{\mathrm{d}e(t)}{\mathrm{d}t} \quad (7\text{-}98)$$

$$D(s) = \frac{U(s)}{E(s)} = K_p + \frac{1}{T_i s} + T_d s \quad (7\text{-}99)$$

式中,K_p、T_i、T_d 分别为比例增益、积分时间常数和微分时间常数。经双线性变换后,数字 PID 控制器的脉冲传递函数的一般形式为

$$D(z) = \frac{U(z)}{E(z)} = K_p + \frac{T}{2T_i}\frac{1+z^{-1}}{1-z^{-1}} + \frac{T_d}{T}(1-z^{-1}) = \frac{\alpha + \beta z^{-1} + \gamma z^{-2}}{1-z^{-1}} \quad (7\text{-}100)$$

当 $T_d = 0$,则数字 PI 控制器的脉冲传递函数为

$$D(z) = \frac{\left(K_p + \frac{T}{2T_i}\right) - \left(K_p - \frac{T}{2T_i}\right)z^{-1}}{1-z^{-1}} = \frac{\alpha + \beta z^{-1}}{1-z^{-1}} \quad (7\text{-}101)$$

现在讨论一下数字控制器的约束条件:数字控制器最好是稳定的,而且必须是可实现的。稳定条件和离散系统的稳定条件基本相同,即脉冲传递函数没有在 z 平面单位圆外的极点或单位圆上的重极点。它的可实现的物理条件是:控制器的输出信号只与过去时刻的输出信号以及现在时刻和过去时刻的输入信号有关,而与未来的输入信号无关。反映在数学表达式上为

$$D(z) = \frac{\sum_{i=0}^{r}\beta_i z^{-i}}{1+\sum_{j=0}^{l}\alpha_j z^{-j}} = \frac{\beta_0 z^l + \beta_1 z^{l-1} + \cdots + \beta_r z^{l-r}}{z^l + \alpha_1 z^{l-1} + \cdots + \alpha_l} \quad (7\text{-}102)$$

上式必须为真有理函数或者严格真有理函数,即分母多项式的阶数不能低于分子多项式的阶数,或者说它的极点数不能少于它的零点数。

例 7-25　系统结构图如图 7-33 所示,保持器为零阶保持器,对象的传递函数是

$$G_0(s) = \frac{15}{(s+1)(s+2)}$$

采样周期 $T = 0.1\mathrm{s}$,试设计数字控制器 $D(z)$,使系统阶跃响应达到稳态无误差,并且具有

较快的上升速度和较小的超调量。

解 未校正系统的开环脉冲传递函数为

$$G(z) = Z[G_h(s)G_0(s)] = Z\left[\frac{1-e^{-Ts}}{s}\frac{15}{(s+1)(s+2)}\right]$$

$$= \frac{0.0680(z+0.904)}{(z-0.905)(z-0.819)}$$

由此求得未校正系统的误差脉冲传递函数为

$$W_e(z) = \frac{1}{1+G(z)} = \frac{(z-0.905)(z-0.819)}{0.0680(z+0.904)+(z-0.905)(z-0.819)}$$

对于单位阶跃输入，$r(t)=1(t)$，$R(z)=z/(z-1)$ 时，由终值定理可求得

$$e(\infty) = \lim_{z\to 1}(z-1)\times\frac{1}{1+G(z)}\times R(z) = 0.116$$

为了使系统阶跃响应达到稳态无误差，同时又具有较快的上升速度和较小的超调量，应当采用 PID 控制方法。假设控制器的脉冲传递函数为式 (7-100)，校正后系统开环脉冲传递函数成为

$$G_K(z) = D(z)G(z)$$

$$= \left[K_p + \frac{T}{2T_i}\frac{1+z^{-1}}{1-z^{-1}} + \frac{T_d}{T}(1-z^{-1})\right]\times\frac{0.0680(z+0.904)}{(z-0.905)(z-0.819)}$$

$$= \frac{(0.2K_p+0.01K_i+2T_d)z^2+(-0.2K_p+0.01K_i-4T_d)z+2T_d}{0.2z(z-1)}$$

$$\times\frac{0.0680(z+0.904)}{(z-0.905)(z-0.819)}$$

式中，K_p、$K_i=\frac{1}{T_i}$ 和 T_d 是待定的。

假设速度误差系数 $K_v=0.75$，并使控制器的两个零点与对象的两个极点相消，这样可以得到下列方程组，即

$$K_v = \lim_{z\to 1}(z-1)G_K(z) = 0.75K_i$$

$$z^2+\frac{0.01K_i-0.2K_p-4T_d}{0.01K_i+0.2K_p+2T_d}z+\frac{2T_d}{0.01K_i+0.2K_p+2T_d} = (z-0.905)(z-0.819)$$

解得 $K_p=1.45$，$K_i=1$，$T_d=0.43$。这样控制器的脉冲传递函数为

$$D(z) = \frac{5.8(z-0.905)(z-0.819)}{z(z-1)}$$

它是稳定的，也是可以实现的。此时校正后系统的开环脉冲传递函数为

$$G_K(z) = \frac{0.394(z+0.904)}{z(z-1)}$$

7.7　MATLAB 在离散控制系统中的应用

MATLAB 的离散系统分析方法和连续系统的分析方法非常类似。我们从离散系统数学模型的建立与离散系统的分析两方面加以介绍。

7.7.1 离散系统数学模型的建立

离散系统的数学模型主要是差分方程和 Z 传递函数，描述了系统输出与输入之间的传递关系。除了在符号运算下的 Z 变换函数 ztrans ( )，离散系统的数学模型主要是由连续系统模型离散化得到。MATLAB 提供了连续系统的离散化函数 c2d ( )，它将连续时间模型转化为离散时间模型，其调用格式为

$$sysd = c2d(sys, T, 'method') \text{ 或 } sysd = c2d(sys, T)$$

输入参数 sys 为连续时间模型对象，通过 tf ( ) 或 zpk ( ) 函数定义；T 为采样周期；离散化方法由 method 指定，method 可选关键字见表 7-5。

表 7-5 method 可选关键字与功能说明

关键字	功能说明	关键字	功能说明
imp	脉冲响应不变法，即 Z 变换，采样开关后无保持器选用这种方法	matched	零、极点匹配方法，仅适用于单输入单输出系统
zoh	零阶保持器	tustin	双线性逼近法
foh	一阶保持器	prewar	改进的 Tustin 法，预先转折变换方法

如果采用 sysd = c2d（sys，T）简便格式调用函数，则默认采用 zoh 方法。

函数 c2dm ( ) 能得到 Z 传递函数的分子、分母多项式变量，其调用格式为

$$[numz, denz] = c2dm(num, den, T, 'method')$$

$G(z) = numz(z)/denz(z)$，$G(s) = num(s)/den(s)$，T 和 method 的定义同函数 c2d ( )。

有时已知系统离散化模型，为特殊应用需要求其连续系统模型。MATLAB 提供了离散系统数学模型到连续时间系统模型的转换方法 d2c、d2cm，格式如下：

$$sys = d2c(sysd, 'method') \text{ 或 } sys = c2d(sysd)$$

$$[num, den] = d2cm(numz, denz, 'method') \text{ 或 } [num, den] = d2cm(numz, denz)$$

method 可采用表 7-5 中除 foh 的其他方法。缺省使用时采用 zoh 方法。

例 7-26 已知函数 $y(t) = e^{-at}\sin bt$，求其 Z 变换。

将连续时间函数变为离散时间函数，$t = kT$，$k = 0,1,2,\cdots,n$，以下命令求出 $y(kT)$ 的 Z 变换。

解 % MATLAB 程序 7-1

  syms a k T z b %定义符号变量

  yz = ztrans(exp(- a * k * T) * sin(b * k * T))% 求 Z 变换

运行后得出

yz = (z * exp(T * a) * sin(T * b))/(exp(2 * T * a) * z^2 - 2 * exp(T * a) * cos(T * b) * z + 1)

即

$$y(z) = \frac{ze^{-aT}\sin(bT)}{z^2 - 2ze^{-aT}\cos(bT) + e^{-2aT}}$$

例 7-27 已知系统框图如图 7-36 所示。采样周期 $T = 1s$，试求系统的 Z 传递函数。

解 对于 7-36a 系统

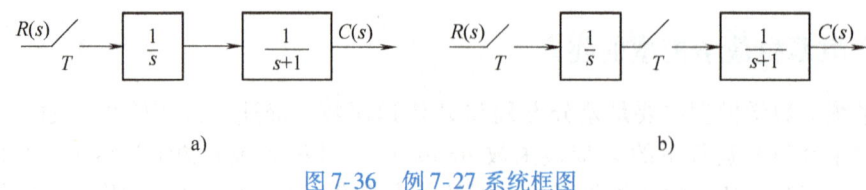

图 7-36　例 7-27 系统框图

```
% MATLAB 程序 7-2
T = 1;
num1 = 1, den1 = [1 0];
num2 = [1], den2 = [1 1];
sys1 = tf(num1, den1);
sys2 = tf(num2, den2);
sys = sys1 * sys2;
c2d(sys, T,'imp'); % 采样开关后无保持器，采用脉冲响应不变法
```
程序执行结果为

　　0.6321 z

— —

z^2 - 1.368 z + 0.3679

对于系统 b，继续上述程序

```
G1 = c2d(sys1, T,'imp');
G2 = c2d(sys2, T,'imp');
G = G1 * G2;
```
程序执行结果为

　　　z^2

— —

z^2 - 1.368 z + 0.3679

7.7.2　MATLAB 中的离散控制系统分析函数

前面几章介绍过的 MATLAB 的控制系统工具箱函数，很多可以用在离散系统的分析中，如计算零、极点的 pzmap ()、pole ()，绘制根轨迹的 rlocus ()、rlocfind () 等，只是在调用这些函数时输入参数中的数学模型变量为离散系统的数学模型。其他的求时域与频域响应的函数，控制系统工具箱同样为用户提供了离散控制系统分析函数，函数名字是在相关的连续系统分析函数前加字母 d，这些函数的功能与介绍过的连续系统分析函数相同，调用时输入参数的数学模型为离散模型。

离散系统的时域响应函数为 dstep ()、dimpulse ()、dlsim ()。

频域响应分析函数为 dbode ()、dnyquist ()、dnichols ()、margin ()。

以 dstep ()、dbode () 函数为例，说明以上函数的调用格式，即

　　　　　　　[c, t] = dstep(nz, dz) 或 [c, t] = dstep(nz, dz, m)

若离散系统以 sys(z) = nz(z)/dz(z) 形式表示，dstep(nz, dz) 函数可求其阶跃响应；dstep （nz,dz,m）函数求出用户指定采样点数为 m 的阶跃响应。当带有输出变量引用函数时，可以得到系统阶跃响应的输出数据，否则直接绘出响应曲线。

$$[mag,phase,w] = dbode(nz,dz,T) 或 [mag,phase,w] = dbode(nz,dz,T,w)$$

dbode（ ）函数用于计算离散系统的对数幅频特性和相频特性（即伯德图），输入变量 nz 和 dz 同 dstep（ ），T 为采样周期，w 为频率，当不带输入 w 频率参数时，系统会自动给出。带输出参数及不带输出参数调用的用法同 dstep（ ）。

例 7-28 已知设有零阶保持器的采样系统如图 7-37 所示。
(1) $K=10$，$T=1s$ 时，试判断闭环系统的稳定性；
(2) 当 $K=10$ 时，为使闭环系统稳定，求采样周期 T 的取值范围；
(3) 当 $T=1s$ 时，绘制采样系统的根轨迹图，求出系统稳定时 K 的取值范围；
(4) 当 $T=0.5s$ 时，要求相位裕量为 $50°$，K 为多少？
(5) $K=5$，$T=0.5s$ 时，$r(t)=1(t)+t$，用静态误差系数法求稳态误差。

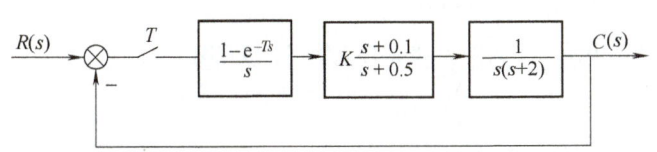

图 7-37 带零阶保持器的离散系统　　　　　　　例 7-28 视频 1

解
（1）% MATLAB 程序 7-3.1
K = 10;
num1 = K * [1 0.1]; den1 = [1 0.5];
num2 = [1]; den2 = [1 2 0];
num = conv(num1, num2);
den = conv(den1, den2);
sys = tf(num, den);
T = 1;
sysd = c2d(sys, T, 'zoh');% 离散方法采用零阶保持器法
sysdb = sysd/(1 + sysd);% 求闭环脉冲传递函数
sysdb = minreal(sysdb);% 消去公因子
pzmap(sysdb);
由图 7-38 可见，有两个极点在单位圆外，闭环系统不稳定。
（2）% MATLAB 程序 7-3.2
K = 10;
num1 = K * [1 0.1]; den1 = [1 0.5];
num2 = [1]; den2 = [1 2 0];
num = conv(num1, num2);
den = conv(den1, den2);

例 7-28 视频 2

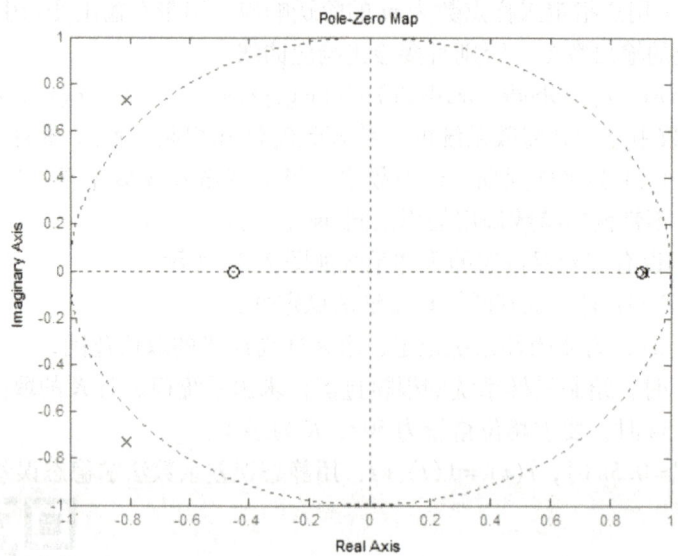

图 7-38　$K=10$，$T=1$ 时例 7-28 闭环系统零、极点图

```
sys = tf(num,den);
T = 0;
flag = 1;
while(flag)
T = T + 0.01;
sysd = c2d(sys,T);% 离散方法采用零阶保持器法
sysdb = sysd/(1 + sysd);% 求闭环脉冲传递函数
sysdb = minreal(sysdb);% 消去公因子
P = pole(sysdb);% 求特征根
for i = 1:length(P)
  if abs(P(i)) > 1.0001;
    flag = 0;
  end
end
end
```

运行程序，可见，当 $T=0.68\mathrm{s}$ 时，闭环系统不稳定，所以在 $K=10$ 时要使闭环系统稳定，需 $T<0.68\mathrm{s}$。

(3) % MATLAB 程序 7-3.3

```
num1 = [1 0.1];den1 = [1 0.5];
num2 = [1];den2 = [1 2 0];
num = conv(num1,num2);
den = conv(den1,den2);
sys = tf(num,den);
```

例 7-28 视频 3

T = 1;
sysd = c2d(sys,T);% 离散方法采用零阶保持器法
rlocus(sysd); axis('equal'); zgrid;

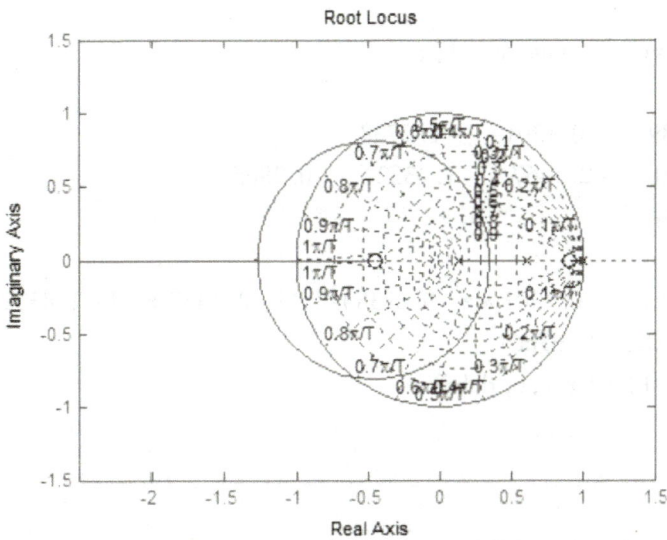

图 7-39　例 7-28 系统根轨迹图

由图 7-39 可见，$T=1s$，当 $K>8.26$ 时，根轨迹离开单位圆，闭环系统开始不稳定。
(4)% MATLAB 程序 7-3.4
K = 1;
num1 = K ∗ [1 0.1];den1 = [1 0.5];
num2 = [1];den2 = [1 2 0];
num = conv(num1,num2);
den = conv(den1,den2);
sys = tf(num,den);
T = 0.5;
sysd = c2d(sys,T);
[numz,denz] = c2dm(num,den,T);
[mag,phase,w] = dbode(numz,denz,T);% 得到频率响应数据
w1 = spline(phase,w, -130);% 用样条函数插值出相位 -130 处的频率值;
m1 = spline(w,mag,w1);% 求 w1 频率下的幅值
K = 1/m1;
求出
K = 3.73

例 7-28 视频 4

(5)% MATLAB 程序 7-3.5
K = 5;
num1 = K ∗ [1 0.1];den1 = [1 0.5];
num2 = [1];den2 = [1 2 0];

例 7-28 视频 5

```
num = conv(num1,num2);
den = conv(den1,den2);
sys = tf(num,den);
T = 0.5;
[numz,denz] = c2dm(num,den,T);
```
得出:
numz = 0.4289   -0.1201   -0.2738
denz = 1.0000   -2.1467   1.4332   -0.2865
继续以下程序:
```
syms z Gz
Gz = (0.4289*z^2 -0.1201*z-0.2738)/(z^3-2.1467*z^2+1.4332*z-0.2865)
Kp = limit(1+Gz,z,1,'right')
Kv = limit((z-1)*Gz,z,1,'right')
```
求出
Kp = Inf
Kv = 175/699
E(∞) = 1/Kp + T/Kv = 1.9971

求出当 $K=5$,$T=0.5$s 时,在信号 $r(t) = 1(t) + t$ 作用下的稳态误差为 1.9971。

本 章 小 结

本章主要讨论离散时间线性系统的分析方法。首先介绍了离散系统的基本概念,以及如何将连续信号变换为离散信号的采样过程和采样定理。然后介绍分析离散系统的数学工具——Z 变换理论,可以将连续系统的许多概念方法扩展至离散系统。此外,还介绍了离散系统的数学模型——差分方程和脉冲传递函数。最后介绍了离散控制系统的分析,包括系统的稳定性、瞬态性能、稳态性能和数字控制器的设计等。

本章需要重点掌握 Z 变换理论,离散控制系统的数学描述方法,以及系统稳定性、瞬态响应和稳态误差的分析方法。简要了解数字控制器的设计方法,其在工作台控制系统、磁盘驱动读取系统等实际生活中也具有广泛应用。

习 题

7-1 根据定义

$$E^*(s) = \sum_{n=0}^{\infty} e(nT) e^{-nTs}$$

试求下列函数的 $E^*(s)$ 和闭合形式的 $E(z)$。

(1) $e(t) = t$ (2) $E(s) = \dfrac{1}{(s+a)^2}$

7-2 求理想脉冲序列 $\delta_T(t) = \sum\limits_{k=0}^{\infty} \delta(t-kT)$ 的 Z 变换。

7-3 求下列函数的 Z 变换 $X(z)$。

(1) $x(t) = t$ (2) $x(t) = \cos\omega t$ (3) $x(t) = t^2$
(4) $x(t) = 1 - e^{-at}$ (5) $x(t) = te^{-at}$ (6) $x(t) = e^{-at}\sin\omega t$

7-4 求下列拉普拉斯变换的 Z 变换 $X(z)$。

(1) $X(s) = \dfrac{s+3}{(s+1)(s+2)}$ (2) $X(s) = \dfrac{1}{(s+a)^2}$ (3) $X(s) = \dfrac{1-e^{-Ts}}{s^2(s+1)}$

7-5 试求下列函数的 Z 反变换。

(1) $X(z) = \dfrac{z}{z-0.5}$ (2) $X(z) = \dfrac{10z}{(z-1)(z-2)}$

(3) $X(z) = \dfrac{z}{(z+1)(z+2)}$ (4) $X(z) = \dfrac{z}{(z-e^{-aT})(z-e^{-bT})}$

(5) $X(z) = \dfrac{z}{(z-1)^2(z-2)}$ (6) $X(z) = \dfrac{z^2}{(z-0.8)(z-0.1)}$

7-6 求解下列差分方程。

(1) $c(k+2) - 3c(k+1) + 2c(k) = r(k)$,已知 $r(t) = \delta(t)$,起始条件 $c(0) = 0, c(1) = 0$。

(2) $c(k+2) - 6c(k+1) + 8c(k) = r(k)$,已知 $r(t) = 1(t)$,起始条件 $c(0) = 0, c(1) = 0$。

7-7 已知 $X(z) = Z[x(t)]$,试证明下列关系式成立。

(1) $Z[a^k x(t)] = X\left(\dfrac{z}{a}\right)$ (2) $z[tx(t)] = -Tz\dfrac{dX(z)}{dz}$,其中 T 为采样周期。

7-8 已知系统结构如图 7-40 所示。T 为采样周期,试求系统的输出 Z 变换 $C(z)$。

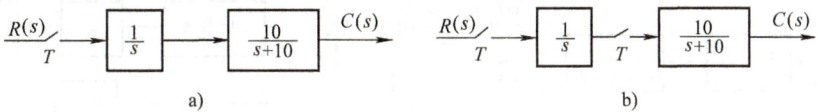

图 7-40 习题 7-8 图

7-9 试求如图 7-41 所示离散系统的输出 $C(z)$ 表达式。

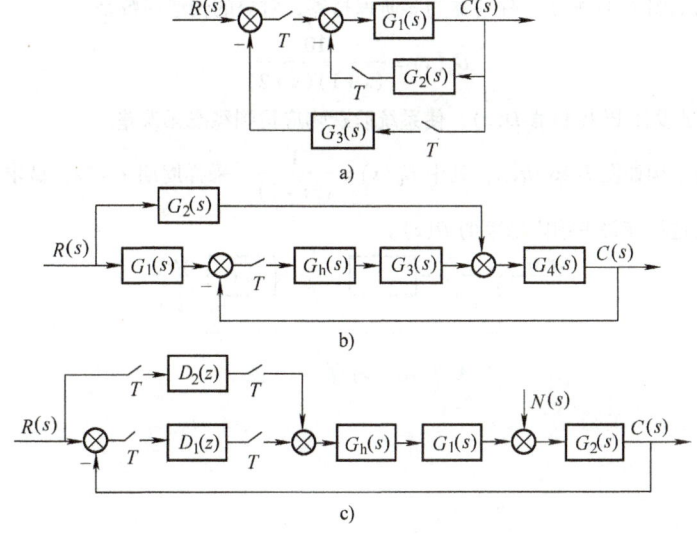

图 7-41 习题 7-9 图

7-10 已知 RC 电路如图 7-42 所示,其中 $r(t) = 100e^{-t}$,试求其输出 $c(kT)$。

7-11 已知闭环系统的特征方程为

(1) $D(z) = (z+1)(z+0.5)(z+2) = 0$。

(2) $D(z) = z^4 - 1.368z^3 + 0.4z^2 + 0.08z + 0.002 = 0$。

试判断离散系统的稳定性（采用劳斯-赫尔维茨判据）。

7-12 设有零阶保持器的离散时间系统如图 7-43 所示。

(1) $K=1$，$T=1s$ 时，试判断闭环系统的稳定性。

(2) 当采样周期分别为 $T=1s$ 及 $T=0.5s$ 时，试求：系统临界稳定的 K 值，并讨论采样周期 T 对稳定性的影响。

(3) 当 $r(t)=1(t)$，$K=1$，T 分别为 $0.1s$、$1s$、$2s$、$4s$ 时，求系统的输出响应 $c(kT)$。

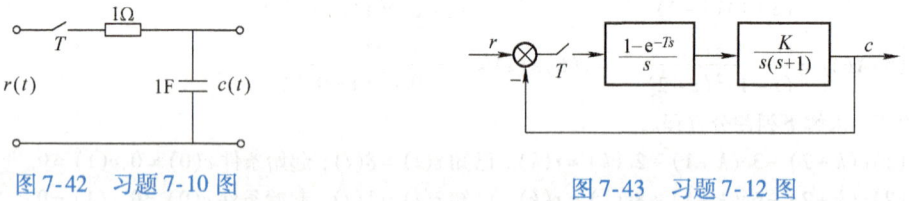

图 7-42 习题 7-10 图　　　　图 7-43 习题 7-12 图

7-13 如图 7-44 所示的系统，用根轨迹法确定系统稳定的 K 值范围，其中，采样周期 $T=0.2s$。

7-14 已知系统结构如图 7-45 所示，其中 $K=10$，$T=0.2s$，输入 $r(t)=1(t)+t$，试用静态误差系数法求稳态误差。

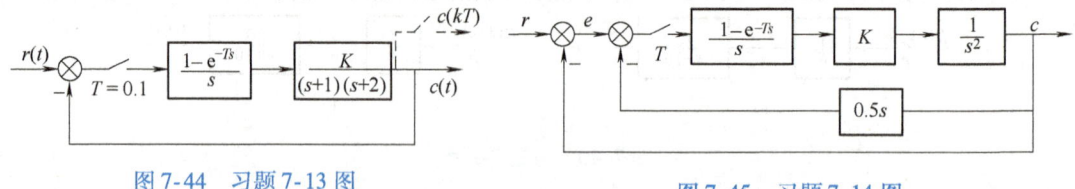

图 7-44 习题 7-13 图　　　　图 7-45 习题 7-14 图

7-15 系统结构如图 7-33 所示，保持器为零阶保持器，对象的传递函数是

$$G_o(s) = \frac{10}{(s+1)(s+2)}$$

采样周期 $T=0.2s$，试设计 PI 控制器 $D(z)$，使系统阶跃响应达到稳态无误差。

7-16 已知系统结构如图 7-46 所示，其中 $G_0(s) = \dfrac{1}{s(s+1)}$，采样周期 $T=1s$，试求 $r(t)=1(t)$ 时，系统无稳态误差、过渡过程在最少拍内结束的 $D(z)$。

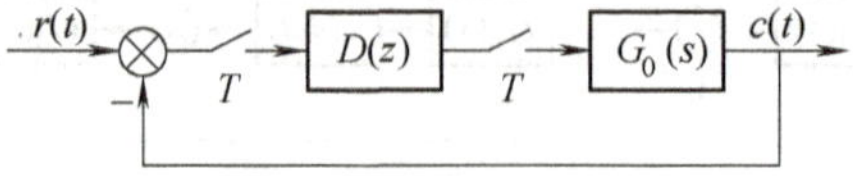

图 7-46 习题 7-16 图

第 8 章 非线性系统分析

上述各章详细地讨论了线性定常控制系统的分析与设计问题。但是严格地说，任何一个实际系统，它的组成元件都具有不同程度的非线性特性，因此都属于非线性系统的范畴。理想的线性系统实际上是不存在的。本章将研究非线性因素对控制系统性能的影响以及非线性系统的分析方法。

8.1 概述

在工程实际中，为了分析或求解上的方便，往往用线性方程近似地表示实际系统，并称为线性化。凡是非线性特性可以进行线性化的元件，称为可线性化的非线性元件，简称为线性元件。一般说来，只要所得结果与实际情况相比较，能满足精度要求，这种简化就是允许的。但是，对于非线性程度严重，且工作范围较大的非线性系统，只能使用非线性系统的分析与设计方法，才能得到较好的效果。通常，将这种不允许用线性化方法来近似的元件称为非线性元件。含有非线性元件的系统称为非线性系统。

通常，非线性系统有以下两种定义：

1) 若系统的输入、输出之间的关系需要采用非线性微分方程来描述，则该系统称为非线性系统。

2) 一般来说，若组成系统的环节有一个或者一个以上的环节为非线性环节，则该系统为非线性系统。

注意：第 2 种定义实际上并不严格，因为两个非线性共同作用的结果可能是线性的，这在后面章节内容会碰到这样的情况。

非线性系统与线性系统有着很大的差别，具体可以概括为以下 3 点：

1) 线性系统可以使用叠加原理，而非线性系统不能使用叠加原理。
2) 线性系统的稳定性与初值、输入无关，而非线性系统的稳定性与初值、输入有关。
3) 线性系统可以写出通解形式，而非线性系统无法写出通解形式。

由于非线性系统的复杂性和特殊性，受数学工具限制，一般情况下难以求得非线性微分方程的解析解，通常采用工程上适用的近似方法。目前工程上常用的分析方法有：

(1) 相平面法 相平面法是一种图解分析方法，适用于具有严重非线性特性的一阶、二阶系统，该方法通过在相平面绘制相轨迹曲线，确定非线性微分方程在不同初始条件下解的运动形式。

(2) 描述函数法 描述函数法是一种等效线性化的图解分析方法，该方法对于满足结构要求的非线性系统，通过谐波线性化，将非线性特性近似为复变增益环节，然后推广应用频率法，分析非线性系统的稳定性或自激振荡。

(3) 逆系统法 逆系统法是运用内环非线性反馈控制，构造伪线性系统，以此为基础，设计外环控制网络，该方法直接应用数学工具研究非线性控制问题，是非线性系统研究的一个发展方向。

但是，这些方法主要是解决非线性系统的"分析"问题，且以稳定性问题为主展开的。非线性系统的"综合"方法的研究成果远不如稳定性问题研究所取得的成果。到目前为止还没有一种实用的综合方法，可以用来设计任意的非线性控制系统。通常需要根据系统的具体要求和特性，运用线性理论和各种非线性方法以及仿真技术，互相补充，从而设计出一个较好的非线性控制系统。因此本章以"系统分析"方法为主，着重介绍较常用的相平面法和描述函数法。

8.2 非线性系统的特点

8.2.1 典型非线性特性

继电特性、饱和、死区、间隙和摩擦是实际控制系统中常见的非线性因素。在大多数情况下，系统中这些固有的非线性，将给系统的正常工作和系统性能带来不利的影响。下面简要地介绍几种常见的典型非线性特性。

(1) 饱和特性　各类饱和放大器、执行元件的功率特性、控制电机的转速与控制电压间的关系等均呈现饱和非线性特性。当输入量超出线性范围并继续增大时，其输出量趋于一个常数值，增益相应地逐渐变小。实际的饱和特性可用折线构成的近似饱和特性来代替，如图 8-1 所示。饱和特性对系统性能的影响主要有以下两点：

1) 使系统开环增益下降，对动态响应的平稳性有利。

2) 使系统的快速性和稳态跟踪精度下降。

(2) 死区特性　死区特性一般是由测量元件、放大元件和执行机构的不灵敏区所造成的。当输入信号的幅值较小时，元件无输出信号；只有当输入信号大于某一值时，输出信号才随输入信号变化，如图 8-2 所示。例如，作为执行元件的电动机，当输入电压小于起动电压时，电动机处于静止状态，只有当输入电压大于起动电压时，电动机才开始运转。死区特性对系统性能的影响主要有以下两点：

1) 使系统存在稳态误差，降低了定位精度。

2) 减小了系统的开环增益，提高了系统的平稳性，减弱动态响应的振荡倾向。

(3) 间隙特性　齿轮、涡轮轴系的加工及装配误差或磁滞效应是形成间隙特性的主要原因。例如，在传动机构中，两个啮合齿轮之间的侧隙是常见的间隙非线性特性，当主动齿轮从一个运动方向改变到另一个运动方向时，从动齿轮要等主动齿轮转动到消除间隙时，才随主动齿轮运动。间隙非线性特性如图 8-3 所示。间隙特性对系统性能的影响主要为：间隙输出相位滞后，减小稳定性裕量，动态特性变坏，常伴有自激振荡。

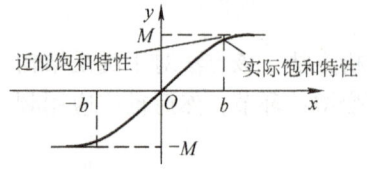

图 8-1　饱和非线性特性

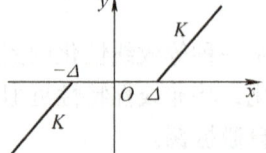

图 8-2　死区非线性特性

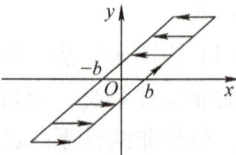

图 8-3　间隙非线性特性

(4) 继电器特性　继电器、接触器和晶体管等电气器件通常表现为继电器特性。继电器的类型有理想继电器、三位继电器、具有滞环的继电器、具有死区及滞环的继电器等几种。理想继电器（又称为双位继电器），如图 8-4a 所示，只要输入信号的极性改变，继电器就动作，输出的极性随之改变。但是一般的继电器都具有死区（又称为三位继电器），如图 8-4b 所示，输入信号的幅值必须大于死区 Δ，继电器才能动作。图 8-4c 所示为仅具有滞环的继电器特性，而图 8-4d 所示为同时具有死区和滞环的更加实际的继电器特性。继电器特性对系统性能的影响主要有以下两点：

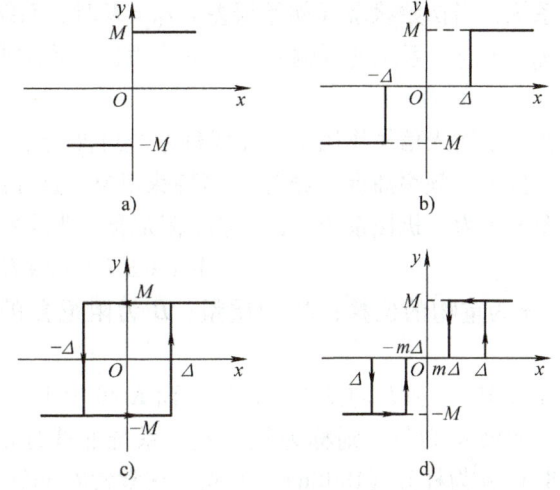

图 8-4　继电器型非线性特性

1）可利用继电控制实现快速跟踪。

2）带死区的继电特性，将会增加系统的定位误差，对其他动态性能的影响，类似于死区、饱和非线性特性的综合效果。

8.2.2　非线性系统的运动特点

由于描述非线性系统运动的数学模型为非线性微分方程，叠加原理不再适用，因此非线性系统的运动表现出以下特点。

1. 稳定性分析复杂

线性系统的稳定性完全取决于系统的结构和参数，而与输入信号和初始条件无关。由于线性系统只有一个平衡状态，因此线性系统的局部稳定性与全局稳定性是一致的。

非线性系统的稳定性不仅与系统的结构和参数有关，而且与系统的输入信号和初始条件有关。由于非线性系统可能存在多个平衡状态，因此非线性系统的局部稳定性与全局稳定性一般是不一致的。与线性系统相比，对非线性系统稳定性的分析要复杂得多，至今还没有一个通用的有效方法。在研究非线性系统的稳定性问题时，不能简单笼统地说稳定或不稳定，必须要明确两点：一是指明给定系统的初始状态或输入信号，二是指明相对于哪一个平衡状态来分析系统的稳定性。

2. 系统的零输入响应形式与初始状态有关

线性系统的零输入响应形式与系统初始状态的幅值无关。例如，在某一初始状态下，线性系统的零输入响应为单调收敛，于是在其他任一初始状态下，该线性系统的零输入响应形式仍然为单调收敛，而不会是单调发散、振荡收敛或振荡发散的形式。

某些非线性系统的零输入响应形式与系统的初始状态有关。当初始状态不同时，同一个非线性系统可能有不同

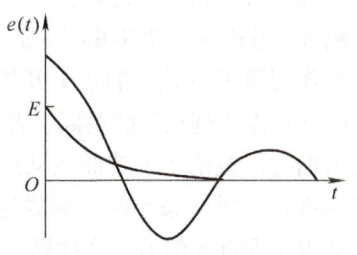

图 8-5　某非线性系统的零输入响应

的响应形式,如单调收敛、振荡收敛或振荡发散等。例如,具有分段线性特性的非线性增益控制系统,当初始状态(初始误差)$e_0 < E$ 时,系统的零输入响应形式为单调收敛,当初始状态 $e_0 > E$ 时,系统的零输入响应形式为振荡收敛形式,如图 8-5 所示。

3. 频率响应

在正弦输入信号作用下,非线性系统可能会呈现出诸如跳跃谐振和多值响应、倍频振荡和分频振荡、频率捕捉(跟踪)等特殊现象,这在线性系统中一般是见不到的。

图 8-6 为一机械系统,由重物、阻尼器、非线性弹簧组成。其动态特性的微分方程为

$$M\ddot{x} + B\dot{x} + Kx + K'x^3 = 0 \tag{8-1}$$

式中,x 为重物的位移;M 为质量;B 为阻尼器的粘性摩擦系数;$Kx + K'x^3$ 为非线性弹簧力。

参数 M、B 和 K 均是正的常数,而 K' 可为正,也可为负。如果 K' 为正,弹簧就称为硬弹簧;如果 K' 为负,则称为软弹簧。系统非线性的程度用 K 的值来表征。非线性微分方程(8-1)称为杜芬(Duffing)方程,它常常在非线性力学中进行讨论。如果该系统受到一个非零初始条件的作用,则方程式(8-1)的解代表一个阻尼振荡,在实验中可观察到:当振幅减小时,自由振荡的频率或减小,或增加,这分别取决于 $K' > 0$ 或 $K' < 0$;随着自由振荡的振幅减小,频率将保持不变,这时系统又相当于一个线性系统。图 8-7 描绘了 K' 大于零、等于零、小于零 3 种情况下频率和振幅的关系。在对图 8-6 所示的系统进行强迫振荡实验时,系统的微分方程为

$$M\ddot{x} + B\dot{x} + Kx + K'x^3 = P\cos\omega t$$

式中,$P\cos\omega t$ 为外作用函数。

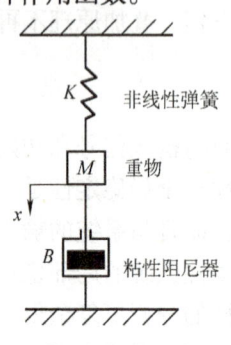

图 8-6 机械系统

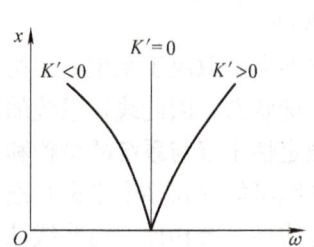

图 8-7 频率和振幅的关系曲线

在进行实验时,使外作用函数的振幅 P 保持常数,缓慢地改变其频率,并观察响应的振幅 A,可得到与图 8-8a 和图 8-8b 类似的频率响应曲线。假定 $K' > 0$,并且从图 8-8a 曲线上外作用频率 ω 较低的点 1 开始。当 ω 增加,A 也增加,直到点 2 为止。若频率继续增加,将引起从点 2 到点 3 的跳跃,并伴有振幅和相位的改变,此现象称为跳跃谐振。当频率 ω 继续增加时,振幅 A 沿着曲线从点 3 到点 4。若换一个方向来进行实验,即从高频开始,这时可观察到,当 ω 减小时,振幅通过点 3 逐渐增加,直到点 5 为止。当 ω 继续减小时,将引起从点 5 到点 6 的另一个跳跃,也伴有振幅和相位的改变。在这个跳跃之后,振幅 A 随着频率 ω 的减小一起减小,并且沿着曲线从点 6 趋向点 1。因此,响应曲线实际上是不连续的,并且对于频率增加和减小的两种情况,响应曲线上的点沿着不同的路线移动。点 2 与点 5 之

间曲线对应的振荡是不稳定的振荡,在实验中是观测不到的。

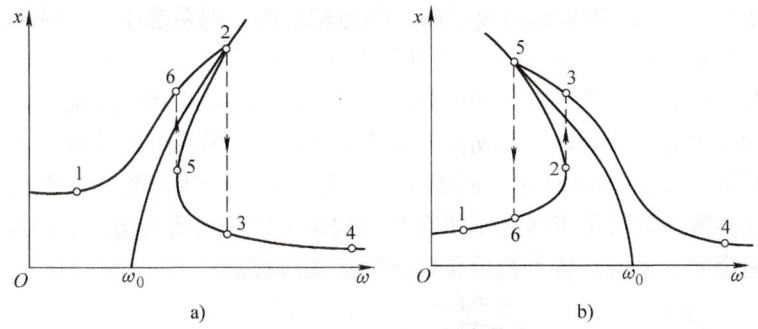

图 8-8 机械系统的频率响应

a) 具有硬弹簧的机械系统　b) 具有软弹簧的机械系统

4. 自激振荡（极限环）

线性定常系统,例如,典型二阶线性系统,如果阻尼比 $\zeta=0$,在初始状态的激励下,系统的零输入响应为等幅周期振荡 $x(t)=A\sin(\omega t+\varphi)$,其角频率 ω 取决于系统的参数,其振幅 A 与初始状态有关。但是,实际的线性系统要维持振幅 A 和角频率 ω 不变的等幅周期振荡是不可能的。一是系统的参数会发生变化,即使很微小的变化,也将导致 $\zeta\neq 0$；二是假定系统的参数不变,$\zeta\equiv 0$,然而,系统不可避免地会受到扰动,将使响应的振幅 A 发生变化,因此,原来的等幅周期振荡不复存在。有些非线性系统,在初始状态的激励下,可以产生固定振幅和固定频率的周期振荡,这种周期振荡称为非线性系统的自激振荡或极限环。如果非线性系统有一个稳定的极限环,则它的振幅和频率不受扰动和初始状态的影响。

在深入研究时,还会遇到非线性系统所具有的其他特殊现象,这里就不另赘述了。

8.3 相平面法

相平面法是庞卡莱(H. Poincare)提出来的求解一阶、二阶微分方程的图解方法,它实质上属于状态空间分析法在二维空间中的应用,该方法适合于研究给定初始状态的二阶自由运动系统和给定初始状态及非周期输入信号(如阶跃、斜坡或脉冲信号等)的二阶系统。

8.3.1 相平面的基本概念

考虑二阶线性系统为

$$\ddot{x}+2\zeta\omega_n\dot{x}+\omega_n^2 x=0 \tag{8-2}$$

式中,ζ 与 ω_n 是阻尼比和无阻尼自然振荡频率。

设系统仅由初始条件激励。这一系统的状态可以用 x 和 $\dot{x}$ 两个变量来描述。若令 $x_1=x$,$x_2=\dot{x}$,则式(8-2)可化为

$$\dot{x}_1=x_2 \tag{8-3}$$

$$\dot{x}_2=-\omega_n^2 x_1-2\zeta\omega_n x_2 \tag{8-4}$$

只要给定初始条件 $x_1(0)$、$x_2(0)$ 或 $x(0)$、$\dot{x}(0)$,由这两个一阶联立微分方程便可唯一地确定系统的状态。如此定义的变量 x_1 和 x_2 称为相变量（或状态变量）。图 8-9a 绘出了初始条

件为 $x_1(0) = x_{10}$ 及 $x_2(0) = 0$ 时，x_1 和 x_2 在不同阻尼下的时间响应曲线。

如果以相变量 x_1 和 x_2 为坐标构成平面，称为相平面，则系统在某一时刻 t_1 的状态就成为相平面上的一个点 $(x_1(t), x_2(t))$。在相平面上，由 (x_1, x_2) 或 $(x, \dot{x})$ 以时间为参变量构成的曲线，称为相轨迹。图 8-9b 对应图 8-9a 绘出了相应的相轨迹。相轨迹上的箭头表示时间参量的增大方向。若以一些初始状态作为起始点，在相平面上做出一簇相轨迹，称为系统的相平面图，如图 8-10 所示。图中用实线表示了二阶线性系统过阻尼时在 3 种不同初始条件下的相轨迹，其余用虚线表示了在其他初始条件下的相轨迹，它们共同构成一幅相平面图，清晰地表明了系统在各种初始条件下的运动过程。

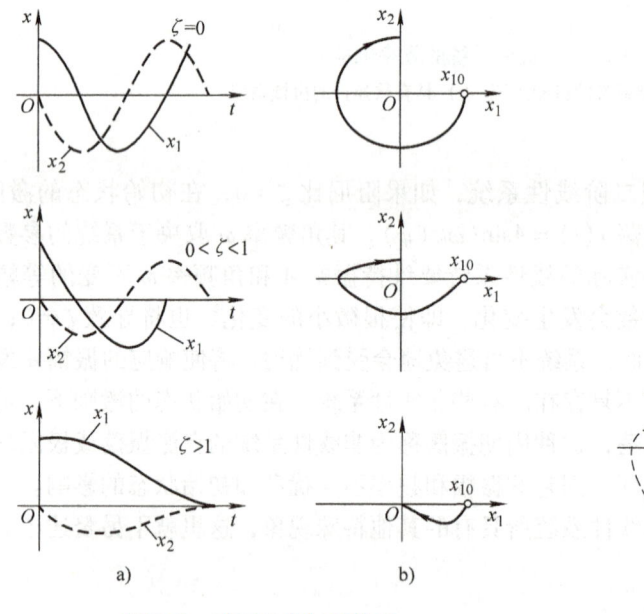

图 8-9 时间响应与相轨迹　　图 8-10 相平面图

8.3.2 相平面图的绘制

设描述二阶系统的微分方程为

$$\ddot{x} + f(x, \dot{x}) = 0 \tag{8-5}$$

$f(x, \dot{x})$ 是 x、$\dot{x}$ 的线性函数或非线性函数。若令 x、$\dot{x}$ 为相变量，并将式 (8-5) 化为两个一阶微分方程，即

$$\frac{dx}{dt} = \dot{x} \tag{8-6}$$

$$\frac{d\dot{x}}{dt} = \ddot{x} = -f(x, \dot{x}) \tag{8-7}$$

用式 (8-6) 去除式 (8-7)，于是得到一个以 x 为自变量，$\dot{x}$ 为因变量，不显含时间 t 的一阶微分方程，即

$$\frac{d\dot{x}}{dx} = \frac{-f(x, \dot{x})}{\dot{x}} \tag{8-8}$$

式 (8-8) 给出了相轨迹通过点 $(x, \dot{x})$ 的斜率。根据此式，用解析法或图解法即可绘出相

平面图。

1. 相平面图的特点

（1）相平面图的对称性　相平面图往往是关于原点或坐标轴对称的，故绘制时可只画其中的一部分，而另一部分可根据对称原理添补上。相平面图的对称性可以从相轨迹的斜率来判断。

若相平面图关于 $\dot{x}$ 轴对称，则相轨迹曲线在 $(x, \dot{x})$ 和 $(-x, \dot{x})$ 点上的斜率相等，符号相反。由式（8-8），应有

$$\frac{f(x, \dot{x})}{\dot{x}} = \frac{-f(-x, \dot{x})}{\dot{x}} \quad \text{或} \quad f(x, \dot{x}) = -f(-x, \dot{x})$$

即 $f(x, \dot{x})$ 是关于 x 的奇函数。

若相平面图关于 x 轴对称，则相轨迹曲线 $(x, \dot{x})$ 和 $(x, -\dot{x})$ 的斜率相等，符号相反，应有

$$\frac{f(x, \dot{x})}{\dot{x}} = \frac{-f(x, -\dot{x})}{-\dot{x}} \quad \text{或} \quad f(x, \dot{x}) = f(x, -\dot{x})$$

即 $f(x, \dot{x})$ 是关于 $\dot{x}$ 的偶函数。

若相平面图关于原点对称，则相轨迹曲线在 $(x, \dot{x})$ 和 $(-x, -\dot{x})$ 点上的斜率相等，符号相同，应有

$$\frac{f(x, \dot{x})}{\dot{x}} = \frac{f(-x, -\dot{x})}{-\dot{x}}$$

即有 $f(x, \dot{x}) = -f(-x, -\dot{x})$。

（2）相平面图上的奇点和普通点　相平面上任一点 $(x, \dot{x})$，只要不同时满足 $\dot{x} = 0$ 和 $f(x, \dot{x}) = 0$，则由式（8-8）确定的斜率是唯一的，通过该点的相轨迹有且仅有一条，这样的点称为普通点。在相平面上，同时满足 $\dot{x} = 0$ 和 $f(x, \dot{x}) = 0$ 的点，由于

$$\frac{f(x, \dot{x})}{\dot{x}} = \frac{-f(x, \dot{x})}{\dot{x}} = \frac{0}{0}$$

相轨迹的斜率不是一个确定的值，说明通过该点的相轨迹曲线有一条以上，这样的点称为奇点，显然奇点只分布在相平面的 x 轴上。

（3）相轨迹通过 x 轴的斜率　在 x 轴上，所有点都满足 $\dot{x} = 0$。除奇点外相轨迹在 x 轴上的斜率为

$$\frac{f(x, \dot{x})}{\dot{x}} = \frac{-f(x, \dot{x})}{\dot{x}} = \infty$$

所以，除了奇点外，相轨迹和 x 轴垂直相交。

（4）相轨迹移动的方向　在相平面的上半平面，由于 $\dot{x} > 0$，则 x 随着参变量时间 t 的增加而增大，所以系统状态沿相轨迹由左向右运动；反之，在下半平面，由于 $\dot{x} < 0$，则 x 随着时间 t 的增加而减小，所以系统状态沿相轨迹由右向左运动。系统状态沿相轨迹的移动方向由相轨迹上的箭头表示。

2. 绘制相平面图的解析法

若系统微分方程比较简单，则对式（8-8）直接积分即可求得相轨迹方程，即

$$\dot{x} = g(x) \tag{8-9}$$

式中包含了初始条件。给定不同初始条件，由式（8-9）可直接绘出系统的相平面图。

若系统微分方程不能直接积分求解，则可先求得时间解 $x(t)$、$\dot{x}(t)$，然后消去变量 t 求得相轨迹方程。若消去 t 有困难或过于繁杂，则可求得不同 t 时的 x、$\dot{x}$ 值，据此数值关系画出相轨迹曲线。

例 8-1　二阶系统的微分方程为 $\ddot{x} + \omega^2 x = 0$，试绘制系统的相平面图。

解　系统方程可改写为

$$\dot{x}\frac{\mathrm{d}\dot{x}}{\mathrm{d}x} + \omega^2 x = 0 \tag{8-10}$$

式（8-10）可用分离变量法进行积分，求得相轨迹方程为

$$\frac{\dot{x}^2}{\omega^2} + x^2 = C^2 \tag{8-11}$$

式中，C 为常量，由初始条件确定。

设初始状态为 $(x_0, 0)$，则 $C = x_0$。由式（8-11）可知，系统相轨迹为一组以坐标原点为中心的椭圆轨迹簇，如图 8-11 所示。其中粗实线是初始条件为 $(x_0, 0)$ 的相轨迹。

3. 绘制相平面图的图解法——等倾线法

若系统的微分方程比较复杂，用解析法求相轨迹方程就很困难，这时可采用图解法绘制相平面图。图解法是通过逐步绘图的方法，不必解出微分方程，而把结果直接描绘在相平面上。常用的图解法有等倾线法和圆弧近似法，这里只讨论等倾线法。

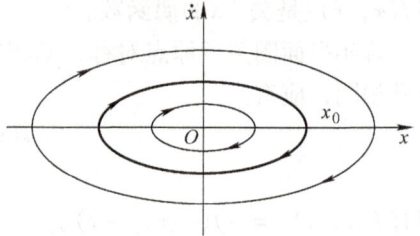

图 8-11　例 8-1 的相平面图

任一曲线都可以用一系列足够短的折线来近似。如果能用简便的方法求得相平面中任意一点 $(x, \dot{x})$ 相轨迹的斜率，则可做出通过该点相轨迹的切线，并用它来近似该点附近的相轨迹曲线。在等倾线法中，首先用等倾线来确定相平面中相轨迹斜率的分布，然后再绘制相轨迹曲线。相轨迹的斜率方程为

$$\frac{\mathrm{d}\dot{x}}{\mathrm{d}x} = \frac{-f(x, \dot{x})}{\dot{x}} \tag{8-12}$$

所有相轨迹斜率 $\mathrm{d}\dot{x}/\mathrm{d}x = \alpha$ 常量的点，构成了等斜率线即等倾线。由式（8-12）可得等倾线方程为

$$\dot{x} = \frac{-f(x, \dot{x})}{\alpha} \tag{8-13}$$

给定一组 α 值，由式（8-13）可求得一组等倾线簇。利用等倾线簇，可以确定相平面中任意一点相轨迹的斜率。下面举例说明利用等倾线绘制相轨迹曲线的方法。

设系统方程为

$$\ddot{x} + 2\zeta\omega_n \dot{x} + \omega_n^2 x = 0 \tag{8-14}$$

式（8-14）可改写为

$$\dot{x}\frac{\mathrm{d}\dot{x}}{\mathrm{d}x} + 2\zeta\omega_n \dot{x} + \omega_n^2 x = 0 \tag{8-15}$$

令相轨迹斜率 $\mathrm{d}\dot{x}/\mathrm{d}x = \alpha$，代入式（8-15）得等倾线方程为

$$\dot{x} = -\frac{\omega_n^2}{2\zeta\omega_n\,\dot{x} + \alpha}x \tag{8-16}$$

可见等倾线为通过原点的直线，其斜率为 $-\omega_n^2/(2\zeta\omega_n + \alpha)$。

设系统参数 $\zeta = 0.5$，$\omega_n = 1$。由式（8-16）求得不同 α 值的等倾线簇，如图 8-12 所示。

初始点为 A 的相轨迹可按以下方法绘出：绘制 $\alpha = -1$，$\alpha = -1.2$ 两等倾线之间的相轨迹时，近似认为相轨迹的斜率保持不变并等于平均值 $(-1.0-1.2)/2 = -1.1$。由 A 点做斜率为 -1.1 的切线与 $\alpha = -1.2$ 等倾线相交于 B 点，则线段 AB 为相轨迹的一部分。同样，在 $\alpha = -1.2$、$\alpha = -1.4$ 两等倾线之间的相轨迹可由 B 点距斜率为 $(-1.2-1.4)/2 = -1.3$ 的直线与 $\alpha = -1.4$ 等倾线相交于 C 点，则线段 BC 为相轨迹的一部分。重复上述绘图方法，依次逐步求得相轨迹曲线，如图 8-12 曲线 $ABCDEO$ 所示。

上述绘图过程，由于近似，绘图都会产生误差，并且一步一步积累起来，因此所得结果可能误差较大。一般说，绘图精确度取决于等倾线的密度和相轨

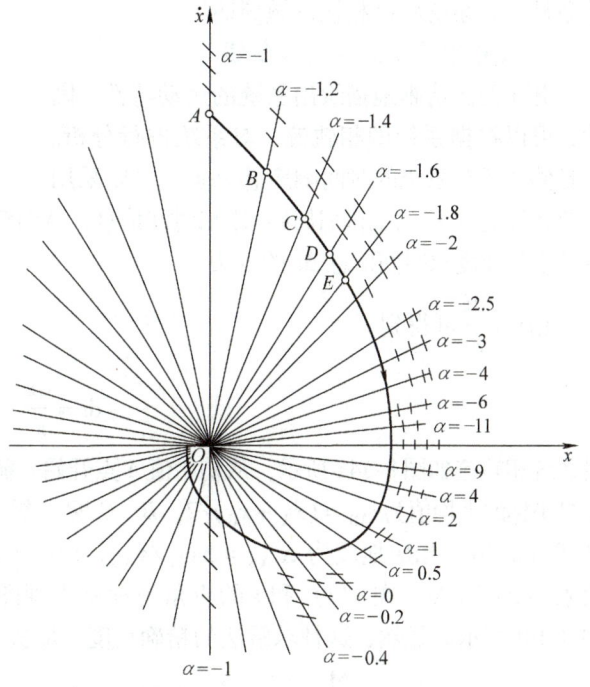

图 8-12 $\ddot{x} + \dot{x} + x = 0$ 的相轨迹

迹斜率变化快慢。若等倾线愈密，斜率变化愈小，用平均斜率引入的误差就愈小。但等倾线愈密，则绘图步数愈多，由绘图引入的误差将显著增加。因此等倾线密度要适当，一般每隔 $5°\sim10°$ 做一条等倾线。为减少绘图误差积累，可在相平面中先画好等倾线上的平行的相轨迹短线，然后仔细地将它们连成光滑的相轨迹曲线（见例 8-2）。

对于线性二阶系统，等倾线是直线。而非线性二阶系统的等倾线则是曲线或折线。

例 8-2 试用等倾线法求下列方程的相平面图。

$$\ddot{x} + a\,|\dot{x}| + x = 0 \tag{8-17}$$

解 式（8-17）是非线性微分方程，但可分解为两个线性微分方程，即

$$\ddot{x} + a\dot{x} + x = 0, \qquad \dot{x} > 0 \tag{8-18}$$

$$\ddot{x} - a\dot{x} + x = 0, \qquad \dot{x} < 0 \tag{8-19}$$

由式（8-17）可知，$f(x, \dot{x}) = a|\dot{x}| + x$，而 $f(x, \dot{x}) = f(x, -\dot{x})$。因此相平面图对称于 x 轴，只须绘制上半平面的相轨迹，再用对称性确定下半平面的相轨迹。

由式（8-18）可得上半平面的等倾线方程，即

$$\dot{x} = -\frac{1}{a+\alpha}x$$

设 $\alpha=1$,求得等倾线如图 8-13 实线所示,画出等倾线上的平行短线,作为相轨迹线段的近似。适当配置短线并把它们连成曲线即相轨迹曲线,如图 8-13 中虚线所示。由于图形对称于 x 轴,所以相轨迹为一组封闭的卵形圆。在任何非零初始条件下,系统将沿相轨迹做周期运动。

4. 由相轨迹求时间响应曲线

相平面图清晰地描绘出系统的运动特性,因此,可以根据系统的相轨迹,对系统进行分析。但是倘若还对系统的时间响应感兴趣,可以采用

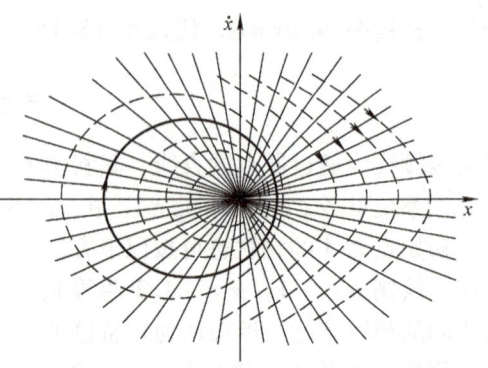

图 8-13 例 8-2 相平面图

图解计算的方法,由相轨迹逐步求出时间信息,从而获得系统的时间响应曲线 $x(t)$。这里介绍一种按平均速度求时间信息 Δt 的方法。

由 $\dot{x}=\dfrac{\mathrm{d}x}{\mathrm{d}t}$ 可得到

$$\mathrm{d}t = \dfrac{\mathrm{d}x}{\dot{x}} \tag{8-20}$$

设系统相轨迹如图 8-14a 所示,从初始值 A 点开始,截取 Δx_{AB}、Δx_{BC}、Δx_{CD}、…。相应地 A、B 两点纵坐标的平均值为 $\dot{x}_{AB}=(\dot{x}_A+\dot{x}_B)/2$,$B$、$C$ 两点纵坐标的平均值为 $\dot{x}_{BC}=(\dot{x}_B+\dot{x}_C)/2$,…。则式(8-20)相应地成为 $\Delta t_{AB}=\Delta x_{AB}/\dot{x}_{AB}$,$\Delta t_{BC}=\Delta x_{BC}/\dot{x}_{BC}$,$\Delta t_{CD}=\Delta x_{CD}/\dot{x}_{CD}$,…。根据逐段求的 Δx 和 Δt,在 $x(t)$ 和 t 的直角坐标系中画图,就得到系统的时间响应曲线 $x(t)$,如图 8-14b 所示。显然,这种求解法的精确程度,取决于每步间隔 Δx 的选择。

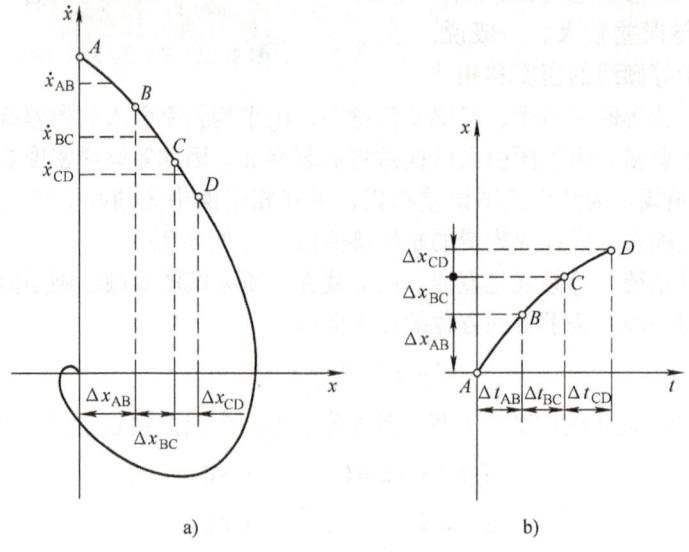

图 8-14 从相轨迹求取时间特性

8.3.3 奇点和极限环

奇点和极限环是相平面法中分析系统性能的两个重要概念。在相平面图中,确定了奇点

和极限环的位置与形式，也就确定了在各种初始条件下状态的运动过程以及系统的基本性能。

1. 奇点

对于二阶系统

$$\ddot{x} + f(x, \dot{x}) = 0 \tag{8-21}$$

相轨迹的斜率可表示为

$$\frac{\mathrm{d}\dot{x}}{\mathrm{d}x} = -\frac{f(x, \dot{x})}{\dot{x}} \tag{8-22}$$

在奇点处，相轨迹的斜率不确定，即同时满足

$$\begin{cases} \dot{x} = 0 \\ f(x, \dot{x}) = 0 \end{cases} \tag{8-23}$$

如果把相变量 x 视为位移，于是 $\dot{x}$ 和 $\ddot{x}$ 可以理解为速度和加速度。在奇点处，由于系统的速度和加速度均为零，因此奇点就是系统的平衡点。

设系统方程为式（8-21），奇点由式（8-23）确定，$f(x, \dot{x})$ 是相变量 x、$\dot{x}$ 的线性函数或非线性函数。如果 $f(x, \dot{x})$ 是非线性函数，只要在奇点邻域内，$f(x, \dot{x})$ 满足线性化条件，则系统方程式（8-21）总可以用如下二阶线性微分方程表示，即

$$\ddot{x} + 2\zeta\omega_n \dot{x} + \omega_n^2 x = 0 \tag{8-24}$$

方程式（8-24）的奇点坐标为（0，0）。但是，对于非线性系统，方程式（8-24）为线性化后的增量方程，实际系统的奇点 $(x_e, 0)$ 与方程式（8-24）的奇点（0，0）存在着一个平移关系。

下面根据方程式（8-24）的特征根在复平面上的分布，讨论系统奇点的分类，并在相平面上画出奇点附近的相轨迹。

（1）焦点　当特征根为一对具有负实部的共轭复根时，即 $0 < \zeta < 1$，系统的奇点为稳定焦点，在稳定焦点附近的相轨迹为一簇收敛的螺旋线；当特征根为一对具有正实部的共轭复根时，即 $-1 < \zeta < 0$，系统的奇点为不稳定焦点，在不稳定焦点附近的相轨迹为一簇发散的螺旋线。

（2）节点　当特征根为两个负实根时，即 $\zeta > 1$，系统的奇点称为稳定节点，相轨迹为一簇收敛的抛物线；当特征根为两个正实根时，即 $\zeta < -1$，系统的奇点为不稳定节点，相轨迹为一簇发散的抛物线。

（3）中心点　当特征根为一对实部是零的共轭复根时，即 $\zeta = 0$，系统的奇点为中心点，相轨迹为一簇椭圆。

（4）鞍点　如果式（8-24）为 $\ddot{x} + 2\zeta\omega_n \dot{x} - \omega_n^2 x = 0$，则两个特征根为一正一负的实数根，系统的奇点为鞍点，相轨迹为一簇双曲线。

以上 6 种类型的奇点及其附近的相轨迹图如图 8-15 所示。由于特征根分布不同，系统的动态性能也各不相同，在相平面图中则表现为相轨迹曲线形状的差异。因此很容易从奇点的类型确定系统在奇点附近的稳定性。

2. 极限环

极限环是一种特殊的相轨迹，它将相平面划分为具有不同运动特点的各个区域。极限环是非线性系统所特有的自激振荡现象，在相平面图中则表现为一个孤立的封闭轨迹。所谓孤

立的封闭轨迹，是指其邻近的相轨迹都不是封闭的，它们都将趋向极限环，并以它为极限，或由极限环开始，逐渐离开。分析极限环邻近相轨迹曲线的特点，可以判断极限环的性质。

（1）稳定极限环　如果极限环内外的相轨迹曲线都收敛于该极限环，如图8-16a所示，则该极限环称为稳定极限环。稳定极限环对状态的较小扰动具有稳定性，系统沿极限环的运动表现为自激振荡。

（2）不稳定极限环　如果极限环内外的相轨迹曲线都从极限环发散，如图8-16b所示，则称为不稳定极限环。不稳定极限环所表示的周期运动是不稳定的，状态的较小扰动将使系统的运动偏离该闭合曲线，并将永远回不到闭合曲线。

（3）半稳定极限环　若极限环分割的两个区域都是稳定的，或都是不稳定的，则该极限环称为半稳定极限环。具有这种极限环的系统不会产生稳定的自激振荡现象，最终相轨迹曲线或者趋于环内稳定奇点，如图8-16c所示，或者振荡发散，如图8-16d所示。

应当指出，并不是相平面内的所有封闭曲线都是极限环。对于由方程式（8-24）决定的系统在 $\zeta = 0$ 时，系统的奇点为中心点，其相轨迹为一簇椭圆。这类闭合曲线不是极限环，因为这些相轨迹总是以连续曲线簇的形式出现，在任何特定的封闭曲线的邻近，仍存在着封闭曲线，而没有孤立的封闭的相轨迹。

一般情况下，极限环使系统性能变坏，或是产生自激振荡，或是稳定范围减小。

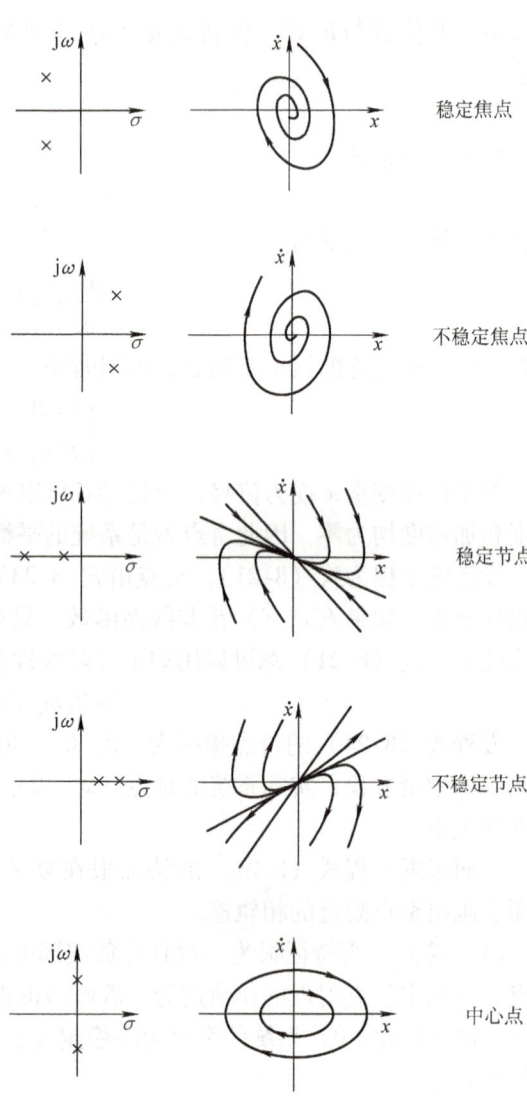

图 8-15　奇点示意图

在系统设计中应避免产生极限环。若极限环不可避免，则应尽可能使稳定极限环缩小，使自激振荡的幅度在允许范围之内；或者应尽可能使不稳定极限环加大，以扩大系统稳定范围。在某些特殊情况下，可以利用系统的自激振荡（信号发生器）产生周期性运动。

例 8-3　某系统方程如下，试分析系统的稳定性。

$$\ddot{x} + 0.5\dot{x} + 2x + x^2 = 0 \tag{8-25}$$

解 由 $\dot{x}=0$，$f(x,\dot{x})=0$ 求得系统的奇点为

$$\dot{x}=0,\quad x_1=0$$

$$\dot{x}=0,\quad x_2=-2$$

根据式（8-25）在奇点处进行线性化来确定奇点的性质。在 $(x_i, 0)$ 奇点附近，系统的线性化方程为

$$\ddot{x}+0.5\dot{x}+(2+2x_i)x=0$$

在奇点 (0, 0) 处，$x_i=x_1=0$，则系统的线性化方程为

$$\ddot{x}+0.5\dot{x}+2x=0$$

式中，阻尼比 $0<\zeta<1$，因此奇点 (0, 0) 为稳定焦点。

在奇点 (-2, 0) 处，$x_i=x_2=-2$，代入前式得线性化方程为

$$\ddot{x}+0.5\dot{x}-2x=0$$

由奇点类型可知，奇点 (-2, 0) 为鞍点，是不稳定奇点。

利用等倾线法可求得相平面图，如图 8-17 所示。可以看到通过鞍点的一条分界线，把相平面分为两个区域。在阴影区域内，所有相轨迹都收敛于稳定焦点 (0, 0)，是稳定区域。在此范围外，则所有相轨迹都将趋于无穷，是不稳定区域。这证实了非线性系统的重要特点：系统的稳定性与初始条件有关。

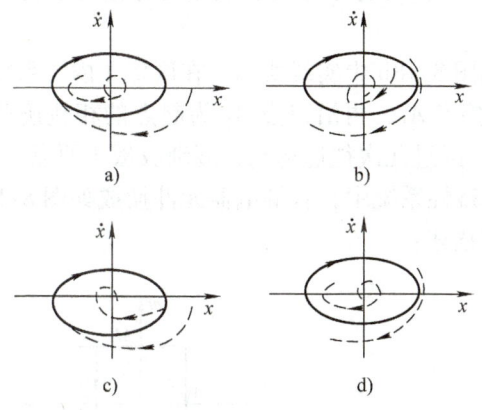

图 8-16 极限环示意图

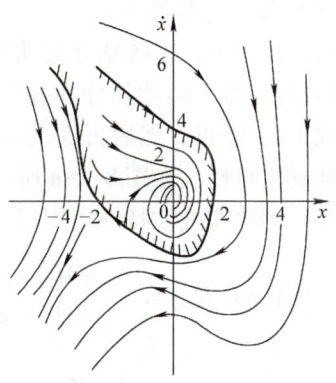

图 8-17 例 8-3 的相平面图

8.3.4 相平面分析举例

非线性系统的分析，研究较多的是它的稳定性。在下面的分析中，将以系统误差信号 e 作为相变量，绘制关于 $(e,\dot{e})$ 的相平面图，通过相轨迹来分析非线性系统的运动情况。

1. 继电型控制系统的分析

继电型非线性是分段线性或可用分段线性来近似的，可采用分区衔接的方法来分析其相平面。先根据其线性分段情况，用几条分界线（或称为开关线）把相平面分成几个区域；其次在各区域内，求出相应的线性微分方程，并做出各自的相平面图；最后根据系统状态变化的连续性，将相邻区域的相轨迹彼此连接成连续曲线，即得非线性系统的相平面图。

（1）理想继电器特性 设继电型控制系统如图 8-18a 所示，试分析在阶跃信号作用下系统的性能。继电型特性为：当 $e>0$ 时，$m=M$；当 $e<0$ 时，$m=-M$。因此分界线为直线

$e=0$。它把相平面分成两个线性区域 I 区、II 区，如图 8-18b 所示。在阶跃输入 $r(t)=1(t)$ 作用下，根据 $e=r-c$ 及线性部分的传递函数 $K/[s(Ts+1)]$ 可求得各线性区内系统的微分方程。

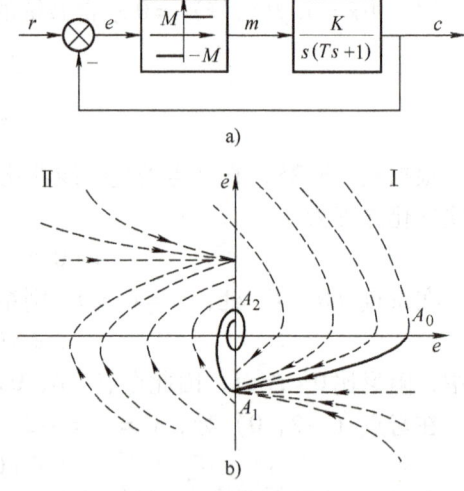

在区域 I 内，$e>0$，$m=M$，系统方程为
$$T\ddot{e}+\dot{e}=-KM \quad (8\text{-}26)$$
由式（8-26）可得等倾线方程，即
$$\dot{e}=\frac{-KM/T}{\alpha+1/T}$$

等倾线是平行于 e 轴的直线，其中有一条特殊的等倾线，即当 $\alpha=0$ 时的等倾线 $\dot{e}=-KM$，此时，相轨迹的斜率与相应的等倾线斜率相等，全部相轨迹曲线都趋近于该直线 $\dot{e}=-KM$。相轨迹曲线簇 I 如图 8-18b 右半平面所示。

在区域 II 内，$e<0$，$m=-M$，系统方程为
$$T\ddot{e}+\dot{e}=KM \quad (8\text{-}27)$$

图 8-18 理想继电器型非线性系统

比较式（8-26）、式（8-27）可知，其相平面图对称于原点。利用对称性可求得相轨迹曲线簇 II 如图 8-18b 左半面所示。

在阶跃输入作用下，系统状态运动轨迹如图 8-18b 中实线所示。在区域 I 内，系统由初始点 A_0 沿相轨迹曲线 I 运动到分界线上的衔接点 A_1，再沿以点 A_1 为起点的相轨迹曲线 II 移动到分界线上的 A_2 点，然后再进入区域 I。经过几次往返运动，逐渐收敛于原点。

（2）滞环继电特性　在图 8-18a 所示的非线性系统中，若继电器元件换成如图 8-19a 所示的滞环特性，则该非线性特性可用以下方程描述：

$$当\dot{e}>0 时，m=\begin{cases}+M, & e>\Delta \\ -M, & e<\Delta\end{cases}$$

$$当\dot{e}<0 时，m=\begin{cases}+M, & e>-\Delta \\ -M, & e<-\Delta\end{cases}$$

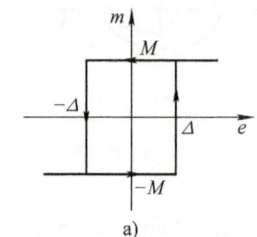

在 $\dot{e}>0$ 时的平面内，分界线为 $e=\Delta$。在 $\dot{e}<0$ 的平面内，分界线为 $e=-\Delta$。它们把相平面分为两部分。其右半平面，系统在 $+M$ 信号作用下，系统方程为式（8-26），相轨迹为曲线簇 I。其左半平面，系统在 $-M$ 信号作用下，系统方程为式（8-27），相轨迹为曲线簇 II。相平面如图 8-19b 所示。在阶跃输入作用下，系统的运动轨迹如图中粗实线所示。相轨迹收敛于稳定极限环，极限环随 Δ 的增大而增大。

（3）死区继电特性　在图 8-18a 所示的非线性系统中，若继电元件具有如图 8-20a 所示的死区特性，则可用

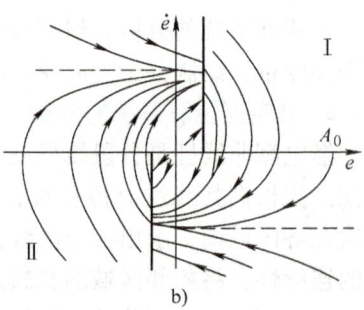

图 8-19 滞环继电型非线性系统

以下方程描述：

当 $e > \Delta$ 时，$m = +M$
当 $e < -\Delta$ 时，$m = -M$
当 $-\Delta < e < \Delta$ 时，$m = 0$

分界线为 $e = \Delta$ 和 $e = -\Delta$，它们将相平面分为 3 个区域，如图 8-20b 所示。在区域 Ⅰ、Ⅱ 中，系统方程分别用式（8-26）、式（8-27）描述，相轨迹分别为曲线簇 Ⅰ、Ⅱ。在区域 Ⅲ 中，$m = 0$，系统的误差方程为

$$T\ddot{e} + \dot{e} = 0$$

可求得相轨迹的斜率 $d\dot{e}/de = -1/T$ 为常数，即其相轨迹是一组斜率为 $-1/T$ 的直线。由上式还可得到：当 $\dot{e} = 0$ 时，必有 $\ddot{e} = 0$。因此在区域 Ⅲ 内，直线 $\dot{e} = 0$ 上所有点都是奇点（又称奇线或平衡线）。系统的相平面图如图 8-20b 所示。由图可知系统可能稳定在奇线上任一点。

为了缩短调节时间，减少振荡次数，继电控制系统可采用速度反馈校正，如图 8-21a 所示。继电元件的输入信号为 $e - K_t \dot{c}$，当系统在阶跃信号 $r(t) = 1(t)$ 作用下，由 $e = r - c$ 可得继电元件输入信号 $e + K_t \dot{e}$，因此

当 $e + K_t \dot{e} > 0$，则 $m = M$
当 $e + K_t \dot{e} < 0$，则 $m = -M$

分界线由方程 $e + K_t \dot{e} = 0$ 确定，这是一条通过原点，斜率为 $-1/K_t$ 的直线。它将相平面分为 Ⅰ、Ⅱ 两个区域，分别由式（8-26）、式（8-27）描述。图 8-21b 中给出了分界线及其相轨迹曲线 Ⅰ、Ⅱ。

在阶跃输入作用下，系统状态的运动如图中实线所示。相轨迹由初始点 A_0 开始，沿相轨迹 Ⅰ 移动到达分界线上的衔接点 A_1；进入线性区 Ⅱ 后，沿相轨迹 Ⅱ 移动到下一个衔接点 A_2，…。当衔接点位于分界线 B_1B_2 线段内时，相轨迹将沿分界线向原点滑动，最后趋近于原点，这就是非线性系统的"滑动"现象，该现象可以缩短系统的调节时间。比较图 8-18b 及图 8-21b，可以明显看到速度反馈校正的效果：超调量减小，调节时间缩短，振荡次数减少。

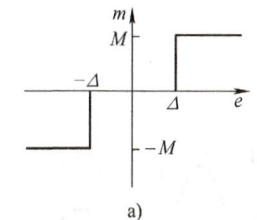
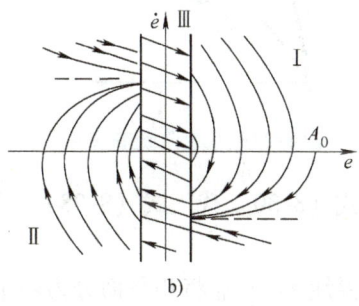

图 8-20 死区继电型非线性系统

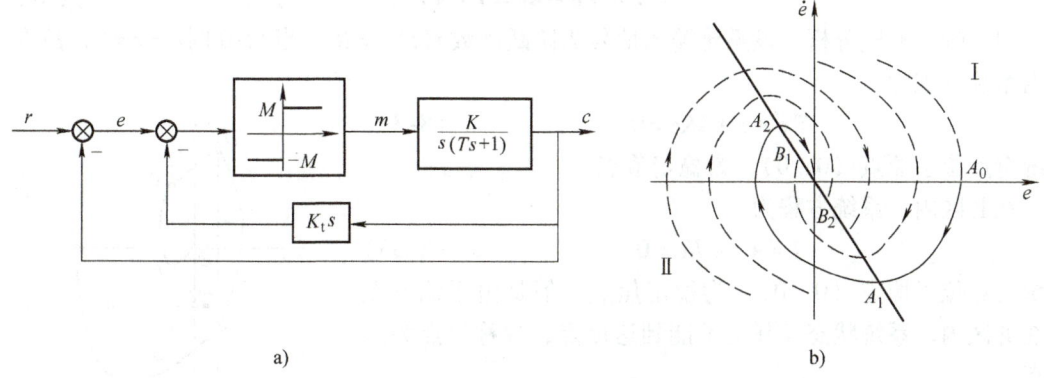

图 8-21 继电型非线性系统的速度反馈校正

2. 具有非线性增益控制系统的分析

在线性系统中，增益的选择需要兼顾调节时间、超调量及振荡次数等性能指标，当增益 K 值取得较大时，系统快速性较好，但超调量大，振荡次数多，如图 8-22 曲线 1 所示。若 K 值较小，超调量、振荡次数将减小，但系统快速性较差，如图 8-22 曲线 2 所示。在线性系统中只能选取折中方案。若采用非线性校正，则可能得到较好效果，图 8-23a 给出具有非线性增益的控制系统，其中 N 是非线性放大元件，其特性如图 8-23b 所示。当误差 $|e|>e_0$ 时，N 具有较大增益，以保证系统的快速性；当 $|e|<e_0$ 而接近稳态值时，增益较小以防止超调过大。采用非线性增益后，有可能获得较理想的响应曲线，如图 8-22 曲线 3 所示。

图 8-23 表示的系统方程可写为

$$T\ddot{c}+\dot{c}=Km \tag{8-28}$$

$$m=\begin{cases}ke, & |e|<e_0\\ e, & |e|>e_0\end{cases} \tag{8-29}$$

$$e=r-c \tag{8-30}$$

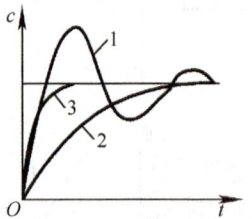

图 8-22 系统阶跃响应

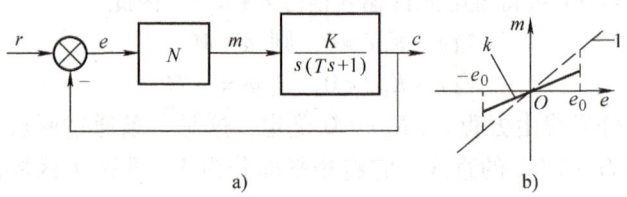

图 8-23 具有非线性放大器的系统

将式 (8-30) 代入式 (8-28)，可得

$$T\ddot{e}+\dot{e}+Km=T\ddot{r}+\dot{r} \tag{8-31}$$

分界线 $e=\pm e_0$ 将相平面分为两个区域：

在区域 I 内，$|e|<e_0$，系统误差方程为

$$T\ddot{e}+\dot{e}+kKe=T\ddot{r}+\dot{r} \tag{8-32}$$

在区域 II 内，$|e|>e_0$，系统误差方程为

$$T\ddot{e}+\dot{e}+Ke=T\ddot{r}+\dot{r} \tag{8-33}$$

(1) 阶跃响应分析　设系统输入信号为阶跃函数 $r(t)=R$，当 $t>0$ 时 $\ddot{r}=\dot{r}=0$，故在 I 区内系统方程为

$$T\ddot{e}+\dot{e}+kKe=0 \tag{8-34}$$

系统奇点位于原点 (0,0)，为稳定节点。

在 II 区内，系统方程为

$$T\ddot{e}+\dot{e}+Ke=0 \tag{8-35}$$

系统奇点位于原点 (0,0)，为稳定焦点，但是由于该奇点不在 II 区内，系统状态实际上不能到达该点，故称该点为虚奇点。

在阶跃输入作用下，系统状态的运动轨迹如图 8-24 所示

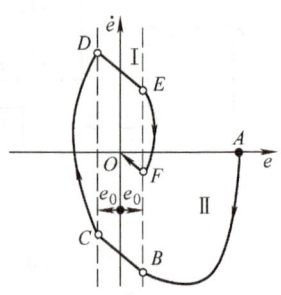

图 8-24 阶跃输入时的相轨迹

示。相轨迹的起点 A 由初始条件 $e(0)=R$，$\dot{e}(0)=0$ 所决定，它经过 $BCDEF$ 最终趋向于相平面的原点，虽然响应曲线是振荡的，但超调量、振荡次数都减小很多。

（2）斜坡响应分析　设输入信号 $r(t)=R+Vt$，当 $t>0$ 时，$\dot{r}=V$，$\ddot{r}=0$，由式（8-32）和式（8-33）可得

$$T\ddot{e}+\dot{e}+kKe=V, \quad |e|<e_0 \tag{8-36}$$

$$T\ddot{e}+\dot{e}+Ke=V, \quad |e|>e_0 \tag{8-37}$$

与前面阶跃输入情况相比，相平面的分界线没有变化，但奇点的位置不同。式（8-36）对应的奇点 P_1 位于 $(V/(kK),0)$，式（8-37）对应的奇点 P_2 位于 $(V/K,0)$，因为 $k<1$，所以 P_1 总在 P_2 的右边。

若 $V<kKe_0$ 而 $R>e_0$，则 P_1、P_2 都位于 I 区内，因此 P_1 为实奇点，P_2 为虚奇点，相轨迹的起点 A 由初始条件 $e(0)=R$，$\dot{e}(0)=V$ 所决定，相轨迹如图 8-25 所示；若 $kKe_0<V<Ke_0$，而 $R=0$，则 P_1 位于 II 区内，P_2 位于 I 区内，因此 P_1、P_2 都是虚奇点。相轨迹的起点 A 由初始条件 $e(0)=0$、$\dot{e}(0)=V$ 所决定，它经过点 $BCDE\cdots$，多次往返于区域 I、II 之间，逐渐收敛于分界线与 e 轴的交点 $(e_0,0)$。误差信号表现为衰减的振荡特性，存在所谓的"抖动"现象。相轨迹如图 8-26 所示。

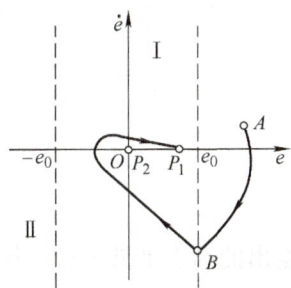

图 8-25　$V<kKe_0$，$R>e_0$ 时的相轨迹

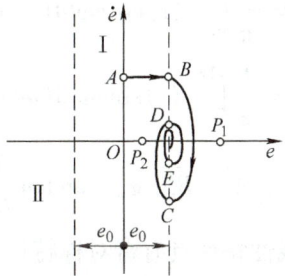

图 8-26　$kKe_0<V<Ke_0$，$R=0$ 时的相轨迹

8.4　描述函数法

相平面法适用于一阶或二阶非线性系统的分析，但对于高于二阶的系统，需要讨论变量空间中的曲面结构，这大大增加了工程使用的困难。描述函数法是一种近似方法，相当于线性理论中频率法的推广。描述函数法不受系统阶次的限制，且所得结果也比较符合实际，故在非线性系统分析中得到了广泛的应用。

8.4.1　描述函数的基本概念

描述函数法是达尼尔（P. J. Daniel）于 1940 年提出的，其基本原理是：当系统满足一定条件时，系统中非线性环节在正弦信号作用下的输出可用一次谐波分量来近似，由此导出非线性环节的近似等效频率特性，表达形式上类似于线性理论中的幅相频率特性。

1. 谐波线性化

系统中常见的非线性特性，当输入为正弦函数时，其输出一般为同周期的非正弦函数。例如，对理想继电特性加以正弦输入信号 $x(t)=A\sin\omega t$，则输出 $y(t)$ 为与输入同周期的方波，如图 8-27 所示。

将方波信号用傅里叶级数表示,即

$$y(t) = \frac{4M}{\pi}\left(\sin\omega t + \frac{1}{3}\sin 3\omega t + \frac{1}{5}\sin 5\omega t + \cdots\right)$$

$$= \frac{4M}{\pi}\sum_{n=0}^{\infty}\frac{1}{2n+1}\sin(2n+1)\omega t \quad (8\text{-}38)$$

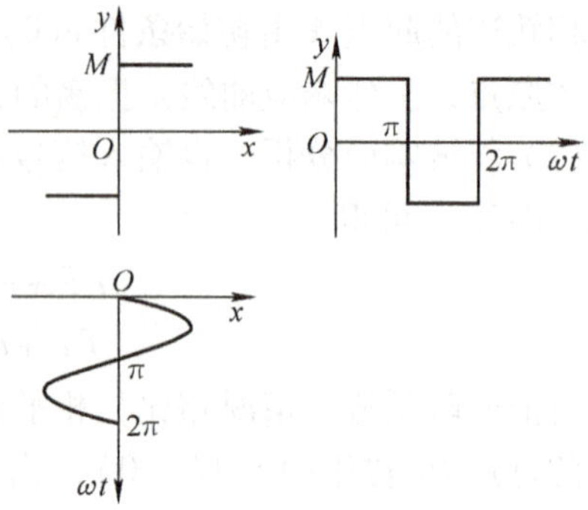

式(8-38)表明,方波 $y(t)$ 可以看作无数个正弦分量的叠加。这些分量中,有一个与输入信号频率相同的分量,称为基波分量,其他为高次谐波。频率愈高的分量,振幅愈小。

图 8-27 理想继电特性及其输入、输出波形

设非线性环节输出描述为 $y(t)$,非线性特性的输入信号为 $x(t) = A\sin\omega t$,输出信号可以表示为傅里叶级数形式,即

$$y(t) = \frac{A_0}{2} + \sum_{n=1}^{\infty}(A_n\cos n\omega t + B_n\sin n\omega t) = \frac{A_0}{2} + \sum_{n=1}^{\infty}Y_n\sin(n\omega t + \varphi_n) \quad (8\text{-}39)$$

式中,$A_n = \frac{1}{\pi}\int_0^{2\pi} y(t)\cos n\omega t\, d(\omega t), n = 0,1,2,\cdots$

$B_n = \frac{1}{\pi}\int_0^{2\pi} y(t)\sin n\omega t\, d(\omega t), n = 1,2,3,\cdots$

$Y_n = \sqrt{A_n^2 + B_n^2};\ \varphi_n = \arctan\frac{A_n}{B_n}$

若非线性特性具有奇对称特性,则 $A_0 = 0$,如果略去输出的高次谐波分量,仅以基波分量近似地代替整个输出,则有

$$y(t) \approx A_1\cos\omega t + B_1\sin\omega t = Y_1\sin(\omega t + \varphi_1) \quad (8\text{-}40)$$

式中,$A_1 = \frac{1}{\pi}\int_0^{2\pi} y(t)\cos\omega t\, d(\omega t)$

$B_1 = \frac{1}{\pi}\int_0^{2\pi} y(t)\sin\omega t\, d(\omega t)$

$Y_1 = \sqrt{A_1^2 + B_1^2};\ \varphi_1 = \arctan\frac{A_1}{B_1}$

这意味着一个非线性元件在正弦输入作用下,其输出也是一个同频率的正弦量,只是振幅和相位发生了变化,这与线性元件具有形式上的相似性,故也称上述近似处理为谐波线性化。

2. 描述函数

非线性特性在进行谐波线性化后,参照幅相频率特性的定义,建立非线性特性的等效幅相特性,即描述函数。把非线性元件输出信号 $y(t)$ 中的一次谐波分量 $y_1(t)$ 与正弦输入信号 $x(t)$ 的复数比,称为非线性元件的描述函数,其数学表达式为

$$N(A) = \frac{B_1 + jA_1}{A} = \frac{Y_1}{A}\angle\varphi_1 \quad (8\text{-}41)$$

式中，A 为非线性元件正弦输入信号的振幅；Y_1 为非线性元件输出信号中一次谐波分量的振幅；φ_1 为非线性元件输出信号中一次谐波分量的相位移。

由式 (8-41) 可知，非线性元件的描述函数 $N(A)$，类似于线性元件的频率特性，因此当非线性特性用其描述函数 $N(A)$ 来表征时，便可以沿用线性系统理论中的频域分析法来研究非线性控制系统。由于描述函数反映的是非线性控制系统中的周期运动，不能给出时间响应的确切信息。因此应用描述函数法只能分析非线性系统在平衡状态的稳定性和自激振荡问题。

8.4.2 典型非线性特性的描述函数

1. 饱和特性

饱和特性以及它对正弦输入的输出波形如图 8-28 所示。其输入、输出信号的波形在正、负半周期内是对称的。在 ωt 为 $0 \sim \pi$ 的半个周期内，当正弦输入的振幅 $A < b$ 时，输出量 $y(t)$ 与输入量 $x(t)$ 是线性关系：$y(t) = kx(t) = kA\sin\omega t$；而当 $A > b$ 时，输出量 $y(t)$ 的值为常量 kb，即

$$y(t) = \begin{cases} kA\sin\omega t, & A \leqslant b \\ kb, & A > b \end{cases} \tag{8-42}$$

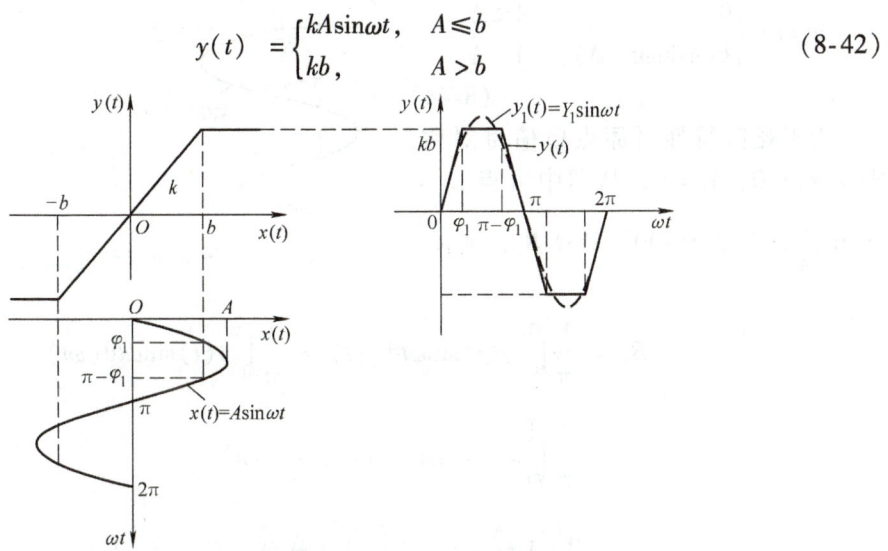

图 8-28 饱和非线性及其输入、输出波形

由于饱和特性是原点单值奇对称，所以 $A_0 = 0$，$A_1 = 0$；从图中可得 $\varphi_1 = \arcsin\dfrac{b}{A}$，并将式 (8-42) 代入式 (8-40) 中计算 B_1，得到

$$\begin{aligned} B_1 &= \frac{1}{\pi}\int_0^{2\pi} y(t)\sin\omega t\,\mathrm{d}(\omega t) = \frac{4}{\pi}\int_0^{\frac{\pi}{2}} y(t)\sin\omega t\,\mathrm{d}(\omega t) \\ &= \frac{4}{\pi}\Big[\int_0^{\varphi_1} kA\sin^2\omega t\,\mathrm{d}(\omega t) + \int_{\varphi_1}^{\frac{\pi}{2}} kb\sin\omega t\,\mathrm{d}(\omega t)\Big] \\ &= \frac{4kA}{\pi}\Big[\int_0^{\varphi_1}\sin^2\omega t\,\mathrm{d}(\omega t) + \frac{b}{A}\int_{\varphi_1}^{\frac{\pi}{2}}\sin\omega t\,\mathrm{d}(\omega t)\Big] \\ &= \frac{4kA}{\pi}\Big\{\Big[\frac{1}{2}\omega t - \frac{1}{4}\sin2\omega t\Big]_0^{\varphi_1} + \frac{b}{A}\big[-\cos\omega t\big]_{\varphi_1}^{\frac{\pi}{2}}\Big\} \end{aligned}$$

$$= \frac{2kA}{\pi}\left[\arcsin\frac{b}{A} + \frac{b}{A}\sqrt{1-\left(\frac{b}{A}\right)^2}\right], \quad (A > b)$$

由于 $A_1 = 0$，所以 $Y_1 = \sqrt{A_1^2 + B_1^2} = B_1$，$\varphi_1 = \arctan\dfrac{A_1}{B_1} = 0$，于是饱和特性的描述函数为

$$N(A) = \frac{Y_1}{A}\angle\varphi_1 = \frac{B_1}{A} = \frac{2k}{\pi}\left[\arcsin\frac{b}{A} + \frac{b}{A}\sqrt{1-\left(\frac{b}{A}\right)^2}\right], \quad A > b \tag{8-43}$$

2. 死区特性

死区特性以及它对正弦输入的输出波形如图 8-29 所示。在 ωt 为 $0 \sim \pi$ 的半个周期内，当正弦输入的振幅 $A \leqslant \Delta$ 时，非线性的输出 $y(t) = 0$；当 $A > \Delta$ 时，非线性的输出 $y(t) = k(A\sin\omega t - \Delta)$，即

$$y(t) = \begin{cases} 0, & A \leqslant \Delta \\ k(A\sin\omega t - \Delta), & A > \Delta \end{cases} \tag{8-44}$$

由于死区特性对原点单值奇对称，所以 $A_0 = 0$，$A_1 = 0$，从图中可得 $\varphi_1 = \arcsin\dfrac{\Delta}{A}$，按式（8-40）计算 B_1，则有

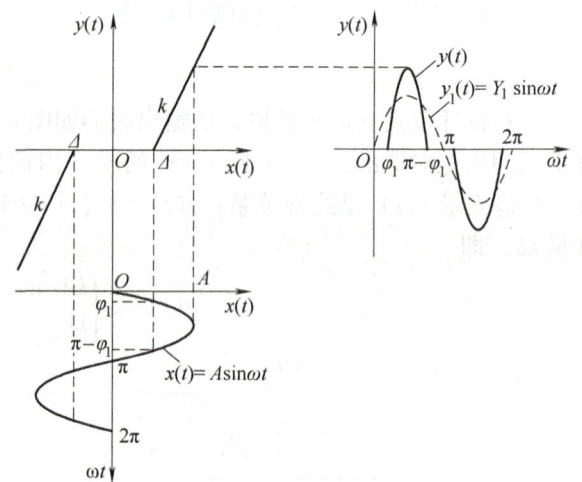

图 8-29 死区非线性及其输入、输出波形

$$B_1 = \frac{1}{\pi}\int_0^{2\pi} y(t)\sin\omega t\,d(\omega t) = \frac{4}{\pi}\int_0^{\frac{\pi}{2}} y(t)\sin\omega t\,d(\omega t)$$

$$= \frac{4}{\pi}\int_{\varphi_1}^{\frac{\pi}{2}} k(A\sin\omega t - \Delta)\sin\omega t\,d(\omega t)$$

$$= \frac{4kA}{\pi}\left[\int_{\varphi_1}^{\frac{\pi}{2}}\sin^2\omega t\,d(\omega t) - \frac{\Delta}{A}\int_{\varphi_1}^{\frac{\pi}{2}}\sin\omega t\,d(\omega t)\right]$$

$$= \frac{2kA}{\pi}\left[\frac{\pi}{2} - \arcsin\frac{\Delta}{A} - \frac{\Delta}{A}\sqrt{1-\left(\frac{\Delta}{A}\right)^2}\right], \quad A > \Delta$$

于是死区特性的描述函数为

$$N(A) = \frac{Y_1}{A}\angle\varphi_1 = \frac{B_1}{A} = k - \frac{2k}{\pi}\left[\arcsin\frac{\Delta}{A} + \frac{\Delta}{A}\sqrt{1-\left(\frac{\Delta}{A}\right)^2}\right], \quad A > \Delta \tag{8-45}$$

比较式（8-43）与式（8-45）可知，如果饱和非线性特性的斜率 k 与死区非线性特性的斜率 k 相等，并且 $b = \Delta$，将饱和非线性与死区非线性并联，其总的描述函数等效为一个线性元件，其增益为 k，即

$$N(A) = N_{饱}(A) + N_{死}(A) = k \tag{8-46}$$

这就为克服系统中的饱和非线性或死区非线性提供了一个实施方案。

3. 继电器特性

（1）**具有死区和滞环的继电器特性** 具有死区和滞环的继电器特性以及它对正弦输入的输出波形如图 8-30 所示。其输出量 $y(t)$ 的方程为

$$y(t) = \begin{cases} M, & \varphi_1 \leq \omega t \leq \varphi_2 \\ -M, & \varphi_3 \leq \omega t \leq \varphi_4 \end{cases} \tag{8-47}$$

式中

$$\varphi_1 = \arcsin\frac{\Delta}{A}, \quad \varphi_2 = \pi - \arcsin\frac{m\Delta}{A}$$

$$\varphi_3 = \pi + \arcsin\frac{\Delta}{A}, \quad \varphi_4 = 2\pi - \arcsin\frac{m\Delta}{A}, \quad 0 < m < 1$$

由于具有死区和滞环的继电器特性是对原点多值奇对称，它在正弦输入作用下的输出量 $y(t)$ 既不是奇函数也不是偶函数，所以 A_1 和 B_1 都必须计算，但 $A_0 = 0$。

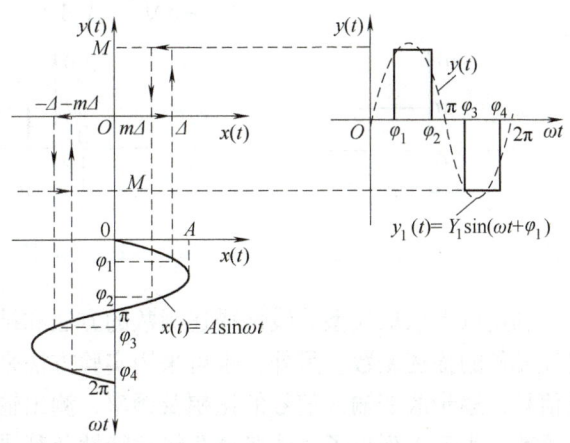

图 8-30 具有死区和滞环的继电特性及其输入、输出波形

$$A_1 = \frac{1}{\pi}\int_0^{2\pi} y(t)\cos\omega t\, d(\omega t) = \frac{1}{\pi}\left[\int_{\varphi_1}^{\varphi_2} M\cos\omega t\, d(\omega t) - \int_{\varphi_3}^{\varphi_4} M\cos\omega t\, d(\omega t)\right]$$

$$= \frac{M}{\pi}[\sin\omega t]_{\varphi_1}^{\varphi_2} - \frac{M}{\pi}[\sin\omega t]_{\varphi_3}^{\varphi_4} = \frac{2M\Delta}{\pi A}(m-1), \quad A > \Delta$$

$$B_1 = \frac{1}{\pi}\int_0^{2\pi} y(t)\sin\omega t\, d(\omega t) = \frac{1}{\pi}\left[\int_{\varphi_1}^{\varphi_2} M\sin\omega t\, d(\omega t) - \int_{\varphi_3}^{\varphi_4} M\sin\omega t\, d(\omega t)\right]$$

$$= \frac{M}{\pi}[-\cos\omega t]_{\varphi_1}^{\varphi_2} - \frac{M}{\pi}[-\cos\omega t]_{\varphi_3}^{\varphi_4}$$

$$= \frac{2M}{\pi}\left[\sqrt{1-\left(\frac{\Delta}{A}\right)^2} + \sqrt{1-\left(\frac{m\Delta}{A}\right)^2}\right], \quad A > \Delta$$

于是，具有死区和滞环继电器特性的描述函数为

$$N(A) = \frac{B_1 + jA_1}{A} = \frac{2M}{\pi A}\left[\sqrt{1-\left(\frac{\Delta}{A}\right)^2} + \sqrt{1-\left(\frac{m\Delta}{A}\right)^2}\right] + j\frac{2M\Delta}{\pi A^2}(m-1), \quad A > \Delta \tag{8-48}$$

（2）**双位继电器特性** 如果图 8-30 中的 $\Delta = 0$，就是双位继电器特性（见图 8-31）；令式（8-48）中的 $\Delta = 0$，就得到双位继电器非线性的描述函数，即

$$N(A) = \frac{4M}{\pi A} \tag{8-49}$$

（3）**三位继电器特性** 如果图 8-30 中的 $m = 1$，就是三位继电器特性（见图 8-32）；令式（8-48）中的 $m = 1$，就得到三位继电器特性的描述函数，即

$$N(A) = \frac{4M}{\pi A}\sqrt{1-\left(\frac{\Delta}{A}\right)^2}, \qquad A > \Delta \tag{8-50}$$

（4）具有滞环的继电器特性　如果图 8-30 中的 $m = -1$，就是具有滞环的继电器特性（见图 8-33）；令式（8-48）中的 $m = -1$，就得到具有滞环继电器特性的描述函数，即

$$N(A) = \frac{4M}{\pi A}\sqrt{1-\left(\frac{\Delta}{A}\right)^2} - j\frac{4M\Delta}{\pi A^2}, \qquad A > \Delta \tag{8-51}$$

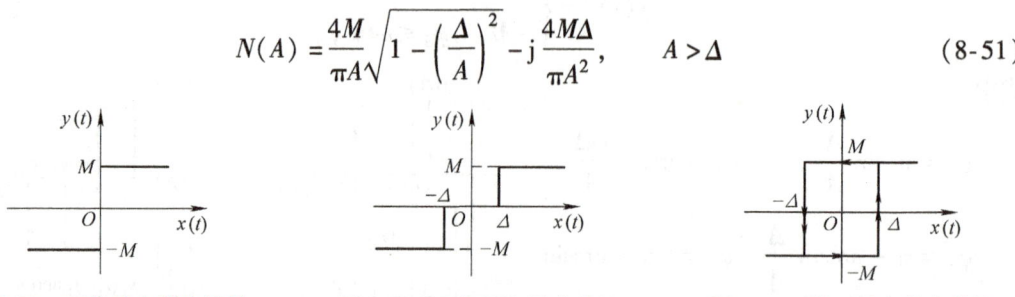

图 8-31　双位继电器非线性　　　图 8-32　三位继电器非线性　　　图 8-33　滞环继电器非线性

利用以上求取典型非线性描述函数的方法和结果，就不难推导出其他形式或更复杂的非线性元件的描述函数。另外，也可采用实验方法来测量描述函数。即给非线性元件输入一正弦信号，逐步改变输入信号的振幅及频率，测出输出量中基波的振幅与相位，则可换算出描述函数。表 8-1 列出了一些典型非线性特性及其描述函数，以供查用。

表 8-1　典型非线性特性及其描述函数对照表

非线性类型	非线性特性	描述函数
有死区的继电器特性		$N(A) = \dfrac{4M}{\pi A}\sqrt{1-\left(\dfrac{\Delta}{A}\right)^2}, \quad A \geqslant \Delta$
有滞环的继电器特性		$N(A) = \dfrac{4M}{\pi A}\sqrt{1-\left(\dfrac{\Delta}{A}\right)^2} - j\dfrac{4M\Delta}{\pi A^2}, \quad A \geqslant \Delta$
有死区和滞环的继电器特性		$N(A) = \dfrac{2M}{\pi A}\left[\sqrt{1-\left(\dfrac{m\Delta}{A}\right)^2} + \sqrt{1-\left(\dfrac{\Delta}{A}\right)^2}\right] + j\dfrac{2M\Delta}{\pi A^2}(m-1), \quad A \geqslant \Delta$
有幅值限制的饱和特性		$N(A) = \dfrac{2K}{\pi}\left[\arcsin\dfrac{b}{A} + \dfrac{b}{A}\sqrt{1-\left(\dfrac{b}{A}\right)^2}\right], \quad A \geqslant b$
有死区的饱和特性		$N(A) = \dfrac{2K}{\pi}\left[\arcsin\dfrac{b}{A} - \arcsin\dfrac{\Delta}{A} + \dfrac{b}{A}\sqrt{1-\left(\dfrac{b}{A}\right)^2} - \dfrac{\Delta}{A}\sqrt{1-\left(\dfrac{\Delta}{A}\right)^2}\right],$ $A \geqslant b$

(续)

非线性类型	非线性特性	描述函数
死区特性		$N(A) = \dfrac{2K}{\pi}\left[\dfrac{\pi}{2} - \arcsin\dfrac{\Delta}{A} - \dfrac{\Delta}{A}\sqrt{1-\left(\dfrac{\Delta}{A}\right)^2}\right],\quad A \geq \Delta$
间隙特性		$N(A) = \dfrac{K}{\pi}\left[\dfrac{\pi}{2} + \arcsin\left(1-\dfrac{2b}{A}\right) + 2\left(1-\dfrac{2b}{A}\right)\sqrt{\dfrac{b}{A}\left(1-\dfrac{b}{A}\right)}\right] +$ $\mathrm{j}\dfrac{4Kb}{\pi A}\left(\dfrac{b}{A}-1\right),\quad A \geq b$
变增益特性		$N(A) = K_2 + \dfrac{2(K_1 - K_2)}{\pi}\left[\arcsin\dfrac{b}{A} + \dfrac{b}{A}\sqrt{1-\left(\dfrac{b}{A}\right)^2}\right],\quad A \geq b$

8.4.3 用描述函数法分析非线性系统

1. 描述函数法的应用条件

1)非线性系统能简化成如图 8-34 所示的典型结构形式。图中 $G(s)$ 代表系统的线性部分,$N(A)$ 表示非线性环节。

2)非线性环节输入输出特性 $y(x)$ 应是 x 的奇函数,即 $f(x) = -f(-x)$,以保证非线性环节的正弦响应不含有常值分量,即 $A_0 = 0$。

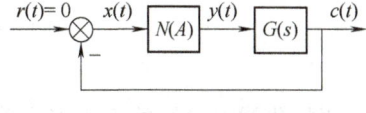

图 8-34 非线性系统

3)系统的线性部分应具有较好的低通滤波性能。当非线性环节的输入为正弦信号时,实际输出必定含有高次谐波分量,但经线性部分传递之后,由于低通滤波的作用,高次谐波分量将被大大削弱,从而保证描述函数法所分析的结果比较准确。

2. 非线性系统的稳定性分析

非线性系统经过简化后,具有图 8-34 所示的典型结构形式,且非线性环节与线性部分满足描述函数法的应用条件,则非线性系统经过谐波线性化后变成一个等效的线性系统,可以应用线性系统理论中的频域稳定判据来分析非线性系统的稳定性。

已知图 8-34 系统中非线性特性的描述函数 $N(A)$ 和线性部分的频率特性 $G(\mathrm{j}\omega)$,由于要求 $G(s)$ 具有低通特性,故其极点均在 s 的左半平面。当非线性特性采用描述函数近似等效时,闭环系统的特征方程为

$$1 + N(A)G(\mathrm{j}\omega) = 0 \quad 或 \quad N(A)G(\mathrm{j}\omega) = -1 \tag{8-52}$$

即

$$G(\mathrm{j}\omega) = -1/N(A) \tag{8-53}$$

$-1/N(A)$ 称为非线性环节的负倒描述函数。由线性控制系统理论知,线性系统的特征方程为

$$G(j\omega) = -1 \tag{8-54}$$

根据复平面内系统的开环频率特性 $G(j\omega)$ 曲线与临界点 $(-1, j0)$ 的相对位置,应用奈奎斯特(Nyquist)稳定判据,可以分析线性控制系统的稳定性。将式(8-53)与式(8-54)对照,显然可以把奈奎斯特稳定判据推广应用于谐波线性化的非线性系统,需要修改的仅仅是将复平面内的临界点 $(-1, j0)$ 扩展为临界曲线,即 $-1/N(A)$ 曲线。

根据奈奎斯特稳定判据,如果 $-1/N(A)$ 曲线不被 $G(j\omega)$ 曲线包围(见图8-35a),则系统是稳定的。如果 $-1/N(A)$ 曲线被 $G(j\omega)$ 曲线全部包围(见图8-35b),则系统状态在干扰作用下,不能回到平衡状态,所以系统是不稳定的。

如果 $-1/N(A)$ 曲线与线性部分频率特性 $G(j\omega)$ 曲线相交(见图8-35c),交点处的参数,即振幅 A_i 和频率 ω_i 使式(8-52)或式(8-53)成立,非线性系统可能产生 $A_i\sin\omega_i t$ 的自激振荡。

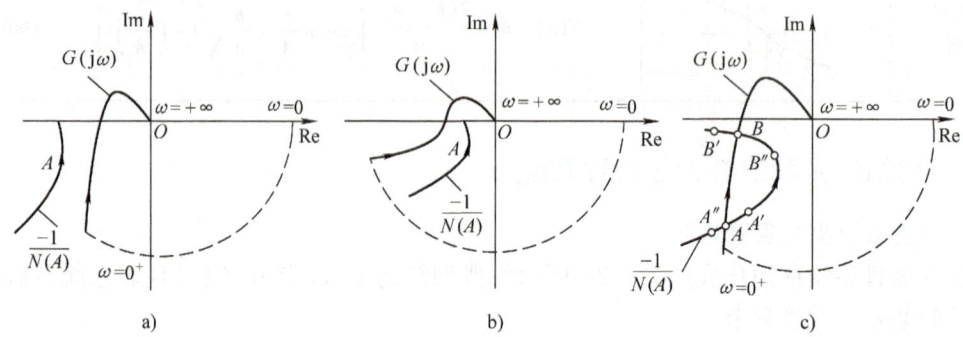

图 8-35 非线性系统零平衡状态的稳定性

假如非线性系统的工作点准确地位于图8-35c中两曲线的交点 A 和 B 上,理论上非线性系统均可产生自激振荡。但是实际的系统工作时不可避免地会受到干扰(外界干扰或系统内部参数的变化),使非线性系统的工作点偏离交点 A 或 B。假设非线性系统最初工作在图8-35c中的 A 点,如果系统受到干扰,使非线性元件的正弦输入振幅 A 稍微增大,系统的工作点由 A 点变到 A' 点,此时的 A' 点成为临界点,由于 $G(j\omega)$ 曲线包围了 A' 点,系统将产生发散的振荡,其振幅 A 继续增大而远离工作点 A。如果系统受到干扰,使振幅 A 稍微减小,工作点由 A 点变动到 A'' 点,不被 $G(j\omega)$ 曲线包围,系统将产生衰减振荡,其振幅 A 继续减小而又远离工作点 A,因此 A 点处所对应的自激振荡是不稳定的。假设非线性系统最初工作在图8-35c中的 B 点,如果系统受到干扰,使振幅 A 稍微增大(或减小),工作点由 B 点变动到 B'(或 B'')点,不被(或被)$G(j\omega)$ 曲线包围,系统将产生衰减(或发散)振荡,使振幅 A 减小(或增大)而回到原工作点 B,因此 B 点处的自激振荡是稳定的。

上述分析可综合叙述为:在复平面内 $G(j\omega)$ 曲线与 $-1/N(A)$ 曲线有交点,如果干扰使系统的工作点由交点处变动到 A 稍微增大的新工作点处,不被 $G(j\omega)$ 曲线包围,则该交点处的自激振荡是稳定的。如果系统的工作点由交点处变动到 A 稍微增大的新工作点,被 $G(j\omega)$ 曲线包围,则该交点处的自激振荡是不稳定的。

稳定的自激振荡是振幅和频率均固定不变的周期振荡,具有抗干扰性。稳定的自激振荡可以通过系统的仿真实验观测到;而不稳定的自激振荡实际上是不存在的,在系统的仿真实验中也观测不到。

另外,自激振荡的振幅和频率除了用上述的图解法外,也可以使用解析法,即通过求解非线性系统的特征方程式(8-52),亦可联立求解下列方程来确定。

$$\begin{cases} |N(A)G(j\omega)| = 1 \\ \angle N(A)G(j\omega) = -\pi \end{cases} \tag{8-55}$$

3. 描述函数分析举例

例 8-4 双位继电器非线性系统(见图 8-36),系统的参考输入 $r(t)=0$,系统开始处于静止状态。

(1) 分析非线性系统零平衡状态的稳定性和自激振荡的稳定性;
(2) 如果系统产生自激振荡,确定自激振荡的振幅 A 和频率 ω。

解 由式(8-49)求得

$$-\frac{1}{N(A)} = -\frac{\pi A}{4M}$$

$-1/N(A)$ 曲线在复平面内与负实轴重合。线性部分的频率特性 $G(j\omega)$ 为

$$G(j\omega) = \frac{4}{j\omega(j\omega+1)^2} = \frac{4}{-2\omega^2 + j\omega(1-\omega^2)}$$

$$= \frac{-8\omega^2 - j4\omega(1-\omega^2)}{4\omega^4 + \omega^2(1-\omega^2)^2} = \frac{-8\omega}{\omega(1+\omega^2)^2} - j\frac{4(1-\omega^2)}{\omega(1+\omega^2)^2} \tag{8-56}$$

在复平面内画出双位继电器的 $-1/N(A)$ 曲线和线性部分的 $G(j\omega)$ 曲线如图 8-37 所示。

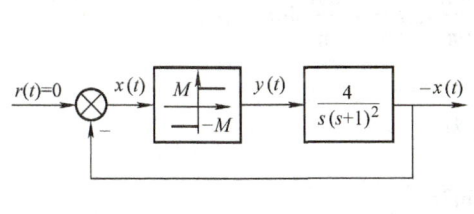

图 8-36 双位继电器非线性系统

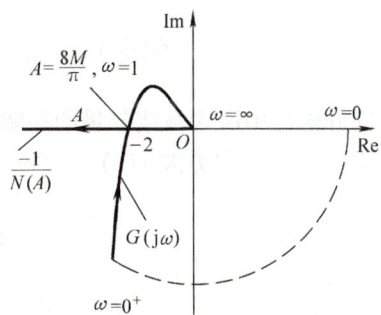

图 8-37 例 8-4 系统的 $-1/N(A)$ 和 $G(j\omega)$ 曲线

由于 $G(j\omega)$ 曲线与 $-1/N(A)$ 曲线相交,应用奈奎斯特稳定判据可知,系统在干扰作用下,可能有任意的初始状态,故该非线性系统的零平衡状态是不稳定的;如果干扰使系统的工作点由交点变动到 A 稍微增大的新工作点,由于新工作点不被 $G(j\omega)$ 曲线包围,故交点处的自激振荡是稳定的。下面确定自激振荡的参数。

$G(j\omega)$ 曲线与负实轴(即双位继电器的 $-1/N(A)$ 曲线)相交时,$G(j\omega)$ 的虚部为零。令 $G(j\omega)$ 的虚部为零,求得 $G(j\omega)$ 曲线与 $-1/N(A)$ 曲线交点处的频率 ω 为

$$1 - \omega^2 = 0$$

于是 $\omega = 1 \text{rad/s}$($\omega = -1$ 弃之)。将 $\omega = 1$ 代入式(8-56)得到

$$G(j\omega)\Big|_{\omega=1} = -2$$

交点处的参数应满足系统的特征方程,即

$$G(j\omega) = -\frac{1}{N(A)}$$

即有:$-2 = -\frac{\pi A}{4M}$,可求得交点处自激振荡的振幅为 $A = 8M/\pi$。因此,自激振荡的参数为 $\omega = 1$,$A = 8M/\pi$。

前面提到描述函数法的应用条件,通过本例,对应用条件做如下说明。

双位继电器的输入信号 $x(t)$ 为

$$x(t) = A\sin\omega t = \frac{8M}{\pi}\sin t$$

线性部分 $G(s)$ 的输出为

$$-x(t) = -\frac{8M}{\pi}\sin t$$

双位继电器的输出信号 $y(t)$ 是振幅为 M 的方波,根据式(8-38)其基波分量为

$$y_1(t) = A_1\cos\omega t + B_1\sin\omega t = \frac{4M}{\pi}\sin t$$

经线性部分后相应的基波分量为

$$G(j\omega)\Big|_{\omega=1} y_1(t) = (-2)\frac{4M}{\pi}\sin t = -\frac{8M}{\pi}\sin t$$

即线性部分输出中所含基波分量的振幅为 $8M/\pi$。

由式(8-38)得方波 $y(t)$ 中的三次谐波分量为

$$y_3(t) = \frac{4M}{3\pi}\sin 3t$$

而

$$\Big|G(j\omega)\Big|_{\omega=3} = \Big|\frac{4}{j\omega(j\omega+1)^2}\Big|_{\omega=3} = \frac{2}{15}$$

于是 $y(t)$ 中的三次谐波分量 $y_3(t)$ 经过线性部分滤波后,相应的振幅成为

$$\Big|G(j\omega)\Big|_{\omega=3} \frac{4M}{3\pi} = \frac{8M}{45\pi}$$

由此可知,本例线性部分输出的三次谐波分量振幅 $8M/(45\pi)$ 是基波分量振幅 $8M/\pi$ 的 1/45,所占比重很小,其他高次谐波所占比重则更小。故输出信号中的二次和二次以上的谐波分量可以略去。因此,当非线性系统中线性部分具有良好的低通滤波特性时,描述函数法只考虑基波分量的假设是合理的。

例 8-5 具有三位继电器的非线性系统(见图 8-38),其参考输入 $r(t) = 0$,系统开始处于静止状态,试分析非线性系统零平衡状态的渐近稳定性和自激振荡的稳定性。

解 线性部分的频率特性 $G(j\omega)$ 与例 8-4 相同,并且 $G(j\omega)$ 曲线与负实轴相交时,交

点的坐标为
$$\left| G(j\omega) \right|_{\omega=1} = -2$$

三位继电器非线性特性的负倒描述函数 $-1/N(A)$ 为式（8-50）的负倒数，即

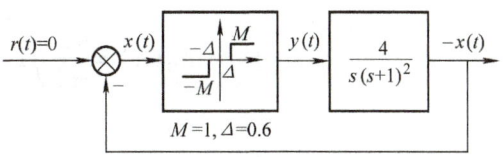

图 8-38　三位继电器非线性系统

$$\left. \frac{-1}{N(A)} = \frac{-1}{\dfrac{4M}{\pi A}\sqrt{1-\left(\dfrac{\Delta}{A}\right)^2}} \right|_{\substack{\Delta=0.6 \\ M=1}} = \frac{-1}{\dfrac{1.273}{A}\sqrt{1-\left(\dfrac{0.6}{A}\right)^2}}, \quad A > \Delta = 0.6 \quad (8\text{-}57)$$

由式（8-57）计算出 $-1/N(A)$ 的数据见表 8-2。

表 8-2　三位继电器 $-1/N(A)$ 随 A 变化数据

A	…	0.618	0.68	0.75	0.857	1	1.33	2.46	…
$-1/N(A)$	…	-2	-1.2	-1	-0.94	-1	-1.2	-2	…

在复平面内画出 $-1/N(A)$ 曲线和 $G(j\omega)$ 曲线如图 8-39 所示。

由于 $G(j\omega)$ 曲线与 $-1/N(A)$ 曲线相交，系统在干扰作用下，可能有任意的初始状态，故非线性系统的零平衡状态是不稳定的。

三位继电器非线性特性的 $-1/N(A)$ 曲线与 $G(j\omega)$ 曲线在 $(-2, j0)$ 点相交，其相应的 A 值为 $A_A = 0.618$ 和 $A_B = 2.46$。对于 $A_A = 0.618$，$\omega = 1$ 的工作点，当干扰使工作点变动到 A 稍大的新工作点，被 $G(j\omega)$ 曲线包围了，该点的自激振荡 $0.618\sin t$ 是不稳定的。而对于 $A_B = 2.46$，$\omega = 1$ 的工作点，当干扰使工作点变动到 A 稍大的新工作点，不被 $G(j\omega)$ 曲线包围，故该点的自激振荡 $2.46\sin t$ 是稳定的。

例 8-6　具有滞环非线性的系统如图 8-40 所示，其中非线性特性参数 $M = 4$，$\Delta = 1$。试分析该非线性系统是否有自激振荡存在，若有自激振荡发生，求出自激振荡的参数。

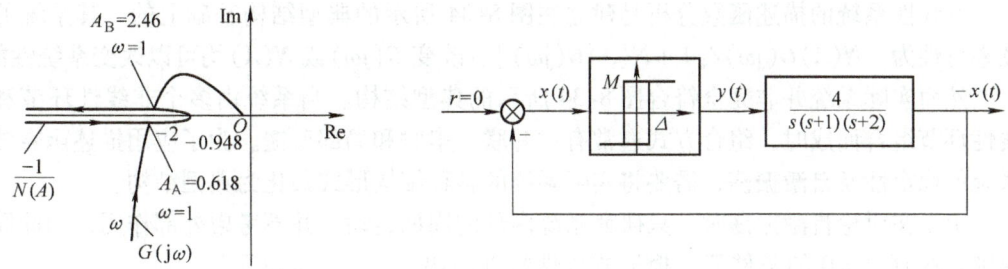

图 8-39　例 8-5 系统的 $-1/N$ 和 $G(j\omega)$ 曲线　　　图 8-40　例 8-6 系统结构图

解　滞环非线性特性的描述函数为

$$N(A) = \frac{4M}{\pi A}\sqrt{1-\left(\frac{\Delta}{A}\right)^2} - j\frac{4M\Delta}{\pi A^2} \quad (8\text{-}58)$$

$$= \frac{M}{\Delta}N_0(A) = 4N_0(A)$$

其中

$$N_0(A) = \frac{4\Delta}{\pi A}\sqrt{1-\left(\frac{\Delta}{A}\right)^2} - j\frac{4}{\pi}\left(\frac{\Delta}{A}\right)^2 \tag{8-59}$$

而

$$-\frac{1}{N_0(A)} = -\frac{\pi}{4}\left[\sqrt{\left(\frac{A}{\Delta}\right)^2 - 1} + j\right] \tag{8-60}$$

因此

$$\text{Re}\left[-\frac{1}{N(A)}\right] = -\frac{\pi}{16}\sqrt{\left(\frac{A}{\Delta}\right)^2 - 1} \tag{8-61a}$$

$$\text{Im}\left[-\frac{1}{N(A)}\right] = -\frac{\pi}{16} \tag{8-61b}$$

即滞环非线性描述函数负倒数的虚部为一常数。

在复平面内画出 $-1/N(A)$ 曲线和 $G(j\omega)$ 曲线如图 8-41 所示。由图可见,$G(j\omega)$ 曲线与 $-1/N(A)$ 曲线相交,且为稳定的自激振荡,现求自激振荡的参数。

线性部分的频率特性 $G(j\omega)$ 可写为

$$G(j\omega) = \frac{4}{j\omega(j\omega+1)(j\omega+2)}$$

$$= \frac{-12\omega^2 - j4\omega(2-\omega^2)}{9\omega^4 + \omega^2(2-\omega^2)^2}$$

图 8-41 例 8-6 系统的 $-1/N(A)$ 和 $G(j\omega)$ 曲线

由 $-1/N(A) = G(j\omega)$,用试探法近似求得自激振荡的频率 $\omega = 1.14$,自激振荡的振幅 $A = 5.1$。

4. 非线性系统结构的简化

非线性系统的描述函数分析是建立在图 8-34 所示的典型结构基础上的,其系统的等效频率特性为:$N(A)G(j\omega)/[1+N(A)G(j\omega)]$。改变 $G(j\omega)$ 或 $N(A)$ 均可以改变系统性能。

然而实际系统并非完全符合图 8-34 所示的典型结构。当系统由多个非线性环节和多个线性环节组合而成时,组合方式通常有:并联、串联和局部反馈。为了应用描述函数法分析系统的稳定性及自激振荡,需要将实际系统的各种结构形式归化为典型结构。

由于在讨论自激振荡时,只研究系统内部的周期运动,并不考虑外部作用,因此简化的原则是在 $r(t)=0$ 的条件下,根据非线性特性的串、并联实际情况,先将非线性部分化为一个等效非线性环节,然后保持等效非线性环节的输入、输出关系不变,再简化线性部分。

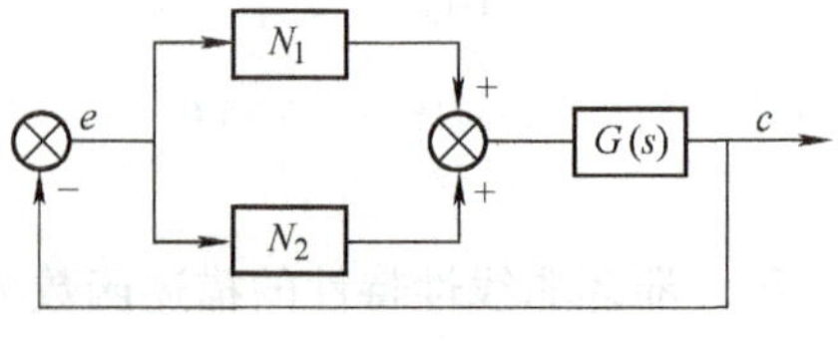

(1) 非线性特性的并联 图 8-42 所示的非线性系统,由两个并联的非线性部件和线性部分串联而成。在结构归化时,可以将两个非线性特性进行叠加,对叠加的部分求其描述函数 $N(A)$。也可以先求各非线性的描述函数 $N_1(A)$ 和 $N_2(A)$,并联非线性特性的描述函数则为 $N(A) = N_1(A) + N_2(A)$。

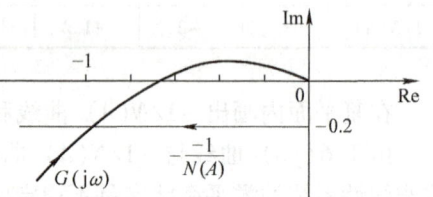

图 8-42 两个非线性部件并联的系统

(2) 非线性特性的串联 当两个非线性环节串联时，应先将两个环节的特性等效为一个特性，然后再求总的描述函数 $N(A)$。图 8-43 表示了死区特性与带死区的继电特性相串联的情况，其等效非线性特性见右侧图形。参数求取如下：

根据图 8-43 中 $x\text{-}u$ 及 $u\text{-}y$ 之间的关系，可写出

$$u = \begin{cases} K(x-b), & x > b \\ 0, & |x| \leq b \\ K(x+b), & x < -b \end{cases} \text{ 及 } y = \begin{cases} M, & u \geq \Delta \\ 0, & |u| < \Delta \\ -M, & u \leq -\Delta \end{cases}$$

因为

$$u = K(x-b) > \Delta, \text{ 即 } x > \frac{\Delta}{K} + b = s$$

所以

$$y = \begin{cases} M, & x \geq s \\ 0, & |x| < s \\ -M, & x \leq -s \end{cases}$$

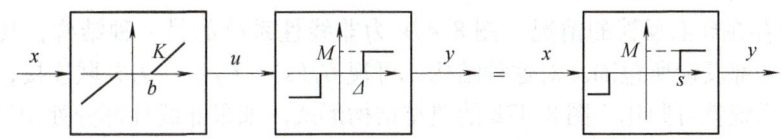

图 8-43 非线性环节串联及其等效特性

应当注意，调换串联环节的前后次序，等效特性将会不同。因此不能随便更动位置，这一点是与线性环节串联有所区别的。

例 8-7 非线性系统结构如图 8-44 所示。设图中参数 $K=2$，$M=1$，线性部分传递函数为

$$G(s) = \frac{10}{s(0.25s+1)(0.125s+1)}$$

试分析非线性系统的稳定性。

解 由图知，该系统组合非线性特性如图 8-45 所示，其非线性环节描述函数为

$$N(A) = K + \frac{4M}{\pi A}$$

所以

$$-\frac{1}{N(A)} = \frac{\pi A}{K\pi A + 4M} \angle -180°$$

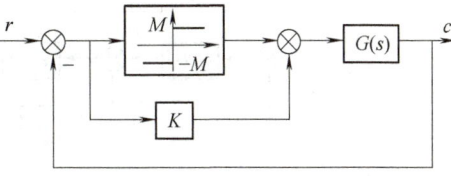

图 8-44 例 8-7 题非线性系统结构

当 $A=0$ 时，$-1/N(A) = 0 \angle -180°$；当 $A \to \infty$ 时，$-1/N(A) = 0.5 \angle -180°$。
线性部分的频率特性 $G(j\omega)$ 为

$$G(j\omega) = \frac{10}{j\omega(0.25j\omega+1)(0.125j\omega+1)}$$

$$= \frac{10}{\omega\sqrt{(0.25\omega)^2+1}\sqrt{(0.125\omega)^2+1}} \angle -90° - \arctan 0.25\omega - \arctan 0.125\omega$$

由 $\angle G(j\omega) = -180°$，求得 $\omega = 5.66$，$|G(j\omega)| = 0.78$。在复平面内画出其 $-1/N(A)$ 曲线和线性部分 $G(j\omega)$ 曲线如图 8-46 所示。

因为 $-1/N(A)$ 被 $G(j\omega)$ 曲线所包围，根据奈奎斯特稳定判据，系统是不稳定的。

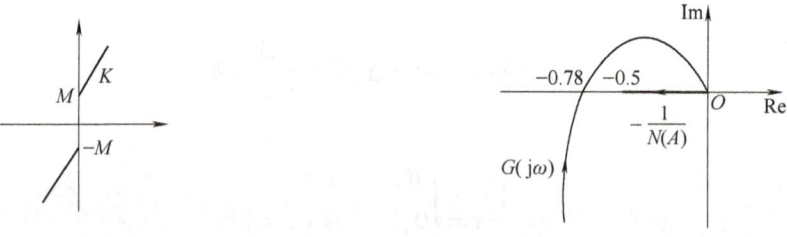

图 8-45　组合非线性特性　　　　图 8-46　例 8-7 系统的 $-1/N(A)$ 和 $G(j\omega)$ 曲线

（3）系统存在局部反馈的情况　图 8-47a 为非线性系统的另一种结构，其中非线性部分被线性部分局部反馈所包围。对这种结构，可视 $G_1(s)$、$G_2(s)$ 为并联连接，合并为一个线性环节，则系统就可归化为图 8-47b 的典型结构形式。如果非线性部分处于局部反馈通道中，如图 8-48a 所示，则仍可通过适当变换，归化为一个线性部分与一个非线性部分的串联，如图 8-48b 所示。对于图 8-49 所示系统，多个线性部件和非线性部件相间排列，一般无法归化为前述典型结构，用描述函数法对此类系统进行分析比较麻烦，此不赘述。

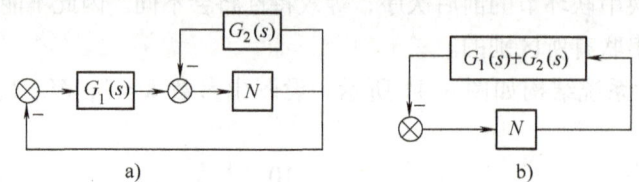

图 8-47　非线性结构 Ⅰ 及其简化结果

a）线性局部反馈包围非线性部分　b）变换后结构图

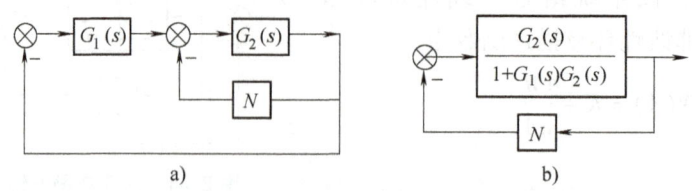

图 8-48　非线性结构 Ⅱ 及其简化结果

a）非线性局部反馈包围线性部分　b）变换后结构图

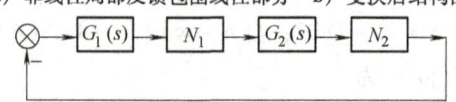

图 8-49　多个线性与非线性部件相间排列

8.5 MATLAB 在非线性控制系统分析中的应用

分析非线性系统的相平面法和描述函数法均为图解法。本节将介绍应用 MATLAB 绘制非线性系统的相轨迹图、复平面上的负倒描述函数图求取方法。

8.5.1 应用 MATLAB/Simulink 绘制非线性系统相轨迹图

绘制相轨迹图的前提是求解微分方程。MATLAB 的函数库里提供了求解微分方程的函数组,最常用的是 ode45(),采用的是 4/5 阶变步长龙格—库塔算法。它的调用格式为

$$[t,y] = ode45('fun', ts, y0)$$

其中,参数 fun 是字符串,是描述系统模型的函数名称;参数 ts 是一行两列的向量,给出了求解的起始和终止时间;参数 y0 是表征系统状态变量初值行向量,默认值是空矩阵。

返回参数 t 是时间向量,y 是微分方程的解向量。

MATLAB 中的动态系统建模与仿真交互软件 Simulink,可以方便地绘制出给定系统的相轨迹图,Simulink 中的非线性环节模块库提供了死区、饱和、继电等多种非线性模块,在 Simulink 环境下,构建非线性系统简易、方便。下面给出在应用 MATLAB 与 Simulink 对系统进行相轨迹分析的实例。

例 8-8 系统的微分方程为 $\ddot{x} + \dot{x} + 4x + x^2 = 0$。试求系统的奇点,并通过奇点附近的相轨迹确定奇点的类型。

解 由 $\dot{x} = 0$,$f(x, \dot{x}) = 0$,求出系统的奇点为

$$\begin{cases} \dot{x} = 0, x_1 = 0 \\ \dot{x} = 0, x_2 = -4 \end{cases}$$

将微分方程变形为 $\ddot{x} = -\dot{x} - 4x - x^2$。

1) 采用 MATLAB 绘制例 8-8 相轨迹

设 $x_1 = \dot{x}$,$x_2 = x$,则有:

$$\dot{x}_1 = \ddot{x} = -x_1 - 4x_2 - x_2^2$$
$$\dot{x}_2 = \dot{x} = x_1$$

```
% 例 8-8 主程序 MATLAB 代码;程序 8-1.1
[t,x] = ode45('describefun',[0,20],[0,2]);
plot(x(:,2),x(:,1));
xlabel('x');ylabel('dx/dt');
title('相轨迹图')
% 例 8-8 描述系统模型的子函数代码;程序 8-1.2
function   xd = describefun(t,x)
xd = [ -x(1) -4*x(2) -x(2)^2;x(1)];
```

程序执行后,得到图 8-50 所示的相轨迹图。

将初始状态由 [0, 2],改为 [0, 5],求解时间为 0 到 2s,再次调用 ode45() 函数,得到图 8-51 相轨迹图。

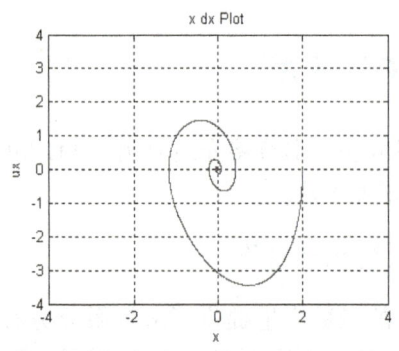

图 8-50 初始状态 $x=2$，$\dot{x}=0$ 时的相轨迹图

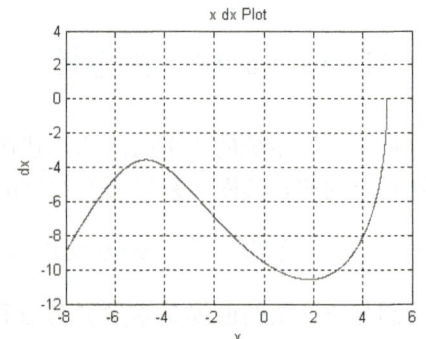

图 8-51 初始状态 $x=5$，$\dot{x}=0$ 时的相轨迹图

[t,x] = ode45('describefun',[0,2],[0,5]);

2）利用 Simulink 绘制例 8-8 相轨迹。

在 Simulink 下建立模型文件，系统结构如图 8-52 所示。

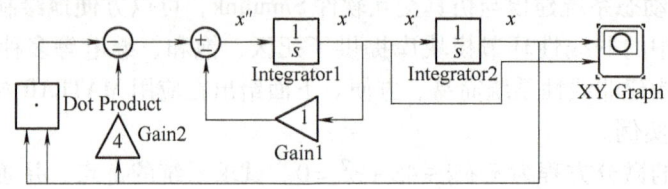

图 8-52 例 8-8 系统结构图

这里，$x'=\dot{x}$，$x''=\ddot{x}$。求 $\dot{x}=0$，$x_1=0$ 附近相轨迹。设 Integrator1（积分器 1）的初始状态为 0，Integrator2（积分器 2）的初始状态为 2，即 $\dot{x}=0$，$x=2$。

单击模型编辑窗口的"Simulation"选项，在子菜单项中选择"Configuration Parameters"选项，在弹出的窗口设置"Solver Options"，"Type"设为"Fixed - step"，"Fixed - step size"设为"0.005"。仿真时间设为 20s。

例 8-8 视频

双击 XY 图形显示模块，将 X、Y 轴的显示范围设置为 [-4,4]。

单击"Start simulation"快捷按钮开始仿真，XYGraph 显示结果如图 8-50 所示。

由两种方法得出同样的结果，相轨迹的起点从（2,0）开始，收敛到（0,0）点。可见奇点（0,0）是稳定焦点。

绘制 $\dot{x}=0$，$x_2=-4$ 附近相轨迹。设积分器 1 的初始状态为 0，积分器 2 的初始状态为 5，即 $\dot{x}=0$，$x=5$，将 X、Y 轴的显示范围设置为 [-8,6]、[-12,0]。结果如图 8-51 所示。

相轨迹的起点从（5,0）开始顺时针移动，在（-4,0）点附近转向后趋于无穷，可见奇点（-4,0）是鞍点，是不稳定奇点。

例 8-9 已知如图 8-53 所示的非线性系统，系统初始处于静止状态，饱和环节中 $a=0.25$，$K=8$，输入为阶跃信号，画出有测速反馈和不加测速反馈的 $e\text{-}\dot{e}$ 平面的相轨迹，并说明测速反馈的作用。

解 $e=r-c$，$\dot{e}=\dot{r}-\dot{c}$，输入为阶跃信号，所以 $\dot{e}=-\dot{c}$，在 Simulink 下建立结构图，如图 8-54 所示。

第 8 章 非线性系统分析

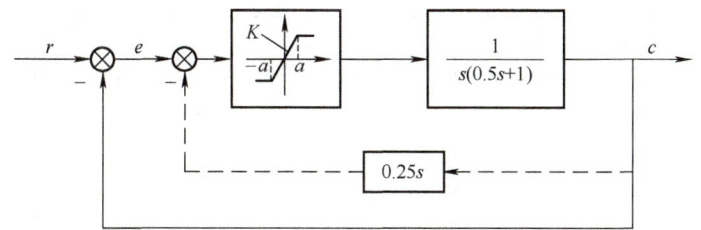

图 8-53 例 8-9 非线性系统框图

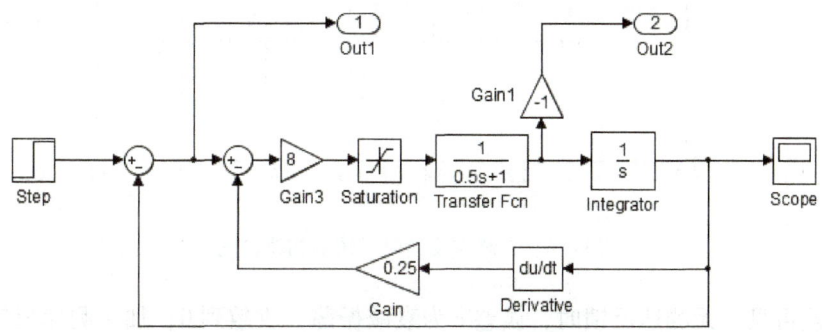

图 8-54 例 8-9 非线性系统结构图

积分器 Integrator 的输入为 $\dot{c}$，将其取反则为信号 $\dot{e}$。当然，也可以直接将 e 的信号求导得到 $\dot{e}$，图中的做法更方便看出回路中信号的关系。

将饱和非线性环节的上限设为 2，下限设为 -2，前面加一个 $K=8$ 的增益环节，实现 $a=0.25$，$K=8$ 的饱和非线性特性。

阶跃输入从 0 时刻开始，将信号 e 输出至 Out1，$\dot{e}$ 信号输出至 Out2。

当没有测速反馈时，将 "Gain" 设为 0；反之，设为 0.25。

运算后，e 与 $\dot{e}$ 的数据在工作空间的 yout 矩阵里，用 plot 指令绘出相轨迹图。图 8-55 为无测速反馈的相轨迹，图 8-56 是加了测速反馈后的相轨迹图。

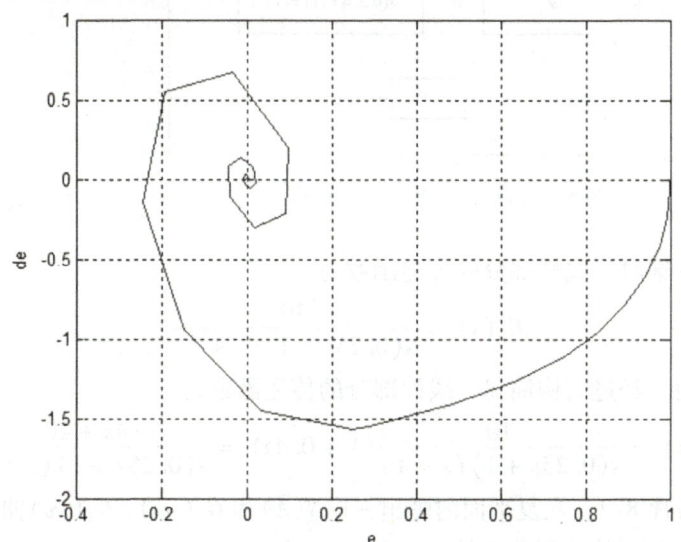

图 8-55 无测速反馈时系统的相轨迹图

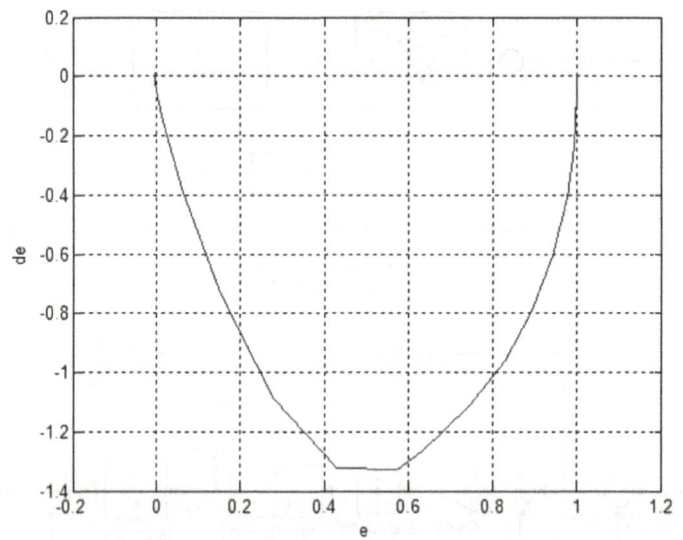

图 8-56 有测速反馈时系统的相轨迹图

由相轨迹可见，无测速反馈时，误差 e 为衰减振荡，收敛到 0；加了测速反馈后系统无振荡，几乎无超调，收敛加快，系统的阻尼增加，性能得到改善。

8.5.2 利用 MATLAB 分析非线性系统的稳定性及自激振荡

利用复平面上的线性部分的极坐标图和非线性部分的负倒描述函数曲线，能够方便地分析非线性系统的稳定性及自激振荡。下面举例加以说明。

例 8-10　图 8-57 所示的非线性控制系统，$K=1$，$a=1$，用描述函数法分析在有测速反馈和无测速反馈时系统的稳定性，系统是否会有稳定自振？若有，求出自振参数。

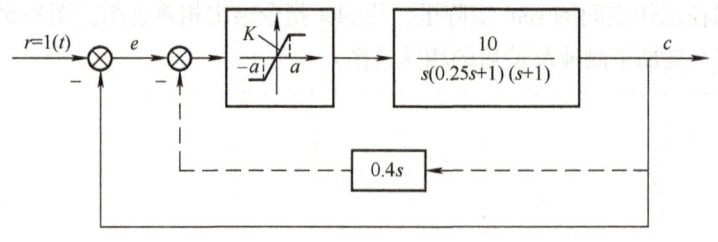

图 8-57　例 8-10 非线性系统框图　　　　　　　　　　例 8-10 视频

解　无测速反馈时，线性部分的传递函数为

$$G_1(s) = \frac{10}{s(0.25s+1)(s+1)}$$

有测速反馈时，经过结构简化，线性部分的传递函数为

$$G_2(s) = \frac{10}{s(0.25s+1)(s+1)}(1+0.4s) = \frac{4s+10}{s(0.25s+1)(s+1)}$$

%MATLAB 程序 8-2，在复平面内画出 $-1/N(A)$ 和 $G_1(j\omega)$、$G_2(j\omega)$ 曲线
A = 1:0.1:20;%A 的范围和步长

```
K = 1;a = 1;
disN1 = (2 * K/pi). * (asin(a./A) + (a./A). * sqrt(1 - (a./A).^2));  %饱和非线性的描述函数
disN = - 1./disN1;  %负倒描述函数
w = 1:0.01:400;  %频率范围和步长
num1 = [10];den1 = conv([0.25 1 0],[1 1]);
num2 = [4 10];den2 = den1;
[r1,i1,w] = nyquist(num1,den1,w);  % $G_1(j\omega)$
[r2,i2,w] = nyquist(num2,den2,w);  % $G_2(j\omega)$
plot(real(disN),imag(disN),r1,i1,r2,i2);
grid;
```

结果如图 8-58 所示，由图可见，随着 A 的增加，$-1/N(A)$ 曲线在负实轴上，从 (-1, j0) 开始由右向左移动，随着 ω 的增加，$G_1(j\omega)$ 与 $G_2(j\omega)$ 由下向上移动，$G_1(j\omega)$ 与 $-1/N(A)$ 存在交点，当振幅增大时，$-1/N(A)$ 从不稳定区域进入稳定区域，所以在无测速反馈时，系统受扰后稳定运动状态呈现稳定自振。

$G_2(j\omega)$ 与 $-1/N(A)$ 无交点，所以在有测速反馈时，例 8-10 非线性控制系统稳定。

由图 8-58 可以看出，$G_1(j\omega)$ 与 $-1/N(A)$ 的交点为 (-2, j0)。

继续执行以下两条指令。

```
A0 = spline(real(disN),A,-2);  %用样条函数插值出 -2 处的幅值
w0 = spline(i1,w,0);  %用样条函数插值出 0 处的频率值
```

例 8-10 视频 2

求出自振的频率 $\omega_0 = 2\text{rad/s}$，自激振荡的振幅 $A_0 = 2.4754$。

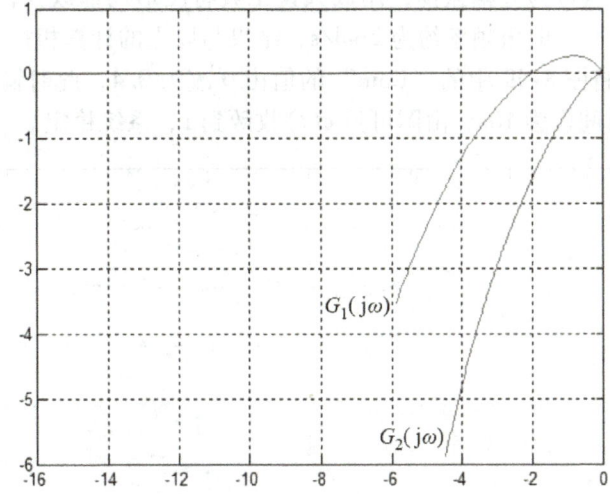

图 8-58　例 8-10 系统的 $-1/N(A)$ 曲线和 $G_1(j\omega)$、$G_2(j\omega)$ 曲线

图 8-59 为在 Simulink 下建立例 8-10 的非线性系统模型，此时，无测速反馈；双击 "Saturation" 模块，将 "Upper limit" 设为 1，"Lower limit" 设为 -1，仿真时间设为 30s。

观察例 8-10 系统的阶跃响应。

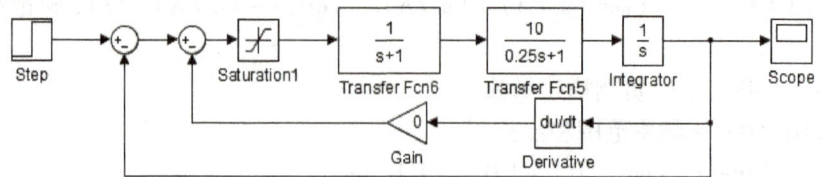

图 8-59　在 Simulink 下建立例 8-10 的非线性系统模型（无测速反馈）

输出 $c(t)$ 的波形如图 8-60 所示。

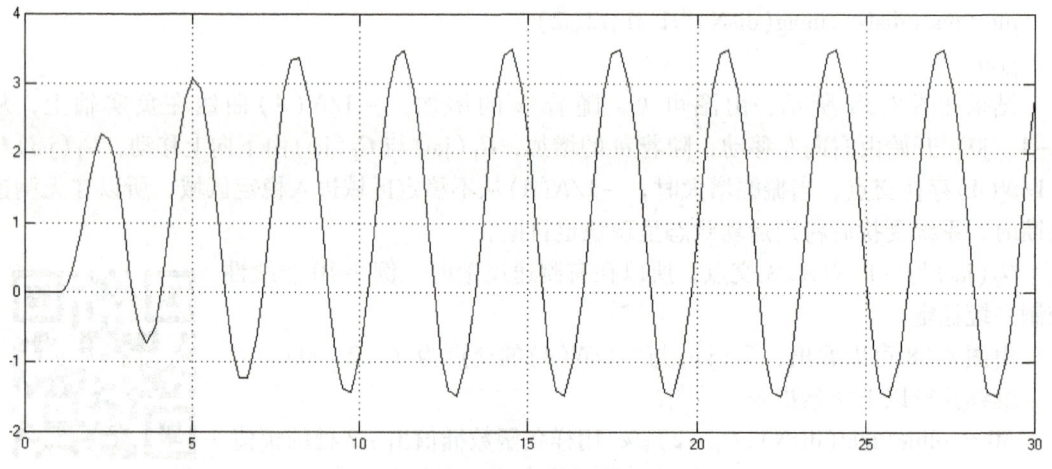

图 8-60　无测速反馈时输出 $c(t)$ 波形图

由图 8-60 可见，$c(t)$ 为等幅振荡，用放大镜工具将图形局部放大，可以读出振荡幅值约为 2.5，周期为 3.18s，即角频率约为 2rad/s，结果与以上的计算相符。

有测速反馈时，将图 8-59 中的"Gain"的值由 0 改为 0.4，此时输出 $c(t)$ 的波形图如图 8-61 所示，仿真时间设为 10s，由图可见 $c(t)$ 收敛到 1，系统稳定。

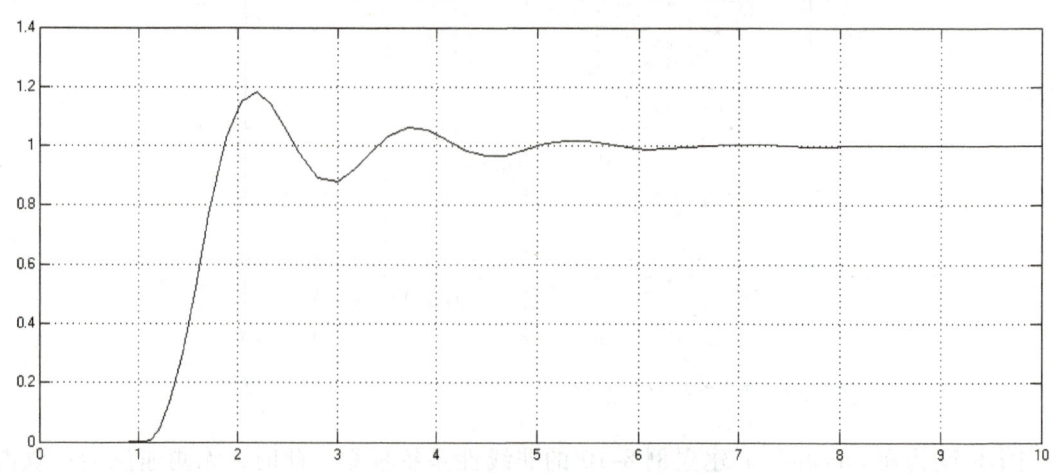

图 8-61　有测速反馈时输出 $c(t)$ 的波形图

8.5 节例子中新用到的 Simulink 模块来源与用途见表 8-3。

表 8-3 本节例子中用到的 Simulink 模块

名称	来源	用途
Dot Product	Math Operations	点积
Sign	Math Operations	符号运算
XY Graph	Sinks	绘制 XY 图
Out	Sinks	结果存入工作空间
Dead Zone	Discontinuities	死区非线性环节
Saturation	Discontinuities	饱和非线性环节
Relay	Discontinuities	信号延迟环节

本 章 小 结

本章主要讨论非线性因素对系统性能的影响以及非线性系统的分析方法。首先介绍了典型非线性特性及非线性系统的运动特点。非线性系统不满足叠加原理，并且非线性系统的稳定性不仅与系统的结构和参数有关，而且与系统输入信号和初始条件都有关系。

相平面法是一种图解方法，能够分析非线性系统的稳定性和运动状态等，但只适合一阶、二阶非线性系统。描述函数法是一种谐波线性化方法，对系统阶次没有限制，用来分析非线性系统的稳定性。描述函数法的应用是有条件的：线性部分与非线性部分可以分离；非线性特性必须是奇对称的；线性部分具有良好的低通滤波性能。

本章要求掌握相平面图的绘制方法，掌握奇点与极限环的类型，学会用相轨迹分析非线性系统的运动情况；掌握用描述函数法分析非线性系统的稳定性和自激振荡；了解 MATLAB 在非线性控制系统分析中的应用。

习 题

8-1 描述系统的微分方程为
$$\ddot{x} + (3\dot{x} - 0.5)\dot{x} + x + x^2 = 0$$
试确定系统奇点的位置及类型，并概略画出奇点附近的相轨迹。

8-2 试用等倾线法求下列方程的相平面图。
$$\ddot{x} + \dot{x} + |x| = 0$$

8-3 绘制并研究下列方程的相轨迹。

(1) $\ddot{x} + \dot{x} + \sin x = 0$ (2) $\ddot{x} + |x| = 0$

(3) $\ddot{x} + \dot{x}^2 + x = 0$ (4) $\begin{cases} \dot{x}_1 = x_1 + x_2 \\ \dot{x}_2 = 2x_1 + x_2 \end{cases}$

8-4 图 8-62 为具有饱和非线性元件的控制系统。系统原来处于静止状态，$K = 4$，$e_0 = 0.2$，$M = 0.2$，试在 $e\text{-}\dot{e}$ 平面上分别画出输入信号为下列函数时系统的相轨迹。

(1) $r(t) = R_0$ (2) $r(t) = R_0 + V_0 t$

8-5 图 8-63 所示为死区继电器非线性的控制系统，在初始条件为零时，$r(t) = 1(t)$，要求：

(1) 在 $e\text{-}\dot{e}$ 平面上绘出相轨迹。

(2) 判断该系统是否稳定，最大稳态误差是多少？

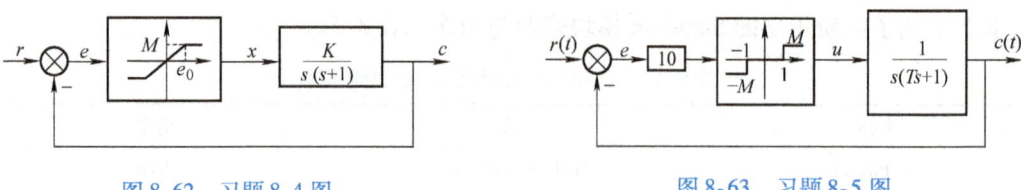

图 8-62　习题 8-4 图　　　　　　　　图 8-63　习题 8-5 图

8-6　图 8-64 所示为继电器非线性的控制系统，系统的输入信号为 $r(t)=4\cdot1(t)$，初始状态 $c(0)=-3$，$\dot{c}(0)=0$，绘制系统的相轨迹，并求出系统运动最大速度及峰值时间。

8-7　已知具有理想继电器的非线性系统如图 8-65 所示，试用相平面法分析：

(1) $\beta=0$ 时系统的运动。

(2) $\beta=0.5$ 时系统的运动，并说明比例微分对改善系统的作用。

(3) $\beta=2$ 时系统的运动，并考虑继电器有延时系统的运动。

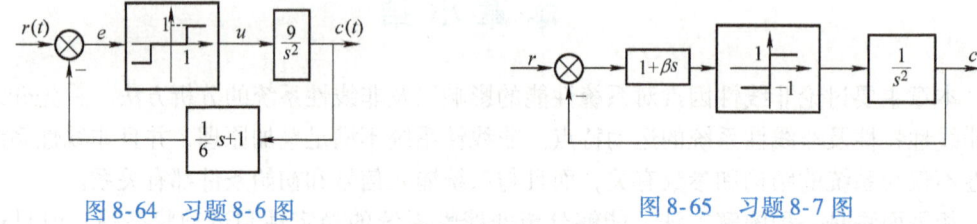

图 8-64　习题 8-6 图　　　　　　　　图 8-65　习题 8-7 图

8-8　非线性特性如图 8-66 所示，试计算非线性特性的描述函数，并在复平面上画出负倒描述函数。

8-9　设系统如图 8-67 所示，试讨论参数 T 对系统自振的影响，若 $T=0.24\mathrm{s}$，试求出输出振荡的振幅和频率。

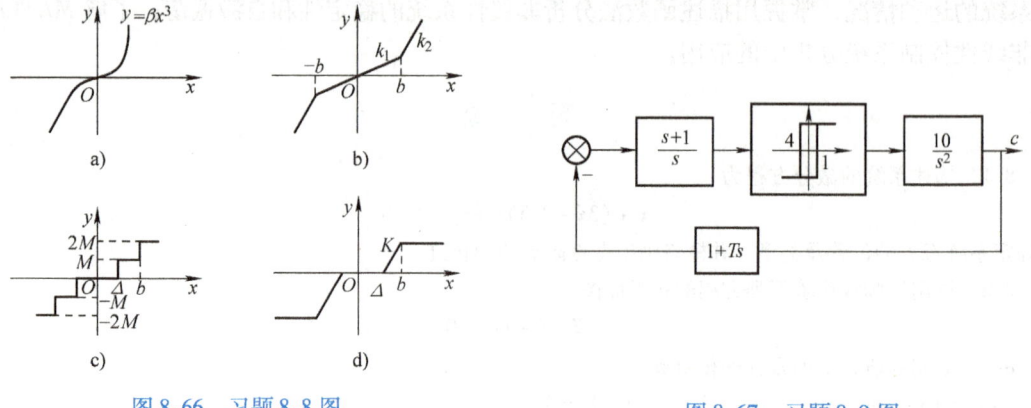

图 8-66　习题 8-8 图　　　　　　　　图 8-67　习题 8-9 图

8-10　非线性控制系统如图 8-68 所示，为使系统不产生自振，求继电器特性参数 a 和 b 的关系。

8-11　非线性控制系统如图 8-69 所示。

(1) 若系统处于稳定自振状态时，线性环节 $G(s)=\dfrac{2K}{s(s+1)}$ 的相角迟后 $135°$，求此时的 K，并确定输出端的自振频率与幅值。

(2) 定性分析当 K 值增加时，系统输出端自振频率与幅值的变化趋势。

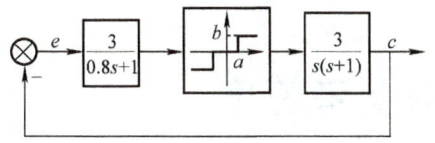
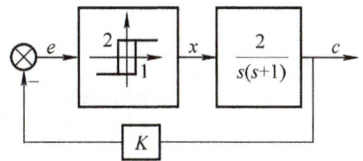

图 8-68　习题 8-10 图　　　　　　　　　图 8-69　习题 8-11 图

8-12　已知非线性系统如图 8-70 所示，写出 MATLAB 程序实现。
（1）用函数描述法分析系统的稳定性。
（2）为了消除自激振荡，继电器参数应如何调整？
（3）为了消除自激振荡，K 值应如何调整？

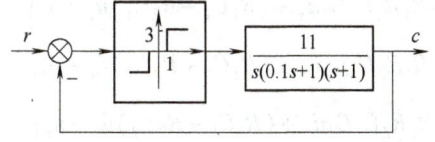
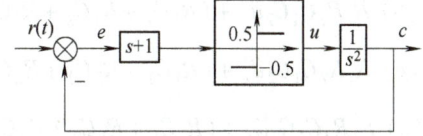

图 8-70　习题 8-12 图　　　　　　　　　图 8-71　习题 8-13 图

8-13　设控制系统如图 8-71 所示，$r(t)=6$，$c(0)=\dot{c}(0)=0$。试在 $e-\dot{e}$ 平面上绘制该系统相轨迹，并问经过多长时间，系统的状态可以达到平衡位置？写出 MATLAB 程序实现。

附录　部分习题参考答案

第 2 章

2-1　(a) $\dfrac{R_1 R_2}{R_1+R_2}C\dot{u}_c + u_c = \dfrac{R_1 R_2}{R_1+R_2}C\dot{u}_r + \dfrac{R_2}{R_1+R_2}u_r$；

(b) $R_1 R_2 C_1 C_2 \ddot{u}_c + (R_1 C_1 + R_1 C_2 + R_2 C_1)\dot{u}_c + u_c = R_1 R_2 C_1 C_2 \ddot{u}_r + (R_1 C_1 + R_2 C_1)\dot{u}_r + u_r$；

(c) $R_1 R_2 C_1 C_2 \ddot{u}_c + (R_1 C_2 + R_2 C_2 + R_2 C_1)\dot{u}_c + u_c = R_1 R_2 C_1 C_2 \ddot{u}_r + (R_2 C_2 + R_2 C_1)\dot{u}_r + u_r$。

2-2　(a) $R_1 R_2 C_1 C_2 \ddot{u}_c + (R_1 C_1 + R_1 C_2 + R_2 C_2)\dot{u}_c + u_c = R_1 R_2 C_1 C_2 \ddot{u}_r + (R_1 C_1 + R_2 C_2)\dot{u}_r + u_r$；

(b) $\dfrac{B_1 B_2}{K_1 K_2}\ddot{x}_c + \left(\dfrac{B_1}{K_1} + \dfrac{B_2}{K_2} + \dfrac{B_2}{K_1}\right)\dot{x}_c + x_c = \dfrac{B_1 B_2}{K_1 K_2}\ddot{x}_r + \left(\dfrac{B_1}{K_1} + \dfrac{B_2}{K_2}\right)\dot{x}_r + x_r$。

2-3　(a) $u_c = -R_2 C \dot{u}_r - \dfrac{R_2}{R_1}u_r$； (b) $R_2 C \dot{u}_c + u_c = -\dfrac{R_2}{R_1}u_r$； (c) $R_1 C \dot{u}_c = -R_2 C \dot{u}_r - u_r$。

2-4　$T_f T_m \dfrac{d^2 \omega}{dt^2} + (T_f + T_m)\dfrac{d\omega}{dt} + \omega = K_d u_f$，式中：$T_f = \dfrac{L_f}{R_f}$，$T_m = \dfrac{J}{B}$；$K_d = \dfrac{K_i}{R_f B}$

2-5　$RS \dfrac{d\Delta H}{dt} + \Delta H = R\Delta Q_i$，式中 $R = \dfrac{2\sqrt{H_0}}{\alpha}$

2-6　$G(s) = \dfrac{3s^4 + 3s^3 + 5s^2 + 2s}{s^3 + 2s^2 + s + 2}$

2-7　$\dfrac{C(s)}{R(s)} = \dfrac{(\tau s + K_1)K_2 K_3 K_4}{Ts^2 + (1 + K_3 T + K_2 K_3 K_4 \tau)s + K_3 + K_3 K_4 + K_1 K_2 K_3 K_4}$

2-8　$\dfrac{R_1 R_3 R_4 C_1 C_2}{R_5}\ddot{u}_c + \dfrac{R_1 R_3 R_4 C_2}{R_2 R_5}\dot{u}_c - u_c = -u_r$

2-9　$\dfrac{L_a J}{K_i K_e}\ddot{\omega} + \dfrac{1}{K_i K_e}(R_a J + L_a B)\dot{\omega} + \left(\dfrac{R_a B}{K_i K_e} + 1\right)\omega = \dfrac{1}{K_e}u_a$

2-10　(a) $\dfrac{C(s)}{R(s)} = \dfrac{G_1 G_2 + G_2 G_3}{1 + G_1 G_2 H_2 + G_2 H_1}$；(b) $\dfrac{C(s)}{R(s)} = \dfrac{G_1 G_2 G_4 + G_2 G_4 + G_3 G_4}{1 + G_2 G_4 + G_3 G_4}$；

(c) $\dfrac{C(s)}{R(s)} = \dfrac{G_1 G_2 (1 + H_1 H_2)}{1 + G_1 H_1 + H_1 H_2}$；(d) $\dfrac{C(s)}{R(s)} = \dfrac{G_1 G_2 G_3 G_4}{1 + G_2 G_3 H_3 + G_1 G_2 H_2 + G_3 G_4 H_4 - G_1 G_2 G_3 G_4 H_1}$。

2-11 （a） $\dfrac{C(s)}{R(s)} = \dfrac{1 + G_1G_2 + G_2H_2}{1 + G_1H_1 + G_2H_2 + G_1G_2H_3 + G_2H_2H_3 + G_1G_2H_1H_2 + H_3}$;

（b） $\dfrac{C(s)}{R(s)} = \dfrac{G_1(1 + G_2)}{1 + G_1 + G_2 + G_1H_1 + G_1G_2H_1}$

2-12 （a） $G(s) = \dfrac{0.5K}{s^3 + 3.5s^2 + s + 0.5K}$;

（b） $G(s) = \dfrac{G_1G_2G_3G_4 + G_1G_5 + G_6(1 + G_4H_2)}{1 + G_1G_2H_1 + G_1G_2G_3 + G_1G_5 + G_4H_2 + G_1G_2G_4H_1H_2}$;

（c） $\dfrac{C(s)}{R(s)} = \dfrac{G_1G_2G_3G_4 + G_3G_4G_5 + G_1G_6(1 + G_3H_1)}{1 + G_1G_2G_3G_4H_2 + G_1G_6H_2 + G_3H_1 + G_1C_3G_6H_1H_2}$;

（d） $\dfrac{C(s)}{R(s)} = \dfrac{G_6(1 + G_3H_1 + G_2G_3H_2 + G_3G_4H_3) + G_1G_2G_3G_4G_5}{1 + G_3H_1 + G_2G_3H_2 + G_3G_4H_3}$

2-13 （a） $G(s) = \dfrac{G_1G_2G_3}{1 + G_2H_1 + G_1G_2H_1 + G_2G_3H_2} + G_4$; （b） $G(s) = \dfrac{G_1 + G_2 - 2G_1G_2}{1 + G_1 + G_2 - 3G_1G_2}$

2-14 $C(s) = \dfrac{[G_1G_2 + G_1G_3(1 + G_2H)]R(s) + [1 + G_2H + G_1G_2G_4 + G_1G_3G_4(1 + G_2H)]N(s)}{1 + G_1G_2 + G_2H + G_1G_3 + G_1G_2G_3H}$

2-15 （1） $\dfrac{C(s)}{R(s)} = \dfrac{K_1K_2K_3}{K_1K_2K_3 + s(Ts+1)}$; $\dfrac{C(s)}{N(s)} = \dfrac{K_1K_2K_3G_0(s) - K_3K_4s}{K_1K_2K_3 + s(Ts+1)}$; （2） $G_0(s) = \dfrac{K_4s}{K_1K_2}$。

第 3 章

3-1 （1） $W(s) = \dfrac{600}{s^2 + 70s + 600}$; （2） $\zeta = \dfrac{70}{2\times\sqrt{600}} = 1.429, \omega_n = \sqrt{600} = 24.5$。

3-2 $K_1 = \omega_n^2 \approx 1108.89, K_2 = K = 3, a = 2\zeta\omega_n \approx 2 \times 0.33 \times 33.3 \approx 21.98$

3-3 $K_h = 0.9, K_0 = 10$

3-4 （1） $\dfrac{C(s)}{R(s)} = \dfrac{2-s}{s^2 - 0.5s + 2.25} = \dfrac{2-s}{(s - 0.25 + 0.1479\text{j})(s - 0.25 - 0.1479\text{j})}$;

（2） $\zeta = -\dfrac{1}{6}, \omega_n = 1.5, c(t) = \dfrac{2}{\omega_n^2}c_1(t) - \dfrac{1}{\omega_n^2}\dfrac{\text{d}c_1(t)}{\text{d}t}$;

$c_1(t) = 1 - \dfrac{\text{e}^{-\zeta\omega_n t}}{\sqrt{1-\zeta^2}}\sin[\omega_n\sqrt{1-\zeta^2}t + \arccos\zeta]$。

3-5 （1） $s_{1,2} = -1 \pm \text{j}4.89, c(t) = 1 - 1.02\text{e}^{-1}\sin(4.89t + 78.4°), t_s = 3\text{s}$;

（2） $s_{1,2} = -6 \pm 5\sqrt{0.44}, c(t) = 1 + 0.4\text{e}^{-9.3t} - 1.4\text{e}^{-2.68t}, t_s \approx \dfrac{1}{\omega_n}(6.45\zeta - 1.7) \approx 1.2\text{s}$;

（3）因为 $|s_2/s_1| \approx 6.85 \approx 7$，所以可以忽略较远特征根的作用。

3-6 $K = 10, \zeta = 0.4, \omega_n = 5, H(s) = 0.01228\text{s}$

3-7　满足 $\zeta \geq 0.69$、$\zeta\omega_n > 1$、$\omega_d > \pi$ 或 $\omega_d < -\pi$ 的区域。

3-8　(1) 有两个正实部根，系统不稳定；(2) 系统稳定；(3) 有两对纯虚根，$s_{1,2} = \pm j0.52$，$s_{3,4} = \pm j1.93$，系统临界稳定；(4) 有两个正实部根，系统不稳定。

3-9　当 $K > 1$ 时，$0 < T < \dfrac{2(K+1)}{K-1}$；当 $0 < K < 1$ 时，$T > 0$。

3-10　$48.187 < K < 272.32$。

3-11　(1) $\zeta = 0.354$，$\omega_n = \sqrt{8}$，$e_{ssr} = 0.25$；(2) $a = 0.25$，$e_{ssr} = 0.5$；(3) $K = 32$，$a = 0.1875$。

3-12　(1) $K_1 = 18.15$，$K_t = 0.214$；(2) $K_p = \infty$，$K_v = 4.673$，$K_a = 0$。

3-13　(1) $b_0 = 6$，$b_1 = 2.6$；(2) $e_{ssr} = 0.85$。

3-14　(1) $K_d = 0$ 时，$e_{ss} = (1 - K_f)/K$；(2) $K_d = (1 - K_f)/K$ 时，$e_{ss} = 0$。

3-15　(1) $e_{ssr} = 0.25$，$e_{ssn} = -0.25$，$e_{ss} = e_{ssr} + e_{ssn} = 0$；
　　　(2) $\omega_n = \sqrt{2}$，$\zeta = 0.177$，$\sigma\% = 56.88\%$，$t_p = 2.26$。

3-16　(1) 闭环传递函数 $W(s) = \dfrac{K/7}{s^2 + 10s + 21 + K/7}$；
　　　(2) 由 $\sigma\% \leq 15\%$，得 $\zeta \geq 0.52$，$K \leq 500.19$；由 $e_{ss} \leq 12\%$ 得 $K \geq 1078$。矛盾解。

3-17　(1) $K > 0.1$；(2) $K = 2.7$；(3) $s_1 = -4.56$，$s_2 = -0.438$。

第 4 章

4-1　(1) 渐近线 $\theta = \pm 60°, 180°$；$\sigma = -3$；分离点 -1.27（-4.73 舍去）；与虚轴交点 4.24，$K = 162$；
　　　(2) 临界稳定时 $K = 162$，闭环极点 $\pm j4.24$，-9。

4-2　分离会合点 0.414 及 -2.414，与虚轴交点 $\pm j$；$K > 1$ 稳定。

4-3　渐近线 $\theta = \pm 60°, 180°$；$\sigma = -2$。出射角 $\mp 15.25°$；与虚轴交点 $s = \pm j3.4$，$K^* = 63.2$。

4-4　渐近线 $\theta = \pm 60°, 180°$；$\sigma = -2/3$。出射角 $\mp 45°$；与虚轴交点 $s = \pm j1.414$，$K = 4$。当 $0 < K < 4$ 系统稳定。

4-5　渐近线 $\theta = \pm 60°、180°$，$\sigma = -2/3$；出射角 $\mp 55°$；分离会合点 0.46 和 -2.22；与虚轴交点 1.57 和 2.56；当 $1.46 < K < 2.23$（即 $23.4 < K^* < 35.7$）时系统稳定。

4-6　(1) 渐近线 $\theta = \pm 90°$，$\sigma = 0$；分离会合点 ± 2 及 $\pm j3.46$；入射角 $\mp 90°$；系统不稳定。
　　　(2) 渐近线 $\theta = \pm 90°$；$\sigma = 7/2$；分离点 -0.43。$0 < K < 6/7$ 时系统稳定。

4-7　(1) 渐近线 $\theta = \pm 90°$；$\sigma = -5$；分离点 -3.854。系统稳定范围 $0 < K < 1$；
　　　(2) $W(s) = \dfrac{0.4(s-1)(s+5)}{(s+1)(s^2+8s+18)}$。

4-8　(1) 渐近线 $\theta = \pm 90°$，$\sigma = -4.5$，分离会合点 -4 及 -2.5，K 的取值范围为 $(0, 31.3)$、$(32, \infty)$ 时为阻尼振荡，K 在 $[31.3, 32]$ 之间为单调变化过程；
　　　(2) $a = 9$；(3) $K = 27$；(4) 渐近线 $\theta = \pm 90°$，$\sigma = -2$；不能等效。

4-9　设 $a = 0$，画以 K 为参量的根轨迹为整个虚轴；再依次取 $K = 1, 4, 9, \cdots$，画以 a 为参量的根轨迹，即为根轨迹簇。

4-10　当 $0 < K < 1$ 时，T_a 取任何正实值系统均稳定；当 $T_a \geq 1$ 时，要求 $K < 2$，否则系统不

稳定。

4-11 （1）渐近线 $\theta = \pm 60°$，$180°$；$\sigma = -2/3$；与虚轴交点 $\pm j1.414$，$a = 4$。$a < 4$ 系统稳定。

（2）满足 $e_{ss} \leq 0.5$ 的 a 的范围是 $[2, 4)$。

4-12 负反馈：渐近线 $\theta = \pm 60°$、$180°$，$\sigma = -5/3$；与虚轴交点 $s = \pm j1.414$。稳定范围 $0 < K < 12$。正反馈：渐近线 $\theta = 0°$、$\pm 120°$，$\sigma = -5/3$。系统恒不稳定。

4-13 $c(t) = 1 - 2e^{-2t} + \sqrt{2}e^{-2t}\cos(2t + 45°)$。

4-14 （1）分离点 -0.41，入射角 $\pm 200°$，与虚轴交点 $\pm j1.25$；（2）$0.2 < K < 0.75$ 稳定；（3）$K = 0.311$。

4-15 （2）会合点 $s = -1$，出射角 $\pm 180°$；（3）$\alpha = 0.999$。

4-16 （1）渐近线 $\theta = \pm 60°$，$180°$；$\sigma = -1$；分离点 -0.42；与虚轴交点 $\pm j1.414$，$K = 3$；$0 < K < 3$ 稳定。（2）$\zeta = 0.5$ 时闭环主导极点 $s_{1,2} = -0.33 \pm j0.58$；$\sigma\% = 16.3\%$，$t_s = 9$。

4-17 渐近线 $\theta = \pm 60°$，$180°$；$\sigma = -1/3$；分离点 $-1/6$；与虚轴交点 $\pm j0.5$，$a = 1$；$0.074 < a < 1$ 衰减振荡；$a = 0.1875$。

4-18 K 值较小时，ζ 小，$\sigma\%$ 大，t_s 长；K 增大，$\zeta \uparrow$（< 0.707），$\sigma\% \downarrow$，$t_s \downarrow$（$> 3s$）。

第 5 章

5-1 $G(j\omega) = \dfrac{3(j\omega)^2 + 8j\omega + 8}{(j\omega + 1)(j\omega + 2)(j\omega + 4)}$

5-2 $C_{ss}(t) = \dfrac{AK\sqrt{(\omega T_2)^2 + 1}}{\sqrt{(\omega T_1)^2 + 1}} \sin(\omega t + \arctan\omega T_2 - \arctan\omega T_1)$

5-3 $\omega_n = 1.244$，$\zeta = 0.22$。

5-6 （1）$Z = 0$，稳定；（2）$Z = 2$，不稳定；（3）$Z = 2$，不稳定；（4）$Z = 1$，不稳定。

5-7 $Z = 2$，不稳定。

5-8 $G(s) = \dfrac{100}{s^2 + 10s + 100}$

5-9 （1）$K = 10$；$\omega_c = 1$；系统临界稳定；（2）$K \uparrow$，稳定性变差。（3）T_1、$T_2 \downarrow$，对稳定性有利。

5-10 (a) $G(s) = \dfrac{\sqrt{10}}{s + 1}$；(b) $G(s) = \dfrac{31.6s}{(10s + 1)(100s + 1)}$；

(c) $G(s) = \dfrac{0.5(2s + 1)}{s^2(0.5s + 1)}$；(d) $G(s) = \dfrac{62.5(s + 1)}{s(s^2 + 1.02s + 6.25)}$。

5-11 $G(s) = \dfrac{1.08}{s(0.5s + 1)(s + 1)}$

5-12 稳定范围：$0 < K < 1.9$。

5-13 （1）$a = 0.84$；（2）$K = 2.83$。

5-14 $K = 1.52$，其中 $\omega_g = 0.722$。

5-15　系统闭环稳定，$K_g = 3.53\text{dB}$，$\gamma = 180°$

5-16　$K = 0.1$，$\gamma \approx 90°$

5-17　$5 < K \leqslant 10$

5-18　$\sigma\% = 20\%$，$t_s = 1.17$

第 6 章

6-1　$G_c(s) = \dfrac{0.032s + 1}{0.0073s + 1}$

6-2　$G_c(s) = \dfrac{1 + aTs}{1 + Ts} = \dfrac{1 + 0.026s}{1 + 0.01s}$

6-3　$G_c(s) = \dfrac{1 + aTs}{1 + Ts} = \dfrac{1 + 0.18s}{1 + 0.039s}$

6-4　$G_c(s) = \dfrac{1 + bTs}{1 + Ts} = \dfrac{1 + 11s}{1 + 121s}$

6-5　$G_c(s) = \dfrac{1 + bTs}{1 + Ts} = \dfrac{1 + 8.3s}{1 + 49s}$

6-6　$G_c(s) = \dfrac{(1 + bT_1 s)(1 + aT_2 s)}{(1 + T_1 s)(1 + T_2 s)} = \dfrac{(1 + 0.62s)(1 + 0.164s)}{(1 + 1.67s)(1 + 0.06s)}$

6-7　方案（c）的稳定裕度量最大，且对 12Hz 的正弦干扰削弱 10 倍左右。

6-8　$0 < K < 0.051$，$G_r(s) = as, a \geqslant 2.46$

6-10　$G_c(s) = \dfrac{0.05s}{0.143s + 1}$

第 7 章

7-1　(1) $E^*(s) = \sum\limits_{k=0}^{\infty} e(kT) e^{-kTs} = \sum\limits_{k=0}^{\infty} kT e^{-kTs} = \dfrac{T e^{Ts}}{(e^{Ts} - 1)^2}, E(z) = \dfrac{Tz}{(z-1)^2}$;

(2) $E^*(s) = \sum\limits_{k=0}^{\infty} e(kT) e^{-kTs} = \sum\limits_{k=0}^{\infty} kT e^{-akT} e^{-kTs}, E(z) = \dfrac{T(e^{aT} z)^{-1}}{[1 - (e^{aT} z)^{-1}]^2} = \dfrac{Tz e^{-aT}}{(z - e^{-aT})^2}$。

7-2　$Z[\delta_T(t)] = \dfrac{z}{z - 1}$

7-3　(1) $X(z) = \dfrac{Tz}{(z-1)^2}$；(2) $X(z) = \dfrac{z(z - \cos\omega T)}{z^2 - 2z\cos\omega T + 1}$；(3) $X(z) = T^2 \dfrac{z(z+1)}{(z-1)^3}$；

(4) $X(z) = \dfrac{(1 - e^{-aT}) z}{(z-1)(z - e^{-aT})}$；(5) $X(z) = \dfrac{Tz e^{-aT}}{(z - e^{-aT})^2}$；(6) $X(z) = \dfrac{e^{aT} z \sin\omega T}{e^{2aT} z^2 - 2z e^{aT} \cos\omega T + 1}$。

7-4　(1) $X(z) = \dfrac{2z}{z - e^{-T}} - \dfrac{z}{z - e^{-2T}}$；(2) $X(z) = \dfrac{Tz e^{-aT}}{(z - e^{-aT})^2}$；

$(3) X(z) = \dfrac{1-(T+1)\mathrm{e}^{-T}+(T-1+\mathrm{e}^{-T})z}{z^2-(1+\mathrm{e}^{-T})z+\mathrm{e}^{-T}}$。

7-5 $(1) x^*(t) = \sum\limits_{k=0}^{\infty} 0.5^k \delta(t-kT)$；$(2) x^*(t) = 10\sum\limits_{k=0}^{\infty}(2^k-1)\delta(t-kT)$；

$(3) x^*(t) = \sum\limits_{k=0}^{\infty}(-1)^k(1-2)^k \delta(t-kT)$；

$(4) x^*(t) = \dfrac{1}{\mathrm{e}^{-aT}-\mathrm{e}^{-bT}} \sum\limits_{k=0}^{\infty}(\mathrm{e}^{-akT}-\mathrm{e}^{-bkT})\delta(t-kT)$；

$(5) x^*(t) = \sum\limits_{k=0}^{\infty}(2^k-1-k)\delta(t-kT)$；

$(6) x^*(t) = \sum\limits_{k=0}^{\infty}\left[\dfrac{8}{7}\times 0.8^k - \dfrac{1}{7}\times 0.1^k\right]\delta(t-kT)$

$= \delta(t) + 0.9\delta(t-T) + 0.73\delta(t-2T) + 0.585\delta(t-3T) + \cdots$。

7-6 $(1)\ c(k) = \dfrac{1}{2}\delta(k) - (1)^k + \dfrac{1}{2}(2)^k, k = 0,1,2,\cdots$；

$(2)\ c(kT) = \dfrac{1}{3} + \dfrac{4^k}{6} - 2^{k-1}, k = 0,1,2,\cdots$

7-8 a) $C(z) = \dfrac{(1-\mathrm{e}^{-10T})z}{(z-1)(z-\mathrm{e}^{-10T})} R(z)$；b) $C(z) = \dfrac{10z^2}{(z-1)(z-\mathrm{e}^{-10T})} R(z)$。

7-9 (a) $C(z) = \dfrac{G_1(z)R(z)}{1+G_1G_2(z)+G_1(z)G_3(z)}$；(b) $C(z) = \dfrac{RG_2G_4(z)+RG_1(z)G_hG_3G_4(z)}{1+G_kG_3G_4(z)}$；

(c) $C(z) = \dfrac{[D_1(z)+D_2(z)]G_hG_1G_2(z)R(z)+NG_2(z)}{1+D_1(z)G_hG_1G_2(z)}$。

7-10 $c(kT) = 100(1+k)\mathrm{e}^{-kT}, k = 0,1,2,\cdots$

7-11 (1) 系统不稳定；(2) 系统稳定。

7-12 (1) 系统稳定；(2) $T=1$, $0<K<2.394$；(3) $K=1$, $T=0.1\mathrm{s}$, $1\mathrm{s}$, $2\mathrm{s}$, $4\mathrm{s}$

$c^*(t) = 0.386\delta(t-T) + \delta(t-2T) + 1.4\delta(t-3T) + 1.4\delta(t-4T) + 1.147\delta(t-5T) + 0.894\delta(t-6T) + \cdots$

7-13 分离点：$z_1 = 0.743$, $K = 0.204$；会合点：$z_2 = -2.493$, $K = 404.671$。稳定范围 $0<K<32.21$。其中当 $0<K<0.204$ 时，系统非振荡；当 $0.204<K<32.21$ 时，系统过程是振荡的。

7-14 $K_p = \infty$, $K_v = 0.4$, $e(\infty) = 0.5$

7-15 $D(z) = \dfrac{0.552(z-0.819)}{z-1}$

7-16 $D(z) = 1.58 - 0.58z^{-1}$

第 8 章

8-1 $x = 0$ 的奇点为不稳定焦点，$x = -1$ 的奇点为鞍点。

8-2 $\begin{cases} \text{I} : \ddot{x} + \dot{x} + x = 0, & (x \geq 0) \\ \text{II} : \ddot{x} + \dot{x} - x = 0, & (x < 0) \end{cases}$，相应等倾线方程 $\begin{cases} \dot{x} = \dfrac{-1}{1+\alpha}x \\ \dot{x} = \dfrac{1}{1+\alpha}x \end{cases}$

8-3 (1) 奇点为 $x = k\pi$ ($k = 0, \pm 1, \pm 2, \cdots$)。$x = 2k\pi$ ($k = 0, \pm 1, \pm 2, \cdots$) 的奇点为稳定焦点；$x = (2k+1)\pi$，($k = 0, \pm 1, \pm 2, \cdots$) 的奇点为鞍点。

(2) $\begin{cases} \text{I} : \ddot{x} + x = 0, & (x \geq 0) \\ \text{II} : \ddot{x} - x = 0, & (x < 0) \end{cases}$，奇点在原点，I 区为中心点，II 区为鞍点。

(3) 奇点在 $x = 0$，奇点为中心点；

(4) 奇点在 $x = 0$，奇点为鞍点。

8-5 (1) 图略。分 3 个区域，$T\ddot{e} + \dot{e} = \begin{cases} -M, & e > 0.1 \quad (1) \\ 0, & -0.1 < e < 0.1 \quad (2) \\ M, & e < -0.1 \quad (3) \end{cases}$，开关线 $e = \pm 0.1$

(2) 系统稳定，最大稳态误差 $e_{\max} = 0.1$。

8-6 图略。开关线方程 $\begin{cases} 6c + \dot{c} = 18 \\ 6c + \dot{c} = 30 \end{cases}$，峰值时间 $\dfrac{20}{9}$s。

8-7 图略。开关线方程：$\beta = 0$ 时，$e = 0$；$\beta = 0.5$ 时，$\dot{e} = -2e$；$\beta = 2$ 时，$\dot{e} = -0.5e$。加入比例微分控制可以改善系统的稳定性，当微分作用增强时，响应加快。

8-8 (a) $N(A) = \dfrac{3\beta}{4}A^2$；

(b) $N(A) = k_2 + \dfrac{2(k_1 - k_2)}{\pi}\left[\arcsin\dfrac{b}{A} + \dfrac{b}{A}\sqrt{1 - \left(\dfrac{b}{A}\right)^2}\right]$, $\quad A > b$；

(c) $N(A) = \dfrac{4M}{\pi A}\left[\sqrt{1 - \left(\dfrac{\Delta}{A}\right)^2} + \sqrt{1 - \left(\dfrac{b}{A}\right)^2}\right]$, $\quad A > b$；

(d) $N(A) = \dfrac{2K}{\pi}\left[\arcsin\dfrac{b}{A} - \arcsin\dfrac{\Delta}{A} + \dfrac{b}{A}\sqrt{1 - \left(\dfrac{b}{A}\right)^2} - \dfrac{\Delta}{A}\sqrt{1 - \left(\dfrac{\Delta}{A}\right)^2}\right]$, $\quad A \geq b$。

8-9 输出振幅和频率：$C_A = 0.36$，$\omega = 11.86$。

8-10 $a > \dfrac{8b}{\pi}$

8-11 (1) $K = \dfrac{\pi}{8}$，$\omega = 1$，$A = \sqrt{2}$，输出端的幅值：$|C_A| = \dfrac{\sqrt{2}}{K} = 3.6$；

(2) 当 K 增大时，系统输出端的自振频率将随之增大，输出端幅值将减小。

参 考 文 献

[1] 沈绍信，王金城，李亚芬. 自动控制原理［M］. 大连：大连理工大学出版社，1997.
[2] 孟华. 自动控制原理［M］. 2版. 北京：机械工业出版社，2014.
[3] 胡寿松. 自动控制原理［M］. 6版. 北京：科学出版社，2013.
[4] 戴忠达. 自动控制理论基础［M］. 北京：清华大学出版社，1997.
[5] 张爱民，任志刚，王勇，等. 自动控制理论［M］. 2版. 北京：清华大学出版社，2019.
[6] 王永骥，王金城，王敏. 自动控制原理［M］. 3版. 北京：化学工业出版社，2015.
[7] 李友善. 自动控制原理［M］. 3版. 北京：国防工业出版社，2005.
[8] 王划一，杨西侠，林家恒. 自动控制原理［M］. 北京：国防工业出版社，2001.
[9] 夏德钤，翁贻方. 自动控制理论［M］. 2版. 北京：机械工业出版社，2004.
[10] 邹伯敏. 自动控制理论［M］. 3版. 北京：机械工业出版社，2007.
[11] 翁思义，杨平. 自动控制原理［M］. 北京：中国电力出版社，2001.
[12] 谢克明. 自动控制原理［M］. 2版. 北京：电子工业出版社，2009.
[13] 王建辉，顾树生. 自动控制原理［M］. 4版. 北京：冶金工业出版社，2005.
[14] 程鹏. 自动控制原理［M］. 北京：高等教育出版社，2003.
[15] DORF R BISHOP R. 现代控制系统：（第10版）［M］. 赵千川，冯梅，译. 北京：清华大学出版社，2008.
[16] 王正林，王胜开，陈国顺，等. MATLAB/Simulink与控制系统仿真［M］. 4版. 北京：电子工业出版社，2017.
[17] 刘卫国. MATLAB程序设计与应用［M］. 2版. 北京：高等教育出版社，2006.
[18] 吴晓燕，张双选. MATLAB在自动控制中的应用［M］. 西安：西安电子科技大学出版社，2006.
[19] 黄忠霖. 控制系统MATLAB计算及仿真［M］. 2版. 北京：国防工业出版社，2010.
[20] 胡寿松. 自动控制原理习题集［M］. 2版. 北京：科学出版社，2003.
[21] 王万良. 自动控制原理［M］. 北京：科学出版社，2001.
[22] 绪方胜彦. 现代控制工程［M］. 4版. 北京：清华大学出版社，2006.
[23] DORF R C，BISHOP R H. Modern Control Systems［M］. 12th ed. New Jersey：Pearson Education，Inc.，2011.
[24] DORF R C，BISHOP R H. Modern Control Systems Solution Manual［M］. 11th ed. New Jersey：Prentice Hall，Inc.，2008.